中国水力发电工程学会水电控制设备专委会学术会议

2004 中国水电控制设备论文集

主编　孔昭年

U0268655

黄河水利出版社

图书在版编目(CIP)数据

2004 中国水电控制设备论文集／孔昭年主编. —郑州：黄河水利出版社,2004.10

ISBN 7－80621－827－0

Ⅰ.2⋯ Ⅱ.孔⋯ Ⅲ.水力发电站－自动控制设备－学术会议－文集 Ⅳ.TV734－53

中国版本图书馆 CIP 数据核字(2004)第 093188 号

出 版 社:黄河水利出版社
　　　　地址:河南省郑州市金水路 11 号　　邮政编码:450003
发行单位:黄河水利出版社
　　　　发行部电话及传真:0371－6022620
　　　　E-mail:yrcp@public.zz.ha.cn
承印单位:黄河水利委员会印刷厂
开本:787 mm×1 092 mm　1/16
印张:31
字数:713 千字　　　　　　　　　　印数:1—1 500
版次:2004 年 10 月第 1 版　　　　　印次:2004 年 10 月第 1 次印刷

书号:ISBN 7－80621－827－0/TV·368　　　　　定价:60.00 元

为我国大型骨干水电厂控制设备的国产化努力工作

周大兵 二〇〇四年九月

2004 中国水电控制设备学术讨论会组织委员会

2004 中国水电控制设备学会讨论会论文集编委会

编辑说明

2003 年秋开始策划 2004 年中国水电控制设备学术交流会议的有关事宜,得到中国水力发电工程学会秘书处领导的大力支持。2003 年末将基本思路与部分科研、制造部门商议,取得共识。征文通知发出后,得到热情回应。本书编委会于 2004 年 6 月 1～3 日在北京召开了工作会议,从总计 80 余篇论文中筛选出 76 篇论文,总体上反映近期我国水电控制设备及其他水电自动化设备技术方面的巨大进展。

为体现对青年科技工作者热心培养、提携的好传统,本书专门辟有新人篇,该篇论文的执笔者中,有一位是河海大学在读的博士生,两位是中国水利水电科学研究院刚刚毕业走上新工作岗位的硕士研究生,另有三位分别是武汉大学和陕西理工大学在读硕士生。他们的论文观点鲜明,文笔流畅,成果颇丰。调速系统和励磁系统篇中共计 48 篇论文,集中探讨了在水轮机调节和水轮发电机励磁调节中遇到的重要技术问题。在编辑过程中传来三峡右岸电站控制设备国内采购的消息,并有幸参加有关技术交流活动,这是我国水电控制设备重大技术进步的国家认可,也是国内数千名水电控制设备科技工作者几十年如一日艰辛拼搏的最重要回报。通读本文集,可感到国家这一决策的正确性。在自动化控制系统及装置篇中的 20 篇论文涉及范围更广。我历来主张从事控制设备的科技工作者要广泛蓄纳其他新开辟专业的成果。技术有专业分工,而计算机技术的发展又使大家的共同兴趣和视点越来越多,这种融会正是现代科技发展的重要特征。特别是农村水电控制设备,要求综合知识的集成度更高。

本文集编入有本会资深专家及重要著述简介。20 多年来,水轮机调速器分专委会学术活动一直不断,这批热心学术活动又学术有成的专家先后到了退休年龄,陆续淡出科技第一线,他们领办的科技企业已成为当今水电控制设备重要供货方,他们的成果及著述至今还有着重要的参考和借鉴价值,且桃李满天下。由于各种原因,励磁专委会活动中断了不短的时间,而水电控制设备专委会又成立不久,希望将来有机会将励磁方面的专家更多的补入。入选专家按年龄排序。本书的出版得到水电控制设备厂商的支持,企业支持学会的活动,而学会成员们的成果又为企业新产品的开发开拓了思路,这是一个双赢的平台。

编者希望本书既具有高的学术性,又有手册的实用性,望读者反馈宝贵意见。

编　者

2004 年 8 月于北京木樨地

目　录

工作研究及最新动态

新人篇

水轮机调速系统篇

水轮发电机励磁系统篇

自动化控制系统及装置篇

资深专家及重要著述简介

水电站控制设备制造厂商及其主要产品简介

工作研究及最新动态

水轮机调节技术的发展及展望

孔昭年

（中国水利水电科学研究院）

吴应文

（长江控制设备研究所）

铙培棠

（武汉星联自动控制自控系统有限公司）

近十多年来,在我国水轮机调节行业中,广泛运用微型计算机技术、机电一体化技术和现代液压技术的新成果,并将其他工业部门先进的技术成果移植到水轮机调节技术中来。各专业制造公司和科研开发单位,在激烈的市场经济的竞争中,极大地发挥工程技术人员的创造性,不断推出调速器新品种。水轮机微机调速器产品的主要技术指标一般都能达到国家技术标准的要求,部分厂家的产品达到国际先进水平,较好地满足了我国水电建设事业发展的要求。目前,除了因为非技术因素的调速控制设备还需要从国外进口外,混流式、轴流转浆式、贯流式、冲击式水轮机组所需配套的调速器国内都能生产,三峡右岸电站水轮机控制设备实现国内采购就是这一状况的重大标志。国内调速器生产厂家还与国际知名的调速器生产厂家配套生产微机调速器,国产化的水电控制设备已能配套出口到国外,参与国际竞争。我国水轮机调节行业技术取得了较大的发展,整体技术水平达到了国际先进水平。

1 我国水轮机调节技术和水轮机微机调速器技术进步的主要表现

(1)采用国际知名品牌的工业控制机(IPC)、可编程控制器(PLC)或可编程计算机(PCC)作调速器电气柜硬件核心,使我国调速器电气柜的质量、工艺水平及可靠性达到国际先进水平[1]。

(2)大中型机组的调速器大多采用了电子调节器加电液随动系统的结构模式,提高了调速器动态和静态特性技术指数。

(3)近几年来,在微机调速器中开始采用工业标准液压件,例如,采用电液比例阀作调速器电液转换部件,采用逻辑插装阀作油泵组合阀、分段关闭装置、油压截止阀等,结束了水轮机调节技术长期游离于现代液压技术之外,制约着液压新技术在调速器中应用的不正常局面。

(4)采用数控机床中成熟的步进电机、交流伺服电机和直流伺服电机作调速器的电/机转换部件,构成具有我国自己知识产权的用伺服电机控制的水轮机微机调速器新品种,这类调速器具有很强的抗油污能力,结构简单,可靠性高,特别适合油质清洁度难以保证和管理水平不高的水电站使用。

(5)调速器工作油压普遍提高,大型水轮机调速器采用4.0MPa和6.3MPa,部分中小型水轮机调速器工作油压提高到 14~16MPa,并且采用皮囊式蓄能器。

(6)微型计算机具有强大的运算能力、记忆能力、逻辑判断能力和通讯功能,因而微机调速器具有许多先进的功能,目前已将与上位机通讯、频率跟踪,电气开度限制,人工失灵区,故障诊断及处理列为必须实现的功能。大多数微机调速器设有手动自动无条件、无扰动切换,离线诊断、维护功能和计算机辅助试验功能,除此以外,现代微机调速器还可以实现事故数据记录功能,防错、容错控制功能,死区和零点漂移的动态补偿等先进的功能。

(7)近年来,由于用交流伺服电机和步进电机式的电/机转换部件被不断完善,实现了失电后自动复中的功能。这种具有自动复中功能的电/机转换器在电液随动系统中直接与引导阀连接,使系统结构简化,提高了随动系统的可靠性。由于这类电/机转换部件无卡阻和失灵的可能,因而使在调速器中取消防止电液转换器失灵而设置的机械开度限制机构及其杆件系统成为可能,近年来在我国出现的直接式无杆件、无机械开限和机械反馈的调速器,其动态和静态性能指标优越,机械液压部分机构的简洁程度已不亚于采用比例阀和液压集成式结构的调速器。

(8)采用触摸式高分辨率的彩色显示屏作人机交互界面,界面友善、内容丰实,便于对调速器的状态监视、参数修改、试验曲线显示等[1]。

(9)我国具有独立知识产权的水轮机调速器试验用实时仿真系统的研制取得成功并得到普遍应用,该系统可以在实验室阶段、现场蜗壳充水前对调速器进行全面检查试验[2]。

(10)积极参加国际电工委员会关于水轮机调速器标准的制定和讨论工作,提出有价值的建议和意见,引起国际同行的关注,制定了十余种有关水轮机调速器的国家标准、行业标准,在技术标准上较好地实现国际接轨。

2 几个共同关注的问题

我国水轮机调节技术取得了长足进步,微机调速器产品不断推陈出新,有关人士对当前微机调速器的发展方向产生不同的意见和看法,不同的用户对水轮机调速器提出的要求也不尽相同,在众多的意见中有如下几条为大家所共同关注。

2.1 具有一级电液随动系统和二级电液随动系统的微机调速器的比较

当今国内外微机调速器的系统结构模式归纳起来大多属于电子调节器加一级电液随动系统和电子调节器加二级随动系统的结构模式,后者也被称之为具有中间接力器的结构模式。两种结构模式的系统结构框图如图 1 和图 2 所示。

仅具有一级电液随动系统结构模式的调速器,其转速死区计算公式为

$$i_{x1} = b_p i_a$$

式中:b_p 为调速器永态转差系数;i_a 为电液随动系统的不准确度。

由于电液随动系统放大系数可以调节,系统的稳定性可以用电气或软件方法校正,因此一般电液随动系统不准确度容易做到 0.3%~0.5%,甚至更小。当 b_p 为 6% 时,仅有一级电液随动系统的结构模式的调速器的转速死区 i_x 很容易达到 0.02%~0.04% 甚至更好的水平。

电液随动系统导叶位置采用电气反馈,不需要装设机械位置的反馈。因此,这类结构

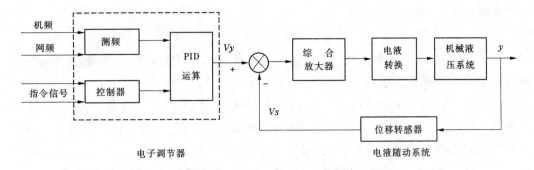

图1 电子调节器＋电液随动系统的调速器系统结构框图

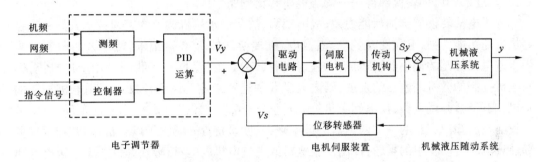

图2 电子调节器＋电机伺服装置＋电机械液压随动系统的系统结构框图

模式的调速器在电站布置十分方便,尤其是大型水轮发电机组和一些不便于安装机械反馈的特殊调速器适合采用这类结构。这类结构模式的调速器静态和动态特性指标较好,机构简单,在电站布置方便,所以成为大中型水电站调速器的首选方案。

电子调节器加两级随动系统结构模式的调速器一般由三大部分组成,即电子调节器(或微机控制器)、电机伺服装置(或中间接力器)和机械液压随动系统。在我国这类结构模式的调速器,多用伺服电机或步进电机构成的电机伺服装置作为电气－机械位移的转换部件,也是前级随动系统。在国外一般用电液伺服阀或比例电磁阀和中间接力器构成的电液随动系统,作为该调速器电气－机械位移的转换部件。末级都是机械液压随动系统,这类结构模式的调速器的弊病是机械液压随动系统导叶位置必须采用机械位置反馈,当反馈链长、传递路径曲折时,不宜采用这类结构,但是如果将调速器的机械液压柜布置于水机层的接力器附近时,反馈链缩短,这类调速器也能显现其独特的优势。所谓座式调速器都布置于接力器附近,国外比较流行。我国葛洲坝电厂21台水轮发电机组采用的都是这类系统结构模式的调速器,调整、试验和维护方便,深受电厂欢迎[1]。另外,我国中小型调速器大多是组合式的,调速器的机械液压部分和接力器组合在一起,接力器位置反馈十分方便。应该指出,由于这类调速器具有接力器位置的机械反馈,其手动操作系统具有接力器位移反馈的闭环系统。这种手动操作可靠,手动时也不溜负荷,这一特点备受大型机组和重要水电站的重视。

具有两级随动系统结构模式的调速器转速死区 i_{x2} 较仅有一级随动系统调速器转速死区 i_{x1} 为大。

转速死区 i_{x2} 的计算公式为

$$i_{x2} = b_p(i_{a1} + i_{a2})$$

式中：b_p 为调速器永态转差系数；i_{a1} 为前一级随动系统的不准确度；i_{a2} 为末级机械液压随动系统的不准确度。

一般情况下，$i_{a1} \ll i_{a2}$，可以忽略不计，i_{a2} 是机械液压随动的不准确度，降低 i_{a2} 主要途径是增大输入杆件的传动比和减小主配压阀的搭叠量。所以，一般机械液压随动系统的不准确度 i_{a2} 都要比电液随动系统的不准确度大。通过精心设计和加工制造，i_{a2} 可以达到 0.5% 的水平。因此，这类调速器的转速死区 i_{x2} 可以达到国家调速器标准的要求。

2.2 调速器的两种转换部件——伺服电机和比例阀

由于电液转换器抗油污能力差、故障率高，故我国水轮机调节的工程技术人员一直在寻求抗油污能力强、可靠性高的电/液或电/机转换部件。20 世纪末，能达公司研制的采用步进电机控制的调速器投运成功，并通过省（部）级鉴定，推动了我国采用步进电机、伺服电机控制的微机调速器的发展，国内大多数调速器专业厂商都开发出了用电机控制的微机（或可编程）调速器，在不到十年的时间里，这类调速器已生产一千多台套，形成了具有我国自己知识产权的一类调速器。近年来，长沙星特首先解决了以电机作为电/机转换部件失电时自动复中的难题，使用伺服电机或先进电机的电/机转换部件用于一级电液随动系统真正获得成功。

就在我国采用伺服电机（含步进电机）控制的微机调速器蓬勃发展时，国外调速器主要厂商却用电液比例阀或电磁比例阀作微机调速器转换部件，我国仅有少数专业生产厂成功地应用了比例阀。不少调速器选型的用户不约而同地发出疑问，为什么国外调速器制造厂不用步进电机和伺服电机作调速器转换部件呢？还怀疑用伺服电机和步进电机的调速器速动性满足不了水轮机控制的要求。长期工作在水轮机调节行业的技术人员都知道，我国曾在 20 世纪 80 年代采用进口的电液伺服阀作调速器转换部件进行过深入研究，但都以失败告终，究其原因，都是调速器用油的清洁度得不到保证所致。加上我国的油压装置上都没有对油液的精细过滤和处理系统，大多中小电站受管理水平限制，油质清洁度难以保证。因此，微机调速器的研究开发人员在认可油质清洁度较差的前提下来寻求抗油污能力强的电/机转换部件，在这个前提下数控机床的驱动机构中应用成熟的步进电机和伺服电机就成为首选方案。事实证明，用步进电机和伺服电机控制的调速器，确实能适应油质清洁度较差的环境，而且动静态指标都能满足国家调速器技术标准的要求。由于可靠性高，使用和维护方便，深受广大用户欢迎。

电磁比例阀和伺服比例阀是液压工业中的标准件，生产量大，在工业控制系统中得到广泛应用，用做水轮机调速器电液随动系统的电液转换部件是十分适合的。通常由伺服比例阀和辅助接力器等构成电气液压伺服系统，如图 3 所示，我国有一些单位采用比例阀时，遵守了比例阀应用条件，保证油液中杂质 $< 20\mu$，都取得了满意的效果。将比例阀和液压逻辑控制元件集成于功能模块上，调速器的结构十分紧凑。由于在采用比例阀控制的调速器中控制信息的传递和变换都是流量，可以实现无间隙的传递。极大地降低了死区，提高了反应的灵敏度，使调速器整机静动特性优越。这类调速器也很受用户欢迎。据

不完全统计,近年来,这类调速器的生产量也在逐年增加。

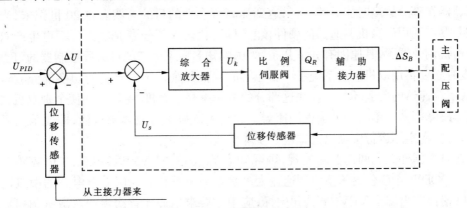

图3 作为前置放大的电气液压伺服系统

应该指出的是,有人认为比例阀的通频带大于10Hz,而试验测出用伺服电机的电/机转换部件的频带宽度仅为3Hz。据此说明比例阀速动性高于采用伺服电机的电/机转换部件是不对的。比例阀的输出是流量,其通频带宽度是反映比例阀的输出流量对输入控制信号的响应速度,还不能反映辅助接力器对输入信号的响应速度,可以预计,由放大器、比例阀、辅助接力器和位移传感器构成的位置伺服系统的频率响应带宽较比例阀本身的带宽要小得多。但是,大量已投入运行的调速器证明,频带宽为3Hz的电/机转换器和频带宽为10Hz的比例阀都能满足调速器动态和静态特性的要求。

2.3 接力器位置机械反馈和机械开度限制机构

目前国内生产的电机(步进、伺服)控制的调速器,由于电/机转换部件可靠性高,调速器的故障降低,逐渐取消了机械开度限制机构和接力器位置的机械反馈,使调速器的机械部分结构简单,安装调整和维护方便,深受用户欢迎。长沙星特生产的"四无"型微机调速器就属于这一类。所谓"四无"是指电/机转换器不用油,无机械开度限制机构,无接力器位置的机械反馈和无调节杆件。目前国内几家专业生产厂在有了能自动复中的电/机转换部件以后,都推出了取消机械反馈和机械开度限制的微机调速器新产品。这是当今微机调速器发展的必然趋势。20世纪末,国外一些知名的调速器制造商,在采用电伺服比例阀和液压集成块结构的同时,也取消了机械反馈和机构开度限制。但是国内一些大型水电站和重要的电站,投标时十分强调要在微机调速器中保留机械开度限制机构和接力器位移的机械反馈,这些要求是十分正常和可以理解的。尤其是采用伺服比例阀的调速器,这类调速器信号的传递都是在液压集成块内的流量,而没有显现在外的机械位移,在电源消失时或电气故障时主配压阀的机械位置、接力器位置都没有指示,也没有任何可以人工控制和操作的机构,给事故处理、事故分析造成困难。因此,在给大型水力发电机组配套调速器时保留机械开度限制、接力器的位置机械反馈和系统机械手动操作机构是十分必要的。

2.4 关于双机冗余的问题

为了提高微机调速器的可靠性,20世纪80年代我国设计的微机调速器大多采用了双机冗余结构,一台微机工作,另一台热备用,每台机对自己的模块和分管的部件进行自检,两机之间互相通讯和监视,当工作机被诊断出发生故障时,则自动切换到备用机上,确保调速器在部分故障时能继续运行,达到提高可靠性的目的。然而在 20 世纪末,当可编程控制器广泛用做微机调速器的硬件核心以后,我国大部分专业生产厂不再生产双机冗余的微机调速器了,其原因有如下几条:①国际知名商家生产的可编程控制器的可靠性很高,没有必要再用双机冗余系统了。②原来的双机冗余系统中自制的切换部分故障率较高,成了调速器的薄弱环节。往往这部分的故障率高于微机本身,以致使个别双机冗余的调速器故障率高于单机的可编程调速器。③由于微机本身故障率很低,即使采用了双机冗余结构,在实际运行中难以察觉进一步降低故障率的效果。

在研究国外微机调速器时发现,国际知名的 ABB、NEYRPIC、ESCHER WYSS 和美国的 WOODWARD 公司的微机调速器大多是单微机系统。我国二滩电站的微机调速器在国际招标中由瑞士 VEVEY 公司中标,应中方要求他们才首次生产双微机调速器。查阅某国际知名的调速器专业公司的业绩表,在他们向世界各国供货的千余台调速器中,都没有双机冗余系统,但也见到美国 WOODWARD 公司生产三机冗余微机调速器投入商业运行的报道。我国近几年生产的数百台调速器 90% 以上都是单机系统,目前尚未见到由于微机(或 PLC)故障被迫停机和影响正常生产的报道。我国新建的大型电站配套的调速器多数要求采用双机冗余结构。

3 几件需要共同努力去做的事

近十多年来,通过广大工程技术人员的努力,我国水轮机调节技术取得了显著的进步,获得了一批具有国际先进水平的科研成果,创造了具有我国自己知识产权的微机调速器新产品,为水电建设提供了品种丰富、品质优良的水轮机控制设备,较好地满足了迅速发展的水电建设事业的需求,有力地支持了电力工业的生产。但是,由于各生产厂家任务重,对目前一些经济效益尚不显著的科研项目和产品投入不足。建议今后共同努力把如下几件事做好。

3.1 努力贯彻有关水轮机调速器的各类标准

我国已有十余种水轮机调速器国家标准和行业标准,这是一项了不起的成绩,随着时间的推移要进行必要的修订或按实际要求制定新的标准,各产品研制部门也要提出完整的企业标准。因此,任务还相当繁重,应引起重视。

为贯彻相应标准,相当多的产品制造部门尚没有开展电磁兼容试验,也不具备相应的试验设备。另外,国家标准及行业标准中要求:"测定转速死区所用信号发生器输出信号的误差及相应仪表测量误差的换算值应小于转速死区规定值的 1/10。"如果大型电液调速器规定值为 0.04%,则仪表测量误差值及频率信号发生器的误差应小于 0.004%×50Hz=0.002Hz;现在产品的定货要求很高,有的提出 $i_x \leqslant 0.01\%$,则要求相应误差为 0.000 5Hz,这样精度的信号源及仪表目前尚难找寻。

这里仅用例子说明水轮机调速器供需双方对调速器的死区不应有过高的追求。同时在测试技术及相关仪器设备上应积极开展研制工作,否则会带来一系列商务上的麻烦。上述研制工作花费巨大,政府主管部门应给予重视和支持。

3.2 重视油压装置的优化设计和制造

我国油压装置几十年都是一个面貌,这种局面并没有引起人们的关注,20 世纪 60 年代所用的电液转换器的抗油污能力差,调速器故障率比较高。当时只注意研究抗油污能力强的电液转换器,而没有去研究加强对油清洁度的控制,提高油液的清洁度。80 年代引进国外先进的电液伺服阀,由于油质清洁度不能保证而以失败告终。可以预言,如果我们还不优化油压装置设计,加强油压装置的滤油手段和技术措施,目前正在微机调速器中推广使用的伺服比例阀和标准液压件,也难正常运行和发挥其优越性。建议将来在招标文件中明确要求油压装置供油的清洁度和滤油技术措施。生产油压装置的专业厂应开发能保证油液清洁度的油压装置。

3.3 继续吸收液压技术新成果

扩大采用标准液压件的范围,用液压技术提升水轮机调速器技术水平和质量。开发采用标准液压件的中小型调速器和调速系统相关的控制设备,并使之标准化、系列化。

3.4 加强与主机厂协调,设计调速器新品种

目前调速器专业公司开发的高油压调速器,将接力器外置,可以降低调速器和主机造价,提高调速系统品质。建议组织主机厂与调速器专业厂联合设计,并制定相互连接的标准。冲击式水轮机调速器与主机联系也比较多,利用目前水轮机调节专业已取得的成果,与主机厂联合可以设计出更新更好的冲击式水轮机调速器。

3.5 开发适合农村小水电站综合控制的设备

目前我国小型水电厂自动化水平仍然处于比较落后的状态,国家从 2002 年开始,对单机容量大于 1 000kW 的小型水电站要求采用计算机控制,对 20 世纪 90 年代以前建设的小电厂,按总体目标要求做出更新改造规划。我国小型水电厂自动化发展的总体目标是,在 2010 年 50%农村小型水电厂及配套电网达到现代化水平;2015 年农村水电行业全面实现现代化,其中总装机 5MW 及以上的水电站调速器,励磁和厂内油、水、气、闸门等设备应采用微机控制[3],可见摆在我们面前的任务很多,希望有志于农村水电自动化的专业厂商制订切实可行的设计和实施方案,为我国农村小水电自动化作出贡献。

参 考 文 献

[1] 魏守平.现代水轮机调节技术.武汉:华中科技大学出版社,2002
[2] 孔昭年.水轮机调速器试验仿真系统的研究.水力发电,1989(4)
[3] 方辉钦.现代水电厂计算机监控技术与试验.北京:中国电力出版社,2003
[4] 常兆堂.水轮机调节系统原理、试验与故障处理.北京:中国电力出版社,1995
[5] 绪方胜彦.现代控制工程.北京:科学出版社,1978

基于 PFC 的发电机组频率电压综合控制装置

熊迪祥

(天骄水电成套设备有限公司)

1 PFC 介绍

1.1 现场总线及现场总线控制系统定义

(1)现场总线。根据国际电工委员会 IEC6 - 1158 的定义,现场总线指安装在制造和过程区域的现场装置与控制室内的自动化装置之间的数字式串行多点通讯的数据总线。

(2)现场总线控制系统。指出现场总线与现场智能设备组成的控制系统,即 FCS(Fieldbus Control System)。

1.2 PFC 与 PLC 及 PCC 相比的主要技术特点与功能

1.2.1 PFC 具有丰富的现场总线通讯接口

WAGO PFC 支持目前主流的标准现场总线协议,如 PROFIBUS、Modbus、DeviceNET、CANopen、Interbus、Ethernet TCP/IP(工业以太网)等。由于具有标准的现场总线接口,所以可以轻松地接入各种现场总线通讯网络。而传统的 PLC 或 PCC 产品有的不具有连接现场总线的可能;即使可以添加现场总线接口,但是可供选择的现场总线种类比较单一,也需要用户另外的投资。如果需要更改为当前某种传统 PLC 或 PCC 所不支持的现场总线,用户只能选择另一家公司的产品,并且需要重新设计、编程。而使用 WAGO PFC,用户只需要选择不同型号的 WAGO PFC 即可更换不同的现场总线协议,而无须对 I/O 接线设计、控制程序等进行修改。

1.2.2 功能强大的编程工具与丰富的程序指令

除了具有标准的现场总线接口,WAGO PFC 还具有可编程的功能。WAGO 为编程者提供了符合 IEC61131 - 3 标准的编程软件 WAGO - I/O - PRO 32,其中包含了 6 种编程语言:

IL(语句表布尔助记符程序设计语言)

LD(梯形图程序设计语言)

FBD(功能模块图程序设计语言)

ST(结构化语句描述程序设计语言)

SFC(功能表图程序设计语言)

CFC(连续功能图程序设计语言)

WAGO - I/O - PRO 32 支持丰富的控制指令,如逻辑运算、整数运算和浮点数运算、定时器与计数器功能、比较与赋值功能、移位与循环功能、数据类型转换功能、PID 功能等大量丰富的程序功能指令。此外,用户还可以根据特定需要编写自己的功能块、子程序,还可用多种语言混合编程。

1.2.3　I/O模块种类丰富、设计经济

WAGO提供了丰富的I/O模块,如DI与DO(DC5V/24V、AC120V/250V……)、AI与AO(电压、电流、测温……)、频率测量、串行接口、编码器(绝对型或增量型)、计数器等。

与传统的PLC或PCC产品相比,安装WAGO产品仅需要普通的DIN35导轨,接线也仅需要一把螺丝刀即可,无须任何如安装机架、接线连接器等附件,降低了用户的投资。同时,WAGO I/O模块设计经济,例如DI与DO每个模块集成2/4/8通道,AI与AO每个模块集成2/4通道。经济、多样的设计使系统配置更加灵活,并且大幅度降低设计及备品备件的费用。

1.2.4　高性能与高质量

WAGO产品的接线方式采用了专利的笼式弹簧连接技术,接线快捷、抗振动、免维护。避免了设备长期运行后由于接线松动造成的故障,从而减少了日常维护量,提高系统性能。WAGO产品为德国制造,出厂之前经过严格的质量检测,并取得了世界各个大洲的工业电子类产品认证,如CE、UL等;同时,WAGO产品还通过了比CE认证更为严格的船籍社认证,从而长久有效地保证了产品的可靠性,而船籍社认证是一般传统的PLC产品所不具备的。

PFC的MTBF指标及电磁兼容指标:

(1)30℃环境温度,MTBF≥1 000 000小时,约114年。

(2)55℃环境温度,MTBF≥550 000小时,约62年

(3)电磁兼容(EMC)通过CE测试标准见表1。

表1　CE测试标准

测试指标		测试值	强度等级	鉴定结果
电磁兼容性(EMC) – 抗干扰性 EN 50082 – 2(1996)指标				
EN 61000 – 4 – 2	静电放电 ESD	4kV/8kV	2/4	B
EN 61000 – 4 – 3	电磁场 Electromagnetic fields	10V/m 80% AM	3	A
EN 61000 – 4 – 4	冲击 Burst	2kV	3/4	B
EN 61000 – 4 – 6	射频干扰 RF disturbance	10V/m 80% AM	3	A
			测量距离	
电磁兼容性(EMC) – 辐射干扰 EN 50081 – 2(1994)指标				
EN 55011	工业场所 Industrial areas	30dBμV/m 37dBμV/m	30m	
电磁兼容性(EMC) – 辐射干扰 EN 50081 – 1(1993)指标				

测试指标		测试值	强度等级	鉴定结果
EN 55022	居住场所 Residential areas	30dBμV/m 37dBμV/m	10m	
		频率范围(Hz)	持续测试	瞬间测试
机械性能 EN 60068-2-6/27 指标				
IEC 60068-2-6	抗振动 Vibration	10≤f<57	0.0375mm 振幅	0.075mm 振幅
		57≤f<150	0.5g 恒定加速度	1g 恒定加速度
IEC 60068-2-27	抗冲击 Shock		15g	
其他				
供电电压范围		DC 24V,-15%~20%		
工作温度		工作温度 +55℃,测试温度 +55℃		

1.2.5 远程维护功能

对于一般的调速器、励磁产品而言,其投运及维护往往需要技术人员亲临现场。而大多水电站地处偏僻,因此对厂家而言,势必花费大量的人力和物力,致使成本提高。更有甚者,调试时间集中时,往往出现现场服务人员调配不过来而使服务不能及时到位的情况,造成用户的不满意,同时也使厂家信誉受损。PFC 可通过使用以下三种方式进行远程维护。

(1)使用 MODEM+电话线连接进行远程维护。如图 1 所示,使用 MODEM(ISDN或模拟型)分别连接计算机的串行接口与 PFC 编程口,通过电话线连接。在计算机中运行 WAGO-I/O-PRO 32 编程软件即可实现观察数据、试运行、修改程序等远程维护的功能。该种应用方式适用于 WAGO 所有型号的 PFC。

(2)使用 TCP/IP 连接进行远程维护。如图 2 所示,使用普通 MODEM 连接计算机串行接口,使用 LAN-MODEM 连接 WAGO 以太网 PFC,两者通过电话线+TCP/IP 协议进行连接。在计算机中运行 WAGO-I/O-PRO 32 编程软件即可实现观察数据、试运行、修改程序等远程维护的功能。

LAN-MODEM 一端为电话线接口,另一端为若干个 RJ45 接口;由于 LAN-MODEM 具有 NAT(网络地址转换)功能,在本方案中的作用相当于 Router(路由器)。该种应用方式适用于 WAGO 以太网 PFC。

(3)使用无线网络连接进行远程维护。对于有线电话或因特网难于到达的现场,可使用无线网络连接进行远程维护。将无线网络模块分别连接在计算机的串行接口与 PFC编程口,通过使用无线网络(如 CDMA 或 GPRS 等)连接,在计算机中运行 WAGO-I/O-PRO 32 编程软件即可实现观察数据、试运行、修改程序等远程维护的功能。如图 3所示,该种应用方式适用于 WAGO 所有型号的 PFC。

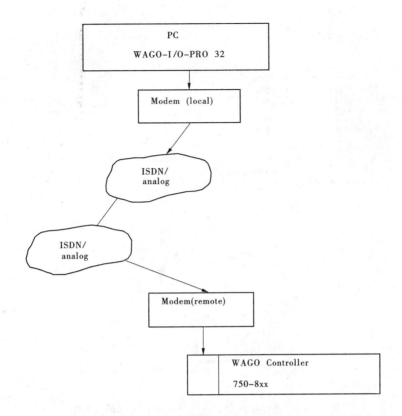

图 1　PFC 使用 MODEM + 电话线连接进行远程维护的示意图

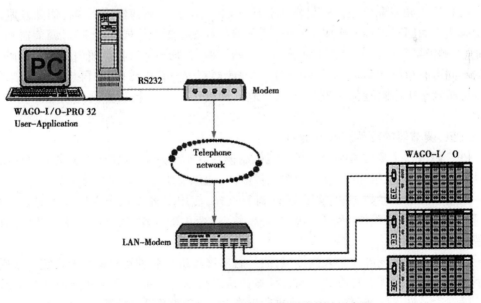

图 2　PFC 使用 TCP/IP 连接进行远程维护的示意图

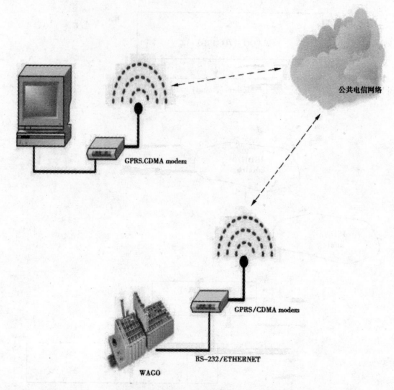

图 3 PFC 使用无线网络连接进行远程维护的示意图

2 PFC 机组频率电压综合控制装置的构成

PFC 机组频率电压综合控制装置主要由 PFC 调节器、调速器液压执行回路及励磁装置功率执行回路三大部分构成。其中,调速器和励磁装置共用同一个 PFC 调节器和人机界面(如触摸屏等),调节器装于励磁装置的调节柜内,励磁装置根据机组的容量和励磁功率的不同可有单柜或多柜等不同的选择。调速器部分只有机械柜,不再装设电气柜,其机械柜可布置于机组附近便于安装连接的地方。PFC 综合控制装置硬件系统结构如图 4 所示。

2.1 PFC 调节器的硬件及软件结构

PFC 调节器主要由可编程现场总线控制模块、数字量输入模块、数字量输出模块、模拟量输入模块、模拟量输出模块、频率测量模块、通讯模块及终端模块等组成。

采用成熟的变参数、变结构的 PID 调节模式,使用多种语言采用模块式的方式来编程,程序模块有开机模块、停机模块、起励模块、逆变灭磁模块、PID 计算模块及故障诊断报警模块等。

调节器采用触摸屏作为人机接口,通过触摸屏可进行各种运行参数的设定。采用灯、数字、图表、棒状图等多种方式显示各种参数及运行状态。同时可存储多条报警记录,记录故障发生及恢复时间,并可显示或打印出来,便于查找及处理故障。

2.2 PFC 综合控制装置的频率测量

测频环节是水轮机调速器最重要的前置环节,是调节器的计算基础,一旦出错或故

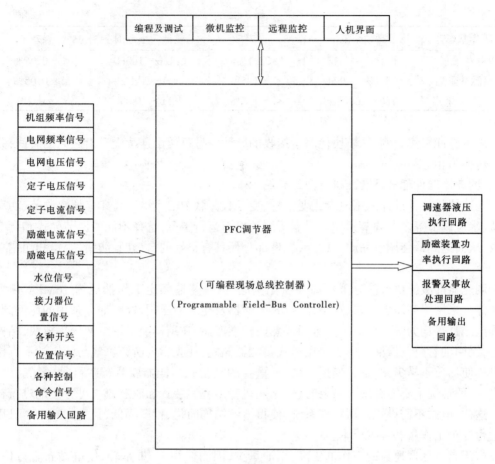

图 4 PFC综合控制装置硬件系统结构示意图

障,自动调速功能即行丧失,严重的将造成机组故障或停机。因此,无论是什么类型的调速器,测频环节的可靠性和精度是至关重要的。

PFC调节器的测频硬件接口回路中,通过对机频或网频正弦波信号的隔离和整形后,直接连接至 WAGO PFC 的频率测量模块,该模块用于测量 DC 24V 的脉冲输入信号的周期,并将之转换为相应的频率值。该测频回路兼具高精度和高可靠性两方面的特点。

WAGO PFC 的频率测量模块具有三种工作状态,可以通过设置该模块的控制字节而选择所需的工作状态(见表2)。

在相关的工作状态下,若采集频率较低脉冲输入信号,WAGO PFC 的频率测量模块的检测误差小于采集频率较高脉冲输入信号的检测误差(见表3)。

表 2

工作状态	脉冲输入信号频率范围	精确度
单脉冲采集	0.1Hz~8kHz	0.001Hz
4 倍脉冲采集	0.25Hz~32kHz	0.01Hz
16 倍脉冲采集	1Hz~100kHz	0.1Hz/1Hz

表 3

工作状态	最高频率范围	误差	较低频率范围	误差
单脉冲采集	0.1Hz~8kHz	<±1%	0.1Hz~100Hz	<±0.05%
4 倍脉冲采集	0.25Hz~32kHz	<±1.5%	1Hz~1kHz	<±0.05%
16 倍脉冲采集	1Hz~100kHz	<±1.5%	10Hz~10kHz	<±0.2%

以单脉冲采集为例,该模块检测所接收的脉冲信号每两个连续上升沿之间的时间,并将之转换为相应频率值。

2.3 调速器软件部分及液压执行回路介绍

调速器的软件设计采用适应式变结构、变参数并联 PID 调节,且具有频率调节、功率调节、水位调节等多种调节模式。根据不同的机组运行工况,选择不同的调节模式和调节参数,从而达到最佳调节品质。此外,软件部分还具有很好的自诊断、防错、容错和纠错功能。

调速器的液压执行部分采用高油压比例阀,该调速器额定工作油压为 16MPa,压力油源部分采用了高压齿轮泵、滤油器、囊式蓄能器及相应液压阀,控制部分采用的比例阀、工程液压缸等均为液压行业中先进而成熟的标准产品,在结构上采用了液压集成块,结构简洁,无明油管路及渗漏。由于采用囊式蓄能器储能,使胶囊内所充氮气与液压油不直接接触。使油质不易劣化,延长使用寿命;更重要的是囊式蓄能器胶囊密封可靠,氮气极少漏失,一般情况下不需补气。需要时,使用随机专用补气装置和瓶装氮气可方便地进行补气。这样,电站不需设置高压空气系统,使得电站结构简化,投资降低,且大大减少了日后的运行维护工作量和维护成本。

由于高油压调速器的工作油压高,用油量少,因而体积小、重量轻,使电站布置方便、美观。

2.4 励磁软件部分及功率执行回路介绍

自并激微机励磁装置主要由励磁变压器、自动励磁调节器、三相可控硅全控整流桥、灭磁回路和转子保护回路、操作回路等五部分组成。其中,可控硅全控整流桥及其移相触发回路均集中于一个模块中,致使励磁系统结构大为简化,可靠性进一步提高,运行维护更加方便。

励磁的软件设计同样也采用了适应式变结构、变参数并联 PID 调节方式,且具有恒压、恒无功、恒功率因数等多种调节模式。根据不同的机组运行工况,选择不同的调节模式和调节参数,从而达到最佳调节品质。此外,软件部分还具有很好的自诊断、防错、容错和纠错功能。此外,充分利用 PFC 的软件功能,方便地实现了大部分限制和保护功能及各种逻辑控制,使整个系统结构最优化,操作简单、方便。

PFC 励磁系统具备励磁标准所要求的全部功能,各项性能指标均达到或优于标准要求。它可应用于各种容量的发电机组,适用于不同励磁方式下的励磁系统。

由于 PFC 的方便及可靠的组网功能,可以很容易地使两个或多个 PFC 并联运行,从而实现两个或多个 PFC 构成的完全独立的双通道或多通道调节器,其中一个为主通道,其他为备用通道。每个调节器可自行设置为电压调节模式或电流调节模式。备用通道自动跟踪主通道,在检测到主通道故障时自行切换至备用通道运行并报警。

一般当机组容量小于 10MW 时,我们建议采用单自动通道加手动通道的调节模式。

由于 PFC 的设计环境是工业现场,设计对象是工业控制,设计原则是高度可靠,并且其硬件和软件具有易学、易懂等特点,特别是它的高度可靠性,使得其在水电站控制领域越来越受到用户的欢迎。

3 性能指标

基于 PFC 的发电机组频率电压综合控制装置的各项性能指标,如调速器的转速死区、接力器不动时间、励磁的电压波动次数及波动时间等均能达到或优于国家及部委的相关标准要求,在此不再赘述。

4 结语

以上介绍中仅提及基于 PFC 的发电机组频率电压综合控制装置,实际上相当于介绍了两大类的三种产品,即基于 PFC 的水轮机调速器、基于 PFC 的同步发电机励磁装置、基于 PFC 的机组频率电压综合控制装置。后者使 PFC 性能得到充分发挥,其信息和功能共享,结构简洁,可靠性高,减少了设备的重复设置,投资成本降低,为无人值班、少人值守创造更好条件。此外,借助于 WAGO 公司的带有多任务处理功能的 PFC 模块,可以轻松方便地将调速、励磁及微机监控三种功能装置集于一体,即通常所说的三合一综合控制装置。可以预见,基于 PFC 的各种功能控制装置将在发电厂调速器装置、励磁装置及微机监控系统中具有广阔的推广应用前景。

参 考 文 献

[1] 魏守平.现代水轮机调节技术.武汉:华中科技大学出版社,2001
[2] 齐蓉.可编程计算机控制器原理及应用.西安:西北工业大学出版社,2002
[3] 周双喜,等.同步发电机数字式励磁调节器.北京:中国电力出版社,1998
[4] 樊俊,等.同步发电机半导体励磁原理及应用.北京:水利电力出版社,1991
[5] 丁尔谋.发电厂励磁调节.北京:中国电力出版社,1998
[6] 中华人民共和国国家标准.水轮机调速器与油压装置技术条件 GB/T9652.1—1997
[7] 中华人民共和国国家标准.水轮机调速器及油压装置实验验收规程 GB/T9652.2—1997
[8] GB/T7409.3—1997 大、中型同步发电机励磁系统技术要求
[9] 国际电工委员会 IEC6‐1158
[10] WAGO 公司相关 PFC 手册

新 人 篇

基于逆控制方法的水力机组非线性控制

方红庆　沈祖诒　邓　磊
（河海大学水利水电工程学院）
吴　恺
（山西水利水电勘测设计研究院）

1　引言

水轮机调节系统[1]是一个集水力、机械、电气为一体的复杂的控制系统。由于有压引水系统的水流惯性、水轮发电机组各个环节的非线性特性、水轮机传递系数随工况而改变的时变特性以及电力系统的负荷扰动，使得水轮机调节系统的控制十分困难。近些年来，随着非线性系统控制理论的发展，非线性系统逆控制方法[2~5]由于其具有物理意义清晰、控制规律求解简单、便于工程应用的特点，已经应用于电力系统的控制。但是，对于水轮机调节系统，如果仅采用非线性系统逆控制方法，在发生负荷扰动时机组虽然能够快速稳定，转速却有较大偏差。

本文作者针对非线性系统逆控制方法的优缺点，提出了将非线性系统逆控制方法与传统 PID 控制技术相结合的办法，设计了水力机组的非线性逆控制策略。采用国内某水电站的真实数据进行了 Matlab/Simulink 环境下的计算机仿真，仿真结果说明了该方法的有效性。

2　水轮机调节系统模型

水轮机调节系统的基本结构如图 1 所示，详细内容见文献[1]。

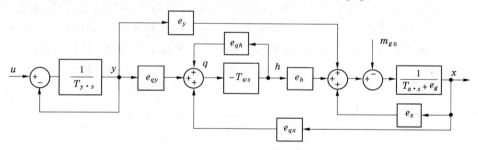

图 1　水轮机调节系统结构

采用刚性水击模型时有压引水系统的传递函数为

$$G_t(s) = - T_w s \tag{1}$$

小波动时混流式水轮机的数学模型为

$$m_t = e_x x + e_y y + e_h h$$
$$q = e_{qx} x + e_{qy} y + e_{qh} h \tag{2}$$

一阶发电机的数学模型为

$$G_s(s) = \frac{1}{T_a s + e_g} \tag{3}$$

若有压引水系统采用刚性水击模型,以 $X = [x, y, h]^T$ 为状态变量,则水轮机调节系统的状态方程为

$$\dot{X} = AX + Bu + Dm_{g0} \tag{4}$$

式(4)中,A、B、D 的元素分别为

$$a_{11} = \frac{e_x - e_g}{T_a} \qquad a_{12} = \frac{e_y}{T_a} \qquad a_{13} = \frac{e_h}{T_a}$$

$$a_{21} = 0 \qquad a_{22} = \frac{-1}{T_y} \qquad a_{23} = 0$$

$$a_{31} = \frac{e_x e_{qx}}{e_{qh} T_a} \qquad a_{32} = \frac{e_{qy}}{e_{qh} T_y} - \frac{e_{qx} e_y}{e_{qh} T_a} \qquad a_{33} = -\frac{e_{qx} e_h}{e_{qh} T_a} - \frac{1}{e_{qh} T_w}$$

$$b_1 = 0 \qquad b_2 = \frac{1}{T_y} \qquad b_3 = -\frac{e_{qy}}{e_{qh} T_y}$$

$$d_1 = -\frac{1}{T_a} \qquad d_2 = 0 \qquad d_3 = \frac{e_{qx}}{e_{qh} T_a}$$

3 水力机组非线性逆控制规律设计

3.1 非线性逆控制规律设计

对于一个可逆的过程,若输入信号经过逆过程和原过程,则相当于一个标准的单位映射。非线性系统逆控制方法[2~5]就是利用这个思想,通过求取被控过程的逆过程,将之串联在被控过程的前面,得到解耦的控制对象,然后再对该对象采用传统的线性二次型最优控制方法进行控制。非线性系统逆控制方法的使用需要解决两个问题:一是系统是否可逆;二是逆系统的求取方法。对于在由式(4)所表示的水轮机调节系统中 $f(X) = AX$, $g(X) = B$。由于在对原系统进行非线性逆变换时,输出函数的选取在很大程度上决定了变换后新系统状态方程的形式,而且会影响整个受控系统的动、静态特性。因此,本文作者将输出函数选取为多个状态变量的组合形式[4],以达到提高水轮机调节系统综合性能的目的。选择

$$\mu = h(X) = [c_1, c_2, c_3][x, y, h]^T = c_1 x + c_2 y + c_3 h \tag{5}$$

对发电机转速进行有效的控制是对水轮机调节系统进行控制的主要目的,并且考虑到控制规律计算程度的复杂性,在对输出函数的参数 c_1、c_2、c_3 进行选择时,令 $c_3 = 0$ 以便于计算。因此,输出函数 $\mu = h(X) = c_1 x + c_2 y$。按照文献[2~5]中所述的方法进行非线性逆控制规律的求解,可得

$$\dot{\mu} = \frac{c_1 e_x}{T_a} x + \left(\frac{c_1 e_y}{T_a} - \frac{c_2}{T_y} \right) y + \frac{c_1 e_h}{T_a} h + \frac{c_2}{T_y} u \tag{6}$$

$$\frac{\partial \dot{\mu}}{\partial u} = \frac{c_2}{T_y} \tag{7}$$

当 $c_2 \neq 0$ 时，$\partial \dot{\mu} / \partial u \neq 0$，即原系统的相对阶数 $\alpha = 1$，所以

$$\varphi = \dot{\mu} \tag{8}$$

按照线性二次型(LQR)最优控制理论来设计线性反馈控制规律 φ，有

$$\varphi = -\boldsymbol{KZ} = -k_1 z_1 = -k_1 \mu = k_1(c_1 x + c_2 y) \tag{9}$$

将式(9)代入式(6)中，可得原系统的反馈线性化控制规律

$$u = \frac{T_y}{c_2}\left[-\left(k_1 c_1 + \frac{c_1 e_x}{T_a}\right)x + \left(\frac{c_2}{T_y} - \frac{c_1 e_y}{T_a} - k_1 c_2\right)y - \frac{c_1 e_h}{T_a}h\right] \tag{10}$$

3.2 综合控制规律设计

对于水轮机调节系统，如果仅采用如式(10)所示的非线性逆控制策略，在发生负荷扰动时控制系统虽然能够快速地稳定，但水轮发电机组转速的偏差与规定偏差仍然存在较大的误差。考虑到比例环节的作用是加快系统的响应速度，积分环节的作用是消除静态误差，微分环节的作用是增加系统的阻尼以减小超调和振荡次数。为了消除由非线性逆控制策略所产生的较大的转速误差，采用将非线性逆控制方法与常规 PID 控制技术相结合的办法，增加比例、积分和微分环节，还可以增加调差环节，形成非线性－PID综合控制策略[5]。以非线性逆控制策略来实现对水轮发电机组转速偏差的快速跟踪，以常规 PID 控制技术来消除较大的转速误差。

4 仿真示例

本文以单机带孤立负荷，混流式水轮机，刚性水击模型为例进行仿真。采用国内某水电站的实际数据，其中：$T_w = 0.83$s，$T_a = 5.9$s，$T_y = 0.5$s。按照斯坦因推荐的方法并结合水轮机调节系统的实际情况对采用常规并联 PID 控制规律的水轮机调速器进行参数整定，其调节参数为 $K_p = 13.78$，$K_i = 1.89$，$K_d = 1.97$。

机组在不同工况下运行，均在仿真时间为 1s 时受到 10% 的阶跃负荷扰动，其动态过渡过程如图 2 所示。其中，图 2 (a)为工况一(导叶开度为 45%)的响应，水轮机的 6 个传递系数为 $e_x = -0.91$，$e_y = 1.28$，$e_h = 0.92$，$e_\partial = -0.31$，$e_{qy} = 1.02$，$e_{qh} = 0.39$；图 2(b)为工况二(导叶开度为 85%)的响应，水轮机的传递系数为 $e_x = -1.39$，$e_y = 0.88$，$e_h = 1.61$，$e_{qx} = -0.47$，$e_{qy} = 0.88$，$e_{qh} = 0.67$。图 2 中，实线为非线性－PID综合控制的响应，虚线为传统 PID 控制的响应。由图 2 可以看出，非线性－PID综合控制策略的超调量较小，速动性较好。

5 结语

在发生负荷扰动时，水力机组非线性逆控制策略的超调量较小，调节时间较短，水轮机调节系统的动态品质较好，抗干扰能力强。对于水力机组非线性逆控制策略，其控制量中引入调速器的主接力器行程和有压引水管道水压力的变化，对水轮机调节系统起到了较好的作用。水力机组非线性逆控制策略原理简单，便于工程实施，是一种简单有效的水轮机调节系统控制策略。

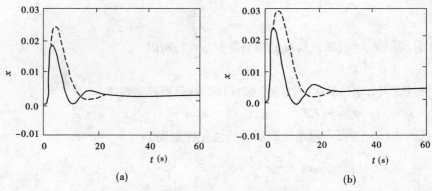

(a)　　　　　　　　　　　　　　(b)

图 2　不同工况下 10% 负荷扰动

参 考 文 献

[1] 沈祖诒. 水轮机调节系统分析. 北京:中国水利水电出版社, 1996

[2] 李东海, 姜学智, 徐忠净, 等. 一类不可逆系统的非线性控制及其预期动力学方程的选取. 控制与决策, 1998, 13(6)

[3] 葛友, 李春文, 孙政顺. 逆系统方法在电力系统综合控制中的应用. 中国电机工程学报, 2001, 21(4)

[4] 李啸骢, 程时杰, 韦化, 等. 非线性励磁控制中输出函数对系统性能的影响. 电力系统自动化, 2003, 27(5)

[5] 程仁洪. 基于近似逆系统的异步电机复合控制方法. 电机与控制学报, 2001, 5(3)

电力生产企业资源管理及 Agent 技术的运用

王峥瀛　王桂平　孔昭年
（中国水利水电科学研究院）

1　引言

　　企业 e 化作为新型企业的模式将带动整个社会发生一次深层次的变革。其中企业资源计划(ERP)将各个部分有机整合,位于核心地位,是企业文化的体现,企业要成功地 e 化必须拥有一套高效的 ERP 软件。但国内 ERP 起步较晚,成功实现 ERP 的国有企业比例极小,其中由于旧体制羁绊或信息化的基础不具备而制约 ERP 实施的固然占很大比重,但多数 ERP 软件针对性不强,仓促上马也是很重要的原因。本文将探讨发电企业 ERP 的基本构架,尝试引入 Agent 技术构筑电力企业的各个模块,并针对电力企业头等重要的问题——安全性,利用 Agent 技术主动去发现安全隐患,避免事故的发生。

2　电力企业 ERP 的基本模块

　　一个典型的 ERP 系统应包括以下模块[1]:

　　营销管理,集成计划,成本控制,供应管理,库存管理,车间管理,产品管理,设备管理,质量管理,财务管理,人事管理,OA,决策支持。

　　更新的发展增加了数据仓库、工作流、联机分析处理 OLAP,并把支撑环境过渡到 Internet/Intranet,成为 e-ERP。

　　它将企业的三大流(物流、资金流、信息流)进行全面一体化管理,包括生产控制(计划、制造)、物流管理(分销、采购、库存管理)和财务管理(会计核算、财务管理)。这三大系统互相之间应有良好的接口,能够很好地整合在一起来对企业进行管理。另外,作为企业之本的人力资源,员工的评价,激励体系也应是 ERP 系统的一个重要组成部分。在市场经济下,ERP 还是应变灵活多变外部环境的决策平台,应与合作伙伴、客户甚至竞争对手以及整个大环境(包括国家政策、全球市场等)保持紧密的"数据联系",能有效地采集数据、分析数据,企业 ERP 是一个庞大的系统工程。

　　就国内的现状来说,电力企业还没有完全走入市场,所以营销方面相对要求不高(本文略去该部分),核心的部分应是生产安全性和成本控制,所以本文仅以此为中心针对设备管理列出相关的模块,并粗略地给出了部分关系(见图 1)。

　　由图 1 对企业资源关系粗略的描述可见,对象模块间关系非常紧密、复杂,研究及描述各个对象及相互间的关系,使企业能按实际流程高效运作是企业实现 ERP 的一大挑战。而传统的软件设计方法有以下几个缺点:

　　(1)企业系统通常表现出很强的动态性、随机性。这时传统的软件设计方法便显得缺少灵活性和自适应能力。

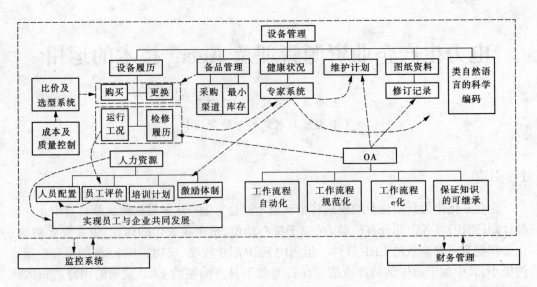

图1

(2)在 Internet 高速发展的今天,企业应能充分利用 Web 资源,但 Web 资源纷繁复杂,传统的软件难以自动搜寻到有用信息提供给企业去决策。更多的是依靠员工手动搜寻和交流而获得,这样许多工作流程仍是依靠个人的能力,表现为极大的随意性,必然错过很多提高企业管理水平、保证生产安全、降低生产成本的机会。例如,要充分利用 Internet 的信息资源实现比价及设备选型系统依靠传统的方法就几乎无法实现。

(3)信息的组织方式是同一子系统内统一管理,子系统间用编程方式或手工获得需要的数据,导致独立于数据的程序很难实现,子系统间耦合紧密,可扩展性差。

(4)工业生产企业存在多种平台,为了将企业管理与生产控制紧密结合,每多一种平台就须添加一种接口程序,增加了系统开发和维护的难度。所以,ERP 的各组成对象需要一种跨平台的语言进行交流。

3 面向 Agent 技术的引入

3.1 基本概念

目前对 Agent 还没有一个得到公认的定义,一个较为人们接受的是 M. Wooldridge 和 N. T. Jennings 于 1995 年提出的[3]:"Agent 是一个满足特定设计需求的计算实体,它位于特定的环境中,具有高度的灵活性和自治性。"

它具有以下特点[4]:

(1)驻留性。Agent 存在于一定的环境之中,它能感知环境输入(如某些事件的发生),并通过动作和行为来影响环境。

(2)自主性。Agent 具有属于其自身的有限资源和局限于自身的行为控制机制。Agent 能在没有人类或其他 Agent 的直接干涉和指导的情况下持续运行,并能根据其内部状态和感知到的环境信息决定和控制自身的状态和行为。自主性是 Agent 区别于其他抽象概念如过程、对象的一个重要特征。

(3)反应性。Agent 能够感知所处的环境(可能是物理世界或与其他 Agent 交互等),

· 26 ·

并能对环境中发生的相关事件(如 Agent 间的交互和通讯)做出适时反应。

(4)主动性。Agent 并不是简单地对环境中的事件做出反应,而是表现出某种目标指导的行为。某些情况下,Agent 能够主动地产生目标,继而采取主动的行为。

(5)社会性。Agent 可能处于由多个 Agent 构成的社会环境中,Agent 拥有其他 Agent 的信息和知识,并能通过某种 Agent 通讯语言与其他 Agent 实施灵活多样的交互和通讯,实现与其他 Agent 的合作和协同等,以完成其自身问题求解或者帮助其他 Agent 完成相关的活动。

3.2 基于 MAS(多 Agent 系统)的电力企业 ERP 系统

根据 Agent 的特征可见,Agent 技术在继承面对对象技术的基础上能表现出类似于人的特征,它具有一定的推理学习能力,能够帮助管理者发现潜在的问题并改善自己的行为,并采用跨平台的语言共同构成一个沟通良好的社会。如果采用基于 MAS 技术构建企业 ERP,能在很大程度上解决以上传统软件设计方法无法解决的问题。以下给出利用 MAS 构建电力企业 ERP 的一些思路。

3.2.1 Agent 设置

首先,考虑作为电力企业实体的设备,每个设备应作为一个设备 Agent,其中为主设备提供服务的设备是主设备的子设备 Agent;企业的每个岗位(角色)作为一个角色 Agent;每个员工作为员工 Agent。

设备 Agent 拥有自己的 ID(科学的编码),它了解自身的情况,包括设备管理中的几个模块:履历、图纸资料、健康状况、维护计划、备品管理,具备自管理能力。具体体现在以下几方面:

(1)它了解与其他 Agent 的关系,例如:a. 父子关系;b. 角色 Agent 对它的责任关系,对责任 Agent,在有帮助需求时能主动要求;c. 协作关系:表现为哪些设备的状况将影响到自己,自己的状况将影响到哪些设备。

(2)设备 Agent 应具备自管理能力包括责任角色 Agent 要对自己进行操作或维护时应做哪些措施,并通知相关的角色 Agent 及设备 Agent 请求同意,工作许可后对角色 Agent 提供工作所需的帮助(包括所需的图纸、工具、工作步骤等)。工作完毕后应要求角色 Agent 修改哪些图纸资料,对于共享的部分应通知相关的 Agent,并要求维护履历及图纸资料修订履历。通过这些手段可以做到工作流程的自包含、安全生产的自包含以及保证知识、经验的可继承性。

(3)自包含的专家系统实时根据历史数据及实时数据对运行工况做出分析,做出检修计划。

(4)利用 Web 与外界保持紧密联系,能够主动在 Web 上搜寻与自己情况类似的合作伙伴,交换信息,学习对方的经验,提出改进的建议,发现设备隐患,避免事故的发生。

(5)成本控制,根据其他 Agent 的经验以及专家系统根据运行工况的分析,决定备品的最小库存,购买渠道以及分析采用替代产品是否比继续维护成本更低或安全性更高。

(6)员工评价,根据运行情况对员工做出评价(可以出题考核员工是否有维护资格等)。角色 Agent 应明确自身的任务,表现为:①与其他角色 Agent 的关系,包括对谁负责,与谁协作,对下级 Agent 的管理、评价、培训、激励等;②受设备 Agent 约束,满足设备

Agent 的需求,包括给予设备 Agent 实现智能 Agent 所需要的但不能自动采集的数据,执行维护计划,事故情况下的紧急处理,审查设备 Agent 提出的改进建议;③提出对设备 Agent 的完善方案,得到批准后实施。

员工 Agent 首先应对其进行配置,体现为员工 Agent 与角色 Agent 的映射关系。员工 Agent 继承角色 Agent 的所有关系及任务,同时完成自身的管理工作。例如,提出个人培训请求,考勤记录等。

3.2.2 BDI 模型描述举例

BDI 模型采用信念(Belief)、愿望(Desire)和意图(Intention)当做基本的思维属性来描述 Agent 的思维状态相互间的关联,包括感知、规划、行为、协调、合作等活动的关系。从意识立场出发,Agent 的 BDI 分析不同于人们熟悉的知识表示和推理,而是对思维过程的一种深层次描述,为的是适应 MAS 求解过程中环境多变、突发事件发生的情况下,实现理性的、一致的合作行为。

这里以发电厂设备高压油泵为例采用 BDI 模型给出描述。

信念描述了 Agent 对当前世界状况以及对达到某种效果可能采取的行为路线的估计,属于思维状态的认知方面。高压油泵作为发电机系统的重要附属设备,它的信念:确保其父 Agent——发电机的安全及自己安全。

愿望描述了 Agent 对未来世界状况以及可能采取的行为路线的喜好,属于思维状态的感情方面,Agent 可以拥有互不相容的愿望,而且也不必相信它的愿望是可实现的。表现为对实现信念一切有益的因素,例如:①它为确保安全,希望定期检修,但由于人员 Agent 资源有限,有时不能满足要求;②它为自身安全,要求启动不要过于频繁,但在发电机有频繁启动要求时,又要满足保证发电机安全的愿望。

目标是 Agent 从愿望中选择的子集,但还没有采取具体行动的承诺一般 Agent 相信目标是可实现的,由于 Agent 资源有限,不能一次去追求所有的目标。所以 Agent 选择某个目标(或目标集)来作出追求的承诺,形成意图。意图一般给 Agent 提出问题,Agent 需要决定如何解决这些问题。例如,要维护系统安全的意图实时在线分析运行数据,当发现高压油出口油压变化不符合以往规律,则产生新的意图,希望油压变正常,通常通知它的责任角色 Agent。Agent 应能监督意图的实施并且实施要得到相关设备 Agent 的同意,在与其他 Agent 的目标发生冲突时通过管理角色 Agent 协商或仲裁解决。若实施失败,应得到失败的理由。

意图可产生改变,例如,在要求维修后,通过外界了解到有更新、更好的设备出现,更换成本(综合考虑)低于维修,于是撤销维修请求改为购买、更换。

3.3 支撑技术及存在的问题

信息 Agent 本质上是应用人工智能的技术,核心是能做到信息、处理方法的自包含,并根据学习的结果改进处理方式和获取信息的方式。在信息的自包含方面,近两年智能设备以及工业以太网、现场总线的长足进步为信息 Agent 的引入奠定了一个较好的基础。例如,ABB 公司提出的 Product IT 概念,每个设备都是一个智能化个体,接入兼容的现场总线后,在主机上安装符合 DTM(Data Type Manager)标准的驱动程序,系统将自动完成该设备的配置,在系统中生成一个设备个体,它自包含了设备参数,控制逻辑,检修记录,报表生成等。设备的维护信息能够实时自动生成,这样设备的维护管理和监视控制能够做到无缝连接,信息处理技术和生产过程控制得以很好的融合。在此基础上,对每个设备加入人工智能技术,提供获取外部信息和分析问题的手段,信息 Agent 的实现也将不再遥远。

目前,Agent 技术还不成熟,多数基于 Agent 系统是利用非 Agent 技术来实现的,基于 Agent 系统的开发缺乏开发环境、编程工具支持,尽管已经提出了许多面向 Agent 的程序设计语言如 Agent-0、CONGOLOG、Concurrent METATEM 等,但至今还没有一种实用、能为大家所广泛接受和使用的面向 Agent 程序的设计语言。

Agent 复杂的行为必须得到一种系统方法的支持,目前许多基于 Agent 系统完全是借助于软件开发人员所具有的零散(而不是系统)、具体(而不是抽象),甚至是与 Agent 不相关的经验知识建立起来的。尽管人们已经提出基于 Agent 软件工程的思想,但它远不及面向对象方法那样有一系列比较系统的手段用于指导基于 Agent 系统的需求分析、设计、实现和验证等工作。

4　前景展望

(1)由 Agent 的描述可见,以设备 Agent 为核心的 Agent 群体体现出一种自组织行为。我们可以设想,在各类 Agent 模块成功合理地定义后,企业的组织条理化、规范化成为一个自动完成的过程。而且,Agent 的可重用性很强,在某个企业成功运用的 Agent 有可能成为整个社会的财富。

(2)基于 XML 的 Web Service 技术实现了 Program Web 的概念,在电力行业制定了行业规范的 XML 标准后,利用 Web Service 非常适合于 Internet 上 Agent 之间数据的自动交换,能充分挖掘 Internet 的信息资源。同样系统内部的 Agent 间也能以同样的方式提供信息交换的标准接口(Web Service),现在已有不少智能设备以 Web 服务器的方式提供服务,设备接入总线后,用户可以使用浏览器访问该设备的站点对设备进行监视控制。

(3)一个企业要发挥最大效益必须在与整个社会的大环境充分交互的情况下。基于 Agent 的系统越多,Agent 的主动信息共享、主动挖掘信息的优点表现得越突出,信息真正转化为生产力的机会也就越多。基于 Agent 的系统设计前景光明,拥有巨大的潜力。

参 考 文 献

[1] 罗鸿. ERP 原理设计实施. 北京:电子工业出版社,2002

[2] 吴克河,李为. 发电企业 ERP 模型的研究与设计. 现代电力,2002,19(4)

[3] M. Wooldridge, N. R. Jennings. Intelligent Agents: Theory and paratice. The Knowledge Engineering Review. 1995,10(2)

[4] Gerhard Weiss. MultiAgent Systems. United States, MIT Press

[5] 林键,杨新华. 基于 Agent 的组织业务过程模拟. 五邑大学学报(自然科学版),2000,14(2)

[6] 黄小兵,唐文胜. 基于 Agent 系统的概念、方法和应用. 计算机与现代化,2000,4

WAP 技术在水情测报系统中的应用

张颖琦　孙增义　孔昭年
（中国水利水电科学研究院自动化所）
孙　新
（北京理工大学计算机科学与工程系）

1　引言

　　水情测报系统是集数据采集和发布为一体的信息系统。随着水利部水利信息化要求的提出，将新兴的信息技术应用于水情测报系统中，提高水情测报系统的信息化程度，成为目前主要关注的问题。在水情测报系统中，运用现代通信技术、计算机网络技术，利用使用方便、易于携带、普及广泛的通信工具，在任何时间、任何地点对中心站水情数据进行查询，能够大大提高水情测报系统的信息化程度，加快水利信息化的进程。

2　WAP 技术简介

　　WAP(Wireless Application Protocol，无线应用协议)技术是由爱立信、摩托罗拉和诺基亚等国际著名通信厂商共同开发的一种移动互联技术，利用这种技术，人们可以随时随地上网获取各种信息，极大方便了互联网用户，使手机无线上网成为现实。

2.1　WAP 通信过程

　　利用 WAP 上网，要求用户的手机必须支持 WAP 功能(即手机必须内嵌适用于 WAP 服务器的微型浏览器)，现在市面上的手机一般都支持 WAP 上网。开通 WAP 业务后，用户从 WAP 手机键入想要访问的 WAP 内容服务器的 URL，信号经过无线网络，以 WAP 协议方式发送请求至 WAP 网关，然后经过"翻译"处理，再以 HTTP 协议方式与 WAP 内容服务器交互，最后 WAP 网关将服务器返回的内容压缩、处理成二进制流，并返回到客户的 WAP 手机屏幕上，完成一次查询。具体过程如图 1 所示。

图 1　WAP 通信过程

2.2　编程语言

　　WAP 网站的开发与 Web 不同，静态网页的编写要采用作用相当于 HTML 语言的 WML 语言。WML(Wireless Markup Language) 即无线标识语言，这种语言是为解决 HTML WEB 页不可能在移动设备上显示的问题而开发出一种新的网页撰写格式。这是一种应用于"无线应用软件协定"环境下的网页语言。运用 WML 设计的网页可在手机的微型浏览器上产生图示、按钮及超链结的功能,简化了网页的复杂度。

对于动态网页的编写,目前可以拿来作为 Web 应用程序的平台,像 ASP、CGI、JAVA、Servlet、JST、PHP 等都可以拿来开发 WAP 应用程序。

3 WAP 与 Web 的比较

在所有信息资源中,互联网已被证明是最廉价而最便捷的获取信息的资源体。随着 B/S 结构在水情测报系统中的应用,实现了在任意安装了浏览器的终端机上都能对水情测报系统的应用服务器进行访问。这种通过有线的 Internet/Intranet 网络对水情数据进行发布和查询的方式,是目前水情测报系统中比较通用的信息发布方式。可以说,在所有的发布方式中,Web 发布的应用是最广泛的。但是,这种发布方式还要受到通信线路的限制,当用户远离有线网络就无法对应用服务器进行访问。WAP 技术的应用刚好可以解决这一问题,它利用手机这种常用的通信工具完成了与有线网络的无线连接,充分利用了有线网络的资源。

WAP 技术虽然使移动互联成为可能,但并不是说它可以完全取代 Web 方式发布水情信息。虽然它具备 Web 发布所没有的优点,但是由于它自身的局限性,它的使用还受到一定的限制。WAP 与 Web 的比较见表 1。

表 1 WAP 与 Web 的比较

特点	WAP	Web
优点	WAP 手机体积小、重量轻、携带方便,可随时随地上网,可实现与 Internet 的无线连接	Web 浏览器处理能力强;屏幕大,能够看到大量信息;网络传输速度快
缺点	WAP 浏览器内置在移动电话中,它们处理能力有限;屏幕普遍都很小,能够看到的信息量有限;网络带宽窄,传输速率低	只能以有线方式连接到互联网

通过表 1 的比较可以看出,通过 WAP 或 Web 发布方式实现对水情数据的发布和查询各有利弊,任何一种发布方式都不能完全取代对方。所以最好的解决办法是在水情测报系统中同时采用这两种发布方式,两者相互取长补短。WAP 发布作为 Web 发布方式的一种补充,不仅可以增加水情数据发布、查询的途径,而且还可以使对水情信息的发布、查询变得更加灵活,从而实现对网络资源的充分利用。同时采用这两种发布方式的网络结构图如图 2 所示。

4 基于 WAP 的水情数据查询、发布应用示例

在水情自动测报系统中通信前置机负责把遥测站测的水位、雨量等数据通过一种或多种方式发布出去。WAP 发布作为诸多发布方式中的一种,可以单独作为一个模块来设计。由于目前支持 WAP 的手机屏幕较小,所以在水情信息发布系统中通过 WAP 方式发

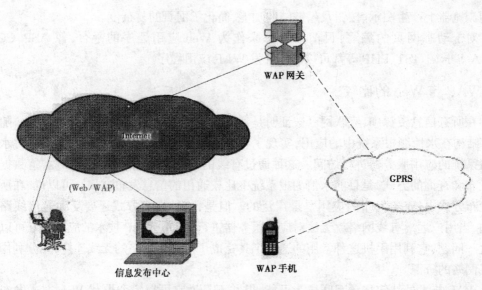

图2 两种发布方式的网络结构图

布的内容应尽量精练,便于用户阅读。今后,当 WAP 手机屏幕小的问题得以解决和 WAP 客户端浏览器技术更加成熟时,可对 WAP 发布的功能进行扩充。

图3~图7所示为使用 WAP 浏览器对 WAP 手机进行模拟,简单说明了利用 WAP 手机对水情数据进行查询、发布的过程。其中,图3为登录后显示的主页面;图4为输入查询条件的格式说明;图5为输入查询条件界面;图6为输入完查询条件的界面;图7为显示查询结果的界面。

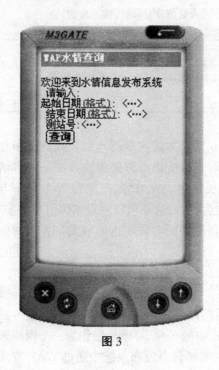

图3

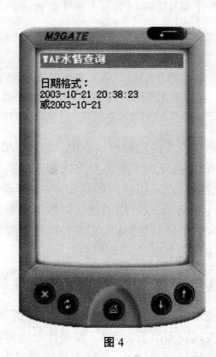

图4

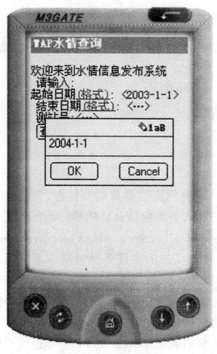

图 5

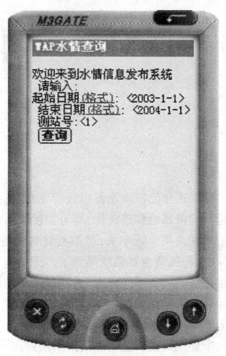

图 6

5 结语

WAP技术作为一种逐渐发展、不断成熟的技术,有着非常广阔的发展空间。它充分结合了有线通信技术和无线通信技术的优点,很好地满足了移动办公的要求。将这一技术应用在水情测报系统中,用户可以在上班的途中、火车上、大坝上、商场、电影院里,总之在可以利用手机通信的地方,就可以随时查询水情数据信息。便于用户掌握水情数据信息,及时做出决策。而且,随着WAP技术在水情测报系统中的更多的应用,通过WAP手机除了可以查询数据信息外,还可以进行各种统计分析。总之,WAP技术越成熟,在水情测报系统中的应用越广泛,对水情数据的查询和发布就会越便捷。

图 7

参 考 文 献

[1] 赵宗基,龚白.通信网.北京:人民邮电出版社,1996
[2] 张慧媛,李晓峰,等.移动互联网与 WAP 技术(第 1 版).北京:电子工业出版社,2002

基于 RBF 协联的水轮机 PP41 步进式双调整调速器

吴罗长　南海鹏　余向阳

（西安理工大学）

1 引言

转桨式水轮机调速器担负着导水机构和桨叶调整机构的双重调节任务，为了保证机组运行的可靠性和经济性，尽可能使其运行在高效区，需要保持良好的导叶动作和桨叶动作的协联关系。近年来，可编程计算机控制器——PCC(Programmble Computer Controller)在水轮机调速器领域得到了广泛的应用。它将计算机的多任务分时操作系统及高级编程语言引入到可编程逻辑控制器，从而使可编程计算机控制器同时具有 PLC 的高可靠性和计算机的快速、多任务及编程通用化的特点，能够实现复杂的控制任务。2001 年推出的 Power Panel－PP41 控制器集显示、键盘、通讯接口及开关量输入输出于一体，并具有六个旋入式模块插槽供用户扩展使用[1]。本文提出的基于 RBF 的 PP41 步进式双调整调速器正是以 PP41 控制器为控制核心，并根据协联关系的特点，充分利用 PP41 的分时多任务和高速处理数据的特点引入径向基函数(RBF)协联关系网络的新一代水轮机微机双调整调速器。

2 步进式水轮机双调整调节系统结构

步进式水轮机双调整调节系统是一个计算机闭环控制系统，它通过两套步进式电液随动系统分别控制导叶和桨叶两个执行机构，从根本上解决了电液转换器发卡引起的控制失灵等问题，简化了液压随动系统与微机调速器的接口，使调速器整机简单可靠[1]。对转桨式水轮机来说，桨叶调节比导叶调节较慢，桨叶调节随动于导叶调节。因此，可先根据被控参量(频率、功率、水位、流量等)与给定值的偏差，利用控制算法求出导叶输出量，然后利用协联关系输出桨叶开度值，其中协联关系根据模型试验经过相似转换或自寻优得来。其调节模式有频率调节模式、开度调节模式和功率调节模式 3 种，运行期间可自动或手动进行切换[2]。基于 PID 控制算法的步进式水轮机双调整系统结构如图 1 所示。

2.1 硬件配置

PP41 步进式双调整调速器主要包括：测频，导叶和桨叶接力器位移反馈，水头的测量，开关量输入、输出，人机接口，步进电机脉冲、方向输出，供电电源等单元。其调速器硬件结构如图 2 所示。

在该调速器中采用两个直线电位器反映接力器位移，模拟量输入模块 AI351 可直接对电位器进行测量，即 AI351 本身向电位器提供－10V～＋10V 的基准电源，并读取电位器中间抽头的电位值。AI351 的分辨率为 12BIT，其输出以 PCC 可直接处理的 INT16 格式存在。水位和功率测量则通过 AI351 提供的 0～20mA 电流信号读取水位传感器和功率

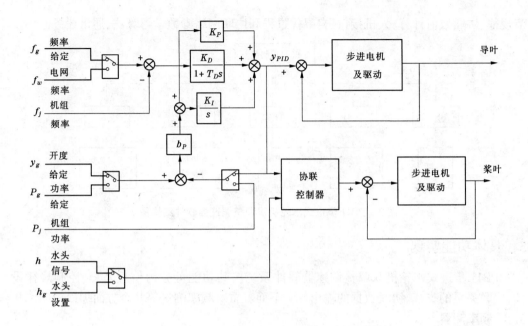

图1　水轮机双调整调节系统结构框图

变送器的电流值。步进电机采用 90BF006 型五相反应式步进电动机,步进电机驱动器使用电源电压为 24V 的五相反应式步进电机驱动器,其输入信号为频率信号和方向信号。

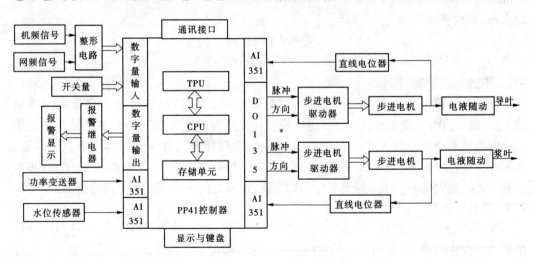

图2　PP41 步进式水轮机双调整调速器硬件结构图

2.2　软件结构

PP41 步进式双调整调速器软件将程序划分为 5 个等级,如图 3 所示。其中频率测量放置在高速任务(HS♯1)中,循环时间设置为 5ms。TC♯1、TC♯2、TC♯3、TC♯4 循环时间分别为 10ms、20ms、50ms、100ms,并分别完成随动系统控制、步进电机驱动;PID 调节规律、协联数值计算;人机接口、自寻优过程和协联网络参数学习算法、通讯任务。

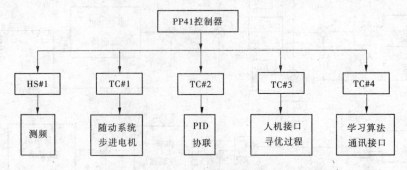

图 3　PP41 步进式水轮机双调整调速器软件结构图

3　具体功能实现

PP41 步进式水轮机双调整调速器软件系统按其功能可分为信息采集、控制规律设计、协联关系的查找、协联数据的输出等。下面着重对频率测量等几个方面加以说明。

3.1　频率测量[1]

将整形后的机组或电网频率信号经 PP41 的开关量输入通道传至 PP41 内部的 TPU 通道 1、3,时间处理单元 TPU 利用其内部 6 291 666Hz 的计数时钟测量输入脉冲的频率,具体为在 PP41 控制器 TPU 通道 1、3 中分别引入时间测量模块 LTXcpiC 和 LTXcpiE 测量机频和网频信号的一个周期,TPU 读取方波信号两相邻上升沿之间的计数差值 $DifCnt$,则所测频率为

$$f = f_c/DifCnt \tag{1}$$

式中:f_c 为 PP41 内部计数器的计数频率(6 291 666Hz)。

3.2　步进电机控制

步进电机控制采用可与 PP41 的时间处理单元(TPU)相连接的数字量输出模块 DO135,经步进电机驱动模块控制步进电机。在高速输出模块 DO135 的四个通道中配置步进电机控制功能模块 LTXpest0 和 LTXpest2,用以控制导叶和桨叶步进电机驱动器。在程序中通过设定 LTXpest0(或 2)的 Halt(停止功能)、SetPar(参数)和 StargetRel(相对目标位置),通过 StargetRel 的正负号和大小值,就可方便地实现步进电机的控制。

3.3　自寻优过程

这一部分的功能旨在寻找最优的协联关系,水轮机经过长时间运行或其他原因会使协联关系发生偏离,这就需要定期对协联关系进行修正,从而引入了自寻优过程[3]。在寻优过程中,为保持导叶开度不变而通过桨叶自适应控制在线寻找最优协联工况点,其具体过程如下:首先置初值,设置初始步长、最小步长和搜索方向并置步数为 0;然后进行寻优,第一次走步时,若效率下降,表示第一步方向不对,调节装置就返回一步,同时改变搜索方向,按此方向继续走步,若效率再次下降,表明桨叶开度已超过了最优点,则返回一步,结束此步长的搜索;若未达到最小步长,则调整步长使步长减半并置步数为 0,继续下一步长的搜索,否则,搜索完成,将搜索所得数据保存在新建数据模块中。其寻优流程如图 4 所示。PP41 的数据模块对象为其实现提供了很好的软件平台。

3.4 基于 RBF 的协联数值计算

3.4.1 RBF 网络结构

该调速器采用一个非线性隐含神经元特性的 3 层 RBF 神经网络,拟合了协联数据,将协联关系看做是一个具有双输入(导叶开度和水头)单输出(桨叶开度)径向基函数(RBF)网络。因此利用下列式(2)的 RBF 网络方程就可直接求出:

$$\begin{cases} R_i(y,h) = \exp[-b(y-c_{i1})^2 + (h-c_{i2})^2] \\ z = \sum_{i=1}^{m} \omega_i R_i(y,h) + \theta \end{cases} \tag{2}$$

式中:y 为导叶开度;h 为水头;b 为径向基函数分布;c_i 为第 i 个基函数中心;ω 为网络连接权值;θ 为偏差单元。

3.4.2 学习算法

该调速器中的学习算法主要指利用试验所得协联数据求取协联关系网络参数,并通过自寻优所得协联数据更新网络参数,以此实现协联关系的校正,在校正过程中,自寻优数据可根据以下原则做适当的选择:首先选取校正协联数据模块中的数据,然后在此基础上,围绕着这些数据通过校正前协联网络在全协联区内均匀地补充一些协联数据,这样做的好处是保证了学习样本的充足和协联数据的准确性。为加快网络学习的收敛速度,改进 BP 算法,实现算法如下[4]:

$$\begin{cases} \Delta\omega_i = l\Delta\omega_i + (1-l)\eta\delta R_i(y,h) \\ \Delta c_{i1} = l\Delta c + (1-l)\eta\delta\omega_i R_i(y,h)2b(y-c_{i1}) \\ \Delta c_{i2} = l\Delta c + (1-l)\eta\delta\omega_i R_i(y,h)2b(h-c_{i2}) \\ \Delta\theta = l\Delta\theta + (1-l)\eta\delta \end{cases} \tag{3}$$

式中:η 为学习速度;l 为动量常数;$\delta = z_t - z$(z_t 为桨叶开度期望输出)。

3.4.3 协联计算比较

利用 5 组测量值对 RBF 网络进行检验,由表 1 的协联关系输出值和理论计算值比较可以看出协联数据基本一致,经检验,最大输出误差不大于 0.5%。说明该网络能很好地表示转桨式水轮机的协联关系。利用神经网络模拟协联关系的优点是不需要判断导叶开度和水头所处的区域,可以实现全协联区域内的连续取值。

4 结语

本文在常规 PID 控制水轮机调速器的基础上引进神经网络提出了一种基于 RBF 协

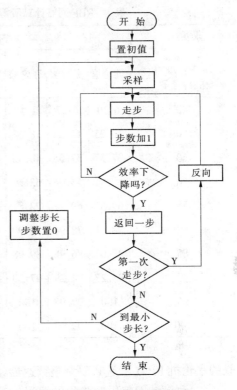

图 4 桨叶自寻优程序流程图

表1 RBF 网络计算所得协联关系输出值和理论计算值比较

水头(m)	18		19		20		21		22	
桨叶(%) 导叶(%)	理论值	实测值	理论值	实测值	理论值	实测值	理论值	实测值	理论值	实测值
40	6.10	6.17	7.48	7.35	9.63	9.63	12.56	12.71	15.48	15.40
50	16.25	16.28	18.68	18.62	21.99	22.02	26.13	26.13	29.66	29.66
60	37.37	37.35	40.95	40.99	44.68	44.62	48.13	48.20	51.00	50.97
70	58.91	58.96	62.60	62.54	66.14	66.15	69.33	69.29	72.16	72.21
75	69.33	69.27	72.81	72.75	76.17	76.42	79.33	79.24	82.14	82.04
80	78.81	78.96	81.99	81.79	85.02	85.14	88.15	87.92	91.07	91.26
85	87.03	86.98	89.98	89.85	92.78	93.12	96.09	96.02	99.45	99.34
90	94.27	94.29	97.29	97.49	100	99.52	100	100	100	100
95	100	99.97	100	100	100	99.98	100	100	100	99.98
100	100	99.98	100	100	100	99.99	100	100	100	100

联的水轮机 PP41 步进式双调整调速器,其具有以下特点:

(1)测频装置整形电路和可编程计算机控制器 PP41 配以适当软件直接测量频率信号的当前周期,取代了单片机及 PLC 测频装置,提高了系统的可靠性及动态品质。

(2)在调速器中引入了桨叶自寻优过程,可在线搜索最优的协联关系。将协联关系看做一个两输入单输出的径向基(RBF)网络,通过 PP41 控制器和 RBF 神经网络相结合,对协联关系进行曲面拟合,实现了全协联区域的连续取值,并可根据最优协联关系对网络参数的修正实现协联关系的在线自校正。

(3)PP41 集处理器 CPU、时间处理单元 TPU、数字量输入、数字量输出、通讯接口以及大液晶显示器与键盘于一体,并且有 6 个可扩展的插槽,平均无故障时间(MTBF)可长达 50 万 h。

参 考 文 献

[1] 南海鹏.水轮发电机组 PCC 控制.西安:西北工业大学出版社,2002
[2] 魏守平.现代水轮机调节技术.武汉:华中科技大学出版社,2002
[3] 王德意,张江滨,陈嘉谋.轴流转桨式水轮机轮叶自适应控制及装置实现.武汉水利电力大学学报,1992
[4] 胡守仁.神经网络应用技术.长沙:国防科技大学出版社,1998

用改进遗传算法优化水轮机调节系统单神经元 PSD 控制参数

潘　峰　蔡维由　陈光大

(武汉大学动力系)

1　概述

　　PID 控制具有结构简单、易行、稳态精度高等优点而被广泛应用于水轮机调节系统中。但水轮机调节系统具有含非最小相位、时变、非线性等复杂特性,且具有多种运行工况[1]。传统的 PID 控制已难于保证调节系统在不同工况下均具有良好的动态品质,故本文提出一种基于改进的遗传算法的单神经元自适应 PSD 控制。它综合了单神经元控制和遗传算法两者的优点,弥补了传统 PID 控制规律的不足,大大改善了水轮机调节系统的控制品质。

2　单神经元 PSD 控制策略

　　单神经元 PSD 控制方法对于复杂且参数慢时变并受随机干扰影响的系统,能够通过学习自适应地消除负荷扰动和外来干扰,因而对于时变非线性的水轮机调节系统,引入该方法能较好地提高系统控制性能。该控制算法的增量形式为

$$\begin{cases} \Delta u(k) = k \sum_{i=1}^{3} \omega_i(k) x_i(k) \\[2mm] \omega_i(k) = \dfrac{\omega_i(k)}{\sum\limits_{i=1}^{3} | \omega_i(k) |} \\[2mm] \omega_1(k+1) = \omega_1(k) + \eta_I z(k) u(k)[e(k) + \Delta e(k)] \\[1mm] \omega_2(k+1) = \omega_2(k) + \eta_P z(k) u(k)[e(k) + \Delta e(k)] \\[1mm] \omega_3(k+1) = \omega_3(k) + \eta_D z(k) u(k)[e(k) + \Delta e(k)] \\[1mm] z(k) = y_r(k) - y(k) \end{cases} \tag{1}$$

　　式(1)表明,神经元是在教师信号的指导下进行相关学习组织,使相应的输出增强或削弱。对权系数 ω 的调整可以保证学习算法的收敛性和鲁棒性。但是对 k、η_P、η_I、η_D 四个参数的调整需要进行反复试算,这就需要使用者对被控对象有很清楚的了解,也就大大降低了该方法的应用范围,而遗传算法却正好能妥善解决这个问题。

3　遗传算法基本原理[2]

　　遗传算法是模拟生物在自然环境中的遗传和进化过程而形成的一种自适应全局优化概率搜索算法。它能在搜索过程中自动获取有关搜索空间的知识,并自适应地搜索以求

得最优解,而且不受模型结构、约束条件、参数初值及数目的限制。它的主要操作包括选择、交叉和变异。

在选择、交叉和变异操作的作用下,一个特定模式在下一代中期望出现的数目可近似表示为

$$m(H,t+1) \geqslant m(H,t) \cdot \frac{f(H,t)}{\bar{f}} \cdot (1+c)\left[1 - P_c\frac{\delta(H)}{l-1} - o(H) \cdot P_m\right] \quad (2)$$

式中:$f(H,t)$为个体的适应度;$\bar{f}$为个体的平均适应度;$\delta(H)$为模式长度;$o(H)$为模式位数;P_c为交叉概率;P_m为变异概率。

由此可知,在遗传算法中,具有低阶、短的定义长度,且平均适应度高于群体适应度的模式将按指数增长。

4 改进的遗传算法[2]

遗传算法是采用群体进化的方式,可对目标函数空间进行多线索的并行搜索,同时对多个可行解进行检查,并通过交叉算子在各可行解之间交换信息,因此较难陷入局部极小;且它是通过目标函数来计算适应度,不需要其他推导和附加信息,从而对问题的附加性较小。但由于基本遗传算法也有着自身的缺陷(如遗传代数较多,收敛性较差等),故在实际应用中经常使用它的改进算法。改进的遗传算法主要有自适应遗传算法、基于小生境技术的遗传算法等。

4.1 自适应遗传算法

自适应遗传算法是采用使 P_c 和 P_m 随适应度自动改变的方法来改进传统遗传算法。即当种群个体适应度趋于一致或趋于局部最优时,使 P_c 和 P_m 增加;而当群体适应度比较分散时,使 P_c 和 P_m 减少。同时,对于适应值高于群体平均适应值的个体,对应于较低的 P_c 和 P_m,使该解得以保护进入下一代;而低于平均适应值的个体,相对于较高的 P_c 和 P_m,使该解被淘汰掉。因此,自适应的 P_c 和 P_m 能够提供相对某个解的最佳 P_c 和 P_m。该算法能够在保持群体多样性的同时,保证遗传算法的收敛性。P_c 和 P_m 按如下公式进行自适应调整:

$$P_c = \begin{cases} P_{c1} - \dfrac{(P_{c1} - P_{c2})(f' - f_{avg})}{f_{max} - f_{avg}} & (f' \geqslant f_{avg}) \\ P_{c1} & (f' < f_{avg}) \end{cases} \quad (3)$$

$$P_m = \begin{cases} P_{m1} - \dfrac{(P_{m1} - P_{m2})(f_{max} - f)}{f_{max} - f_{avg}} & (f \geqslant f_{avg}) \\ P_{m1} & (f < f_{avg}) \end{cases} \quad (4)$$

式中:f_{max}为群体中最大的适应度的值;f_{avg}当代群体的平均适应度值;f'为要交叉的两个个体中较大的适应度值;f 为要变异个体的适应度值。

取 $P_{c1} = 0.9$;$P_{c2} = 0.6$;$P_{m1} = 0.1$;$P_{m2} = 0.001$。

考虑到在遗传算法中子代个体可能出现退化情况,故在实际的算法中采取适当的调整,当子代个体的适应度不如前代时,则该子代将被父代中所对应的个体所取代。

4.2 基于小生境技术的遗传算法

该改进的遗传算法是将每一代个体划分为若干类,每个类中选出适应度较大的个体作为一个类的优秀代表组成一个种群,再在种群中以及不同种群之间通过交叉、变异产生新一代个体群,同时采用预选样机制、排挤机制或分享机制完成选择操作,这种方法可以更好地保持解的多样性,同时具有很高的全局寻优能力和收敛速度。在运用中常通过调整适应度的方法来进行计算。通过适应度共享函数将搜索空间的多个不同峰值在地理上区分开来,每一个峰值处接受一定比例数目的个体,比例大小与峰值高度有关。

本文采用如下的适应度共享函数:

$$
S(x_i,x_j) = \begin{cases} 1 - \dfrac{d_1(x_i,x_j)}{\delta_1} & (d_1(x_i,x_j) < \delta_1, d_2(x_i,x_j) \geqslant \delta_2) \\[2mm] 1 - \dfrac{d_2(x_i,x_j)}{\delta_2} & (d_1(x_i,x_j) \geqslant \delta_1, d_2(x_i,x_j) < \delta_2) \\[2mm] 1 - \dfrac{d_1(x_i,x_j)d_2(x_i,x_j)}{\delta_1\delta_2} & (d_1(x_i,x_j) < \delta_1, d_2(x_i,x_j) < \delta_2) \\[2mm] 0 & (\text{其他}) \end{cases} \tag{5}
$$

式中:$d_1(x_i,x_j)$ 为任意两个个体 x_i 和 x_j 的海明距离(基因型差异);$d_2(x_i,x_j)$ 为适应度距离(表现型差异);δ_1、δ_2 分别为基因型和表现型的作为一个 niche 内个体的最大距离。

则个体的适应度函数调整为

$$
f'(x_i) = \frac{f(x_i)}{\sum\limits_{j=1}^{M} s(x_i,x_j)} \tag{6}
$$

本文结合水轮发电机组控制提出一种改进常规 PID 控制的算法——基于自适应小生境技术遗传算法的单神经元 PSD 控制。该方法是采用改进的遗传算法对水轮机调节系统单神经元 PSD 控制中的四个参数进行搜索,得到优化的控制参数。

5 用改进遗传算法优化单神经元 PSD 控制参数

若水轮机调节系统的数学模型采用图 1 结构,用改进遗传算法对单神经元 PSD 控制参数进行优化。

取广义水轮机调节对象(含调速器执行机构)的传递函数为

$$
G(s) = \frac{1}{1+T_y s} \cdot \frac{e_y - (e_h e_{qy} - e_y e_{qh})T_w s}{1 + e_{qh}T_w s} \cdot \frac{1}{e_n + T_a s} \tag{7}
$$

电站被控对象有关参数为 $e_y = 1.0, e_{qx} = 0, e_{qh} = 0.5, e_{qy} = 1.0, e_h = 1.5, T_w = 2.06\text{s}$, $T_y = 0.2\text{s}, T_a = 1.3\text{s}, e_n = e_g - e_x = 0.25$。

则对象传递可改写为

$$
G(s) = \frac{1}{1+0.2s} \cdot \frac{1-2.06s}{1+1.03s} \cdot \frac{1}{0.25+1.3s} \tag{8}
$$

用 Matlab 的 Simulink 仿真语言进行仿真,取初始种群 $N = 100$,假设单神经元 PSD 中的 $K \in (0.55, 1.2)$;$\eta_I \in (7, 20)$;$\eta_P \in (200, 3\,800)$;$\eta_D \in (200, 3\,800)$,精确度分别为

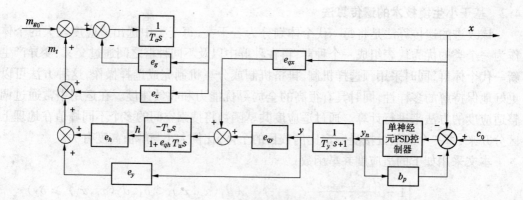

图1 水轮机调节系统框图

0.01、0.05、1、1。

适应度函数采用：

$$P = \left[\int_0^{ts} \lambda \mid x - E_0 \mid t \mathrm{d}t + W_1 (x_{ts} - E_0)^2 + W_2 M_t'^2 \right]^{-1[3]} \tag{9}$$

式中：E_0 是水轮机调节系统的稳态误差，它可表达为

$$E_0 = -\frac{b_p}{(e_g - e_x)b_p + e_y} m_{g0} + \frac{e_y}{(e_g - e_x)b_p + e_y} c_0 \tag{10}$$

取 $\lambda = 1 (c_0 - x \leqslant c_0)$，$\lambda = \beta (c_0 - x > c_0)$，$\beta$ 取为 1.2，以保证开始调节时的下冲影响减至最小[3]。机组的动力矩为

$$M_t' = e_y y + e_h h + (e_g - e_x)x - m_{g0} \tag{11}$$

当动力矩 M_t' 与机组转速 x 相位差为 90°，稳态误差为 0。P 的后两项相位差 90°，保证了其中一个为 0 时，另一个为峰值，这样只有系统真正接近峰值时，两项之和才很小。

令 $W_1 = W_2 = 1\,000$，取 $T_0 = 100$，$t_s = 9$s；

当 $b_p = 0$ 时，经过 9 代遗传，得出单神经元 PSD 控制的四个优化参数为：

$K = 0.555\,1$，$\eta_P = 3\,762.197\,8$，$\eta_I = 7.025\,4$，$\eta_D = 3\,625.054\,9$

采用常规的 PID 参数：

$$K_p = 0.504\,85, K_i = 0.073\,522, K_d = 0.351$$

对上述水轮机调节系统进行 10% 的频率扰动和负荷扰动，其仿真波形如图 2 所示。

机组甩 10% 负荷时的水压力变化过程如图 3 所示。

当 $b_p = 0.02$ 时，经过 10 代遗传，得出 $K = 0.550\,0$，$\eta_P = 3\,794.725\,3$，$\eta_I = 7.101\,8$，$\eta_D = 3\,493.186\,8$；

采用常规的 PID 参数：

$$K_p = 0.4, K_i = 0.07, K_d = 0.2$$

对上述水轮机的调节系统进行 10% 的频率扰动和负荷扰动，其仿真波形如图 4 所示。

机组甩 10% 负荷时的水压力变化过程如图 5 所示。

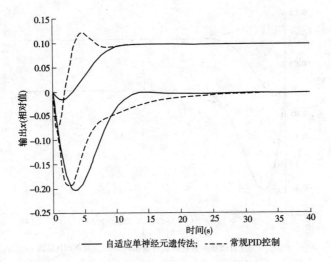

图2　水轮机调节系统频率及负荷扰动波形图($b_p = 0$)

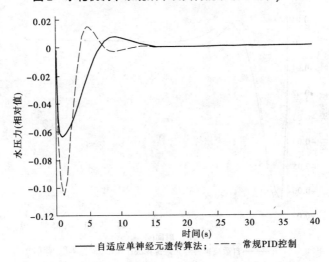

图3　水轮机调节系统甩10%负荷水压力波形图($b_p = 0$)

6　结语

由以上迭代计算和仿真波形图可以得到以下结论：

(1)单神经元PSD控制既有较快的自响应速度,又有较好的动态特性,且能消除系统的稳态误差。

(2)基于自适应小生境技术的遗传算法可以充分发挥自适应遗传算法和小生境算法的优越性,加快参数的寻优速度,且可避免陷入局部极小。

(3)采用基于自适应小生境技术的遗传算法在转速扰动下寻优得到的参数在负载扰动下也具有很好的动态特性,说明优化的参数具有较强的鲁棒性。

因此,本文提出的基于改进遗传算法的单神经元PSD水轮机调速器的设计方法,算法简单,实时性好,应用方便,从仿真结果上看其性能优于常规PID控制。

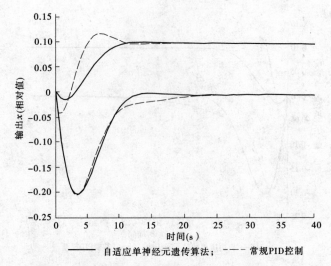

图 4　水轮机调节系统频率及负荷扰动波形图($b_p \neq 0$)

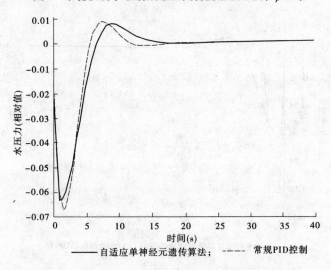

图 5　水轮机调节系统甩 10% 负荷水压力波形图($b_p \neq 0$)

参 考 文 献

[1] 龚崇权,蔡维由,肖惠民.基于遗传算法的水轮机调节系统最优参数整定.电力系统自动化,2002,15

[2] 王小平,曹立明.遗传算法理论应用及软件设计.西安:西安交通大学出版社,2002

[3] 南海鹏.水轮发电机组 PCC 控制.西安:西北工业大学出版社,2002

基于 MATLAB 的水轮机神经网络模型仿真

李　萍　蔡维由　卢万里

（武汉大学动机学院水动实验室）

常　江

（深圳职业技术学院机电系）

1　前言

　　水轮机调节系统是一种复杂的非线性系统,不能简单地用数学表达式进行完整准确的表达。在对其进行计算机仿真时,一般根据系统输入信号的大小分为大波动和小波动两类。在小波动中,水轮机调节系统各环节参数变化较小,可以将系统线性化以减少仿真的复杂性;而在大波动中整个系统完全工作在非线性区域,参数变化剧烈已不能简单地线性化处理,这就使仿真变得复杂。而实际上大小波动之间并无明显界限,也就是说,对不同的水轮机调节系统,线性区与非线性区的界限并不是一成不变的。所以,在小波动中,调节系统何时进入非线性区范围,并没有确定的界线,因此只有考虑到系统本质非线性因素,才能较真实地反映水轮机调节系统的调节过程。由于大小波动过渡过程归根结底是研究同一系统动态过程,小波动过程可以看做是大波动过程的一种特殊情况。本文旨在把大小波动结合起来,对水轮机调节系统进行仿真。

　　水轮机调节系统非线性仿真的关键在于非线性仿真模型的精度。水轮机力矩和流量变化很难用解析式来描述,其传递系数也随运行工况的变化而变化,因此在实际处理中,多借助于水轮机模型综合特性曲线采用曲线拟合法、表格插值法等,但这些方法精度不高,较难建立一个比较准确的水轮机非线性仿真模型。神经网络能够充分逼近任意复杂和非线性系统,因此用神经网络来建立更符合实际系统的水轮机非线性仿真模型是一种十分有效的途径。

　　所以,本文将大小波动仿真统一起来,采用非线性神经网络仿真方法,以便能真实再现水轮机调节系统的内在特性。

　　实现调节系统的非线性仿真,首先必须讨论水轮机特性的非线性处理,故对调速器和发电机的数学模型作了一定的简化,下面以混流式水轮机为例,探讨在 MATLAB 环境下建立水轮机特性的神经网络模型。

2　水轮机特性的神经网络模型

2.1　**特性描述**

　　混流式水轮机的特性,是水轮机力矩 M_t 和流量 Q 的变化特性。这是一个多输入的系统,可表示为

$$M_t = M_t(a, H, n) \tag{1}$$

$$Q = Q(a,H,n) \tag{2}$$

式中：M_t 为水轮机主动力矩；Q 为水轮机的流量；H 为工作水头；n 为水轮机转速；a 为导水叶开度。

我们可从水轮机的综合特性曲线看出，η、a 与 Q_{11}、n_{11} 存在一定的函数关系，即

$$\eta = \eta(Q_{11},n_{11}) \tag{3}$$

$$a = a(Q_{11},n_{11}) \tag{4}$$

式中：带有 11 下角标的表示单位参数，$Q_{11} = Q/(D_1^2\sqrt{H})$，$n_{11} = nD_1/\sqrt{H}$，$D_1$ 为水轮机标称直径。

结合式(3)、式(4)将式(1)、式(2)中的 M_t、Q 转化为单位量并用相对量来表示，即

$$q_{11} = Q_{11}/Q_{11r} = F(a,n_{11}) \tag{5}$$

$$m_{11} = M_{11}/M_{11r} = G(a,n_{11}) \tag{6}$$

式中：Q_{11r}、M_{11r} 分别是额定工况下的单位流量和单位力矩。也就是说，当输入工况点参数 a、n_{11} 时，输出应该是反映水轮机特性的 q_{11}、m_{11}。

2.2　水轮机仿真

2.2.1　水轮机特性的神经网络建模

现在，关键问题就是如何得到每个时刻的工况点参数 a、n_{11}。设在 t 时刻接力器行程、转速、水头的相对偏差分别为 y、x、h，则有：

$$H = hH_r + H_w;a = ya_r + a_{wr};n = xn_r + n_w;n_{11} = nD_1/\sqrt{H}$$

式中：带有 r 下角标的表示额定工况下的参数；带有 w 下角标的表示稳态时的各参数。

将上面公式综合可得到混流式水轮机神经网络的简单模型，主要包括计算 q_{11} 和 m_{11} 的神经网络模块、计算 n_{11}、H、a 的模块。整个过程如图 1 所示。

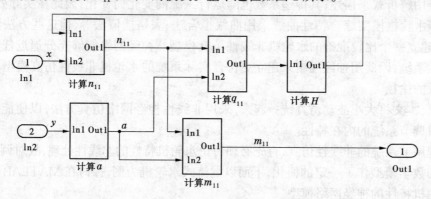

图 1　水轮机神经网络模型计算框图

2.2.2　神经网络模块的构建

对水轮机特性的神经网络建模就是用神经网络来表示式(5)和式(6)的水轮机特性的非线性关系。这里笔者采用的是 BP 神经网络。BP 网络，即反向传播网络（Back‐Propagation Network）是对非线性可微分函数进行权值训练的多层前向网络。BP 网络的产生归功于 BP 算法的获得。BP 算法由信息的正向传递和误差的反向传播两部分组成。在

正向传播过程中,输入信息从输入层经隐含层逐层计算传向输出层,每一层神经元的输出作用于下一层神经元的输入。如果在输出层没有得到期望的输出,则计算输出层的误差变化值,然后转向反向传播,通过网络将误差信号沿原来的连接通路反向传回来修改各层神经元的权值直到输出达到期望目标。这是一种目前应用最为广泛的神经网络。这里应用三层网络结构分别对 q_{11} 和 m_{11} 进行仿真,网络结构如图 2 所示(建立 q_{11} 与 m_{11} 的神经网络的方法相同,网络结构一致)。

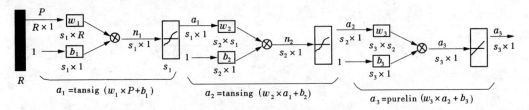

图 2　网络结构图(s_1:第一层神经元数;s_2 第二层神经元数;s_3 第三层神经元数)

这里以计算 q_{11} 的神经网络为例,建立基于 MATLAB 的神经网络模型。下面列出了建立基于 MATLAB 的神经网络模型的程序:

```
Clf
echo on
clc
p=[0 18 22… 34; 0 55 60 …80] %用于神经网络训练的输入[a  n₁₁]样本对
t=[0.000 0.687 … 0.934 1.189 1.106] %相对于输入的理想输出 q₁₁样本
S1=15; %神经网络层 1 的神经元个数
S2=15; %神经网络层 2 的神经元个数
[w1,b1,w2,b2,w3,b3]=initff(p,S1,′tansig′,S2,′tansig′,t,′purelin′); %对网络进行初始化
df=25; %更新显示间的训练次数
me=1 000; %最大训练次数
eg=0.02; %误差平方和指标
tp=[df me eg]; %tp 为训练参数
[w1,b1,w2,b2,w3,b3,ep,tr]=trainlm(w1,b1,′tansig′,w2,b2,′tansig′,w3,b3,′purelin′,p,t,tp); %对网络进行训练
echo off
```

这样神经网络就建好了。从误差平方图(如图 3 所示)上可以看出,训练过程中,网络的误差平方和逐渐减少,最终达到允许误差 0.02 以下,而且收敛得比较快。

为了检验仿真结果,对任意的输入 $p=[a,n_{11}]$,经仿真函数:$q_{11}=\mathrm{simuff}(p,w1,b1,′tansig′,w2,b2,′purelin′)$ 就可得到仿真结果,同时,从执行命令 surf 的结果中,我们可以得到 q_{11} 的神经网络模型曲面图,如图 4 所示。

上述三层 BP 网络训练函数 trainlm 采用的是 Levenberg - Marquardt 算法进行训练。该算法实际上是梯度下降法和牛顿法的结合。Levenberg - Marquardt 优化方法的权值调

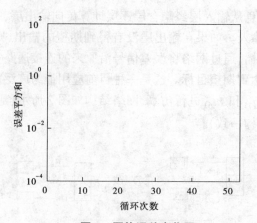

图 3　网络误差变化图

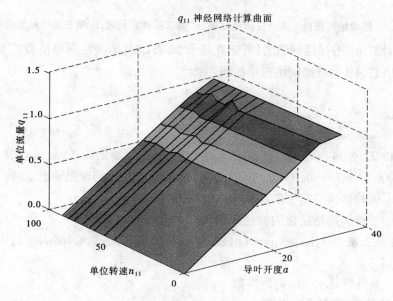

图 4　网络曲面图

整率为

$$\Delta w = (J^T F + \mu I)^{-1} J^T e$$

式中:J 为误差对权值微分的 Jacobian 矩阵;e 为误差向量;μ 为一个标量,当 μ 很大时,上式就接近于梯度法;当 μ 很小时,上式就变成了 Gauss - Newton 法,在这种方法中,μ 也是自适应调整的。

　　类似地可以得到 m_{11} 的仿真模型,从仿真结果中可以看出所建立的水轮机神经网络模型能较好地反映水轮机的真实性。

3　仿真实例

　　某水电站水轮机型号 HL220,转轮直径 4.1m,额定转速 136r/min,额定水头 66m,额定流量 144m³/s,额定出力 87MW,机组惯性时间常数 7.85s,水流惯性时间常数 1.094s,

在给定的初始工况下突减 10% 额定负荷时的 q_{11} 与 m_{11} 的响应过程曲线如图 5 所示。

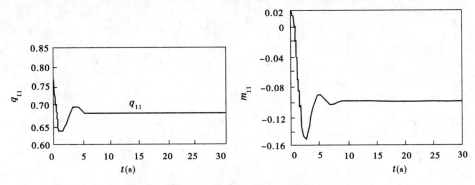

图5 相对流量与相对力矩响应过程曲线图

由此可见,由于神经网络具有良好的非线性逼近能力,水轮机特性的神经网络模型能真实地表达水轮机的特性。利用所建神经网络模型不仅可方便地进行大小波动过渡过程的计算,还可按水力机组真实特性对水轮机控制系统进行设计和研究,为用于工程计算和科学分析的水轮机特性表达开辟了一个新的途径。

参 考 文 献

[1] 黄文梅. 系统分析与仿真:MATLAB 语言及应用. 长沙:国防科技大学出版社,1999
[2] 丛爽著. 神经网络、模糊系统及其在运动控制中的应用. 合肥:中国科学技术大学出版社,2001
[3] 刘大凯. 水轮机. 北京:中国水利水电出版社,1996
[4] 沈祖诒. 水轮机调节. 北京:中国水利水电出版社,1997

图5 ...

水轮机调速系统篇

逻辑插装技术在水轮机调速器中的应用问题探讨

张建明　张治宇　刘同安

（中国水利水电科学研究院）

1　概况

逻辑插装阀的应用，有效补充和发展了传统液压控制技术。就水轮机调速器行业而言，目前在油泵组合阀、分段关闭阀、折向器液压控制系统、轮叶/导叶位置随动系统中得到了一定的应用，并取得了令人满意的效果。逻辑插装阀在欧洲最初叫"流体逻辑元件"、"液压逻辑阀"，后根据 DIN24342 统一称"二通插装阀"，简称 2－wev 阀，英美简称"插装阀"，即 CV 阀(cartridge valves)。我国由于译名与理解的原因，叫法很多，有锥阀、逻辑阀、插入阀等。值得关注的是，国外一些知名厂商又在逻辑插装阀的基础上派生并推出了比例插装阀，这为我们的设计选型增加了许多选择余地。

对于油压装置、水轮机调速器液压控制部分而言，其基本职能可概括为压力调节、流量调节、方向与位置控制。由此就会有压力阀、流量/方向阀(如"主配")，传统液压控制技术的基本组合是"四通滑阀"（如"主配"）加双向可控执行器(接力器)。主配系具有多台肩圆柱滑阀阀芯和多沉割槽铸造或锻造阀体的配磨对称结构，为非标准大通径阀(特殊形式的大流量—机液操纵比例/伺服阀)。由于采用间隙密封且轴向结构尺寸大，其抗油污能力、换向可靠性受到一定限制；此外，换向时间、泄漏量、换向冲击、动态响应等方面也有诸多不足。从液压阻尼控制工程的观点看，它由一种刚性牵连的"四臂液阻"构成一"液压全桥"，简单通用，应用历史悠久。它无法进行"单臂控制"，"可控性"受到一定限制，难以实现多形式、广范围和灵活多变的集成化。显然难以满足现代水轮机调速器对液压技术日益增高的要求，本行业中也出现了要求变革调速器几十年来一成不变的传统液压模式的呼声。

德国 Back 教授和我国学者路甬祥教授等人的研究表明，传统液压控制的基本组合可进一步分割为由两个可控液阻和一个"受控腔"组合的"液压半桥"。大部分的液压控制系统及回路都可含有若干个这种组合。这一新概念使液压控制系统的组合机理发生了根本变化，对传统液压控制技术的变革起了很大推动作用；逻辑插装阀作为"单个控制液阻"的出现，极大地丰富和发展了液压控制技术。

2　逻辑插装技术的特征及组合机理

逻辑插装技术的基本特征可归纳为先导控制、阀座主级、插装式连接。同"四通滑阀"相比，它采用微型结构的先导控制，可以不受限制地接受各种形式的开关、模拟和数字信号控制，并进行包括机械、液压参量的反馈和比较，在同一主级上复合压力、流量及方向诸多功能，并和比例阀、数字阀兼容，若先导信号是连续或按比例调节，阀座主级就可实现伺服阀/比例阀的控制功能，具有极佳的"可控性"与灵活性。阀座结构上也克服了传统滑阀工艺性差及径向间隙泄漏的缺点,其阀座主级系"线密封"和"零遮盖",加之轴向结构尺寸短、阀芯质量小,这为提高动态品质,实现多形式、大范围、灵活多变的集成化提供了可能,这些优点对工业液压控制的技术进步具有十分重要的意义。

图1是采用逻辑插装阀控制一个"受控腔"的结构示意图,它由控制进油液阻的CV1和控制回油液阻的CV2两个控制液阻组成一个"液压半桥"。这种组合的优点之一是能用不同规格的主级来适应不同的进、回油流量控制,同时只要改变微型先导级的组合便能实现压力和流量的多种复合控制功能、还兼容着开关控制,这种控制优点对中大功率的水轮机调速器液压系统的使用十分有利。

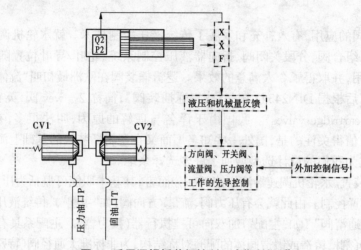

图1 采用逻辑插装阀控制一个"受控腔"

3 逻辑插装阀的性能特点

逻辑插装阀从原理上讲,是一种"单个控制液阻"。该液阻通过先导控制可以实现各种不同的控制功能;同时由于先导控制具有容易复合的特点,因此一个主级单元可以具有多种功能。另外,从控制方式看,插装阀单元有利于采用逻辑控制、比例控制、数字控制等各种复杂的控制形式,这也称之为"软控制"。可见,"多功能"、"软控制"是逻辑插装阀的一个突出特点。逻辑插装阀所具有的一系列技术和经济优势概括如下:

(1)适于高压、大流量。

(2)适用于各种工作介质,包括高水基甚至纯水液压系统。

(3)适于集成化、组合化。逻辑插装阀系统不仅具有一般液压集成系统的优点,而且还具有集成块结构紧凑、内部流道短、弯曲少、阻力损失小、灵活多变、三化程度高,以及安装维护方便等特点。

(4)可实现无泄漏控制。

(5)具有大流量、低液阻特性,因而其系统效率高,这也是滑阀系统所无法比拟的。

(6)既具有快速的开启与关闭特性,又可容易地对开、关特性进行控制,包括缓冲与减速。

(7)流量控制特性好。在缓冲尾部开有适当的控制窗口的插入元件,可以用做具有良好线性和工作频宽的流量控制元件及流量传感器。

(8)抗油污能力强,性能可靠,工作寿命长。

4 逻辑插装阀在水轮机调速器中的应用问题

由逻辑插装阀组成水轮机调速器液压系统与采用主配等传统液压元件组成系统的基本原则是一致的,但由于逻辑插装阀本身的多机能和组合灵活的特点,使设计过程较传统系统要复杂一些。

4.1 主阀单元的工作特性

逻辑插装阀的原理符号至今还没有标准化,目前各国较通用的画法见图2,它形象地表明了插入元件的结构与工作原理。

一般来说,插入元件的工作状态由作用在阀芯上的合力大小和方向决定。其受力状态的定性分析可参见有关厂商的产品样本或设计手册,这里不再引述。

简单讲,当合力大于零,阀芯关闭;当合力小于零,阀芯开启;当合力等于零,阀芯停留于某一平衡位置。应当指出,其阀芯实际的受力状态、开关过程远比有关资料的分析复杂得多。不过 A、B、C 三腔的压力关系仍是起主导作用的,由于工作腔 A/B 的压力是由工作负载条件决定的,不能任意改变,所以一般只能通过对控制腔 C 压力的改变来实现对逻辑插装阀的控制。控制腔 C 压力必须始终大于工作腔 A 或 B 中的任何一个压力,才能确保逻辑插装阀在使用时可靠关闭。

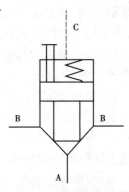

图 2 逻辑插装阀原理符号

4.2 先导控制供油的选择

先导控制供油可分为内供、外供、内外联合供油。控制油引自主阀内部,称内供,这种方式主阀关闭缓慢,特殊情况下影响到主阀关闭的可靠性,甚至有反向开启的可能性。对调速器液压随动系统而言,要求逻辑插装阀的开启/关闭动作高度可靠与快捷,显然,应尽可能采用外供或内外联合供油,特殊情况下也可考虑设置小型蓄能器,以保证先导控制油的工作压力尽可能的稳定、可靠。

4.3 主控回路设计

根据调速系统的初步设计以及主机对调节保证、过渡过程的要求,确定主控回路的构成以及各逻辑插装阀单元的规格、结构形式、面积比等参数。

4.4 先导回路与主回路设计注意事项

(1)根据逻辑插装阀单元的规格不同,对先导回路及先导阀的最大通流能力的要求也不尽相同。起调节作用的先导阀的选用可以由比例阀、比例伺服阀、高速开关阀或其他类型的数字阀等供选择;不起调节作用的辅助性先导阀,如紧急停机阀,则可直接采用普通用途的标准电磁球阀或电磁滑阀。

一般而言,如果被控的逻辑插装阀在 32 通径以下时,先导级控制阀必须采用大于 6 通径的规格;逻辑插装阀在 40~63 通径时,先导级控制阀必须采用大于 10 通径的规格;当逻辑插装阀在 80 通径以上时,先导级控制阀必须采用 16~25 通径的规格。

(2)对压力干扰问题必须高度重视。由于逻辑插装阀本质上是一种压力控制型元件,所以在用于调速器液压控制回路时必须经过严格计算,了解清楚接力器位置随动控制过程中每个局部油路的压力变化情况,以及每个逻辑插装元件 A、B、C 口的压力变化情况,逻辑插装阀的开关速度;尤其注意分析接力器换向过程及小波动过渡过程中压力变化的影响。应充分重视先导油路中单向阀、梭阀的作用及其功能的巧妙应用。如果只是简单照抄某些应用场合不太完整的系统图,且未作周密细致的考虑与分析计算,则在使用中有可能影响到接力器的运动状态,导致局部误动或动作失调,严重时将导致系统瘫痪。

4.5 集成块设计要点

根据验算及液压仿真结果,对原理图进行必要的修改和调整,直至原理图最终确定。接下来就是集成块的结构设计问题了。尽管市场上有通用集成块可供选择,但由于应用对象的不同,其系统构成及布置方式与水轮机调速器的要求相去甚远;对水轮机调速器而言,应立足于专用集成块的设计。设计要点如下:

(1)根据调速器的布置特点,可采用叠加块的形式。应注意层间的密封问题、紧固件的强度与刚度问题。

(2)根据调速器控制柜的布置走向,决定集成块的安装空间、油口位置与走向,同时应考虑某些调节手柄的方位是否便于操作。

(3)根据上述原则,画出集成块装置立体示意图,并进行调整与复核,根据缩短、简化流道及降低阻力损失的原则,选择最佳布置。

(4)根据确定的最终布置方案,参照 GB287—81 或 DIN24342—79 绘制集成块工作图,并进行必要的校核或液压仿真计算。

上述步骤并非固定不变,可交叉进行。但无论如何,总体布局构思十分重要。至于其他一些惯常的设计原则及计算方法,可参照经典的调速器液压系统进行,这里就不再阐述了。

5 结语

水轮机调速器自诞生至今已有近一个多世纪的历史,它是率先采用液压控制系统的领域之一。随着液压技术的不断发展,其他许多采用液压技术的工业领域大都能够及时进行技术更新、吸纳液压技术的最新技术成果、大量采用标准液压元件/组件,而水轮机调速器行业的液压技术习惯于另搞一套,长期游离于现代液压技术之外,制约着液压新技术在调速器中的顺利应用。这一现象是值得我们认真考虑、反思和质疑的,及时改变这一尴尬局面,用现代液压技术提升水轮机调速器的技术水准与质量水平,应是广大水轮机调速器工作者责无旁贷的使命。

本文的目的仅在于抛砖引玉,大量的工业应用证明,逻辑插装阀特别适于与现代先进的电子技术相结合,实现逻辑控制、随动控制、数字控制、比例控制等。专家们普遍认为,逻辑插装技术的出现可能为液压技术的发展开辟广泛的前景,使液压技术的发展提高到一个崭新阶段;而逻辑插装技术在水轮机调速器中的应用与逐渐普及无疑将对促进调速器的技术进步提供强大动力。如何更合理有效地采用逻辑插装技术构成水轮机调速器液压系统,其涉及的问题还有许多,还有大量深入细致的工作要做,本文不免挂一漏万。

可以肯定地说,采用逻辑插装技术无疑也是水轮机调速器液压系统与现代液压技术接轨的快捷方式之一,且很有可能是迅速提高我国调速器工业技术水准的有效途径之一。

步进电机－凸轮直控主配压阀式调速器
电液随动系统的研制

杨远生　刘卫亚　刘晓鹰

（天津电气传动设计研究所）

1　概述

近年来,随着计算机技术的发展,我国水轮机调速器技术水平也得到了迅速提高。20世纪 80 年代中期就开始研制微机调速器,主要是以 Z－80、8086CPU 为控制核心的微机调速器;90 年代初又分别研制出 8051 系列、8096 系列等为核心的微机调速器,后来又研制出以工业 PC 和 PLC 为核心的微机调速器,尤其是 PLC 调速器以其高可靠性受到用户青睐。显然调速器的电气控制部分可靠性随着计算机技术的发展得到进一步的提高,但调速器的电液转换元件却由于抗油污能力差而影响整机运行可靠性,常出现卡阻、溜负荷等现象。因此,国内不少单位在研制如何提高电液转换元件的抗油污能力上做了大量工作,如环喷电液转换器,或者利用步进电机、伺服电机、比例阀等替代老式电液转换器,已取得了可喜的成绩。

天津电气传动设计研究所(以下简称我所)自 1993 年就开始研制和生产 PLC 微机调速器,到目前为止,已生产了 500 多台,产品覆盖大、中、小各种类型的调速器,同时还开发了冲击式水轮机专用单喷嘴、多喷嘴调速器以及高油压囊式储能器型调速器。在提高调速器技术水平和可靠性方面也做了大量工作。电液转换器其技术性能和动态响应都能够满足电站使用要求,但调速器用油质量却很难达到要求,机组在运行过程中常常出现溜负荷现象,运行可靠性得不到保证。为了提高电液转换器防卡能力,我所也采取多种措施,如在油路中加装两道滤油器进行滤油,同时也将电液转换器控制电流由 150mA 增大到 1 000mA,最大可增到 2 000mA,大大减少了电液转换器卡阻现象,除此之外还研制了步进电机丝杠螺母传动机构驱动的液压随动系统和利用步进电机凸轮传动机构驱动的电液随动系统,特别是步进电机－凸轮直控主配压阀传动方式组成的电液随动系统,具有调节品质好、结构简单、维护工作量少等优点,得到了广泛使用。我所生产的 PLC 调速器还出口土耳其、马来西亚、缅甸和古巴等国,其中在土耳其就有 26 台调速器投入运行,深受用户的好评。

2　步进电机－凸轮直控主配压阀传动装置的工作原理

我所研制生产的步进电机调速器采用高精度大功率步进电机作为电－液转换元件,步进电机直接控制主配压阀,中间无其他环节,结构简单可靠,调节性能良好,其工作原理如下:

该装置主要由步进电机－凸轮、主配压阀和编码器等组成。步进电机是将数字量直接转换成机械角位移的部件;凸轮是将步进电机角位移转换成引导阀针塞直线位移的元件,凸轮半径大小与转角成正比;编码器用于步进电机失步检测;引导阀针塞为主配压阀的先导控制元件,为差压结构,引导阀针塞顶端的轴承始终与凸轮接触。当步进电机带动凸轮转动时,引导阀针塞就沿凸轮工作面的轨迹成比例地产生上或下的轴向位移,由于主配压阀活塞与引导阀针塞为液压随动结构,因此主配压阀活塞就随凸轮的转动而开启、关闭或处于中间位置,从而控制水轮机主接力器。凸轮转动范围为 ±120°,半径变化在 ±15mm(凸轮半径变化范围可根据需要配置),若主配压阀最大行程为 ±15mm,步进电机转 120°,就可使主配压阀活塞全开或全关。经测算,步进电机带动凸轮转动 ±120°,步进电机－凸轮直接控制主配压阀传动装置所用时间小于 0.1s,因而步进电机－凸轮直控主配压阀传动装置具有良好的速动性。

水轮机主接力器开启或关闭时,通过位移传感器将其位移量用电量方式经 A/D 转换送入 PLC,当位移量与 PLC 输出量相等时,步进电机使凸轮回到中间位置,针塞和主配压阀活塞将各油口遮住,从而使水轮机主接力器停在给定的位置上,是典型的电液随动系统如图 1 所示。

当电气部分故障时,对于一些重要电站仍然要求手动发电,并要求在无人值守时水轮机主接力器能够长时间不产生漂移,设置闭环机械液压开限机构是非常必要的,由步进电机－凸轮直控主配压阀传动装置组成的电液随动系统能够很方便地增加该功能。

近几年来,国内一些电站调速系统要求采用电反馈,取消机械液压开限机构。为此,我所也研制了几种电液随动系统,其中典型的是自复中式步进电机－滚珠丝杠直控主配压阀的传动装置。它采用大导程无自锁的滚珠丝杠螺母作为把步进电机旋转量转换成引导阀针塞直线位移的元件,当步进电机带动滚珠丝杠转动时,螺母产生轴向移动,螺母与引导阀针塞为刚性连接,并带动引导阀针塞同步产生轴向位移,由于主配压阀活塞与引导阀针塞为液压随动结构,因此主配压阀活塞就随步进电机的转动而开启、关闭或处于中间位置,从而控制水轮机主接力器。主配压阀活塞移动的方向、大小与步进电机的旋转方向、角位移量及滚珠丝杠的导程有关。

主配压阀自复中是利用了滚珠丝杠螺母大导程无自锁的特性,当步进电机带动滚珠丝杠转动时,螺母产生轴向移动;当步进电机断电时,在弹簧力的作用下,螺母迫使滚珠丝杠转动,从而螺母回到限制位置,螺母与引导阀针塞为刚性连接,也就是使引导阀针塞回到限制位置,此位置就是主配压阀活塞将水轮机主接力器进、出油口全部封住的位置,从而保持水轮机主接力器停在给定的位置上。能否做到水轮机主接力器能够长时间不产生漂移,取决于主配压阀的漏油量和水轮机主接力器活塞关腔与开腔之间的漏油量。

从机械理论上讲,凸轮是属于丝杠螺母的另外一种传动形式,在步进电机同一转速下,在传递速度方面,凸轮快于丝杠螺母。在实际使用时,采用大导程无自锁的滚珠丝杠螺母作为电－机转换元件与凸轮相比,尤其是主配压阀行程较小时,调节品质无较大的差异。

3 电站运行实测

我所正在生产和已投入电站运行的步进电机 PLC 调速器有 500 多台,其中不少是老电站调速器技术改造项目,将原电站使用了几年、甚至几十年的 T－100、ST－100、CT－

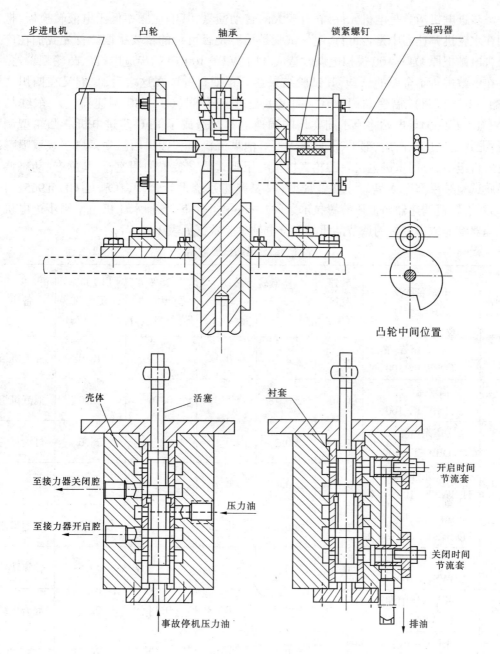

步进电机　　　凸轮　　　轴承　　　锁紧螺钉　　　编码器

凸轮中间位置

壳体　　　活塞　　　衬套

至接力器关闭腔　　　　压力油　　　开启时间节流套

至接力器开启腔

关闭时间节流套

事故停机压力油　　　　排油

图1

40、YT系列等机械液压调速器改造成新型的现代调速器,不仅提高了调速器技术水平,而且节约了经费。配套的水轮机有大、中、小各种类型的轴流、灯泡贯流、轴伸贯流、混流及冲击水轮机组。为这些水轮机配套的调速器大部分采用的是PLC步进电机－凸轮型。根据已运行机组的情况看,步进电机－凸轮PLC型调速器都有良好的调节品质和运行可靠性,各项性能指标均达到GB/T9652.1—1997《水轮机调速器与油压装置技术条件》和GB/T9652.2—1997《水轮机调速器与油压装置验收规程》中有关规定,受到国内外用户好评。

步进电机毕竟是电机元件,它有较大的转动惯量,其响应频率低于电液转换器,把它用在水轮机调速器中是否可行,电站试验是检验是否可行的重要手段。首先我们在广东南告电站把原 DT-100 模拟电调改造成 TDBWT-100 PLC 步进电机-凸轮型调速器,并在电站进行了全面的试验,其试验结果达到预期目的。在这之后,我们又在四川文峰(ST-100 双调)、福建龙门滩(T-100)、辽宁观音阁(CT-40 调速器)、广东红马桥(YDT-10000)等电站将原不同类型的调速器都改造成了 PLC 步进电机-凸轮型调速器,尤其是在广东白垢、都平、江口等大型灯泡贯流机组和四川西昌牛角弯三级双喷嘴冲击式机组中,应用步进电机-凸轮直控主配压阀式传动装置的调速器,其静态、动态调节品质试验结果都令人满意。实践证明,只要调速系统设计合理,在满足 GB/T9652.1—1997《水轮机调速器与油压装置技术条件》中适用条件下,各种水轮机组使用步进电机型调速器都能取得良好的调节品质。部分电站试验数据见表1。

表1　部分电站试验数据

项次	电站名称及调速器型号	转速死区(%)	空载转速波动		甩25%负荷接力器不动时间(s)	甩100%负荷调节时间(s)	备注
			手动(%)	自动(%)			
1	广东南告 TDBWT-100	0.035	±0.16	±0.12	0.18	18.0	混流机组
2	福建龙门滩 TDBWT-100	0.03	±0.18	±0.09	0.16	32.0	混流机组
3	广东白垢 TDBWST-100	0.04	±0.27	±0.10		28.6	灯泡贯流
4	广东都平 TDBWST-100-4.0	0.036	±0.62	±0.16		31.5	灯泡贯流
5	广东江口 TDBWST-100-4.0	0.03	±0.25	±0.19		32.1	灯泡贯流
6	四川文峰 TDBWST-100-4.0	0.04	±0.17	±0.09	0.12	18.6	轴流转桨
7	黑龙江镜泊湖 TDBWT-100	0.036	±0.38	±0.08	0.14	22.6	混流机组
8	四川牛角湾 TDBWCT-2	0.028	±0.16	±0.09	0.13	26.3	冲击式
9	福建安砂银河 TDBYWT-30000	0.06	±0.18	±0.11	0.12	16.8	混流机组
10	广西容城 TDBYWT-55000	0.055	±0.22	±0.13	0.18	28.6	轴流定桨
11	福建百濑 TDBYWT-75000-4.0	0.05	±0.43	±0.22	0.19	16.6	混流机组

4 结论

综上所述,可得出以下几个结论。

(1)步进电机－凸轮直控主配压阀传动装置响应速度快,由于步进电机只需转动±120°就可使主配压阀活塞全开或全关,与其他方式相比具有更好的速动性。

(2)调速器采用由步进电机－凸轮直控主配压阀传动装置构成的电液随动系统,具有良好的调节品质。

(3)采用大功率步进电机,传动力矩为 $280N \cdot cm$,因而具有很强的防卡阻能力,对油质无特殊要求。我所生产的步进电机型调速器已不设置滤油器。

(4)步进电机直接控制主配压阀,中间无其他环节,因而结构简单。

(5)引导阀针塞顶端的轴承与凸轮为滚动摩擦,磨损极小。即使有磨损,在引导阀针塞差压力的作用下该装置具有自动补偿能力,不会产生死行程,可以做到基本免维护。

(6)结构上能够非常方便地增加机械开限机构。

BWST 步进电机 PLC 调速器在八盘峡水电厂的应用

刘晓鹰　刘卫亚

（天津电气传动设计研究所）

张吉川

（八盘峡水电厂）

1　引言

八盘峡水电厂是黄河干流上梯级电站的一级，是一座低水头、河床式径流水电厂，站址位于甘肃省兰州市境内，控制流域面积 20.47 万 km²，多年平均流量 1 000m³/s，设计洪水流量 8 020m³/s，总库容 0.49 亿 m³，电厂设计水头 18m，最高水头 19.65m，设计年发电量 11 亿 kW·h。电站于 1969 年 10 月开工，1975 年 9 月两台机组同时发电，1980 年前共投产 5 台轴流转桨式水轮发电机机组（1 号～5 号机组），装机容量为 5×36MW。由于装机容量偏小，与上游电站过机流量不匹配，正常发电时有 17.8% 的来水需要弃水，未能充分利用黄河来水，水电厂于 1998 年进行扩机，新安装了一台 40MW 的轴流式转桨式水轮发电机组，新机组于 2001 年 8 月 8 日正式并网发电。电厂现在的总装机为 220MW，是西北电网的日调峰电厂。

2　电厂调速器介绍

八盘峡水电厂 1980 年前发电的 1 号～5 号机组采用的是瑞典 ASEA（瑞典通用电气公司）的 FRVV103 型水轮机调速器，而 2001 年投产的 6 号机组选用了天津电气传动设计研究所研制的 BWST－100－4.0 步进电机 PLC 调速器。

2.1　瑞典 ASEA 公司 FRVV103 型水轮机调速器

FRVV103 型水轮机调速器由一个控制柜和一个液压装置组成，其调节原理图见图 1。作为世界上的著名公司，瑞典 ASEA 制造的水轮机调速器在当时的科技水平上应该属于技术先进之列。该调速器的主接力器由一中间接力器控制，中间接力器（又称驱动器）则受电液转换器控制，电液转换器接收来自电气控制柜输出放大器的信号。

与同时代的国产常规调速器相比，瑞典 ASEA 调速器有如下一些特点：

（1）整个调速器由两个结构紧凑的部件组成，即电气控制柜和液压装置。

（2）调速器电路的所有放大器均能借助于装在调速器上的测试器和选择开关进行检查。

（3）机械装置采用单元组合方式。

（4）在调速器主体设备上可以容易地增添其他辅助装置，如成组操作器、数字式调整频率死区装置、导叶速度限制器、数字式基准值整定装置以及转轮叶片控制器等，从而能很容易地配合作遥控、程序控制、负荷控制和水位控制。

（5）液压控制单元中，电液转换器不直接控制主配压阀，而是控制一个中间接力器（驱

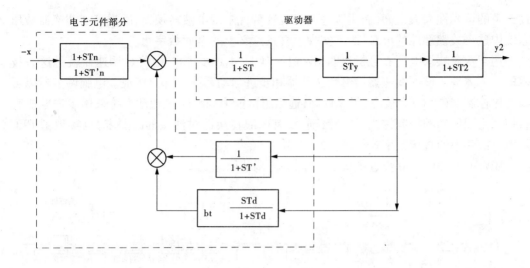

图1 FRVV103型水轮机调速器调节原理图

动器)。

图2是其液压系统简图。

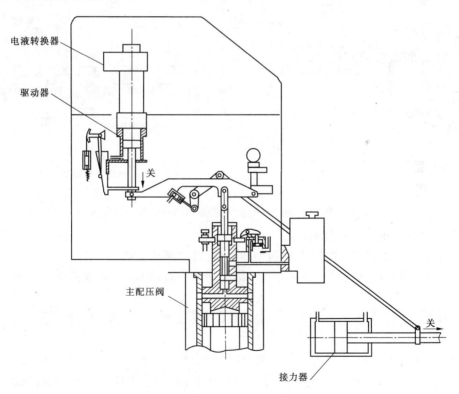

图2 FRVV103型水轮机调速器液压系统简图

2.2 天津电气传动设计研究所BWST步进电机PLC调速器

20世纪90年代以后,我国调速器技术有了根本性的提高,可编程序控制器的应用,使设备的可靠性大大提高,而用步进电机装置替代常规电液转换器,既提高了调速器液压系统中这一关键部件的可靠性,又实现了真正意义上的全面数字化。

用于八盘峡水电厂 6 号机组的 BWST－100－4.0 步进电机 PLC 调速器就是这一技术的具体体现。该型调速器由电脑调节器和步进随动系统两部分组成。电脑调节器以可编程序控制器(PLC)为核心,可靠性高,通讯组网能力强。步进随动系统采用步进电机直接控制主配压阀的控制方式,快速准确,没有电液转换器对油质的高要求,也实现了 PLC 对电－液转换的直接数字式控制。

BWST－100－4.0 步进电机 PLC 调速器调节原理见图 3。

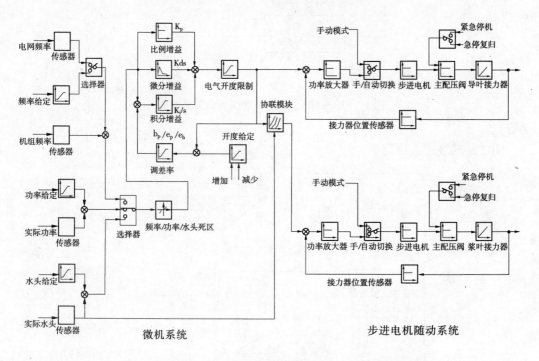

图 3　BWST－100－4.0 步进电机 PLC 调速器调节原理图

该型调速器的主要功能有:

(1)自动/手动开机、停机,并网后增减负荷,自动紧急停机。

(2)自动开机时,能使机组频率迅速、准确地跟踪电网频率,实现机组的快速、平滑并网。

(3)空载运行时,具有频率给定和频率跟踪两种控制方式,若电网频率消失,可自动跟踪频率给定。

(4)采用中文智能液晶触摸屏,具有实时人机对话功能,运行人员能方便地了解调速器的运行状况。通过触摸屏,还能方便地进行诸如静特性、空扰等常规调速器试验,无须另接试验仪器。

(5)具有实时故障诊断、显示及报警功能,并对所发生的故障进行记录。

(6)桨叶与导叶采用数字协联,协联准确度高,协联数据可通过触摸屏输入或修改。

(7)自动、手动运行方式可无条件无扰动切换,手动有电手动和机械手动方式,手动时微机自动跟踪导叶开度。

(8)R485 通讯模块,实现电站计算机监控管理。

图 4 为八盘峡水电厂 6 号机组液压系统。

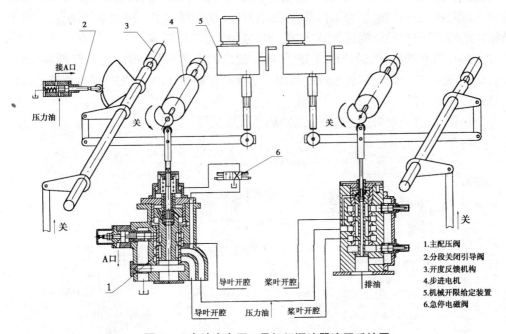

图 4　八盘峡水电厂 6 号机组调速器液压系统图

1.主配压阀
2.分段关闭引导阀
3.开度反馈机构
4.步进电机
5.机械开限给定装置
6.急停电磁阀

该型调速器的主要特点有:

(1)独有的 PLC 本机测频技术,取消了多数电调必不可少的自制测频模块,消除了该部件可靠性低对调速器整体可靠性的影响。而基于 PLC 高速计数模块的频率测量方法,由于调速器所用 PLC 多没有这样的高速计数模块,因此并不具有可用性。

(2)获国家专利的步进电机−凸轮装置直控主配压阀技术。与常用的电液转换器相比,步进电机具有力矩大、无耗油、极高的可靠性等优点。该调速器选用美国 Parker 公司步进电机和驱动器。步进电机作为高精度数字元件,直接接收 PLC 数字指令,无须 D/A转换。而通过凸轮将步进电机的旋转量转换为直线位移量,凸轮这一古老的机构元件,在这一转换中却起到了很好的作用。与其他的转换方式相比,步进电机−凸轮装置使主配压阀打开最大窗口只须步进电机旋转 $50°\sim90°$,而其他转换方式一般步进电机须旋转多圈,从速动性上讲,凸轮的优势是明显的。

3　瑞典 ASEA 公司 FRVV103 型调速器改造方案

6 号机组调速器的优良性能和高可靠性,促使电厂下决心对其他老机组调速器进行改造,改造首先在 4 号机和 5 号机上进行。在具体方案确定中,电厂和天津电气传动设计研究所设计了多个方案。

方案 1:彻底改造,完全换成全新的调速器。该方案的好处显而易见,但成本较高,现场的工作量也较大,FRVV103型调速器液压部分本身多年运行证明其质量可靠,拆除掉也未免可惜。

方案2:电气柜换掉;机械液压部分,保留主配压阀,拆除驱动器(中间接力器)、电液转换器、凸轮协联机构,由步进电机-凸轮装置直接控制主配压阀,再加一套机械开度限制机构,可作为纯手动和电手动运行及自动运行的开度限制作用。该方案的缺点是:由于原结构的限制,机械开限行程过大,造成机构尺寸偏大。

方案3:电气柜换掉;机械液压部分,保留主配压阀和驱动器,拆除电液转换器、凸轮协联机构,步进电机-凸轮装置通过一新增的引导阀控制驱动器,开度反馈电位器则选用新的精密旋转变压器。

综合比较,最后确定采用方案3。其液压系统图见图5。

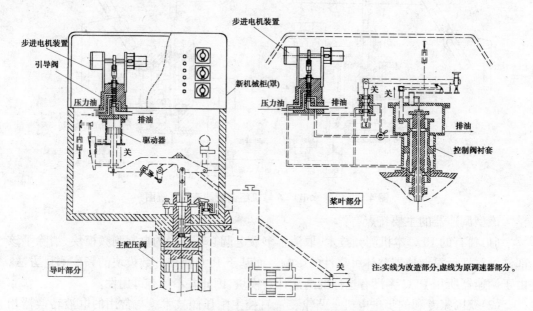

图5　改造后调速器的液压系统简图

该方案最大限度地保留了原调速器的液压部分,包括其特有的开停机电磁阀、事故停机电磁阀,其原有的操作流程也大致不变。结合机组转轮的改造,输入了新的协联曲线数据。

与6号机调速器一样,改造后的调速器配置上多选用先进的进口元件,主要配置见表1。

4 结语

改造工作先后于2001年和2002年在5号机和4号机上进行。实际运行表明,新的以日本三菱FX2N可编程序控制器(PLC)为核心的电脑调节器,通过与步进电机-凸轮装置连接的引导阀,与原液压系统完美地结合在了一起。专为此系统编制的软件,调试结果也很理想。通过改造,原调速器运行多年,电气元件老化的隐患得以消除,并实现了与中控的计算机监控连接,远方功率调节、频率调节、现地电手动调节和机械手动调节等多种运行方式,极大地方便了电厂的运行管理。

表 1　调速器元件配置

名称	型号	产地
PLC(可编程序控制器)	FX2N－64MT(64 点)	日本三菱
A/D 模块	FX2N－4AD	日本三菱
D/A 模块	FX2N－4DA	日本三菱
脉冲发生器模块	FX2N－1PG	日本三菱
通讯模块	FX2N－485ADP	日本三菱
步进电机功率驱动模块	OEM750	美国 Parker
步进电机	OEM83－62	美国 Parker
步进电机编码器	E6C2－CWZ6C	日本 OMRON
触摸屏	GP577R	日本 Digital

冲击式水轮机调速器的发展及研制

刘卫亚　杨远生　张振中

（天津电气传动设计研究所）

1　概述

冲击式水轮机(水斗式和斜击式水轮机)利用高速水流(射流)冲击转轮叶片作功,其射流中心线与转轮节圆相切(水斗式)或与转轮平面呈斜射角度(斜击式)。水斗式水轮机的最高效率稍低于混流式水轮机,但机组负荷变化时效率曲线平坦,采用多喷嘴结构时更为突出;这一机型适用于高水头小流量电站,与混流式水轮机相比,结构简单,检修维护方便,而且空蚀和磨损小;机组甩负荷时折向器(偏流器)快速切断射流,喷针可缓慢关闭,这样既可减小机组的转动惯量和避免过高的机组速率上升,又可降低引水管道的压力上升;由于冲击式水轮机必须安装在尾水位之上,在空气中运转,一般电站多以正常尾水位考虑机组的安装高程,当洪水期下游水位增高时为使转轮不浸在水中,可向机壳内充气,压低尾水位运行。当甩满负荷折向器切断射流或喷针完全关闭时,与混流式水轮机相比,机组的阻力矩甚小,机组转速至最高瞬态转速后,机组减速缓慢导致机组从甩负荷开始到转速稳定的调节时间较长。

中小型水斗式水轮机多采用卧式单喷嘴或双喷嘴结构,而大型机组多采用立式多喷嘴结构;斜击式水轮机容量小,多采用单喷嘴卧式结构。

由上所述,冲击式水轮机采用折向器及喷针的双重调节,其控制系指:①折向器控制;②喷针控制;③机组启动时喷嘴数及动作方式的选择;④机组带负荷时喷嘴数的选择及切换。

如按利用水流的情况,又可分为节水型控制和费水型控制两种。

节水型控制是目前常用的一种控制方式,折向器及喷针均受调速器控制,而且在稳定工况或小波动时折向器不切入射流,喷针位置与输入调速器的频率信号相对应即仅改变喷针位置进入新的平衡点,也就改变了射流直径即调节流经喷嘴射向转轮的流量,这些水流的能量均通过转轮转换为机组的输出功率。

费水型控制是只有折向器的动作受调速器控制的一种控制系统,在发电工况时,将喷针固定在与上游来水情况或下游供水要求相适应的位置上,保持不变的流量,折向器一般情况下总是切入射流,根据负荷大小改变折向器切入射流的程度,也就是改变进入转轮的水流大小,而不充分利用水能。

节水型控制和费水型控制相比,因喷针的开关时间受引水管道水流惯性的限制整定得较长,当孤立运行突增负荷时机组转速下降较大,难以保证转速维持在要求的范围内;而采用费水型控制时,由于折向器动作快捷,能较好地响应负荷变化的要求,但不能充分利用水能,一般情况下很少采用这种控制方式,只有下游城市有供水、农业灌溉和航运要求时才有可能采用该种控制方式。

在 20 世纪 60~70 年代,冲击式水轮机采用特小型或小型机械液压调速器控制折向器,再通过凸轮或连杆机构构成协联机构控制主配压阀,从而控制喷针接力器,喷针控制装置由水轮机制造厂设计制造。

80 年代初,天津电气传动设计研究所开发 CJT－1 和 CJT－2 型冲击式水轮机机械液压调速器(直联式调节系统),分别于 1984 年在湖北长阳桃山二级电站和 1989 年在福建安溪村内二级电站通过产品鉴定。其产品供 10 000kW 以下单喷嘴冲击式水轮发电机组配套用,由上饶水动力机械厂生产。这种冲击式水轮机调速器采用取消协联机构,直接控制喷针,调速器将转速偏差直接转换为喷针接力器行程偏差,而折向器不参与调节作用,只有当机组转速上升到某一规定值(如 55Hz)时,折向器由调速器控制关闭,切入射流,当机组转速低于规定值时,折向器又回到全开位置。这种系统取消了协联机构和喷针接力器上的配压阀以及专用油压装置,具有结构简单、调节性能良好等特点。CJT－1 和 CJT－2 型冲击式水轮机调速器的区别在于 CJT－1 型的飞摆直接控制喷针和折向器,而 CJT－2 型冲击式水轮机调速器除设有喷针主配压阀外,还设有飞摆控制液控阀,根据转速控制折向器在全开或全关位置。

同时,天津电气传动设计研究所还对冲击式水轮机上述协联调节系统及直联调节系统进行了深入分析比较及电站对比试验,仿真及电站试验均证明,由于协联关系的严重非线性(折向器刃口高度与射流应保持规定的距离,即折向器的位置与喷针接力器行程保持一定的对应关系),协联机构放大系数随喷针接力器行程增大而急剧上升,致使机组带纯电阻负荷、配可控硅励磁系统、满负荷孤立运行时机组频率摆动达 2.4Hz,而采用调速器直接控制喷针的直联控制系统或将协联关系趋于线性化,且协联放大系数保持在合理范围时,机组频率摆动下降到 0.1Hz。理论分析及电站试验结果均证实直联控制系统具有良好的调节性能及技术经济性。

2 冲击式水轮机调速器的特殊技术要求

除对水轮机调速器的一般技术要求外,还有如下的特殊技术要求。

(1)GB/T9652.1—1997 水轮机调速器与油压装置技术条件的要求:在稳定工况下,多喷嘴冲击式水轮机的对称两喷针的位置偏差,在整个范围内均不大于 2%。

(2)IEC61362(1998)水轮机控制系统技术规范导则:从甩满负荷起,至机组转速相对偏差维持在 ±1% 以下的调节时间 t_E 与从甩负荷开始至最高转速所经历的时间 t_M 的比值不大于 15,而对反击式水轮机要求该比值不大于 4。

(3)ANSI/IEEE std 125－1988 IEEE Recommended Practice for Preparation of Equipment Specifications for Speed-governing of Hydraulic Turbines Intended to Drive Electric Generators(美国电气电子工程师协会推荐制定水轮机调速器技术条件的规范)。

A.冲击式水轮机喷针和折向器控制机构应使喷针和折向器在整个运行范围内,任何两个喷针或两个折向器之间的偏差应小于全行程的 1%;

B.在正常情况下,喷针控制进入水轮机的流量,除非运行喷针数正在改变,否则,所有运行喷嘴的喷针应同时动作;

C.折向器和喷针应协联动作,因转速上升,每个射流的一部分迅速被折向直至喷针向关闭方向移动足够的位移,使折向器离开射流时,允许通过足够的水量来维持机组转速和出力。当负载变化率大于喷针的控制能力时,折向器应切入射流。

3 PLC型冲击式水轮机电液调速器的研制

20世纪90年代初,我所采用直联式调节系统开发研制了PLC型冲击式水轮机电液调速器。调速器直接控制喷针,而折向器仅在机组频率超过55Hz时,由电磁阀控制折向器的投入或切除。

PLC步进电机调速器采用进口原装触摸屏作为人机接口,省去操作键盘。可直接在触摸屏上进行各种运行参数的设定,用灯、数字、图表、棒状图及趋势图等多种方式指示和显示各种参数及各种运行状态。这种设定方式与常规数字码盘及静止电位器相比,具有操作简单、方便快捷和准确度高等特点。为满足用户传统习惯,可保留常规显示仪表、信号灯和按钮。

软件设计采用适应式变结构、变参数并联PID调节原理,使调速系统在不同的工况下,自动调整比例、积分、微分参数,从而达到最佳调节品质;具有很好的自诊断、防错、容错和纠错功能;采用数字综合放大和数字式反馈功能,进一步提高控制的可靠性;具有频率调节、功率调节及开度调节三种调节模式,机械液压系统见图1。

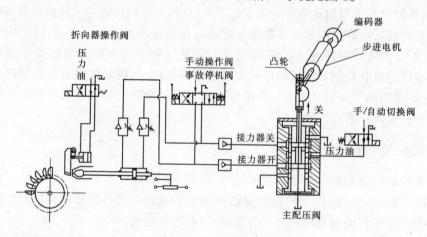

图1 机械液压系统

步进电机传动装置是将电气信号转换成机械位移的装置。该装置由步进电机、编码器、凸轮和传动轴等组成。当步进电机接收脉冲信号后,带动凸轮转动。凸轮转角与凸轮半径的变化成线性比例,通过凸轮将步进电机的转角转换成主配压阀引导针塞的直线位移,从而实现对喷针接力器的控制。

PLC调节器根据机组的转速超过或低于规定值,通过折向器电磁阀控制折向器处于全关或全开位置。

还有另一种冲击式水轮机双调整控制方式,在这种调速系统中,PID调节器直接通过电液随动系统控制喷针,PID调节器还通过协联函数装置控制折向器电液随动系统。这种调速系统与前述协联式调速系统的区别是,协联函数装置的布置位置不同,虽然也能获得良好的性能,但与直联式冲击式水轮机调速系统相比,结构复杂、维护量大,安全可靠性相应降低。21世纪初有的生产单位也将这种协联式的调速系统改为直联式调速系统。

对于多喷嘴冲击式水轮机调速器,采用多套步进电机－凸轮装置分别控制相应的喷针接力器,喷针接力器可同时全部投入自动或手动运行,根据现场实际情况选择主喷针。自动运行时依负荷或喷针位置自动投入或切除其他喷针。

由于选用了大扭矩、小惯性、高可靠性的进口步进电机,因此由该装置组成的调速系统具有良好的调节品质。用步进电机传动装置取代电液转换器,彻底解决了影响机组安全运行的电液转换器油污发卡问题,极大地提高了调速器的可靠性。该机械液压随动系统,还具有结构简单、速动性好、动态性能优良的特点。

按上述原理生产的调速器已在福建百丈矶、三宝溪,四川牛角湾、紫马等电站投入运行,运行稳定、安全可靠,其技术性能(静、动态指标)均满足标准要求,深受用户好评。

4 结语

与协联式冲击式水轮机调速器相比,直联式调速系统除具有较高的安全可靠性和较优技术性能之外,还具有结构简单、维护方便的优点,应优先采用。

基于 GPRS 的调速器远程调试维护系统

魏　伟　蒋克文　蔡晓峰

（江苏省南京市国电电力自动化研究院）

1　引言

对于一般的调速器产品而言,其投运及维护往往需要技术人员亲临现场。因为水电站大多地点偏僻,专业技术人员需要较长时间才能抵达现场,使得服务难以及时,影响电站的安全运行。同时,无论技术问题的大小,设备制造商的技术人员无一例外亲临现场解决,既不利于问题的及时解决,也不利于水电站维护人员的成长。

随着通信技术的不断进步,网络技术、无线通信、公用网络已广泛应用,将先进的通信技术应用到调速器产品中,解决调速器产品一般的调试与维护问题,在技术上已成为可能。

2　GPRS 通信系统简介

GPRS 是通用分组无线业务(General Packet Radio Service)的英文简称,是在现有GSM 系统上发展出来的一种新的承载业务,目的是为 GSM 用户提供分组形式的数据业务。GPRS 采用与 GSM 同样的无线调制标准、同样的频带、同样的突发结构、同样的跳频规则以及同样的 TDMA 帧结构,这种新的分组数据信道与当前的电路交换的话音业务信道极其相似。因此,现有的基站子系统(BSS)从一开始就可提供全面的 GPRS 覆盖。GPRS 允许用户在端到端分组转移模式下发送和接收数据,而不需要利用电路交换模式的网络资源。从而提供了一种高效、低成本的无线分组数据业务。特别适用于间断的、突发性的和频繁的、少量的数据传输,也适用于偶尔的大数据量传输。GPRS 理论带宽可达171.2kb/s,实际应用带宽在 10～70kb/s,在此信道上提供 TCP/IP 连接,可以用于 Internet 连接、数据传输等应用。

GPRS 是一种新的移动数据通信业务,在移动用户和数据网络之间提供一种连接,给移动用户提供高速无线 IP。GPRS 采用分组交换技术,每个用户可同时占用多个无线信道,同一无线信道又可以由多个用户共享,资源被有效的利用,数据传输速率高达160kbps。使用 GPRS 技术实现数据分组发送和接收,用户永远在线且按流量计费,迅速降低了服务成本。GPRS 移动数据传输系统有很大的应用范围,几乎所有中低速率的数据传输业务都可以应用,如城市配电网络自动化、自来水、煤气管道自动化、商业 POS 机、Internet 接入、个人信息、股票信息、金融、交通、公安等。

目前,大部分水电厂基本实现了移动通信网络的覆盖,同时,厂内各种电气设备基本能够满足电磁兼容的要求。即使有少部分水电厂厂房处于无线通信盲区,设备旁也都有电话网络。因此,只要调速器产品配备通信接口,附加具有透明传输协议的 GPRS 或

MODEM 通信子站，即可通过公网与中心站实现互联，配备相应的双边信息交互软件，从而实现调速器的远程调试及维护。

3 系统结构及特点

3.1 系统结构

该系统由主站、数据中心和各分站三部分组成，如图1所示。

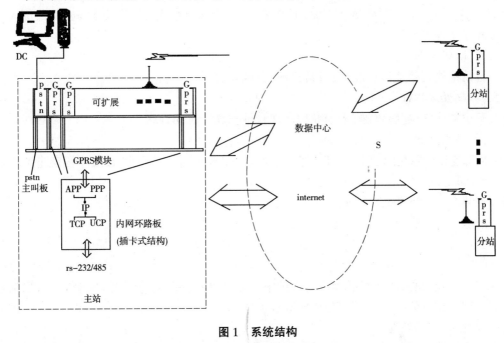

图1 系统结构

各分站通过 GPRS 模块实时在线，主站通过 PSTN MODEM 上网，使用 GPRS 模块发出指令与分站连接，连接成功后进行数据传送。

因为 GPRS 网使用不久，存在网际延时不确定等因素，如单纯使用 GPRS 模块与 GPRS 模块互通，有可能因为网络延时的问题造成连接时间过长，达不到"实时"要求。使用 GPRS-GPRS，网络延时约 6s，不能确定；使用 PSTN-GPRS，网络延时约 2s，可确定；使用 ADSL-GRPS，与 PSTN-GPRS 没有区别，但使用费用高于 PSTN-MODME。

为保证调速器在线调试维护时数据传输的实时性，我们选用 PSTN-GPRS 的连接方法。

3.2 系统特点

3.2.1 基本特点

使用方便、灵活、可靠，支持双频 GSM/GPRS，符合 ETSI GSM Phase 2＋标准，数据终端永远在线，具备实时时钟，支持 A5/1＆A5/5 加密算法，透明数据传输与协议转换，支持虚拟数据专用网，短消息数据备用通道（选项），支持动态数据中心域名和 IP 地址（V2.61 以后软件版本），STK 卡特殊功能配置，支持 TTL/RS-232/485 或以太网接口，支持音频接口，方便维护操作，具备系统配置和维护接口，通过 Xmodem 协议进行软件升级，支持空中软件升级和远程维护（选项），可以自诊断与告警输出，产品抗干扰设计，适合电磁环境恶劣的应用需求。

3.2.2 稳定性

有效率:发送成功数据占总发送数据比例。

在网络正常的情况下,一般数据包的成功率都在97%以上。

稳定性综合参数:有效率×传输效率。

网络有效带宽和最大传输单元(MTU)之间存在着极其重要的关系,一般 MTU 增大到 200 字节以上不会明显增加带宽,但会增大平均延迟,测试结果表明 MTU 的最优大小是 200 字节左右。

3.2.3 断线自动连接

自动检测网络连接状况,设备自诊断、自恢复。

3.2.4 配置方便性

菜单式配置(超级终端,无须专用软件),维护软件自动升级。

3.2.5 结构特点

内部连接可靠性:内部连接机械连接包含 GPRS 模块与 PCB 之间、SIM 卡固定连接;

产品尺寸:110mm×56mm×15mm;

安装方便:外壳螺丝固定;

防震:接插件少,具良好抗震性能。

4 系统功能

作为系统核心,调速器远程调试维护中心软件承担系统网络管理、安全管理、控制与监测、查询服务、数据处理及信息传输等多项任务。

4.1 **数据采集和处理**

接收各现地调速器子站发送的测量、操作和事件数据,存入实时数据库,用于画面更新,控制调节,趋势分析,记录打印,操作指导及事故的记录和分析。数据采集可以周期性进行,亦可由中心操作员发命令采集当前任何一个调速器子站的内部信息。

数据处理功能包括:采集任一个调速器子站的检测量,包括机组频率、电网频率、导叶行程、轮叶行程、运行水头、有功功率、外部开关量、内部计算量;进行数据编码,校验传输误差及数据传输差错控制;生成各种实时数据库,供显示、对话、打印、检索等使用;对重要监视量,如:上下游水位、机组频率、电网频率、导叶开度、轮叶开度进行曲线显示。

4.2 **监视和控制**

监控主机通过界面和菜单的选择,对调速器的主要运行参数、检测量、统计量、故障、状态以数字、文字、图形、表格、曲线等形式进行动态显示;对操作过程进行监视,监视过程中的主要参数变化及状态变化。

信息中心人员通过 CRT、键盘、鼠标等,对被控对象进行调节和控制。通过鼠标点击、键盘操作即可弹出控制模拟图和操作单。控制的主要内容有调速器的所有调试试验、调速器在线诊断。当发生过程阻滞或反馈异常时,可给出阻滞、异常的原因及事故处理指导性画面,并将调速器切换到安全运行状况。

4.3 记录和打印

系统具有记录和打印功能。定时打印记录:分别按时、日、月时间段要求,打印运行记录报表。操作记录:将所有操作自动按其操作顺序记录下来,包括操作对象、操作指令、操作开始时间、执行过程、执行结果及操作完成的时间、操作员的姓名等。报警记录:将各种报警事件按时间顺序记录,包括发生的时间、内容和项目,恢复时间,生成报警事件汇总表。

4.4 通信控制

系统通信控制由水电站维护人员控制,当用户认为存在远程调试维护的需要时,可决定投入调速器现地通信子站。现场维护人员只需按下远程服务开关,即可使本厂的调速器与厂商信息中心接通,享受即时远程技术服务。同时,在任意时刻,现场维护人员可取消远程服务。

4.5 调速器子站设备诊断

调速器设备硬件故障诊断包括对调速器所有电气模件,二次回路,控制通道等进行在线和离线诊断,软件诊断包括调试参数、运行参数等,故障点的诊断到模板级。同时,在用户允许(下载开关接通)的情况下,系统可进行软件及参数远程下载。

5 试验情况

2004年4月,该系统研制成功并进行了试验,试验结果表明,该系统达到了设计目标,能够满足调速器远程调试维护工作的需要,在为广大的水电站用户提供便捷的技术服务的同时,极大地缩短电站与制造商的距离,提高了服务水平。

插装阀式水轮机调速器的应用

陈东民　蒋克文　陈登山

（江苏省南京市国电电力自动化研究院）

1　引言

随着调速器技术的进步,昔日调速器中的很多非标准部件已越来越多地被标准件所取代,如电液转换器、各种电磁阀等,为调速器降低成本、提高可靠性及备件标准化创造了条件。但是,由于调速器主配压阀的特殊要求,一直难以用标准液压件来实现,如何用标准液压件来实现调速器主配压阀功能的问题一直困扰着调速器研究人员。

南瑞电气控制公司新研制的两台套插装阀式水轮机调速器,于2003年1月在湖北巴东虎牙河水电站成功投入运行。虽然虎牙河电站的单机容量只有3 000kW,但为今后插装阀式调速器应用于大中型水电机组提供了一个很好的开端和借鉴,也为今后将调速器的所有液压部件都用标准件来实现提供了可能。

2　用标准插装阀代替非标准滑阀式主配压阀的可行性

众所周知,调速器主配压阀实际上就是一个三位四通液控伺服阀,但它的流量要求很大,尤其是大中型机组的调速器主配压阀,要求流量达到每分钟几千升,这样大的流量一般的伺服阀是不可能实现的。插装阀是两位两通锥阀,它可以控制很大的流量,它的过流能力也大大高于一般的滑阀,同时它的可靠性较滑阀高,与相同的超大流量的滑阀相比成本也低得多。但它只能实现通或断两种状态,不可能连续地调节流量。因此,用四只插装阀来组成一个大流量的三位四通阀尽管可以实现主配压阀的三位换向功能,但是流量连续控制功能不能实现,如果直接将它取代原非标主配压阀,不仅不能实现高精度的流量控制,还会引起调速器的不断抽动。

基于上述原因,我们用四只插装阀与伺服比例阀并联,在大波动调节时插装阀与伺服比例阀同时打开动作,当调节到还剩2%～5%的误差时,插装阀关闭,由伺服比例阀来完成最后的精确调节。这样,既实现了系统对速动性的要求,又满足了系统对调节精度的要求。工厂试验及现场投运表明,装置调节性能令人满意,技术指标也完全满足国标。

3　液压控制原理说明

3.1　插装阀式调速器液压原理

图1为插装阀式水轮机调速器的液压原理图。

3.2　液压控制原理说明

当关方向大波动调节时,插装阀组的先导控制电磁阀V7的左电磁线圈励磁,这时插装阀V1、V3打开,V2、V4关闭,同时伺服比例阀V5也处于关闭位置,这时主接力器快速

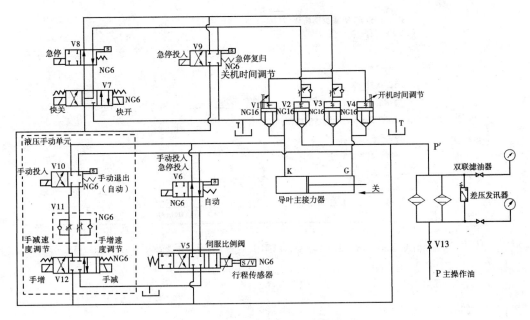

图 1　插装阀式调速器液压原理图

关闭;当调节量还剩 5% 时,V7 左电磁线圈失电,V7 阀回中,这时 V1、V2、V3、V4 插装阀均关闭,伺服比例阀继续连续调节主接力器,直到调节到位时,伺服比例阀回中,这时对主接力器的调节完成。

当开方向大波动调节时,V7 阀的右线圈励磁,此时插装阀 V1、V3 关闭,V2、V4 打开,同时伺服比例阀 V5 也是处于开启位;当调节量还剩 5% 时,V7 右电磁线圈失电,V7 阀回中,这时 V1、V2、V3、V4 插装阀均关闭,伺服比例阀继续调节主接力器,直到调节到位时伺服比例阀回中,这时对主接力器的调节完成。

手动控制时,V6、V10 电磁阀线圈励磁,这时伺服比例阀 V5 从控制油路中切除,手动增减电磁阀 V12 投入对主油路的控制,V11 叠加式单向节流阀用来对手动调节速度的调定。同时,手动电磁阀也可以做容错控制阀用,即在伺服比例阀发生故障后,电柜自动判断,将伺服比例阀切除出控制油路,使手动增减电磁阀投入控制。这时,电柜自动控制 V12 和 V7,这种状态称为容错控制状态。

紧急停机时,急停电磁阀 V9 线圈励磁,同时两隔离电磁阀 V6、V8 也励磁,将伺服比例阀 V6 和快动先导电磁阀 V7 从控制油路中切除,此时插装阀 V1、V3 打开,V2、V4 关闭,主接力器快速关闭。

另外,开关机时间调整可分别调节 V1、V4 插装阀盖板上的调节螺杆。V2、V3 插装阀盖板上的单向节流阀起缓冲作用,防止液压冲击。

4　现场应用

该装置研制成功后,在湖北巴东虎牙河水电站成功投入运行,现场试验录波曲线如图 2 所示。

从导叶副环扰动曲线可以看出,当调节量处于 5% 左右时,出现一个明显的拐点。这

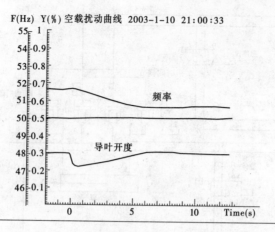

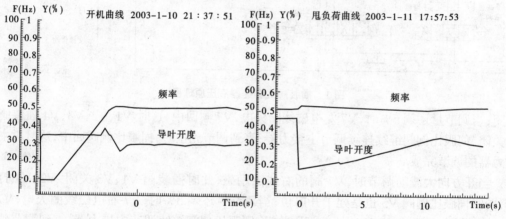

图2 现场试验录波曲线

是因为调节量大于5%时,主要由插装阀进行控制,满足系统快速动作的要求;调节量小于5%时主要由伺服比例阀进行控制,满足了系统调节精确的要求。

从空载扰动曲线可以看出,扰动开始时,导叶调节量大于5%,导叶快速动作到位,频率平缓下调,频率接近给定量时,导叶由伺服比例阀控制,几乎没有出现波动。

可以认为,该装置既具备了速动性又具备了稳定性。

5 结语

水轮机调速器在经过了长时间非常缓慢的发展后,由于种种外部因素的促动,近年来得到了快速发展,尤其是在计算机及高性能液压元件技术在业内的应用和市场化机制的双重作用下,我国的水轮机调速器在相对较短的时间内有了突飞猛进的发展。我们认为,在不久的将来,由全部标准化液压元件组成的调速器液压控制装置会得到广泛的应用。

水轮机调速器液压系统仿真研究

曾继伦　陈东民　李建华　蔡晓峰

（江苏省南京市国电电力自动化研究院）

1　引言

目前,国内调速器行业蓬勃发展,在调速器电气部分和水轮机的实用控制策略上有了较大的创新,但在液压系统的设计、研究和制造方面的水平却不能与国外调速器制造厂商相比。本研究的目的就是要通过仿真来分析目前存在的问题,提出相关的技术措施来改变目前的不平衡现状,从而全面提高我国水轮机调速器的技术水平。

本仿真研究的数学模型完全建立在液压系统的实际机械尺寸和参数的基础上,这对液压系统的设计具有比较好的指导作用,也可以对电气回路参数设计提供帮助。

2　基本液压参数和元件的数学模型

为建立一类与水轮机调速器液压系统相关的基本元件的数学模型,首先简要介绍其相关的液压原理。

2.1　基本液压参数

用液压油的体积弹性模量描述液压油的可压缩特性:$\beta = 7\epsilon^8$;

液压油的密度:$\rho = 880\text{kg/m}^3$;

仿真的单位采用米·千克·牛单位制。

2.2　基本液压元件的数学模型

2.2.1　滑阀节流口的流量—压力特性

流量—压力特性关系式为

$$Q = C_d A \sqrt{2\Delta P / \rho}$$

式中:Q 是主配压阀的流量,m^3/s;C_d 是阀的流量系数,$C_d = 0.61$(大多数专业技术书推荐值);A 是阀口的通流面积,m^2;ΔP 为阀压降,Pa;ρ 为压力油的密度,kg/m^3,$\rho = 880$ kg/m^3。

2.2.2　滑阀的流量—压力特性

在液压系统中,流量和阀口压降的具体数字不仅和滑阀有关而且与系统连接的其他设备相关。由于滑阀的节流特性是非线性的,因此对于实时的流量和阀口压降只能通过迭代运算才能求解。根据这一点,滑阀环节的仿真模型具有如图 1 所示的形式。

模型中:P_1 是阀的入口压力,P_2 是出口压力,A 是阀口面积,q_{12} 是阀的流量。

2.2.3　液压缸的仿真数学模型

液压缸的仿真数学模型如图 2 所示。

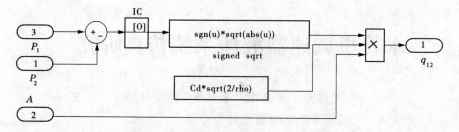

图1 滑阀节流口流量—压降仿真模块图

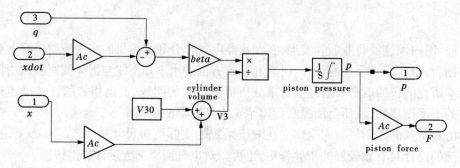

图2 油缸输入流量—压力—活塞作用关系模型

模型中有三个输入,它们是流量 q、活塞的运动速度 $xdot$ 和活塞的位置 x,另外有两个输出,分别是油缸的压力 P 和活塞所具有的推力 F。

关系式为

$$P = \int \frac{beta \times (q - xdot \times Ac)}{V30 + x \times Ac} \mathrm{d}t$$

$$F = P \times Ac$$

式中:$beta$ 是液压油的弹性模量;Ac 是活塞面积;$V30$ 是油缸的初始容积(包括管路)。

2.2.4 活塞及负载运动的数学模型

图3为活塞及负载运动的数学模型。

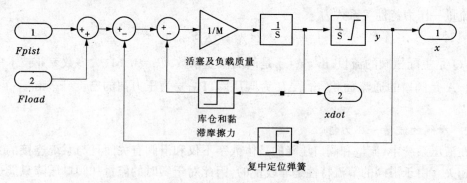

图3 活塞及负载运动的数学模型

这里,$Fpist$ 是液压作用于活塞上的力,$Fload$ 是负载的外力(液动力或水推力),模块的输出为活塞的位置 x 和速度 $xdot$。模型中考虑了活塞及负载的库仑摩擦力和黏滞摩擦力的影响,可加入复中定位弹簧力的作用。

液压随动系统的仿真模型就是上述基本元件模型的组合。

3 水轮机调速器液压系统的主要部件数学模型

在仿真系统中，主要使用了如下数学模型(因篇幅关系，这里不作详细描述)：

(1)比例伺服阀数学模型；

(2)四通滑阀的数学模型；

(3)开口特性模块；

(4)双作用控制缸模块；

(5)主接力器与负载模块；

(6)阀－差动缸模块；

(7)钢丝绳－液压拉紧反馈模块；

(8)钢丝绳－重锤拉紧反馈模块。

4 NARI－ZFL 型液压柜的数学模型和仿真

ZFL 型水轮机调速器液压柜是我们新开发的液压柜，它的优点是结构简单且加工成本低。在与 SAFR－2000 电柜的配合下，整个调速器的性能良好。图 4 是数字控制的 ZFL 液压柜仿真数学模型。

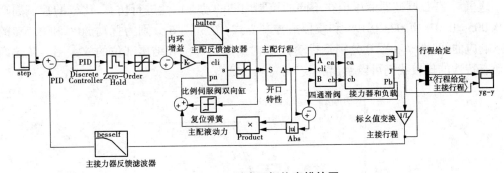

图 4　ZFL 型液压柜仿真模块图

下面根据 ZFL 型液压柜的一些设计参数，对调速器液压随动系统性能的影响进行仿真研究，为以后的设计提供参考。

4.1 仿真研究的基本条件

工作油的参数：

调速器的工作油压	$P_s = 4.0\text{MPa}$
工作油的密度	$\rho = 880\text{kg/m}^3$
液压油的体积弹性模量	$\beta = 7\epsilon^8$

接力器及水轮机导水机构的负载参数：

接力器直径	$d = 0.4\text{m}$
接力器长度	$l = 1.0\text{m}$
接力器对数	$n = 1$
导水机构的质量	$M = 200e^3\text{kg}$

导水机构的静摩擦力和动摩擦系数	$F_q = 100e^3\mathrm{N}, K_b = 0$
水轮机的水推力	$F_w = 20\,000\mathrm{N}$
油管道直径	$d_t = 0.1\mathrm{m}$
油管道长度(单程)	$l_t = 15\mathrm{m}$
主配压阀及辅助接力器参数:	
主配阀直径	$D_m = 0.1\mathrm{m}$
主配压阀阀芯质量	$m_m = 14\mathrm{kg}$
主配压阀的最大行程	$S_m = \pm0.015\mathrm{m}$
主配压阀的遮程	$\delta = 0.000\,4\mathrm{m}$
辅助接力器直径	$D_a = 0.06\mathrm{m}$
辅助接力器的行程	$S_a = 0.015\mathrm{m}$
比例伺服阀参数:	
额定输入电压	$V_{nom} = 10\mathrm{V}$
额定流量及额定流量下的阀口压降	$Q_{nom} = 40\mathrm{L/min} \quad \Delta p = 3.5\mathrm{MPa}$
截止频率	$50\mathrm{Hz}$

4.2 控制周期仿真研究及结论

这里对 ZFL 调速器液压柜在不同的控制周期的动态特性进行仿真,比较的控制周期为 0.005s、0.01s、0.02s、0.04s 和模拟式控制方式,图5、图6分别为扰动20%和0.5%的动态响应曲线,图7和图8分别是扰动20%时的起始部位和结尾部位的放大图。从这四组动态特性的比较我们可以看出:

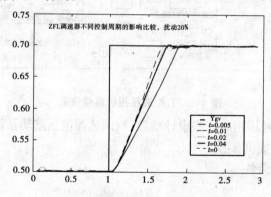

图5 不同控制周期的 ZFL 扰动 20%

(1)在小扰动的情况之下,静态死区与控制周期没有明显的关系。

(2)在大扰动时,静态死区与控制周期有明显的影响。模拟式控制和控制周期为 0.01s、0.005s 时,为正死区。控制周期大于或等于 0.02s 时,为负死区。

(3)在动态响应方面,随着控制周期的增加,动态性能就随之下降。这种下降主要表现在响应速度慢了和超调量增大。从扰动的结尾部位放大图中我们可以看到,接力器行程到达给定值的时差非常明显,控制周期为 0.04s 的时间模拟式控制的要长约 0.2s。

从前面的仿真结果可以得出以下结论:从模拟控制到数字闭环的控制步长的增加,调

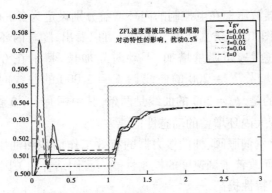

图6 不同控制周期的 ZFL 扰动 0.5%

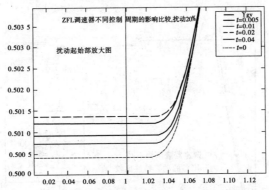

图7 不同控制周期的扰动 20% 的启始部放大图

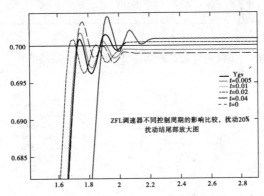

图8 不同控制周期的扰动 20% 的结尾部放大图

节品质随之恶化;特别是当控制步长增至 0.04s 时影响十分明显。过去,SJ－700 调节器副环控制步长取 0.04s 是欠妥的,当然这与计算机的速度有关。在 SAFR－2000 调节器中,副环控制步长取 0.01s 就提高了性能。如果现有的计算机允许,最好再把控制步长设为 0.005s,以便进一步提高性能。

4.3 内环增益的仿真研究及结论

调速器液压柜的动态性能的好坏关键取决于它的内环特性,也是主配行程控制特性。当比例伺服阀和辅助接力器的有效面积确定之后,内环增益的大小就决定了它的性能。

这里对 ZFL 调速器液压柜在电控制的内环增益分别设定为 2 000、1 000、500 和 200,进行仿真比较,图 9 和图 10 是仿真结果。从图 9 可以看出,随着内环增益的降低,接力器的动态响应变得愈来愈差,超调量增加、不动时间加长,特别在 0.5% 扰动的放大图(图 10)可以看到,内环增益 $k_n = 200$ 的曲线比 $k_n = 2\,000$ 的曲线的不动时间增大了近 0.2s。这里要特别指出的是,$k_n = 200$ 的曲线是两条,其中标有 $t = 0$ 者是采用模拟控制方式的。它们都比具有较大内环增益的动态性能要差。

提高内环增益在比例伺服阀、辅助接力器的有效工作面积和油压确定之后就是改变了内环的时间常数,从而改善了调速度的控制性能。我们结合相关因素来分析,内环增益的增加将使调速器动态特性提高。

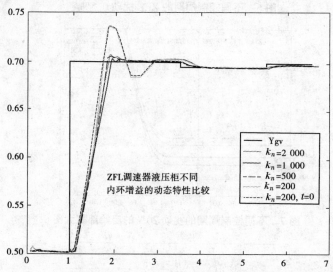

图 9 不同内环增益的动态性能扰动 20% & 0.5%

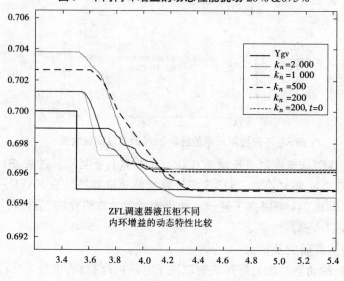

图 10 不同内环增益的动态性能扰动 0.5%

5 结语

通过对 ZFL 型液压柜的数字仿真,我们认为,尽管该型调速器液压系统具有优良的动态性能,但仍可以通过一些具体的技术措施使之进一步提高。我们希望,在今后的液压系统设计、开发和制造中,进一步应用数字仿真系统,以促进调速器产品性能的全面提高。

百龙滩水电厂水轮机调速系统的改造

蔡卫江

（江苏省南京市国电电力自动化研究院）

1 概况

百龙滩水电厂共安装 6 台单机容量为 32MW 的灯泡贯流式水轮发电机组，当时为国内功率最大的贯流式机组。全厂调速器及油压装置均采用美国伍德沃德（WOODWARD）公司生产的 517 型数字式调速系统。第一台机组于 1996 年 2 月投运，最后一台机组于 1999 年 5 月投产。由于 517 型调速器在使用及维护中存在某些部件运行不够稳定、维护复杂、备件缺乏等问题，广西桂冠公司于 2001 年 5 月对百龙滩调速系统进行了技术改造招标，选定选用南瑞集团电气控制公司生产的 SAFR－2000 型微机水轮机调速器，首先在 4 号机组上进行了改造，2001 年 12 月底完成。设备运行至今情况稳定，电厂非常满意。随后，2003 年初，水电厂又对 2 号机调速器进行了改造，也非常成功。目前其他 4 台机的调速器改造合同已签，预计在 2005 年 6 月全部完成。

2 改造方案

2.1 调速器液压系统改造

百龙滩水电厂调速器液压系统改造见图 1，根据电厂的实际情况，我们保留了原来的导叶、桨叶引导阀、主配压阀、分段关闭缸等部分，取消了原来的调节杠杆、明管、反馈传动机构，简化了系统的结构，对前级的控制部分则进行了全新设计。主要包括：用伺服比例阀取代了原先的喷嘴挡板式电液转换器；选用了德国 BOSCH 公司的 10 通径两位三通电磁阀来控制分段关闭缸；急停阀也选用了 BOSCH 公司的两位三通电磁阀；增加了双切换滤油器部分，它由滤油器、前后压力表、进口差压发讯器组成；增加了导叶和桨叶集成块，电磁阀的油路都集中在集成块内部。

此外，除了在主接力器安装了位置变送器外，我们在伺服比例阀、主配压阀的阀芯都加装了位移传感器和电路部分组成多级闭环控制，使得整个系统的控制精度更高、响应速度更快。

系统的控制原理参见图 2，控制方式简述如下：

自动控制回路为：电气柜输出控制信号（连续电压）→伺服阀功放→伺服比例阀→引导阀和主配压阀→接力器（或受油器）。该控制的稳定性和精度靠三个闭环反馈来实现：伺服阀位移反馈、主配压阀位移反馈、主接力器数字式位移反馈。

紧急停机操作是通过操作紧急停机阀，直接控制引导阀和主配压阀完成关方向动作。

手动控制通路为：手动控制开关（断续脉冲）→综合控制模块→伺服比例阀→引导阀和主配压阀→接力器。通过安装在接力器上的模拟式位移传感器来完成手动状态的闭环控制。

分段关闭操作:分段关闭电磁阀动作后,两段关闭缸上顶,限制引导阀和主配压阀位移,从而产生分段作用。

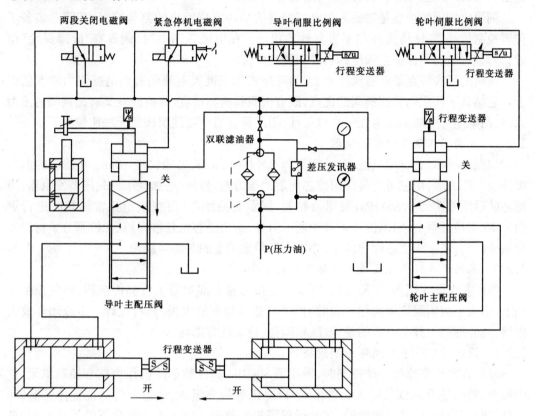

图1 百龙滩调速器液压系统改造原理图

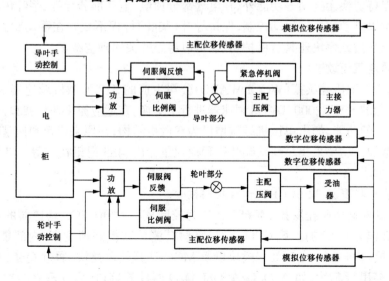

图2 系统控制原理框图

2.2 液压系统改造技术特点

2.2.1 采用了进口比例伺服阀作为电液转换元件

伺服比例阀的功能是把输入的电气控制信号转换成输出的流量控制,其阀芯装备了位置控制传感器,使得滞环和不重复性均很小。在电磁铁断电时,阀具有"故障保险"位置,即第四位置,可保证主配压阀自动回复到中位。

该阀的最大特点是电磁操作力大,为环喷式和双锥式电液伺服阀电操作力的 5 倍以上。它结合了伺服阀和比例阀的优点,既有伺服阀的高精度、高响应性又有比例阀的出力大、耐污染能力及防卡能力强等高可靠性,因此是普通电液伺服阀所无法比拟的。

2.2.2 采用了双联可切换滤油器

如图 1 所示,它有两只滤芯,总容量为 $2 \times 190L/min$,过滤精度 $10\mu m$,在滤芯的前后级各有一压力表,用它可直接读出滤芯前后的压力差,另外,还加装了一只压差发讯器,当滤芯前后压差达到 0.35MPa,发讯器报警,提示更换滤芯(可在机组正常运转时进行更换)。在切换过程中,输出油流不会中断。另外,所用滤芯由各种有机、无机高分子材料复合而成,不会像纸质滤芯那样掉毛,亦不会像粉末冶金滤芯那样脱粉。

2.2.3 采用了多级电气反馈和闭环手动控制

我们在伺服比例阀、主配压阀的阀芯、主接力器上都加装了位移传感器,电气控制回路上,引入了与伺服比例阀相配套的 BOSCH 进口功率放大板,自行设计了多级闭环放大电路,充分提高了整个系统的稳定性、精确性、速动性等指标。

2.2.4 设计了电气手动闭环控制模块

我们在设计调速器手动控制时,采用了 80C196 高性能单片机作为核心控制单元,它由按键、数码显示、AD 采集、DA 输出、串口通讯等部分组成,通过专门的位置传感器(和自动控制部分分开)来实现导叶、桨叶行程采集和控制。除了正常情况下的手动控制、自动时跟踪、保持切换无扰动等功能外,在电气部分掉电、电气部分导叶、桨叶传感器故障等情况下,都可以自动切换到手动控制,保持导叶(桨叶)行程不变。在手动状态,若机组发生过速等事故时,该模块还具有保护功能,可以将导叶关回到空载。

2.3 调速器电气柜改造

原装置为美国伍德沃德(WOODWARD)公司生产的 517 型微机调速器,我们用南瑞公司最新研制的 SAFR2000 型微机调速器进行了更换,在适应原来系统接口的基础上,又增加了一些新的功能,如由单微机结构增设为双微机结构;在原来齿盘测速基础上增加了残压测频,增加了功率采集、导叶、桨叶行程模拟量输出、485 通讯接口等。其调速器电气柜技术特点如下。

2.3.1 采用摩托罗拉 32 位 CPU 作为控制核心

电气控制柜选用摩托罗拉 MC68332 作为控制核心,当前 PCC 调速器的控制器就是以 MC68332 作为 CPU 的。该 CPU 运算速度快,测量和控制精度高,内部集成 QSPI 同步串行总线模块和 TPU 定时处理模块以及 MCU 计算处理模块,通过 QSPI 同步串行总线可以和许多串行芯片,如 A/D、D/A、D/I、D/O 器件等接口,可处理有功功率、水头、水压信号采集,导叶及桨叶模拟量输出,油开关、开机令、停机令等开入信号采集,故障开出信号处理等。TPU 模块则可处理导叶及桨叶行程采样,频率测量和控制输出等,MCU 模块则处理 PID 调节计算,该 CPU 集成度高,功能完善,充分提高了系统的调节性能。

2.3.2 采用了残压和齿盘测速两种测频方式

二者同时输入,正常运行时以残压测频为主用,齿盘测速为备用,故障时自动切换。

2.3.3 采用双微机系统

双微机系统在电源、输入、输出通道上都互相独立,切换控制则采用可编逻辑器件来实现,内置安全可靠的切换逻辑,已经过上百台调速器现场运行的实践检验,可靠性高,充分发挥了双机系统互为热备用、互相冗余的优势。

2.3.4 采用工控机作为显示

采用带大屏幕液晶屏的一体化工控机作为人机接口,界面以全中文、3D 图形显示,具有良好的人机交互界面,且具有故障诊断和弹出窗口报警功能,还可实现故障录波。

2.3.5 采用内置式智能化调试软件包

该软件包完全为我们自主开发,拥有自己的知识产权,通过该软件可对装置内部进行诊断,也可对外部信号进行检测,同时还可以对整个调速系统进行开、停机、并网等现场测试试验,可进行参数调整和试验录波(见图 3~图 5)等。

2.3.6 采用了多种抗电磁兼容的措施

在设计上我们采用了多种接地技术、滤波技术、屏蔽方法等,装置可抵御 ±2 500V 传导瞬变干扰, ±8 000V 静电放电干扰及 10V/M 的空间电磁辐射。产品通过了国家电力公司检测中心的电磁兼容形式试验。

2.3.7 电气过速保护部分改造

电气过速保护改造采用了南瑞最新研制的 WJCS - Ⅱ型微机测速装置,它具有残压信号和两路齿盘测频输入,软件自动判断和切换,10 对可编程动作接点,两路标准模拟信号输出,所有设置都可以通过按键完成,也可以通过串口用计算机来设置。

2.4 压油装置部分改造

电厂原来的压油装置控制由常规的继电器、把手、按钮、开关等回路组成,接线复杂,继电器较多,显示单调,没有油位、油压显示。因此,我们进行了如下改进。

2.4.1 压油装置自动化元件改造

原来的压油装置回油箱、压油罐上安装的都是液位开关、压力开关等开关量元件,没有精确的模拟量传感器,在这次改造中,我们在回油箱上增加了油位变送器、油温变送器,在压油罐上则添加了压力变送器、液位变送器、自动补气装置等自动化元件,配合原来安装的压力开关、液位开关等,组成压油装置更加完善的检测系统。

2.4.2 压油装置控制回路改造

原来的三台油泵控制回路采用常规的继电器来完成,在这次改造中,我们采用了三菱公司的 FX2N - 64MR 可编程控制器作为控制核心,配置 FX2N - 4AD 模块,可完成压油罐压力、液位;回油箱油温等信号采集;油泵控制采用 PLC 来完成,既可用常规开关量方式控制,也可用变送器模拟信号来控制;三台油泵中,两台大流量油泵采用自动轮换方式工作;控制系统还可以完成压油罐自动补气控制、刹车电磁阀控制等任务。

在显示方面,我们选用了台湾 EVIEW 公司生产的 MT508S 触摸屏作为人际界面,该屏为 7.7 英寸,256 色。该屏最大的特色是可以和计算机或单片机通讯,我们就利用第二个串口和手动闭环控制模块通讯,除了显示PLC采集的压油罐压力、液位、回油箱油温、控制开关位置等信息外,还可以显示导叶、桨叶行程、转速等信息,方便现地控制和观察。

3 试验过程

第一套调速系统(4号机)改造于2001年12月完成,百龙滩水电厂委托广西电力试验研究院,于2001年12月至2002年1月初,对改造后的SAFR-2000调速器进行了详细的现场测试和验收试验。试验项目主要包括:调速器静特性、转速死区和随动系统不准确度的测定;自动开停机、空载频率扰动、频率给定、频率跟踪试验;负载扰动试验、甩负荷试验;装置掉电、故障模拟、抗干扰试验等。主要试验结果如下。

3.1 静特性试验

转速死区 $i_x = 0.02\%$;静特性曲线线性误差 $e = 0.4\%$;轮叶随动系统的不准确度 $i_a = 0.05\%$ 。

3.2 空载频率扰动试验

空载扰动试验录波见图3。

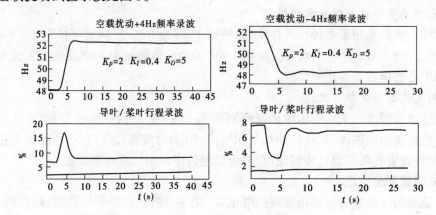

图3 ±4 Hz空载扰动试验

3.3 自动开机试验及空载频率稳定性检查

开机过程曲线见图4,在该试验中,导叶动作迅速、调节正常,桨叶动作正常,机组频率超调量为0.15Hz,无波动,机组转速升到额定时间为16s。

同时自动情况下频率稳定后测得三分钟频率波动的波峰波谷值为±0.04Hz。

3.4 机组甩负荷试验记录

甩负荷试验分25%、50%、75%、100%负荷共进行了四次,其中甩100%负荷录波见图5,甩后机组最高频率为76.01Hz,最低为45.11Hz,调节时间为9s,振荡次数为1次,均满足国标要求。

广西电力试验研究院采用HG86综合仿真测试仪对调速器动静态试验进行了测试和分析,认为:调速器的主要实测性能指标均满足国标的考核要求,调速器的控制调节迅速且稳定性能好,调节过程平滑,未出现不应有的超调和波动现象,满足电厂运行使用要求。

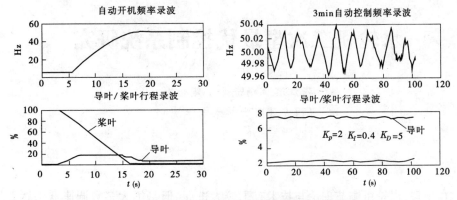

图4 自动开机试验及空载频率稳定性检查试验

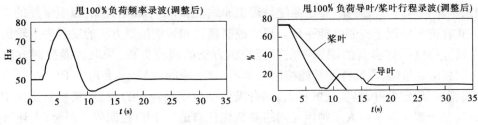

图5 甩100%负荷录波图

4 结语

贯流式机组由于水头低、建设周期短,近年来发展比较迅速。但因其转动惯量小,转速变化快,空载时比其他类型机组较难控制,需要调速器具有较快的响应速度和良好的调节性能。通过对百龙滩进口微机调速器的改造,积累了许多贯流式机组控制的经验,特别是针对大型的贯流式机组的调节,我们认为32位双微机电调配合电液伺服比例阀完全能满足其调节控制的要求。

水轮机二次型最优控制系统研究

张江滨　杨晓萍　焦尚彬

（西安理工大学水电学院）

1　引言

　　近 10 年来,水轮机调节理论与技术有了较大进展,但是绝大多数调速器仍然采用常规的 PID 控制方式。由于水击作用的影响,水轮机调节(控制)系统是一个非最小相位系统,加之水轮机运行工况复杂,整个系统呈现出非线性、时变不确定特征,因而常规的 PID 控制方式在许多情况下控制性能不佳。现代控制理论和智能控制方法的发展为水轮机控制系统研究提供了许多新的课题。在智能控制方法的研究方面,采取智能控制方法与 PID 控制相结合策略,既发挥了智能控制自学习、自适应的优势,又突出了 PID 控制的快速性、高精度、稳定性好、易实现的特点,如有级变参数变结构 PID 控制、模糊自适应 PID 控制以及基于遗传算法或人工神经元网络参数优化自适应 PID 控制等。但是,上述智能控制方法的基本思想为适应式控制,离线参数优化的结果往往与实际最优偏差较大,而在线参数调整(自适应),要进行各种物理量的测量(辨识),构造合适的适应机构(决策),调整控制器参数(修改),以使实际系统不断地趋向最优或要求的状态[3]。由于自适应控制系统本质是非线性的,其稳定性分析有一定的针对性,而且其结果仅为静态最优。自适应涉及较多的物理量测量、复杂的控制计算,这将严重影响系统的可靠性和实时性,要应用到实际系统还须进行大量的工作。现代控制理论建立在状态概念之上,具有严格的数学理论基础,状态反馈控制系统揭示系统的内在规律,能实现系统在一定意义上的动态最优化,如二次性能指标控制最优化,二次型最优控制是线性控制系统最优化设计的重要方法。本文将二次型最优控制设计方法的结果应用到常规 PID 调节参数优化设计中,这对于传统水轮机调节参数整定具有重要的实用参考价值。

2　水轮机最优控制系统

　　水轮机(转速)调节系统与水轮机控制系统在概念上的不同在于,前者为单输入/单输出闭环控制系统,在这种系统中,参考输入或期望的输出量,或者保持常量,或者随时间缓慢地变化,只关心一个输出结果(被调节量);而后者为多输入/多输出系统,采用现代控制理论进行分析与设计,运用状态反馈理论将闭环极点配置到希望的位置上,这样可以得到所期望的输出结果,又可以得到相应的中间变量结果,状态变量包含了系统的所有信息。由于现代水轮机调速器(控制器)已经不单纯起调速作用,还要能够实现开度控制、流量控制、水位控制、有功功率控制等作用。运用现代控制理论分析设计具有多目标、多任务的水轮机控制系统更全面、准确。图1为某一简化的水轮机控制系统状态反馈模型。

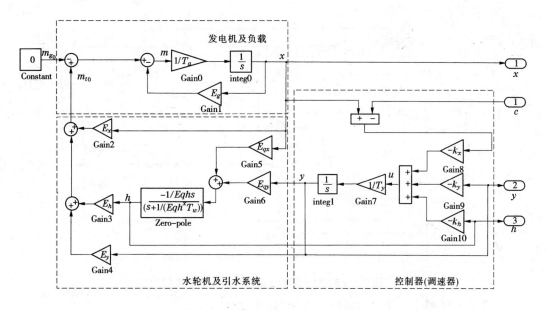

图1 水轮机控制系统状态反馈模型

图1所示模型中被控制对象状态方程(数学模型)为

$$
\begin{bmatrix} \dot{x} \\ \dot{y} \\ \dot{h} \end{bmatrix} = \begin{bmatrix} -\dfrac{e_n}{T_a} & \dfrac{e_y}{T_a} & \dfrac{e_h}{T_a} \\ 0 & 0 & 0 \\ \dfrac{e_{qx}e_n}{e_{qh}T_a} & -\dfrac{e_{qx}e_y}{e_{qh}T_a} & -\left(\dfrac{e_{qh}e_h}{e_{qh}T_a}+\dfrac{1}{e_{qh}T_w}\right) \end{bmatrix} \begin{bmatrix} x \\ y \\ h \end{bmatrix} + \begin{bmatrix} 0 \\ \dfrac{1}{T_y} \\ -\dfrac{e_{qy}}{e_{qh}T_y} \end{bmatrix} u \tag{1}
$$

式(1)可表示为 $\dot{x} = Ax + Bu$,对于 HL 式水轮机,取 $e_{qx} = 0$。

设状态反馈控制量:$u = Kx + k_x \cdot c$,$K = [k_x, k_y, k_h]$;

具有状态反馈系统方程:$\dot{x} = Ax + Bu = (A - BK)x + Bk_x \cdot c$;

c 为阶跃函数,当 t 趋于无穷时,$\dot{x}(\infty) = (A - BK)x(\infty) + Bk_x \cdot c$;

注意到系统处于稳定状态时,$\dot{x}(\infty) = 0$,$x(\infty) = -(A - BK)^{-1}x(\infty)Bk_x \cdot c$,求解之

$$
x(\infty) = \begin{bmatrix} x(\infty) \\ y(\infty) \\ h(\infty) \end{bmatrix} = \begin{bmatrix} \dfrac{k_x e_y}{k_x e_y + k_y e_n} \\ \dfrac{k_x e_n}{k_x e_y + k_y e_n} \\ 0 \end{bmatrix} \cdot c \tag{2}
$$

由式(2)可见,转速稳态值不等于给定值,即 $x(\infty) \neq c$,因而该系统不能实现转速的无差调节。为了实现恒值无差调节、伺服控制,需要对状态反馈量重新选取。由于状态变量选择的自由性和非惟一性,一组状态变量为另一组状态变量的线性组合。取 x、m、h 为一组新的状态变量,机组转子作用力矩 $m = m_t - m_g$,其中 m_t 水轮机机械主动力矩,m_g 发电机负载电磁阻力矩。图2为水轮机控制系统改进后状态反馈模型。

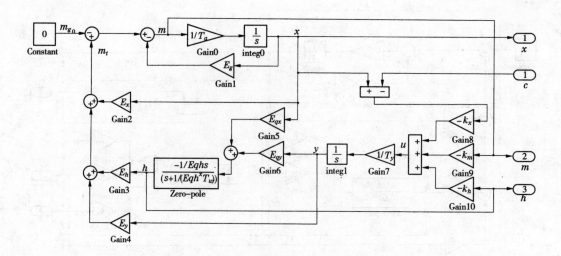

图2 水轮机控制系统改进后状态反馈模型

图2所示模型中被控制对象状态方程(数学模型)为

$$
\begin{bmatrix} \dot{x} \\ \dot{m} \\ \dot{h} \end{bmatrix} = \begin{bmatrix} 0 & \dfrac{1}{T_a} & 0 \\[2mm] 0 & -\dfrac{e_n e_{qh} + e_h e_{qx}}{e_{qh} T_a} & -\dfrac{e_h}{e_{qh} T_w} \\[2mm] 0 & -\dfrac{e_{qx}}{e_{qh} T_a} & -\dfrac{1}{e_{qh} T_w} \end{bmatrix} \begin{bmatrix} x \\ m \\ h \end{bmatrix} + \begin{bmatrix} 0 \\[2mm] \dfrac{e_y e_{qh} - e_h e_{qy}}{e_{qh} T_y} \\[2mm] -\dfrac{e_{qy}}{e_{qh} T_y} \end{bmatrix} u \tag{3}
$$

式(3)可表示为 $\dot{x} = Ax + Bu$,对于 HL 式水轮机,取 $e_{qx} = 0$。

设状态反馈控制量:$u = Kx + k_x \cdot c$,$K = [k_x, k_m, k_h]$;

同理得

$$
\begin{bmatrix} x(\infty) \\ m(\infty) \\ h(\infty) \end{bmatrix} = \begin{bmatrix} \dfrac{(T_y - e_{qy} k_h T_w)(e_y e_{qh} - e_{qy} e_h) + (e_h T_y + k_h T_w e_y e_{qh} - k_h T_w e_{qy} e_h) e_{qy}}{k_x e_y e_{qh} T_y} k_x \\ 0 \\ 0 \end{bmatrix} \cdot c
$$

$$
= \begin{bmatrix} 1 \\ 0 \\ 0 \end{bmatrix} \cdot c \tag{4}
$$

由式(4)可见,转速稳态值等于给定值,即 $x(\infty) = c$,能够实现转速的无差调节,即恒值调节。但是,由于机组力矩难以测量,需对图2模型进行等效变换,变换后的模型如图3所示。在图3中用 $\dot{x}$ 转速微分来代替机组作用力矩。

不难发现,图3模型与典型的软反馈型调速器构成的水轮机调节系统相同,若取 $k_x = 1$,$b_p = 0$,可得到以下对应关系:

$$
b_t = -\frac{e_{qy}}{e_{qh}} \cdot k_h, \quad T_d = e_{qh} T_w, \quad T_n = T_a \cdot k_m \tag{5}
$$

取调节对象参数为 $e_n = 1.0$,$e_y = 1.0$,$e_h = 1.5$,$e_{qy} = 1.0$,$e_{qh} = 0.5$,$T_w = 1.0(\text{s})$,

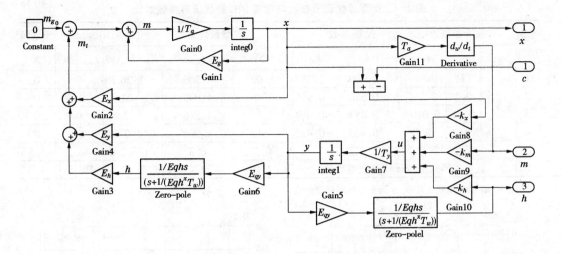

图3 水轮机控制系统等效状态反馈模型

$T_a = 5.0\text{s}, T_y = 0.1\text{s}$ 则式(5)可变为

$$b_t = -2 \times k_h, \quad T_d = 0.5, \quad T_n = 5 \times k_m \tag{6}$$

若忽略接力器反应时间的影响($T_y = 0$),可得到以调节系统的开环传递函数:

$$G_0(s) = -\frac{2 \times T_n}{b_t \cdot T_a} \frac{(s + \frac{1}{T_n})(s + \frac{1}{T_d})(-s + \frac{1}{T_w})}{(s + 0)(s + \frac{2}{T_w})(s + \frac{1}{T_a})} \tag{7}$$

应用二次型最优设计理论,确定最佳控制向量 $\boldsymbol{u}(t) = -\boldsymbol{Kx}(t)$,使性能指标 $J =$

$\int_0^\infty (\boldsymbol{x}^* \boldsymbol{Qx} + \boldsymbol{u}^* \boldsymbol{Ru})\mathrm{d}t$ 达到最小的矩阵,设 $\boldsymbol{K} = [k_x, k_m, k_h]$, $\boldsymbol{Q} = \begin{bmatrix} \mu_1 & 0 & 0 \\ 0 & \mu_2 & 0 \\ 0 & 0 & \mu_3 \end{bmatrix}$, $R = [1]$,

不难证明有,$\mu_1 = k_x^2 = 1$,合理选取 μ_2、μ_3 求解退化矩阵黎卡提方程:$\boldsymbol{A}^* \boldsymbol{P} + \boldsymbol{PA} - \boldsymbol{PBR}^{-1}\boldsymbol{B}^* \boldsymbol{P} + \boldsymbol{Q} = 0$,将求得的 $\boldsymbol{P}$ 代入 $\boldsymbol{K} = \boldsymbol{R}^{-1}\boldsymbol{B}^* \boldsymbol{P}$,得到力矩反馈系数 k_m 和水头反馈系数 k_h,然后由式(5)求得 b_t、T_d、T_n,这些调节参数可称为满足二次型最优调节参数,使得水轮机调节系统达到了可预测的最优状态。

3 仿真研究

分别选用斯坦因推荐的 PID 调速器最佳参数整定值 $T_n = 0.5 \times T_w = 0.5(\text{s})$, $b_t = 1.5 \times T_w / T_a = 0.3$, $T_d = 3.0 \times T_w = 3.0(\text{s})$;克里夫琴柯推荐的 PID 调速器最佳参数整定值 $T_n = 1 \times T_w = 1.0(\text{s})$, $b_t = 2 \times T_w / T_a = 0.4$, $T_d = 1.5 \times T_w = 1.5(\text{s})$;二次型最佳调节参数见式(6)。二次型最佳调节参数与常规 PID 最佳调节参数对比及其对调节系统动态指标的影响见表1,6 种不同调节参数的仿真曲线见图4 所示。

表 1　二次型最优调节参数与常规 PID 最优调节参数对比

参数编号	权阵系数			反馈系数			二次型最优参数			$\Delta c=10\%,\Delta=\pm0.1\%$		
	μ_1	μ_2	μ_3	k_x	k_m	k_h	$T_n=5\times k_m$	$b_t=-2\times k_h$	T_d	$T_p(s)$	$x_{max}(\%)$	X
1	1	1	1	1	1.000	-2.353	5.00	4.706	0.5	26.8	0	0
2		0.1	0.1		0.576	-0.985	2.88	1.970		11.0	0	0
3		0.01	0.01		0.454	-0.608	2.27	1.216		7.5	0	0
4		0	0		0.428	-0.532	2.14	1.064		7.3	0	0
5	斯坦因推荐最佳参数整定值						0.5	0.3	3.0	12.0	46.2	1.5
6	克里夫琴柯推荐最佳参数整定值						1.0	0.4	1.5	13.4	20.5	1.0

注:表中 Δc 为给定值扰动量,Δ 为平衡状态允许误差。

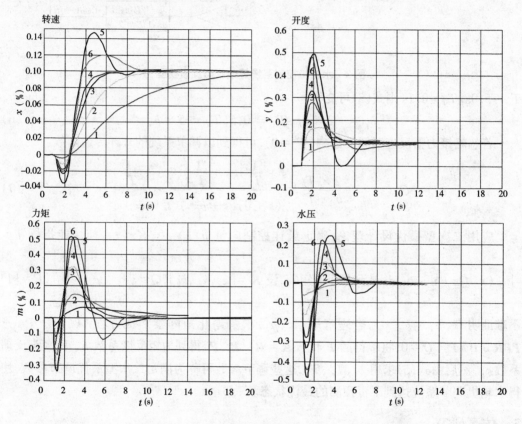

图 4　仿真曲线

由表 1 可以看出:①在确定转速反馈系数 $k_x=1$ 下,对应的权阵系数 $\mu_1=1$,逐步缩小 μ_2、μ_3 得到第 1~4 组参数,转速上升时间加快,调节时间缩短,这是因为力矩 m 和水头 h 权重下降,其变化所受限制减弱,此时允许力矩 m 和水头 h 快速变化,导致接力器 y 动作加快,调节能力加强。②无论权重 μ_2、μ_3 如何选取,转速变化曲线为非周期趋于稳态值,最大偏差 $x_{max}=0$,振荡次数 $X=0$,即使在 $\mu_2=0$、$\mu_3=0$ 情况下也如此。而斯坦因或克里夫琴柯推荐最佳参数整定值下均会产生振荡,具有较大的转速偏差和较多的振荡次数,所以二次型最优值下调节时间短,又不产生过调,明显好于斯坦因或克里夫琴柯推荐值的结果。③二次型最佳调节参数中的微分时间 T_n、暂态转差系数 b_t 比斯坦因或克里夫琴柯推荐值大得多,而缓冲时间 T_d 则小得多,说明二者参数选择的出发点不同,这可以从根轨迹的图中看出(见图5),如果把微分时间 T_n 与缓冲时间 T_d 位置对调,其根轨迹图完全相同,也可以从系统的开环传递函数式(7)得到相同的结论。但由于开环放大倍数与微分时间 T_n 成正比。为了保持开环放大倍数不变,必须同比例增加暂态转差系数 b_t。④从实用的角度出发,由于二次型最优调节参数中的微分时间 T_n 过大,很容易引进的干扰信号,因为噪声通常比控制信号变化迅速,从而减小了信噪比。但是,在微机调速器中通过选择合适的数字滤波组合,可以基本消除测频信号中的噪声,或者直接利用机组转动加速度信号传感器。⑤由于二次型最优参数中微分时间 T_n 较大,使得转速上升曲线不存在过调现象,利用这一特点,很容易实现闭环开机,而不会引起机组过速,可以将目前常用的较复杂开环开机程序简化。

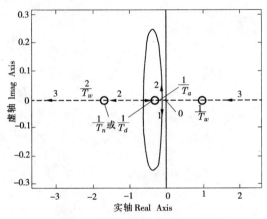

图 5 水轮机调节系统根轨迹图

4 结语

综上所述,本文从现代控制理论二次型性能指标控制最优化设计理论出发,结合常规的水轮机调节系统分析方法,得出二次型最优控制参数与等价的水轮机调节系统有着明显的差别,前者的动态过程呈现完全的非周期特点,在各自的最佳参数情况下,二次型最优控制效果较常规控制要好。如果要将上述结论直接应用于常规控制调节方式的系统中,还需要做一些具体的工作,但是应用状态反馈的控制效果必定会优于常规控制调节方式。由于目前微机调节技术的不断成熟,直接输入控制系统权阵,采用在线方式计算二次型最优设计结果,改变状态反馈系数,使水轮机控制系统达到可预测性能指标的动态最优,这比起许多智能控制方法简单可靠、易实现,将会成为水轮机控制系统的一个重要研究方向。

参 考 文 献

[1] 徐枋同,李植鑫. 水电站机组控制计算机仿真.北京:水利电力出版社,1995

[2] 叶鲁卿.水力发电过程控制理论、应用与发展.武汉:华中理工大学出版社,2002

[3] 陶永华,伊怡欣,葛芦生.新型 PID 控制及其应用.北京:机械工业出版社,2000

[4] 史维祥,唐建中,周福章.近代机电控制工程.北京:机械工业出版社,1998

[5] Katsuhiko Ogata. Modern Control Engineering (Third Edition). Published by arrangement with the original Publisher, Prentice Hall, a Simon & Schuster Company. Translation Copyright by Publishing House of Electronics Industry,2000

步进电机在 PCC 调速器中的应用

余向阳　吴罗长　姚李孝

（西安理工大学）

1　概述

随着计算机及其控制技术的发展,水轮机电液调速器的发展非常迅速,尤其是在调速器的电气控制部分,传统的集成电路电子调节器已逐渐被微机调节器取代,瑞典、日本等国于 20 世纪 80 年代初研制成功了微机 PID 电子调节器,并进行了大量的试验研究及工业化考验,取得了宝贵的运行经验。电液随动系统中现有的电液转换元件的可靠性和技术性能与微机调节器的发展不协调,在运行过程中存在的堵塞发卡、漂移及对油质的过高要求和较大的漏油量等问题还未得到很好解决,从而降低了调速器整机的可靠性。针对电液转换元件故障率较高的现状,人们对电液转换元件进行了结构上的改进,如双锥式及环喷式电液转换器的出现[1]。特别是西安理工大学提出的水轮机调速器新型电液转换元件——步进式电液伺服阀,填补了国内空白,随后研制出步进电机式引导阀并成功地应用于中小型集成电路电液调速器整机生产中,这些产品的研制极大地改善了电液随动系统的可靠性。本文主要介绍步进电机在步进式 PCC 调速器中的应用、步进电机的控制以及现场试验及运行效果。实际运行结果表明,步进电机在水轮机调速器中的应用有效解决了现有调速器电液随动系统的可靠性问题,采用该方式研制的步进式 PCC 调速器具有良好的静、动态特性[2]。

2　步进式 PCC 调速器电液随动系统

在水轮机调节系统中,控制器和执行器具有至关重要的作用,在步进式 PCC 调速器中采用高可靠性的可编程计算机控制器为控制器,以步进式电液随动系统为执行器,电液随动系统中采用新型的步进式引导阀为核心元件,全面提高了调速器的可靠性。

水轮机调速器液压随动系统中存在的主要问题是电液转换元件的控制套发卡、油孔易被污物堵塞,我们通过分析认为,造成电液转换器发卡的主要原因除其控制油口过小外,带动电液转换器控制套的马达功率也太小。因此,从这两方面入手,研制出一种新型的步进式电液引导阀取代传统的电液转换器,该引导阀一方面采用输出功率较大的步进电机带动电液转换器的移动套,电机的输出力矩可高达 2.8N·m,远远大于传统电液转换器的电磁力;另一方面适当加大油口尺寸,其最小油口尺寸为 6mm,同时减小径向尺寸,以保证较小的漏油量。采用该步进式引导阀,从根本上解决了由电液转换器发卡引起的控制失灵等问题,提高电液随动系统的可靠性。

水轮机调速系统中的液压随动系统采用步进式电液随动系统,其结构框图如图 1 所示。电液随动系统为二级随动系统。第一级为由脉冲分配器、功率放大回路、步进电机构成的机电随动系统;第二级由二级液压放大环节组成,引导阀与辅助接力器构成第一级液压放大环节,主配压阀与主接力器构成的第二级液压放大环节。由于液压随动系统中取消了传统的电液转换器,采用步进电机驱动的步进式引导阀,从根本上解决了由电液转换器发卡引起的控制失灵等问题,使电液随动系统的可靠性大大提高。

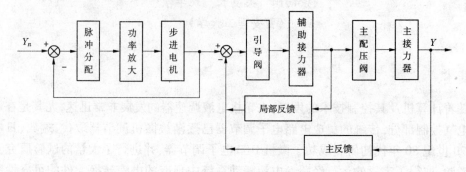

图1　液压随动系统框图

3　步进电机的控制

步进电机对整个电液随动系统的影响巨大,需要综合考虑步进电机的步距角、细分数、保持力矩等,使调速系统具有高的可靠性。

在步进式 PCC 调速器中,根据控制步进电机的脉冲生成方式,步进电机的控制系统也可分为两种方式:一种为直接控制方式,该方式由 PCC 完成脉冲生成和脉冲分配,并输出与步进电机相适应的脉冲,该脉冲再经过功率放大驱动步进电机;另一种为间接控制方式,该方式由 PCC 完成脉冲生成并输出步进脉冲和方向控制信号,再由硬件或其他装置(如步进电机驱动器)实现脉冲分配和功率放大。采用 PCC 间接控制方式时,该功能由 TPU 完成,不占用 CPU 资源;而脉冲分配由步进电机驱动器完成,且具有更完善和灵活的控制功能(如升降速等)。而采用直接控制方式时,由 PCC 软件完成脉冲分配,步进电机运动频率由高速任务组的扫描周期决定,步进电机的运动频率愈高则要求高速任务组的扫描周期愈短,这样就占用 CPU 的时间愈长。因此,在步进式 PCC 调速器中主要采用步进电机的间接控制方式。

在间接控制方式中,以两相混合式步进电机为例。它的控制结构图如图2所示。PCC 间接控制方式由 PCC 输出步进脉冲和方向控制信号,再由步进电机驱动器实现脉冲分配和功率放大。在这种控制方式下,方向控制信号根据控制量增量值的正负来确定,而输出的脉冲信号经过步进电机驱动器完成脉冲的分配,使步进电机按照所要求的方向和位移量或角度转动。

在步进式 PCC 调速器中,步进电机选用美国 Parker 公司的 OEM83－135,驱动器选用 Parker 公司的 OEM750,PCC 模块选用奥地利 B&R 公司的 POWER PANEL·PP41,数字量输出模块选用可与 TPU 通道相连接的高速输出模块 DO135。PCC 通过数字量输出模块的步进脉冲信号和方向控制信号,送入 OEM750 步进电机驱动器的相应端口,由 OEM750 步进电机驱动器产生的与步进电机相适应的驱动脉冲驱动步进电机。在 PCC

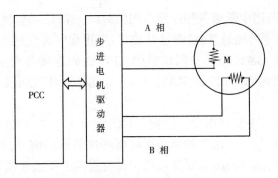

图 2 两相步进电机 PCC 控制电路

内部控制步进电机的脉冲信号通过调用 TPU 功能块 LTXPestX( )产生,该模块专门为步进电机设计,具有与步进电机驱动器相适应的两个输出信号——步进脉冲信号和方向电平信号。PCC 输出的步进脉冲信号用于控制步进电机的位置和速度,也就是说,驱动器每接受一个脉冲就驱动步进电机旋转一个步距角(细分时为一个细分步距角),脉冲的频率改变则同时使步进电机的转速改变,控制脉冲的个数,则可以使步进电机精确定位,以实现步进电机调速和定位的目的。PCC 输出的方向控制信号用于控制步进电机的旋转方向,此端为高电平时,电机顺时针旋转;此端为低电平时,电机逆时针旋转。

3.2.1 步进电机驱动器[3]

OEM750 驱动器具有分辨率高、静态锁定电流、最大驱动电流等参数设置以及升降速控制等功能,并具有使用方便、安全可靠等许多优点。

分辨率(步进电机运行一圈的步数)设置多达 16 级,范围从每圈 200 步至每圈 50 800 步不等,保证了用户的不同要求,设置时通过对该驱动器上的开关 2 的 2～5 位进行设置。在 PCC 调速器中选取每圈步数为 1 000 步,这样步进电机的步距角为 0.36°,完全满足了调速系统的要求,同时由于驱动器采用了细分技术,因此对步进电机的低频震颤也起到了很好的阻尼作用,增强了系统的稳定性和可靠性。

步进电机在静止状态时的静态锁定电流有四种不同的电流等级可供选择,这样有利于根据电机负载性质和大小选定其静态锁定电流,在保证电机可靠锁定的同时降低能耗和温升。PCC 调速器中锁定力矩较小,故选取静态锁定电流为最大驱动电流的 25% ,以降低步进电机温升并延长其寿命。

为了使电机能有最大的力矩又不引起电机的振荡和噪音,需要对驱动电流及电流环的增益进行适当的设置。在 PCC 调速器中最大驱动电流设置为 7.5A,供电电压为 24V。电流环增益按照如下公式计算:

$$K_i = L_M \times 364\ 000/U$$

式中:L_M 为电机的电感,单位为亨利;U 为电源的电压。

需要注意的是,当电机需要改变运行方向时,必须使改变方向的控制电平信号保持至少 200μs。

3.2.2 TPU 功能块 LTXPestX( )模块[4]

TPU 为 PP41 模块微处理器所具有的一个时间处理单元,主要用于外部处理事件计数、门电平时间测量、频率测量、脉宽调制等与时间有关的任务(timing tasks),减少 CPU

模块为处理这些任务调用中断服务程序所占用的时间。TPU 功能模块包含 TPU 操作系统、TPU 配置、完成特定功能的 TPU 程序模块等,应用程序通过它与 TPU 通讯传递参数和数据,该功能模块由 B&R 公司专门研制的 TPU 编码连接器产生,并在 CPU 热启动 (warm start)时将自己传入 TPU 的 RAM 中,并从此接管 TPU 让它完成用户特定的功能。

在步进电机控制中,主要利用功能模块 LTXPestX( ),它与 DO135 模块配合使用,占用 2 个 TPU 输出通道,第一通道为控制步进电机转速的脉冲信号,第二个通道为步进电机的方向控制信号。它能够根据绝对位置或相对位置两种模式来调节步进电机。该模块在循环任务中调用。需要注意的是,该模块只能在程序的一个地方调用,否则不同程序部分调用同一硬件可能会引起冲突。

功能模块 LTXPestX( )可以对步进电机的众多参数进行设置,包括步进电机起/停时的最小速度和最大速度、步进电机升速时的加速度和减速时的加速度、绝对目标位置和相对目标位置等,使得 PCC 与步进电机配合使用非常灵活且功能强大。因此,采用该功能模块能够对步进电机及驱动器进行良好的控制。

4 电站应用

步进式 PCC 调速器目前已有多台在水电站投入运行,如四川越西铁马二级电站、四川飞罗电站等。以下结果为对四川越西铁马二级电站 2 号机组调节系统进行了全面的静态和动态特性试验,试验表明,其性能指标满足或优于国标 GB/T9652.1—1997 的要求,其中主要特性试验结果如下:

(1)调速器转速死区小于 0.04%。

(2)甩 25% 额定负荷,接力器不动时间为 0.16s,见图 3。

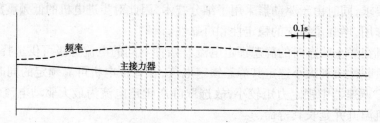

图 3 800kW 甩 25% 负荷

(3)甩 100% 额定负荷时,转速最大上升为额定转速的 118%,调节时间为 19s,见图 4。

(4)空载时扰动量取 8%,选若干组参数进行试验比较,当 $K_P = 1.7$,$K_I = 0.32$,$K_D = 1.7$ 时比较理想,扰动后调节时间比较短,接力器摆动一次,而且机频超调小。见图 5。

5 结语

本文提出的步进式 PCC 调速器的步进电机控制系统在数十座电站的运行结果表明,其设计合理,运行状况良好,将步进电机应用于水轮机调速器中有效地解决了以往调速器

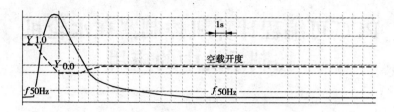

图4　3 300kW 甩 100％负荷

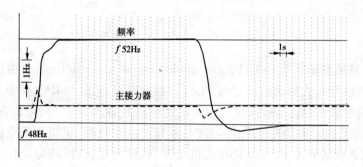

图5　空载扰动

存在的可靠性低的问题,简化调速器结构并降低造价,完全满足水轮机调速器动静态的要求,具有很高的可靠性,减少了电站因调速器原因引起的停机时间,增加了经济效益,获得了用户的好评。

参 考 文 献

[1] 王玲花,等.水轮机调速器研究综述.人民黄河,2001(3)
[2] 南海鹏,等.高可靠性步进式水轮机智能 PCC 调速器.水利学报,2002(11)
[3] OEM750 Driver User Guide. Parker Hannifin Corporation. 1997
[4] 齐蓉.新一代可编程计算机控制器技术.西安:西北工业大学出版社,2000

PCC 可编程计算机控制器在水轮机控制系统中的应用

周平

（四川德阳东方电机控制设备有限公司）

1 引言

可编程计算机控制器即 PCC(Programmble Computer Controller)，是由奥地利贝加莱公司(B&R)1994 年首先提出的。它与 PLC(可编程序控制器)和 IPC(工业控制机)相比，既有 PLC 的高可靠性、易扩展性，又有 IPC 的运算能力强、实时性好、编程方便等特点，也就是说，它集成了 PLC 和 IPC 的优势。PCC 系列产品在电源、功能和安全操作等方面达到了自动控制系统新的水平，尤其是在人机交互、软件编程、调试环境及在线调试监测等方面的优势。由于它具备了许多独特的优势，较好地解决了工业控制领域普遍关心的可靠、安全、灵活、方便和经济等问题，PCC 正逐渐成为目前自动化工业控制领域的最新选择。

国内水电控制行业以前多采用基于汇编语言、C 语言及 PLC 语言（梯形图或指令表）的微机控制器开发用于水电控制的产品，用户对应用软件很难掌握，应用软件的开发及调试多停留在程序员水平而不是控制工程师水平。这就使国内产品在符合工业应用等方面的整体水平远低于国外同类产品。近年来，类似 PCC 计算机控制器的出现，为国内水电控制行业采用标准的工业控制器开发和制造的产品达到国外同类产品的先进水平创造了有利条件。

2 PCC 调速器的主要技术特点及功能

2.1 主要技术特点

（1）系统响应速度快。系统的响应速度不仅由 CPU 来决定，还与 I/O 数据的传输速度有关。PCC 的 CPU 速度极快，高达 100～266MHz；同时借用了大型计算机的结构，采用 I/O - Processor 单独处理 I/O 数据传输，采用 DPR - Controller 双向口控制器负责网络及系统的管理。也就是说，一个 PCC 模块上有三个处理器，既相互独立，又相互关联，最大限度地提高了整个系统的速度。

（2）定性的多任务分时操作系统及具有工业计算机的计算能力。PCC 借用了大型计算机的多任务分时操作系统概念，用户可将整个任务分解成具有不同优先权的分任务。优先权高的任务，其扫描周期短。这样，优先权高的任务总是先执行，剩余的时间执行优先权低的任务。故用 PCC 执行工业现场实时控制具有突出的优势。

（3）编程语言高级化。PCC 不仅支持常规的梯形图、指令表编程，而且支持高级语言 PL2000（相当于 C、FORTRAN、PASCAL 语言）编程。这对于解决复杂的控制任务编程更方便。

（4）较大的应用程序存储空间。应用程序存储空间越大，硬件系统就越先进。PCC 的应用程序存储空间高达 100KB～16MB，而同档次的 PLC 应用程序存储空间只有几 KB（可扩展至几十 KB）。

（5）良好的系统扩展性。用户可根据工程的不同，扩展不同的 I/O 点数。PCC 还支持多种网络协议（PROFIBUS，ETHERNET，CAN，MODBUS…），可根据用户的需要组成各种工业现地/远方控制网络。PCC 模块均为标准模块式结构，通过 9 针总线连接，易于扩展。

（6）智能化开发环境。PCC 的开发环境具有强大的自诊断、监控及在线帮助功能，同时还包含丰富的功能库，编程简单易学。

（7）高可靠性及抗干扰能力。PCC 硬件平均无故障时间 MTBF 达到 50 万小时，大大高于一般的 PLC 或 IPC，EMS 符合 EN61131－2。

（8）具有工业强度的端子排。

2.2 主要功能

（1）电网工况自动检测及变参数 PID 调节；

（2）空载工况下的快速同期并网控制；

（3）优化的开停机控制；

（4）转速调节及开度调节；

（5）伺服环的数字综合控制；

（6）电手动/自动跟踪控制；

（7）PCC 各功能模块及外部接口信号故障的自诊断；

（8）简捷方便、先进的人机对话接口，可在线实时修改和显示全部运行及调节参数；

（9）强大的网络通讯功能，可方便地与上位机进行通讯。

3 采用 PCC 微机调速器硬件和软件结构

3.1 PCC 微机调速器系统硬件结构

PCC 微机调速器系统硬件结构如图 1 所示。

在 PCC 微机调速器系统中的 PCC 可编程计算机控制器主要由 CPU 模块、混合模块（开关量输入与输出，模拟量输入与输出）、高速 DI 模块（高速记数器）及模块机架等组成。

3.2 PCC 微机调速器软件结构

可编程计算机控制器(PCC)是专为工业自动控制而开发的装置，其主要使用对象是广大电气技术人员及现场操作人员。以 PCC 为硬件核心的微机调速器的软件结构包括可编程计算机控制器(PCC)的系统软件和调速器控制软件两大类。

3.2.1 可编程计算机控制器(PCC)的系统软件

可编程计算机控制器(PCC)的系统软件一般可分以下几部分。

1)编程器的系统软件

一般的 PLC 编程器通常使用梯形图 LAD 语言对 PCC 进行编程，用户使用起来非常

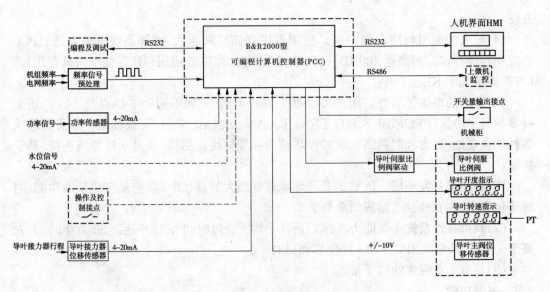

图1　PCC微机调速器系统硬件结构框图

方便。要把这种语言编写的程序变成 PCC 中央处理器所能接受的机器语言,需要通过编译或交叉编译才能完成。这种编译程序存放在编程器的 ROM 存储器中,构成了编程器的系统软件。而贝加莱的可编程计算机控制器(PCC)B&R 2000 系列的用户开发应用程序的软件包 PG2000,提供了编程语言编程器、GDM(图形设计方法)编程器和 ASCII 编程器。通常我们采用 GDM(图形设计方法)和梯形图 LAD 语言混合编程方法开发应用软件。

2)GDM(图形设计方法)

B&R 2000 提供了一个非常有效的工具,可以通过 GDM 编辑器规划和分析整个项目。使用 GDM 编辑器,将自动化应用项目分成多个部分,定义这些部分之间的联系。

GDM 可以分成如下几层:

PCC 层——应用项目中所有控制单元(PCC)在此层作为对象显示,我们可以得到一个草图区分不同的项目部分。

PROCESSOR 层——多处理器或智能 I/O 处理器在此层作为对象显示,其中包括 MP 或 IPMP 是完全访问所有的 I/O 数据的多处理器,这块系统模块的操作独立于主 CPU,编程方式与主 CPU 相同,可以使用 PCC 全局变量在 CPU 与 MP 之间进行数据交换,不必要在 CPU 上放置任何负载,MPs 之间可以进行数据交换。IP 是带有特殊功能的智能型模块(控制器、高速 I/O 卡等)。这些模块的操作独立于 CPU,编程与 CPU 相同,但其只有一个任务级别可行,使用 I/O 模块的 DPR 在 CPU 与 IP 间进行数据交换。IPs 间不能交换数据,它们没有总线,数据必须从 CPU 中拷贝。

TASK 层——所有的任务、数据模块、文字模块和系统模块在此层作为对象显示,用户可以在此层上定义多个任务。

GDM 为由多个任务模块组成的项目的开发和管理提供了一种强有力的工具。GDM 的分层结构如图2所示。

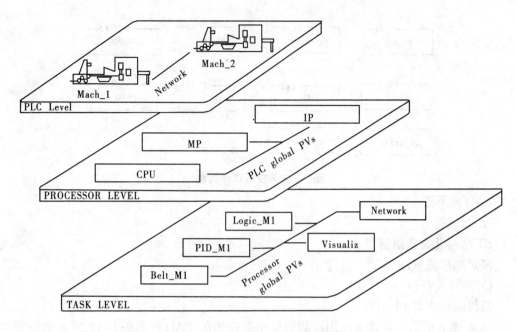

图 2 GDM 的分层结构示意图

3)可编程计算机控制器(PCC)的操作系统

可编程计算机控制器(PCC)系统软件的另一部分就是它的操作系统,操作系统一般存储在 PCC 系统 EPROM 存储器中。其主要任务是解读用户程序,管理整个系统。当编程器使用梯形图 LAD 语言对 PCC 进行编程时,PCC 首先读入状态和内部线圈,然后解读用户程序,得出正确结果,并通过输出组件驱动执行结构。最后,自诊断程序诊断的内容包括主机运行是否正常,主机与输入/输出通道的通信状况,各种外部设备的通信管理等。操作系统一般存储在 PCC 的系统 EPROM 存储器中。

传统 PLC 单纯的逻辑顺序控制功能,已远远不能适应当今工业控制任务的需求。要处理一些复杂的任务,使控制系统具有较高的智能度,可编程控制系统必须具备大型计算机的分析能力。这首先要求可编程计算机控制器(PCC)的操作系统是多任务分时操作系统,贝加莱公司的可编程计算机控制器(PCC)产品 B&R 2000 系列便是配有多任务分时操作系统的典型代表。

3.2.2 调速器控制软件

调速器的主要控制软件模块如图 3 所示。

4 编程及调试环境

PCC 可编程计算机控制器采用了一套代表现代工业控制发展趋势的高性能编程和调试工具软件,该工具软件为一个集成的应用软件开发环境,通过它管理用户对软件编辑器、编译器及静态和动态调试工具箱的使用,并通过使用硬件和软件的配置来实现对控制器的控制。主要功能包括以下几个。

4.1 应用软件的编辑

使用软件编辑器可完成应用软件的编写,其使用的语言有:

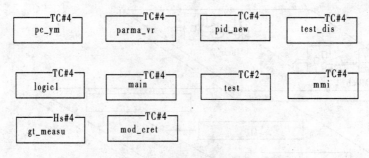

图3　主要控制软件模块

LAD 梯形图

IL 指令表

ST 结构化文本语言

SFC 顺序流程图

C 语言(ANSI C)

高级编程语言 PL2000

图4、图5所示为调速器应用控制软件中常采用的 LAD 梯形图和 PL2000 的编程环境示意图。

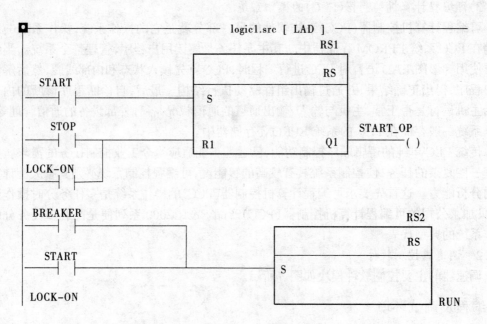

图4　LAD 梯形图

由于梯形图与逻辑电路图很类似,仅在桌面上组合逻辑开关和功能块,因此梯形图对于数字量和过程控制而言是最简单、最清楚的编程方式。在调速器控制软件中,多采用 LAD 梯形图方式编制主控制开关量逻辑程序。

PL2000 高级语言是一种便于应用、高性能的自动化编程语言,它结构简单,编程快速、有效。PL2000 是一种以文本为基础的高级编程语言,语言的结构符合 IEC1131 - 3

的标准。PL2000 的指令系列不仅使自动化任务简单化,也使程序易于阅读,这样 PCC 的编程效率远远高于 PLC 的编程语言。在调速器控制软件中,多采用 PL2000 进行复杂的过程控制计算、适应式 PID 调节规律及其他复杂的控制算法的计算、机组转速及相位计算、MMI 及监控系统的通讯等程序的编制。

```
                                                    ─── main.SRC [ PL2000 ]───
              endif
          endif
else                                    ; load running
       Lc=0.9999                        ;
       y_control=y_pid                  ;
endif
if Manual=1    then
       y_control=Ym
       d_Ydtem=0
endif
;**** control  output  display****
if Manual=1  then
       Y=Ym
       AUTO=0
else
       Y=y_control
       AUTO=1
endif
```

图5　PL2000 的编程环境示意图

4.2　应用软件的变量申明和编译

应用程序中的所有变量都必须进行定义和地址分配,即 PCC 不论是输入输出信号,还是中间标志与寄存器,都采用符号变量名定义。然后通过变量申明来定义输入输出信号的位置、模块的类型、模块通道号,定义中间标志和寄存器的有效范围、数值范围(如图6所示)。编辑完成后的程序通过编译工具进行编译得到 PCC 的可执行程序。

── test_dis.vd ──

Name	Scope	Data Type	Length	I/O-Type	Long Name
AUTO	pcc_global	BIT	1	INTERNAL	
BREAKER	tc_global	BIT	1	INTERNAL	
DEC	tc_global	BIT	1	INTERNAL	
De	pcc_global	FLOAT	1	INTERNAL	
Fc	ppc_global	FLOAT	1	INTERNAL	
Fj1	pcc_global	FLOAT	1	INTERNAL	
Fj2	pcc_global	FLOAT	1	INTERNAL	
Fn	pcc_global	FLOAT	1	INTERNAL	
INC	tc_global	BIT	1	INTERNAL	
K0	pcc_global	FLOAT	1	INTERNAL	
K1	pcc_global	FLOAT	1	INTERNAL	
K2	pcc_global	FLOAT	1	INTERNAL	
Kd	pcc_global	FLOAT	1	INTERNAL	
Ki	pcc_global	FLOAT	1	INTERNAL	
Kp	pcc_global	FLOAT	1	INTERNAL	

图6　变量申明表

4.3　调试诊断

采用 PCC 的高性能的软件工具,可以很方便地对 PCC 控制器进行编程和调试诊断,

该编程及调试环境界面友好,易于一般的工程技术人员掌握。通过该工具可以完成:

(1)实时动态的显示和监测全部变量的变化过程;

(2)试验过程中对调节参数和一些内部参数在线修改;

(3)为了试验的需要,对 I/O 变量的强制改变;

(4)可用控制器的内部登记簿功能记录控制器的错误事件,包括日期和时间及错误数字等信息;

(5)源程序的调试,包括断点设置、单步跟踪及内存显示。

5 结语

以 PCC 可编程计算机控制器为核心的微机调速器,具有工业控制计算机的快速、实时多任务特性和编程简单通用化的特点;特别是 PCC 控制器所具有的独特的时间处理单元(TPU),可以使水轮机微机调速器的转速测量问题得到很好的解决;还具有优良的性能和很高的可靠性,其平均无故障时间达 50 万小时;采用适合工业环境的液晶显示屏作为人机界面,接口简单可靠、界面友好直观。东方电机控制设备有限公司的该系列产品已经在数十个水电站的水轮机控制系统及蝶阀控制系统中应用,得到了广泛的好评。

响洪甸抽水蓄能水轮机调速器特点及现场试验

周 平

(东方电机控制设备有限公司)

金守迁

(安徽省响洪甸蓄能发电有限责任公司)

1 概述

安徽响洪甸蓄能电站安装有两套单机容量为 40MW 的混流式可逆式水泵水轮发电机组,该机组也是目前我国首台自行设计制造的国产化机组。由于其运行的特殊性,机组为双转速,水头(扬程)的变化幅度大,主要工况转换多达 23 种之多,机组启动每天至少 3 次。因此,对调速器的性能、功能及可靠性提出了很高的要求,特别是背靠背启动方式下如何保证两台机组的不失步的控制,对电站机组的运行有很重要的作用。由东方电机控制设备有限公司与美国 GE 公司合作生产的 DFEM – GE 型调速器系统,于 2003 年 6 月在电站经过全面的试验后投入运行至今,其技术指标达到国家相关行业标准要求,满足设备招标书和合同及运行要求。这套调速器的硬件结构和软件充分体现了当今国际上水电控制领域的最新技术和今后的发展趋势。

2 调速器的系统结构及特点

调速器控制系统主要由两部分组成,其系统调节原理框图如图 1 所示。

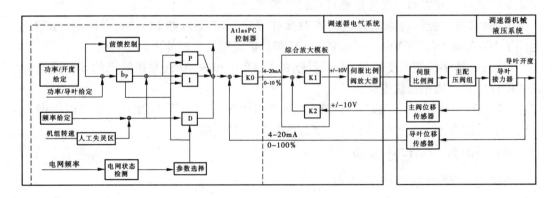

图 1 调速器调节原理框图

2.1 调速器的硬件结构

调速器由数字调节器(电气柜)和机械液压系统(机械柜)组成。电气柜安装在发电机层,机械柜安装在水轮机层,导叶位移传感器采用直线式 LVDT 位移传感器,直接安装在接力器上。

电气柜由采用美国 GE 公司的高性能的 AtlasPC 控制器为硬件核心的数字调节器、工业触摸屏 OIT 操作显示接口、转速信号处理模块、控制信号综合模块、双路供电电源系统、继电器操作回路、伺服比例阀功率放大模块及指示表计等组成。AtlasPC 是由 GE 公司针对汽轮机和水轮机或其他原动机实时控制而专门开发的 32 位工业控制平台,其内核是一种使用实时操作系统(RTOS)的、具有强大数据处理能力的奔腾(Pentium)处理器。AtlasPC 包含了经过优化的、专用于水轮机控制的 I/O 结构,它提供了一般 I/O 结构所不具有的高精度水轮机控制。AtlasPC 易于扩展和升级,通过现场总线(field bus)扩展,系统几乎可以满足任何控制要求。

工程和调试维护是通过串口和以太网口接口来实现的,可选择触摸屏显示器来实现现地的人机接口。

机械柜采用东方电机控制设备公司具有独立知识产权的采用伺服比例阀的全液控电液调速器,该系统主要由伺服比例阀、主配压阀、液控阀、集成阀块、双滤油器等几部分组成。其具有独立专利技术的液控阀可实现纯机械液压手动闭环控制。

2.2 调速器的软件结构

AtlasPC 控制器采用被 GE 公司的水电控制系统广泛使用、功能强大的开发工具 GAP(图形应用编程器)进行应用软件编程,工程师通过 IEC1131 - 3 国际标准的编程环境实现灵活的应用软件开发:

(1)功能块图——采用图形应用编程器(GAP)进行编程。

(2)顺序功能图——采用图形应用编程器(GAP)进行编程。

(3)结构文本。

(4)梯形逻辑图(可在线编程)。

GAP(图形应用编程器)软件是 GE 公司的一种图形化编程工具,GAP 控制功能库可快速高效地实现复杂(或简单)控制任务的编程,GAP 环境使应用工程师集中精力致力于控制系统软件的开发而不是考虑软件代码的细节。

AtlasPC 数字控制器采用先进的实时操作系统(RTOS),如 MicrNet™ 控制。RTOS 利用了 Windows NT 与 Venturcom 的 RTX 实时扩展相结合的能力。

AtlasPC 数字控制器支持与 DCS 系统、PLC、HMI 和 SCADA 系统通讯的多种通讯协议和硬件接口。通讯协议支持:

①ModBus(RTU and ASCⅡ);②以太网 TCP/IP;③以太网 UDP;④OPC(以太网);⑤DDE - 动态数据交换(并口);⑥EGD(以太网);⑦其他协议。

调速器的实际软件结构如图 2 所示。

3 调速器主要控制功能及特点

微机调节器控制软件由 GE 公司负责编制,采用了 GE 公司专门针对水轮发电机组调节的 PID 控制算法。其主要控制功能包括以下几方面。

3.1 操作模式

操作模式主要包括:自动操作模式、纯机械液压手动(电动)操作模式、现地电手动操作模式。

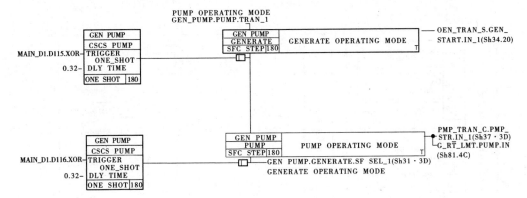

图 2　调速器 GAP 应用软件(示意)

3.2　自动运行时的伺服控制模式

调速器处于自动运行时,有以下三种控制模式:

(1)空载/同步转速控制(Off - line Speed Control/Isochronous Control)。

(2)负载开度控制(On - line Gate Position Control)。

(3)负载功率控制(On - line Power Control)。

(4)对应不同的控制模式有不同的 PID 控制算法。

3.3　伺服控制模式的切换

任何时候,伺服环均由下列的某一个给定值控制:

(1)空载转速 PID 输出(Off - Line Speed PID Output)。

(2)负载开度控制 PID 输出(On - line Gate Position Control PID Output)。

(3)负载功率控制 PID 输出(On - line Power Control PID Output)。

(4)手动开度给定值(Manual Servo Position Setpoint)。

(5)开限给定值(Gate Limit Setpoint)。

(6)水泵模式开度给定值(Manual Servo Position Setpoint)。

(7)液压停机—给定值固定为 5%(Fixed 5% setpoint)。

程序中采用 Sequencing Function Logic(简称 SFC)功能来切换上述给定值。所有这些给定值通过一低选逻辑 LSS(Low Signal Selector)与阀驱动器(Valve Driver)相连。低选逻辑由软件实现,它对所有输入信号进行比较,输出最小信号。如图 3 所示。

3.4　顺序控制(SFC)功能

AtlasPC 微机调节器的控制程序采用了具有 GE 特色的 SFC 功能,以确保调速器控制功能的顺利实现。对于机组处于开机、发电、抽水、停机等工况,都需要调节器通过很多顺序步骤(Sequential Step)来实现。每一步完成预设的操作。一旦某一步失效,相应的逻辑也被切除。只有一定的转换条件(Transition Condition)满足,系统才会到达下一步。图 4 描述了调速器的顺序控制步骤、相应的操作及转换条件。

3.5　与水头无关的闭环开机同期控制

调速器的自动开机同期转速控制采用按预先设定的开机曲线和分段 PID 调节的方式进行闭环控制,不需要根据水头设定严格的空载开度和开机开度等值,确保了在任意水

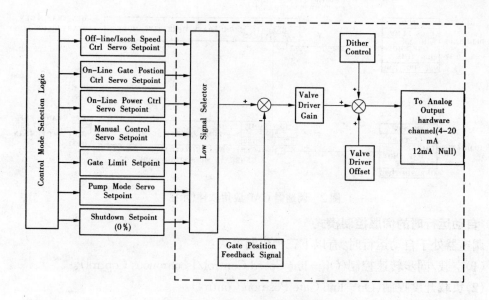

图 3 伺服切换功能框图

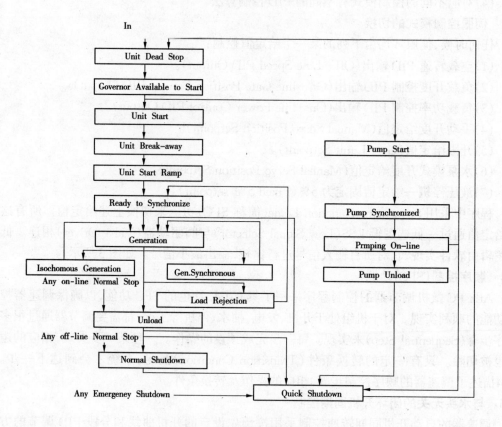

图 4 调速器的顺序控制 SFC

头的情况下有相同的快速开机同期过程。

开机斜坡曲线有三种独立的可调斜率，以便满足用户要求，如图5所示。发出开机令之前，或从开机令发出到转速信号有效这段时间内，转速给定值均跟踪实际的转速；一旦转速信号有效，就由空载转速PID算法控制。一进入空载转速PID控制，转速给定值就以速率♯1(RATE♯1，缺省值为每秒(4%＊Fr))增加，同时空载转速PID算法控制机组实际转速以相同速率上升；到速率♯2切换点(RATE♯2 SWITCH POINT，缺省值为(85%＊Fr))，转速给定值就以速率♯2(RATE♯2，缺省值为每秒(2%＊Fr))增加，同时空载转速PID算法控制机组实际转速以相同速率继续上升；到速率♯3切换点(RATE♯3 SWITCH POINT，缺省值为(95%＊Fr))，转速给定值就以速率♯3(RATE♯3，缺省值为每秒(1%＊Fr))增加，同时空载转速PID算法控制机组实际转速以相同速率继续上升；直到转速给定值增加到SNL给定值(缺省值为(100.5%＊Fr))，自动开机斜坡(曲线)步骤就完成。

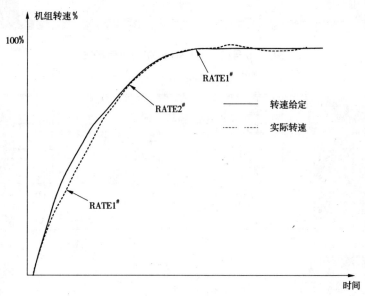

图5　自动开机曲线示意图

4　调速器的现场试验情况

2003年6月，两台机组的调速器在安装完成后进行了全面的静态调试试验，并根据运行要求进行了发电工况、电动工况(水泵工况)及BTB(背靠背)启动等运行及工况的转换试验，完全达到了设计和运行要求。

4.1　发电工况试验

发电工况试验的主要结果如下：

调速器静态特性转速死区：0.007%

静态特性曲线非线性度：＜1%

自动运行时的机组空载频率摆动：＜0.082Hz

机组自动开机及甩负荷过程如图6～图9所示。

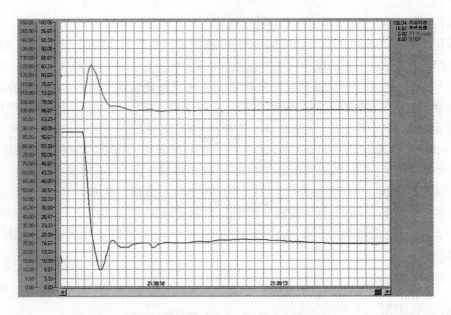

图6　6号机甩100%（40MW）负荷试验

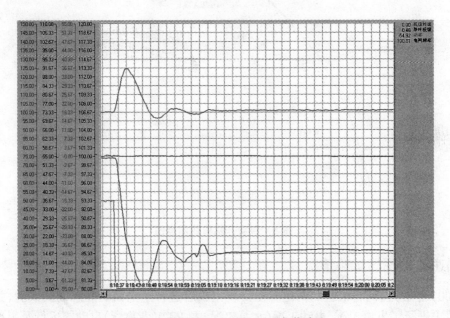

图7　5号机甩100%（40MW）负荷试验

4.2　电动工况试验

电动工况下的水泵抽水试验包括：SFC启动－并网、按照给的水头开启导叶抽水、水泵停机。

整个过程曲线如图10、图11所示。

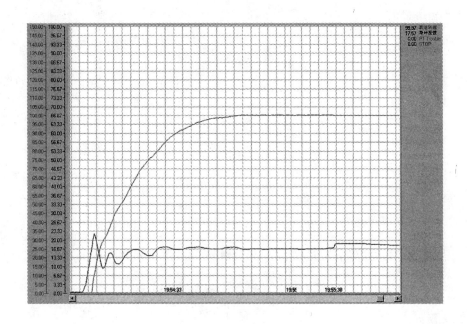

图 8　6 号机发电工况自动开机并网试验

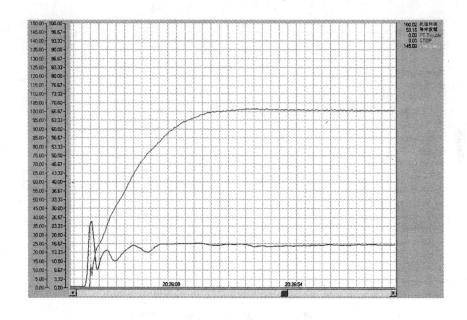

图 9　5 号机发电工况自动开机试验

4.3　BTB(背靠背)启动试验(6 号机拖动 5 号机)

　　BTB(背靠背)启动试验包括 6 号机拖动 5 号机的同步转速控制、转速同期控制和作为发电机组的 6 号机的停机控制,整个过程如图 12~图 14 所示。

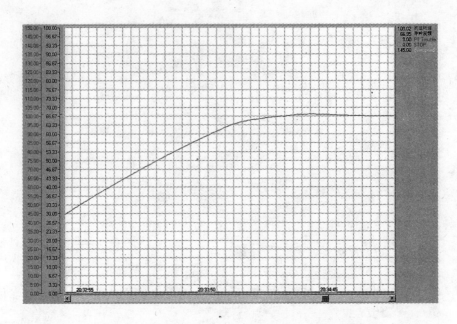

图10　5号机水泵工况1抽水试验–SFC启动并网

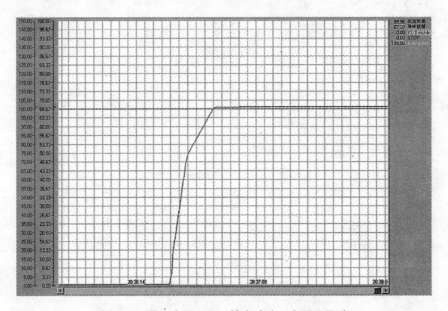

图11　5号机水泵工况1抽水试验–水泵开导叶

5　结语

　　从响洪甸抽水蓄能机组调速器的试验及运行情况看,该调速器系统采用模块化的硬件和软件结构,结构简单、调试维护方便、性能优良,由于抽水蓄能机组的特殊复杂性和该电站机组复杂的多工况转换,由 GE 公司提供的数字控制器组成的该调速器系统所具有

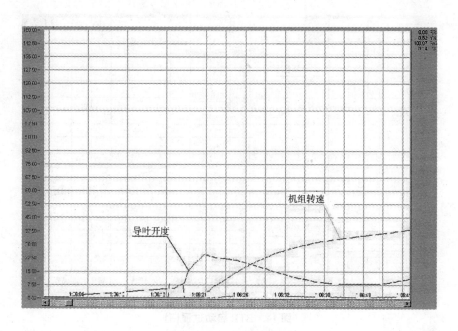

图 12　BTB 启动过程(1)

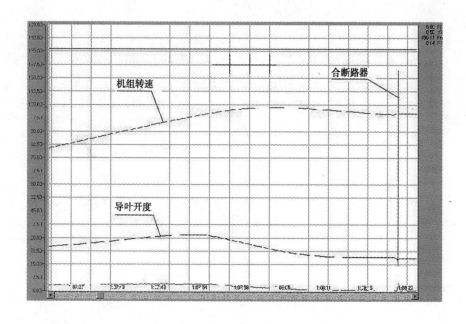

图 13　BTB 启动过程(2)

的调节和控制功能应该是较复杂和全面的。该调速器在电站的成功运行,其可靠性和良好的静动态品质得到了用户的好评,这也为今后国内大型抽水蓄能机组调速器的开发和制造奠定了坚实的基础。

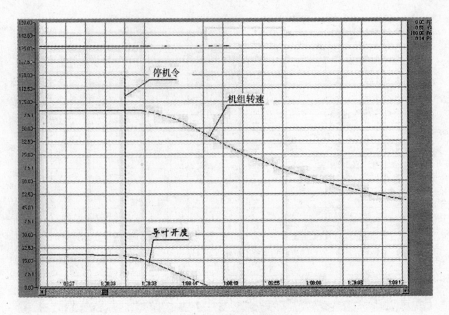

图 14 BTB 启动过程(3)

基于 IPC 工控机的大型贯流式微机调速器研制

邬廷军

（四川德阳东方电机控制设备有限公司）

1 引言

由于贯流式机组具有机组惯性小、水流惯性时间常数较大、受上下游水位波动影响大等特点,在机组的稳定性控制方面具有一定的难度。因此,过去的大型贯流式机组调速器大多采用国外公司产品。近年来,随着贯流式机组的大力开发,国内对贯流式机组调速器也开始了较多的研究。基于 IPC 工控机的大型贯流式机组微机调速器的成功开发及投运,为我公司在贯流式机组调速器开发方面提供了宝贵的经验和良好的业绩。

2 微机调速器硬件结构及特点

考虑到贯流式机组的特殊性,在调速器电气控制系统硬件选择上采用了基于 PC 的工业控制计算机,其处理速度快、运算能力很强,远优于 PLC 或 PCC 型数字控制器,机械部分为比例伺服阀构成的机械液压随动系统,这也是我公司广泛应用于混流及轴流转桨式机组的新一代 HGS－E2XX 型微机调速器所采用的硬件平台,实践证明,其具有很高的可靠性及良好的静态性能与动态品质。

调速器控制系统硬件结构采用了基于 IPC 工控机的双微机结构,人机接口与显示界面采用彩色液晶平板电脑,相互间由 ArcNet 网络连接,实现数据交换。两套独立的 IPC 数字控制器互为热备用,相互跟踪以实现无扰切换(见图 1)。

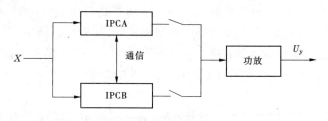

图 1　控制系统结构图

频率测量部分采用智能测频模块完成,与 IPC 工控机间采用 RS232 通讯方式进行数据交换。该模块具有体积小、安装方便、测频精度高、抗干扰能力强等特点,大大提高了调速器测频回路的可靠性。它具有三路测频通道,可对两路机频和一路网频进行测量,不仅可接受来自电压互感器的输入信号,还可接受来自齿盘测速的 24V 脉冲电压输入信号,能自动检测频率信号故障并在两路机频间进行无扰切换。

3 调速器软件设计及功能介绍

3.1 调节原理

由于贯流式机组具有机组惯性小、水流惯性时间常数较大、受上下游水位波动影响大等特点,通常用常规 PID 控制难以获得较好的动态品质与稳定性,因此采用了模糊变参数并联 PID 控制,即 PID 控制参数随着频率偏差的大小及变化方向实时进行调整,进而提高动态调节品质与稳定性。同时增加了非最小相位补偿功能,即考虑了导叶开度变化速度对机组转速的影响。其调节原理框图如图 2 所示。

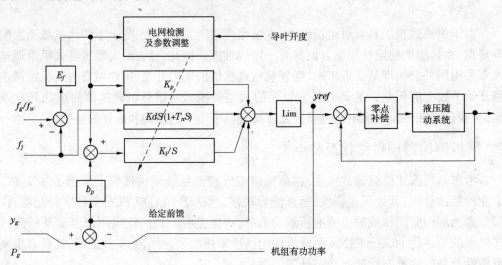

f_g—频率给定;y_g—开度给定;Pg—功率给定;f_j—机组频率;

f_w—电网频率;$yref$—随动系统参考

图 2 系统调节原理框图

在空载工况下为频率调节模式,而在负载工况下则具有频率、功率和开度三种调节模式,可人为设定为任何一种调节模式。当处于功率调节模式时,如果功率测量故障,则自动切换到开度调节模式;在功率和开度调节模式时,如果机组频率与额定频率之差超过一定范围,则自动切换到频率调节模式。各种调节模式间的切换由于设有状态跟踪,故均为无扰切换。对不同调节模式设有不同的 PID 调节参数。

3.2 控制软件设计

为了提高调速器的响应速度与调节性能,调速器控制周期选择为 10ms,数字综合周期为 5ms。同时针对大波动(如甩负荷)与小波动过程,采用不同的调节算法,满足不同工况下的调节性能要求,软件实现框图如图 3 所示。

3.3 智能开机规律

在开机规律上,考虑到贯流式机组空载开度随水头变化较大,如果采用两段开机规律,当空载开度设定值与实际值相差较大时将影响机组开机过程。因此,采用了一种新的智能开机规律,其开机过程不受水头变化的影响,即在开机过程和空载工况下,转差系数 $b_p = 0$。避免了由于空载开度设定不合适而引起的机组空载稳定转速偏高或偏低的影响,

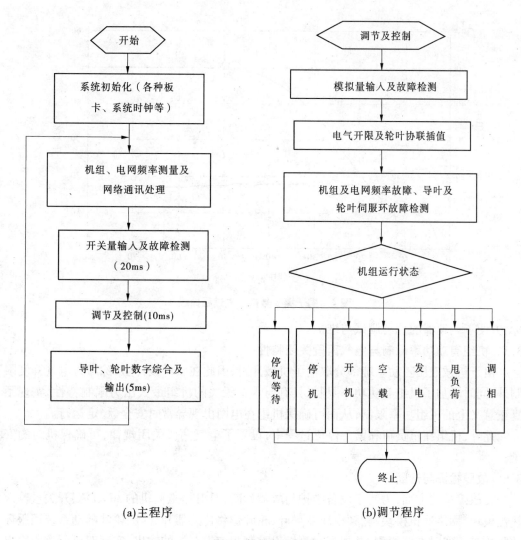

(a)主程序   (b)调节程序

图3　软件实现框图

机组空载转速只随其空载频率给定和系统电网频率(当频率跟踪功能投入时)而变化。

　　在机组具备开机条件时,当调速器接到开机令后,将导叶以一定速度开启至某一开度Ynl,使机组转速快速上升,然后开始检查机组频率,当机组频率大于某一值(如15Hz)时,则进入PID调节,同时机组转速给定由当前值按软件整定速率上升至额定转速,从而控制机组转速的上升过程,使机组转速快速平稳地达到额定同步转速,实现快速并网,缩短机组的开机时间。由此可见,在机组允许范围内,通过调整开机过程中频率给定的变化速率,即可调整机组的开机时间,现场开机过程曲线如图4所示。

3.4　内嵌式调速器性能调试系统

　　为了便于调速器的现场调试,设计了内嵌式调速器性能测试系统,可用于调速系统静、动态性能指标的自动测试,如测试调速器的转速死区、非线性度等静态指标及空载摆动、甩负荷的超调量、调节次数及调节时间等动态指标,以及各种动态过程如开/停机等的录波;能以表格和曲线的形式自动显示和记录试验结果,并自动计算评价动态过程的指

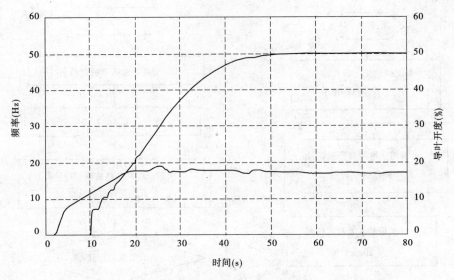

图4 桐子壕3号机开机过程曲线

标,方便了调速器的现场调试与维护。

3.5 机组有功功率限制与电气两段关闭特性

由于机械液压随动系统部分取消了机械开限,因此在软件设计上,除考虑电气开度限制外,同时增加了机组有功功率限制,具有与水头无关的机组最大出力限制特性,实现了真正意义上的机组功率限制,从而可确保机组在电网出现异常时安全、稳定运行。

此外,机组在甩负荷和紧急停机过程中,设置了电气两段关闭规律,可确保机组的安全。

3.6 故障检测与诊断

在故障检测方面,为便于设备维护与故障诊断,对 IPC 工控机的 AD、DA、开关量输入输出模块、网络通讯模块、测频模块及导叶、轮叶位移传感器和导叶、轮叶随动系统伺服环故障均进行实时在线检测,并根据检测结果控制相应控制器的输出,实现双机间控制输出的切换。

3.7 人机操作接口及监控通讯

在人机操作接口设计上,充分考虑了电站运行的需要,采用全中文图形人机界面,可实时显示机组当前状态、运行参数及各种故障信息;并可通过菜单修改各种运行参数,进行调速器静态、动态特性试验和动态过程录波。友好的人机界面使其操作简单、方便,易于使用。

电站监控通讯方面,提供了 RS422/485 接口与 Modus 通讯协议,可将调速器各种故障与测量信息送往监控系统,同时能接收监控系统的功率调节目标值,实现功率调节。

4 现场调试及投运

该微机调速器现已在桐子壕电站 3×36MW 大型贯流式机组 3 号机上投入运行。现场调速器静特性测试、机组开机、空载频率扰动和甩负荷等动态试验及实际运行表明,该微机调速器性能良好,满足了贯流式机组对调速器的速动性与稳定性的要求,得到了安装公司及用户的认可。

由于桐子壕电站 3×36MW 贯流式机组 1 号、2 号机调速器电气柜为我公司生产的采用 GE 公司 Atlas PC 控制器构成的调速器电气柜。其主要性能与我公司自行开发的基于 IPC 工控机的大型贯流式微机调速器性能比较见表 1。通过比较可以看出,我公司开发的贯流式微机调速器性能与采用 GE 公司控制器构成的调速器性能相当,部分性能甚至更优。

表 1 性能比较

项目	GE 公司 Atlas PC 控制器	IPC 工控机控制器
主要性能指标	静特性近似一条直线	静特性近似一条直线
	转速死区 < 0.02%	转速死区 < 0.02%
	接力器不动时间 ≤ 0.2s	接力器不动时间 ≤ 0.2s
	空载频率摆动 < ±0.18%	空载频率摆动 < ±0.18%
	甩 75% 负荷调节时间 < 35s 振荡次数 ≤ 1.5 次	甩 75% 负荷调节时间 < 10s 振荡次数为 0.5 次

5 结语

由于贯流式机组的特殊性,在调速器硬件选择上应考虑采用处理速度快、运算能力强的高档微机控制器,这是保证贯流式机组调速器调节品质、实现高级的控制算法和控制策略的基础,同时在软件设计上应对控制算法和控制策略进行针对性的考虑,满足大型贯流式机组对调速器的调节品质与稳定性的要求。此外,在调速器的设计中考虑到现场调试、使用与维护的方便,应开发一些新的功能,如内嵌性能测试与录波、在线故障检测和定位、故障记录与故障录波等,进一步提高调速器的智能化水平,缩短维护时间。

全液控电液随动系统研制开发及应用

唐　旭

（四川德阳东方电机控制设备有限公司）

1　引言

水轮机调速器中的电液随动系统是控制水轮发电机机组运行系统中的一个主要系统,它与电气柜组成的调速器,适用于混流、贯流、轴流转桨、水泵等各式水轮机的自动调节和手自动控制,其主要作用是:实现水轮机转速的单机调节和控制;实现机组按规定的操作程序进行正常的自动开机、空载、负载和自动停机,并能接受不同的故障信号,进行必要的机组保护操作直至紧急停机,以保证机组的安全运行。

国内传统的水轮机调速器双调电液随动系统主要有两种模式。一种是对导叶的控制采用自动和机械手动方式,对轮叶的控制采用机械协联方式;另一种是对导叶的控制采用自动和机械手动方式,对轮叶的控制采用电协联方式。这两种模式整机结构复杂,控制零部件一般要分上下两层布置,传递杠杆多,调试麻烦,并由于杠杆间通过销子或轴承连接不可避免地会产生间隙,导致控制精度不高,死区大;液压元件之间的油路通过铜管或钢管连接,不但不美观,而且在管接头连接处易发生渗漏,不能满足电站安全运行的要求。对轮叶控制采用的机械协联方式是通过机械协联机构中的凸轮来实现协联关系曲线,这种控制方式可靠性高,但结构复杂、死区大、精度低,且用户不能根据电站的实际情况修改协联关系曲线;对轮叶控制采用的电协联方式是通过电气柜中的软件来实现的,这种控制方式比较灵活,结构也相对简单,可以使用户根据电站的实际情况修改协联关系曲线,但如果电协联控制元件出现故障,轮叶将处于失控状态,强迫机组停机。

近年来也有些双调电液随动系统采用国外的控制模式,即对导叶的控制采用自动方式,对轮叶的控制采用电协联方式,已取消了控制导叶的机械手动功能。而采用电手动这种模式整机结构简单,维护工作量也相应减少,但仍要通过伺服环来进行手动操作,当伺服环中有元件失灵时,自动与电手动也就同时失去效用。这种结构的产品很大程度上是以元器件的高可靠性为依托,根据用户的认可而提供。随着科学技术的不断进步和制造工艺水平的不断提高,以及元器件全球质量最优招标采购模式的采用,这些年来调速器产品质量和可靠性又得到了新的质的飞跃,这种结构的产品也越来越多地被电厂所使用。

由于水轮机调速器中的双调节系统同时对水轮机的导叶和轮叶进行控制,而单调节系统只对水轮机导叶进行控制,所以本文主要介绍全液控双调节电液随动系统,全液控单调节电液随动系统与全液控双调节电液随动系统中的导叶控制部分的液压系统完全一样。

2 全液控电液随动系统

2.1 液压系统

为了提高电液随动系统的可靠性,提高控制精度,简化整机结构,同时保留机械手动控制功能,自1993年开始,进行了全液控电液随动系统的开发研制工作,它是具有内闭环的相对独立的电液随动系统,能够与电气柜及自动化系统一起对机组进行自动控制,也可以单独对机组进行手动控制。图1是全液控双调节电液随动系统的液压系统图,并可根据不同的需要依照此系统图派生出不同功能的液压系统。该系统已获两项国家专利,其中实用新型专利一项(专利号:ZL99232143.3),发明专利一项(专利号:ZL99115023.6)。

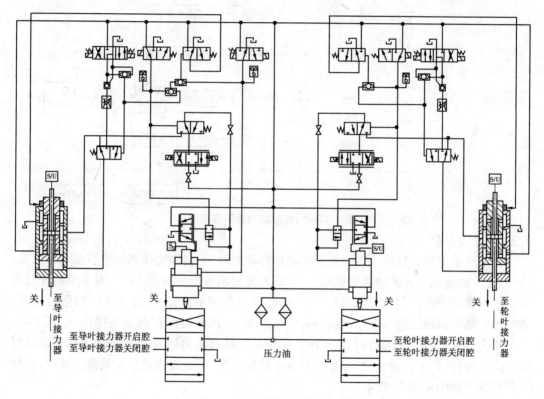

图1 液压系统图

2.2 系统工作原理

2.2.1 自动控制

当手自动切换阀处在自动运行位置时,则调速器处于自动运行状态。在这种状态下,导叶、轮叶伺服比例阀接受电气柜输出的相应电流信号,将其转换成流量信号后输出,输出的流量信号分别进入导叶、轮叶辅助接力器控制腔,控制导叶、轮叶辅助接力器活塞动作。因导叶、轮叶辅助接力器活塞分别与两个主配压阀活塞连成一体,也就推动了主配压阀活塞动作,分别输出的流量操作导叶、轮叶接力器,从而控制导叶、轮叶开度,达到调节机组运行的目的。同时,两个主配压阀活塞的位移通过两只传感器分别反馈到导叶、轮叶伺服比例阀,形成两路小闭环;另外,导叶、轮叶接力器位移经反馈信号装置(导叶、轮叶位移传感器)反馈到电气柜的综合放大回路,形成两路大闭环,分别使导叶、轮叶伺服比例阀、主配压阀活塞回到平衡位置,完成一次循环调节。

在自动运行状态下,通过回复机构导叶、轮叶液控阀将自动跟踪导叶、轮叶接力器的当前位置。导叶、轮叶自动控制方框图见图2。

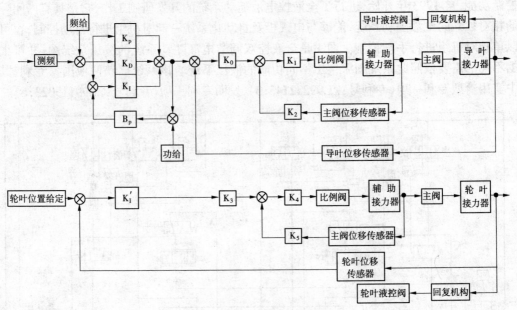

图2 导叶、轮叶自动控制方框图

2.2.2 手动控制

当电气柜退出运行或人为切换到手动运行状态时,手自动切换阀处于手动运行位置,导叶、轮叶伺服比例阀的油路已被切除,它们不再对系统产生控制作用。对机组的控制将完全通过操作开度控制阀来实现对导叶、轮叶开度的增加或减小,完成机组的运行控制。手动操作结束,导叶、轮叶液控阀内的锁锭装置将导叶、轮叶液控阀活塞锁住,一旦导叶、轮叶接力器有外扰发生爬行时,由于闭环反馈系统具有自动补偿功能,即使长期手动运行而不进行操作,仍能使导叶、轮叶接力器处于给定位置,不会发生溜负荷现象。导叶、轮叶手动控制方框图见图3、图4。

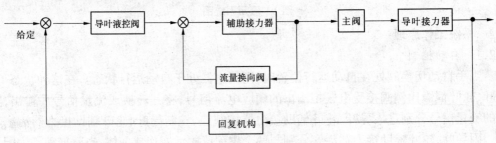

图3 导叶手动控制方框图

2.3 系统的模块化设计

全液控双调电液随动系统在结构设计上采用液压集成技术和流量控制、流量反馈技

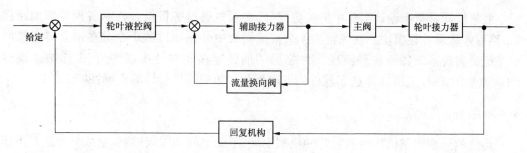

图4 轮叶手动控制方框图

术,用新的液压机构取代传统的开限机构、机械协联机构,这样系统主要由导叶主配压阀、轮叶主配压阀、导叶液控阀、轮叶液控阀、集成阀块、滤油器等几部分组成。导叶、轮叶主配压阀是实现操作导叶接力器和轮叶受油器的功能部件,导叶、轮叶液控阀是实现手动跟踪自动和手动控制的功能部件,集成阀块是实现液压逻辑各元件总成后的功能部件,滤油器是提供洁净控制油的功能部件,系统各功能部件之间的油路连接和控制压力油、控制回油的对外连接均通过底板实现,并实现各功能部件的单层布置,柜内无杠杆、无明管(油管路),整机结构简洁新颖(见图5),安装、调试、操作、维护简便。在设计中我们将这六大功能部件模块化,为以后全液控电液随动系统设计的系列化工作打下了基础。

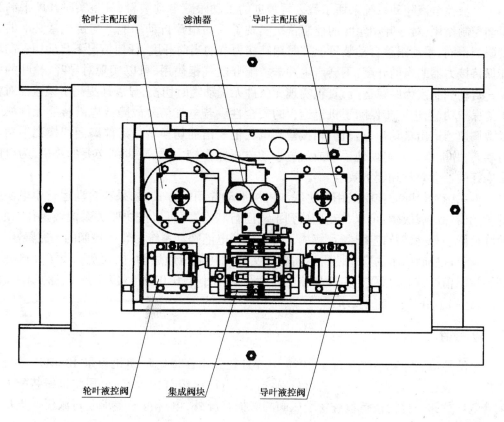

图5 系统内部俯视图

底板设计是整个设计工作中的关键部分,必须先通过底板设计得到各模块的油路接口,然后才能设计各模块。在底板和4个集成阀块中分别通过数十个分多层立体布置的油路流道实现系统各模块和液压元件之间的油路连接和对外连接,并在工作站上通过UG/MODELING 三维立体造型软件验证底板和各集成阀块设计的正确性。

3　新系统的特点

传统的开度限制机构控制导叶的机械手动,不受电液伺服阀影响,自成一个独立操作系统,但结构复杂、死区大,且无手动跟踪自动的功能,为保证自动运行时机组满发,开度限制机构均放在全开位置,若调速器在自动运行过程中出现故障,这种故障往往是突发性的、不可预见性的,在自动切手动的过程中,机械手动一般采用以下几个步骤:先保持接力器在故障位置不动,再控制伺服电机操作开度限制机构至手动操作位(伺服电机操作开度限制机构全行程时间一般为 15～20s),然后才能根据故障情况进行接力器开关操作,无法在自动失灵时切至手动立即进行操作。在机组调节过程中,如空载、甩负荷或电液转换元件卡在开侧,出现机组转速上升的情况,需要快速关闭接力器;而遇自动失灵,虽然此时能保持接力器不动,但机组转速仍会快速上升,待开度限制机构运行到手动操作位再进行操作关闭接力器,会延误时间,不能有效地控制事故的扩大,危害着机组的安全。

全液控电液随动系统采用了我公司独创的手动跟踪自动装置,具备实时开度限制和手动控制作用,对导叶和轮叶的控制首次实现了手动跟踪自动功能。与传统意义上的开度限制不同,手动跟踪自动装置能实时跟踪接力器的当前开度,任何情况下自动切手动均能保持接力器的当前开度,不会产生冲击。配合电气柜使用,可以实现对导叶、轮叶的手动－自动控制互为跟踪运行,真正实现无条件无扰动随时切换,显著地提高了调速器对机组的保护功能,进一步保障了机组运行的安全性。若电气信号故障或电液转换元件故障导致调速器退出自动运行,机械柜接受到电气柜发出的切换信号后能瞬间切换到手动运行状态,并能立即通过现地手动或远方手动方式操作接力器,减少不必要的停机,为电站带来好的社会效益和经济效益。

本系统对轮叶的控制采用电协联和机械手动并用的方式,如果在自动运行中电协联部分元器件出现故障,可以自动切换到手动运行状态,并可以按协联关系曲线操作、锁锭轮叶至任一角度进行定桨运行,解决了传统双调电液随动系统对轮叶控制的不完善性。

全流量控制技术的应用使得运动部件实现无间隙传递运动,极大地减小了死区并提高了控制精度,调速器测至主接力器的转速死区均小于 0.02%,大大低于国标 0.04% 的要求,达到了 IEC 标准的要求。

4　应用情况

全液控电液随动系统首台于 1998 年 5 月在湖南江垭电厂单机容量 100MW 的机组上投入商业运行,近六年时间一直自动运行,除电厂机组首次检修,公司派机械装配人员配合电厂拆卸一台机械柜检查主配压阀的磨损状况外,电厂再未要求公司派任何人员进行售后服务。

宝珠寺水电厂位于四川省广元境内的白龙江上。电站装机 4 台,单机容量为 175MW

的混流式水轮机组,额定水头84.4m。该电站为一调峰型电站,机组开/停机十分频繁,因此对调速器的性能与可靠性要求也十分高。1999年经改造为本公司第三代调速器后,其调节性能与可靠性均有了明显提高,开机并网时间由过去的一分钟缩短为现在的半分钟左右,现场调试试验表明其调节性能十分优异,机组空载频率摆动小于0.1Hz,甩100%负荷调节时间约6s,震荡次数为0.5次;同时通过RS422通讯及标准Modbus通讯协议,实现了与监控系统LCU的信息交换;调速器具备的有功功率限制和功率调节功能深受用户好评,在整个水头范围内,有功功率调节具有快速、准确、无超调的特点,确保了电厂AGC功能的投运。

青海省李家峡水电厂为西北电网的主调峰调频厂,总装机容量为$4 \times 400MW$,由于原机械位移传递的集成块式机械液压系统受当时调速器发展水平的限制,采用的电液转换器存在一定的问题,影响了调速器的性能及机组安全稳定运行。2002年7月4号调速器电液随动系统改换为全液控电液随动系统,从现场试验结果来看,4号机组调速器转速死区为0.016 7%、非线性度为1.095 8%,自动空载摆动为±0.123%,甩100%负荷(400MW)机组过速仅为135.21%,其调节时间为25.40s,而且靠自身的调节性能使机组稳定在空载开度,调速器良好的调节性能保证了4号机组在调峰调频中稳定可靠的运行。由于采用了自动+电手动+机械手动的控制方式,自动运行时手动控制随时自动跟踪接力器当前位置,为机组的控制提供了可靠的后备保护,符合李家峡水电站综合自动化和无人值班的要求。

参 考 文 献

[1] 王显正,范崇吒.控制理论基础.北京:国防工业出版社,1984
[2] 水轮机调速器与油压装置技术条件.GB/T9652.1—1997
[3] 唐旭,葛鸿康.通断阀在全液控机械柜中的作用.东方电机,1998(4)

双冗余 PCC 步进式调速器

周志军　申建亮

（宜昌市能达通用电气股份合作公司）

随着计算机技术的迅速发展,水轮机微机调速器得到了广泛的应用。通常,微机调速器由以微处理器为核心的控制部分和液压伺服机构两部分组成。微机控制器具有实现多种控制算法的能力,从而使现代水轮机调速器具有了更多的功能。但是,微型计算机控制系统不可避免地存在着安全可靠性问题,主要表现在以下三方面:一是本身的可靠性,二是外部各种干扰,三是调速器在长期实际运行过程中一些电气元件本身的老化。这样,双PCC冗余控制成为满足连续生产要求、提高系统可靠性的一种手段。

1 水轮机调速控制系统综述

水轮机调速器是水电厂的重要组成部分,与电站计算机监控系统相配合,完成水轮发电机组的开机、停机、增减负荷、紧急停机等任务,担负着调节电网频率稳定的任务。因此,调速器的稳定、可靠控制显得尤为重要。

考虑到其重要性,同时考虑到被控制对象水轮机是一个复杂的、非线性系统,具有过水管道的水流惯性和水轮机组的机械惯性,可靠、操作简便和自动化管理的系统就成为关键。因此,考虑用两套PCC,两套独立供电的电源组件,高质量的传感器和步进电机来控制,从而实现发电机组调节自动化。调速器控制系统设计原理图见图1。

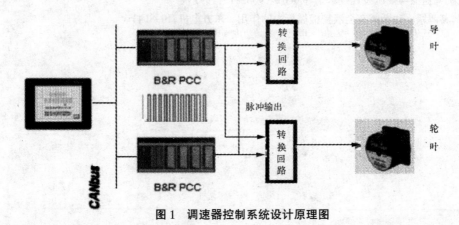

图1 调速器控制系统设计原理图

控制器(PCC)、传感器、电源等系统中重要部件均采用冗余结构,两套PCC并联工作,同时输出信息到显示器。两套独立的电源组件同时向PCC、传感器、电机等供电。

冗余设计使系统关键部件的可靠性大大提高,从而也就提高了调速系统的可靠性。

2 PCC控制器

PCC控制器是系统控制的中心。它采集系统的全部工况信号,实时控制相关设备的动作。当机组过速或有故障发生时,输出报警信号,同时通知监控保护设备动作。为此,选用高性能的奥地利贝加莱可编程控制器(PCC)。其有关参数如下:

(1)32-bit计算机,带闪存;

(2)CPU+TPU分工协作;

(3)实时多任务操作系统;

(4)浮点运算;

(5)具有带电拔插功能;

(6)工业标准硬件;

(7)电隔离信号处理;

(8)看门狗;

(9)通用的RS232、RS485;

(10)支持总线CAN、PROFIBUS、I/O总线;

(11)PCC内部测频。

实现真正的可编程内部测频,PCC可编程直接测频是此调速器的另外一个特点。利用PCC控制器内部TPU模块的4MHz高速计数直接测频,使测频精度达到0.001Hz以上。避免了一般PLC因计数频率低而用测频模块向可编程传递数据,同时避免了数据传递过程中的延时,测频反应时间为20Ms,使测频可靠性、实时性大大提高。用PCC直接测频,器件少、接线少、速度快、可靠性高、测频回路简洁,维护方便(见图2)。

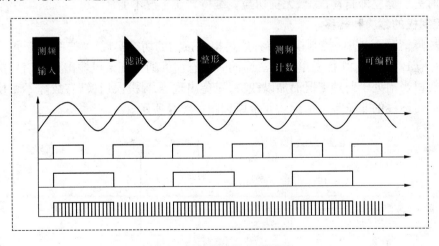

图2 测频信号处理原理图

本方案设计测频方式为:①测网频,信号取自电网PT;②测机频,分两种,一路机组PT残压测频,另一路为双探头齿盘测频,两路测频互为备用。正常运行时,残压测频经与齿盘测频进行比较验证无误后,供调速器测频使用。当残压测频故障或比较结果超出范围时,用齿盘测频信号供调速器测频使用。调速器在并网后,网频仍可作调速器机频单元的后备。

　　为提高齿盘精度,齿盘测速设计为双传感器,用于消除由于大轴摆度和振动以及齿盘加工精度的误差造成测频信号的精度下降。双传感器信号通过整形隔离后,同时送到PCC和转速信号装置使用见图3。

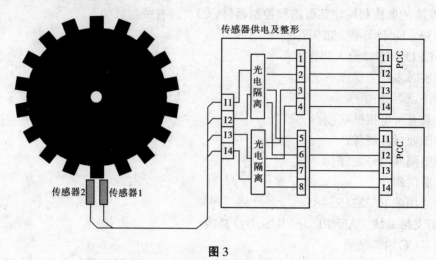

图3

3　PCC冗余方式的实现

　　通过硬件冗余的方法,硬件上通过冗余 PCC 的各种冗余模块采集信号,两套 CPU 同时各自处理采集的信号,一套处于主控模式,一套处于热备模式,当其中一套发生故障或需检修时另一套立即自动投上,无扰切换。维持系统工况不变。

3.1　控制权的裁决和转移

　　无故障情况下,CPU 控制权的转移通过柜上按钮的切换实现,A 按钮对应 A 控制器,B 按钮对应 B 控制器,切换是单套的。而同时状态监视通过冗余机输出互锁信号提供,以判断对应机当前处于何种工况而加以裁决,避免出现 A,B 机误切换、有故障不切换、同时在线或同时离线的非正常态情况。冗余原理图如图4所示。

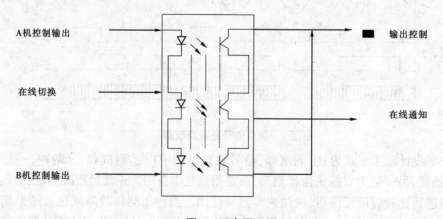

图4　冗余原理图

3.2 两套 PCC 的同步控制

如图 5 所示,拥有主控制权的 CPU 具有输出控制权,而热备控制器输出到光隔回路被禁止,但热备控制机仍然采集信号和保持输出,同时与主控制器通讯,保持数据同步,实现无扰切换。切换输出控制回路采用光电隔离板,两套 PCC 输出汇成一路,提高输出可靠性,同时使用光隔回路还有一个优点,即避免了继电器触点输出带来的滞后问题,使切换输出连续,不会因输出动作过程中切换主备用控制器而造成电机发卡。光电隔离回路的功率消耗也要较继电器输出小很多。

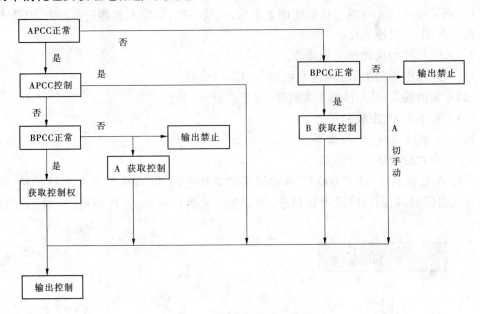

图 5 控制权的裁决和转移

这种冗余方式优点在于可靠性较高,但成本也较高。

3.2.1 冗余可编程控制器(PCC)可弥补本身不足

(1)不影响调速器正常运行,工作机有故障后可任意切除,方便检修、更换。

(2)外界向调速器工作机写入非法数据或本身故障造成 PCC 死机、死循环,备用机自动投入,维持当前工况运行。

(3)不影响调速器正常运行,备用机各种输入输出通讯模块可方便扩展,增加功能。之后再切换到另一套同样处理,从而可扩展调速器功能。

(4)不影响调速器正常运行,可方便更改备用机在网络中的 ID 地址。之后再切换到另一套同样处理,从而改变调速器在网络中的 ID 地址。

(5)通过 CANbus 总线,可实现多人通过路由在冗余机之间在线监控、修改,录波或下载程序和数据;弥补单套 PCC 因下载某些通讯程序占用 RS232 或 RS485 通讯口带来的问题;避免通讯口来回带电拔插出现的问题;实现真正的分工分任务调试。

(6)冗余 PCC 之间互相跟踪、交换信息,方便用户查看、判断故障,从而做出相应处理。

3.2.2 冗余可弥补因外部干扰或元器件老化、损坏、断线带来的问题

(1)冗余PCC的供电电源采用独自供电,互不干扰,如果一套因电源干扰或电源模块损坏而无法正常工作,备用机自动投入,同时一套自动切除。

(2)一套传感器或测频信号因干扰而造成失真,自动投入备用机。可防止信号失真造成的调速器摆动。

(3)当一套测频回路、传感器回路等断线后,备用机自动投入,防止因信号丢失调速器长期处于手动状态,避免接力器漂移,影响出力。

(4)当某些电气元件由于长期使用老化后,测量不准,影响调速器正常出力,调节不准确。投入备用机,退换老化电气元件。

3.2.3 冗余机可加强故障处理能力

(1)调速器电源消失,切到A套机械手动。

(2)A套出现大故障,B套无大故障,切至B套。

(3)A套小故障,报故障信号。

(4)B套大故障,切至A套手动。

3.2.4 冗余机对外通讯的实现

并行A,B机通过NET2000 CAN协议实现对外通讯,可同时上传A,B机信息,或只上传在线机信息,但同时接受下传信息,保证主备机操作同步,无扰切换(见图6)。原理如下:

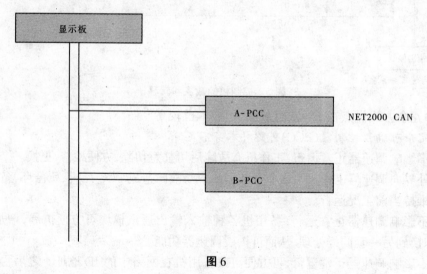

图6

通讯规约:

NET2000CAN模式,500kbps波特率,任务周期10ms

NETCANBUS现场总线,通讯接线如下:

2 − − − − − − − − − − −CAN H(高电平)− − − − − − − − − − − −2

5 − − − − − − − − − − −CAN L(低电平)− − − − − − − − − − − −5

NET2000库函数:

Net2read(en, destadr, pvlist, pvnum, dataarea, datalen, ok, status, record, reqcnt, rqdatlen)

Net2writ（en, destadr, pvlist, pvnum, dataarea, datalen, ok, status, record, reqcnt, rqdatlen)

4 结语

本系统在葛洲坝电厂投运以来,情况良好,满足调节水轮机的各种要求。我们认为,双 PCC 冗余控制增强了调速器的实际运行可靠性,使得无故障运行率几乎达到 100％。

另外,除硬件冗余外,采用软件冗余也是一个可探讨的方法。

自动复中无油高精度电－位移转换器

刘　钰　林昌杰　高文进　刘安平

（武汉三联水电控制设备有限公司）

电－位移转换器是由武汉三联水电控制设备公司,针对目前调速器行业所用电液(位移)转换装置所存在的不足,结合多年大中小型调速器生产经验研制出来的新一代产品,是现代水电站电液调速器中连接电气部分和机械液压部分的一个关键元件。它的作用是将调节器电气部分输出的综合电气信号,转换成具有一定操作力和位移量的机械位移信号,从而驱动末级液压放大系统,完成对水轮发电机组进行调节的任务。

1 自动复中无油高精度电－位移转换器的原理

本文介绍一种弹簧自动复中的无油高精度电－位移转换器。这个装置可将微电机的转矩和转角转换成为具有一定操作力的位移输出,并具有停电自锁即微电机失电自动复中回零的功能。

该装置包括:筒体,与筒体连接的电机,电机轴通过连结装置与滚珠丝杆副穿入筒体中,滚珠丝杆通过丝杆螺母与联结套连接。联结套穿过两彼此分开的具有一段行程的弹簧套,复中弹簧设在弹簧套中,筒体设有两弹簧套的限位装置。电－机械位移转换过程由纯机械传动完成,滚珠丝杆运动灵活、可靠、摩擦阻力小,并且能可逆运行。传动部分无液压件,结构简单,不耗油。复中机构仅为一根弹簧,结构简单,动作可靠,调节维护方便,可在水电厂调速器中得到广泛的运用。该装置的结构见图1。

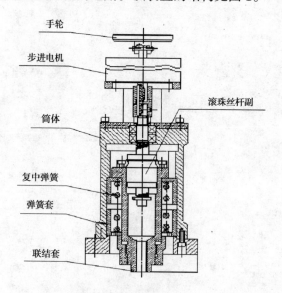

图1　自动复中无油高精度电－位移转换器的结构

2 自动复中无油高精度电－位移转换器的特征

这种弹簧自动复中无油高精度电－位移转换器动作准确可靠,结构简单,安装方便,调整容易,不需维护。在水轮机调速器中应用,收到较好的效果。

这种装置具有以下三个显著的特征:

(1)操作过程不需液压油。一般调速器的电－位移转换器都采用了液压传动的方式。由于电钻的工作精度很高,对用油的质量也有很高的要求。许多电站都为此设置了专门的高精度油过滤器,但由于各种原因,运动部件被卡住的事件还是时有发生。要长期保证油品的高精度,往往是难以做到的。

(2)可靠的复中机构。由于采用了弹簧力直接作用在高精度大导程滚珠丝杆上,当电源消失后,能迅速使联结套回到中位,使与之相连的主配引导阀自动准确回复到中间位置,保持接力器在原开度位置不变,水轮机组继续维持原工况运行,消除了调速器接力器意外出现全关或全开致使机组过速或停机的事故隐患。

(3)优良动静态品质。应用原理见图2,系统见图3。

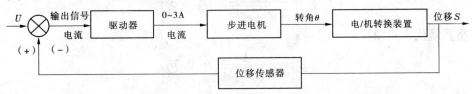

图2　自动复中无油高精度电－位移转换器原理框图

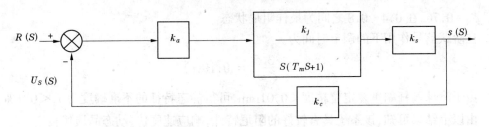

图3　自动复中无油高精度电－位移转换器系统框图

它的传递函数如下:

$$\frac{s(S)}{R(S)} = \frac{k}{T_m S^2 + S + kk_c}$$

式中:$k = k_a k_j k_s$,k_a、k_j、k_s 为图中各环节的传递系数;T_m 为电机时间常数。

该系统为二阶系统,各环节的传递系数可整定为

$$k_a = 768 \qquad k_s = 0.314 \text{mm/rad}$$

$$k_c = 0.75 \text{v/mm} \qquad k_j = 0.087 \text{rad/(v·s)}$$

$$T_m = 0.027 \text{s}$$

为了方便研究,我们可以将等效变换原则系统框图转换为图4。

系统的闭环传递函数为

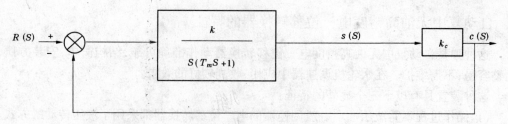

图4 变换系统框图

$$\frac{c(S)}{R(S)} = \frac{kk_c}{T_m S^2 + S + kk_c} \qquad (1)$$

标准的二阶系统传递函数为

$$\frac{c(S)}{R(S)} = \frac{\omega_n^2}{S^2 + 2\zeta\omega_n S + \omega_n^2} \qquad (2)$$

由式(1)、式(2)得

$$\zeta = \frac{1}{2\sqrt{T_m kk_c}} \qquad \omega_n^2 = \frac{kk_c}{T_m} \qquad (3)$$

将数值代入式(3)

$$\zeta = \frac{1}{2\sqrt{T_m kk_c}} = 0.76$$

$$\omega_n = \sqrt{\frac{kk_c}{T_m}} = 24.1(\text{rad/s})$$

$\zeta = 0.76$，在 0.4～0.8 之间为最佳阻尼状态。

在阶跃信号作用下的调节时间为

$$t_s = \frac{3.5}{\zeta\omega_n} = 0.19(\text{s})$$

由于滚珠丝杆副重复定位精度<0.01mm，可得静态特征的不准确度为 $i_a < 0.1\%$。

由以上结果可知，该系统具有较好的阻尼特性，响应速度快，动态品质优良。

3 弹簧自动复中无油高精度电－位移转换器的试验

(1)基本技术参数：

与水轮机调速器引导阀活塞连接：	直接连接
环境温度：	$-20℃ \sim +80℃$
平均无故障运行时间：	>50 000h
正常工作行程：	±6mm（微电机旋转±108°）
最大行程：	±8mm（微电机旋转±144°）

(2)试验数据：

重复定位精度：	回差<0.01mm；近似直线
最小全行程时间：	<0.2s
转速死区差：	<0.01%

从试验结果上看,本装置的各项性能指标已基本达到设计要求,可以投入使用。

我们将有油型步进电液转换器和自动复中无油高精度电 - 位移转换器进行了比较(见表1),可以看出,它们的区别是很大的。

表1 两种电液转换器对照

序号	主要技术数据	有油型步进 电液转换器	自动复中无油 高精度电 - 位移转换器
1	自动复中功能	不能自动复中,正常工作时是靠专用的传感器使之复中,一旦传感器故障或失电时即失控,存在隐患	能自动复中,失电时即自动复中回零,机组负荷不会变化,安全可靠
2	速动性	步进电机转200度,电液转换器完成动作(慢)	步进电机转108度,电液转换器完成动作(快)
3	-3dB 频宽	4Hz	>10Hz
4	全行程时间	最小全行程时间0.5s	<0.2s
5	静态耗油量	2.5MP 时 0.5L/min,随压力升高,耗油量加大	无油
6	滤油精度	$<20\mu m$	无油
7	零位漂移	受油温、压力影响,有漂移,不可靠	无漂移
8	静态死区	较大	<0.01%
9	传动效率	滑动摩擦,传动效率低	滚动摩擦,传动效率高>90%

4 结语

目前的水电站调速器大多采用的几种(电液伺服阀、电液比例阀、电液数字阀以及环喷式、双锥式、螺杆伺服式、螺杆步进式)电液转换器,虽然具有较高的控制精度,但大多要求液压油有很高的过滤精度,静态耗油大,没有可靠的断电复中装置。

自动复中无油高精度电 - 位移转换器运行无须液压油,有准确可靠的断电自动复中装置,并具有很高的控制精度,动态静态品质优良,寿命长,为水轮机调速器的可靠运行提供了保证。

我们认为,这种装置可靠性高,技术指标优越,而且又有自动复中功能,将在水轮机调速器执行机构中得到广泛的应用。

NEYRPIC 调速器在三峡左岸电站的应用及其特点分析

余志强 张 辉 陶 克
（三峡水力发电厂）

1 概述

三峡左岸电站装有 14 台水轮发电机组,机组发电机额定出力 710MW,总装机容量为 9 940MW,每台机组的调速系统电气控制部分均有一套由 ALSTOM 公司提供的调速器电气柜、调速器液压系统控制柜以及液压系统辅助装置控制柜。液压系统控制柜以及液压系统辅助装置控制柜负责产生控制操作整个机械部分的油压系统。调速器电气柜内有三台调节器,这三台调速器均为 ALSTOM 公司的微机环喷式比例伺服阀式调节器,其型号有 NEYRPIC 1500(2 台)和 NEYRPIC 1000E(1 台)两种。2 台 NEYRPIC 1500 分别起主用和备用调速功能,两者互为冗余,对应的比例伺服阀为 TR10,主用和备用调节之间通过电气连接切换;1 台 NEYRPIC 1000E 仅作为电手动的功能,对应的比例伺服阀为 ED12,起紧急调节器的功能。NEYRPIC 1500 和 NEYRPIC 1000E 之间通过控制电磁切换阀进行切换。3 台调节器之间互相可进行无扰动切换(见图 1)。

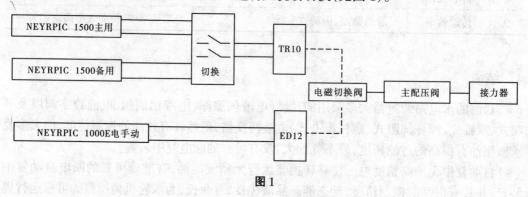

图1

2 功能及构成

NEYRPIC 1500 和 NEYRPIC 1000E 均为 ALSTOM 公司二微机式调速器,其功能结构如图 2 所示。

NEYRPIC 调速器将整个电气调节部分分为两个部分:

(1)速度控制器。用于对外部的各种命令如开、停机,增、减负荷等和各种状态采集量如机组转速、频率、有功功率等进行处理和计算,以便得出在各种工作情况(如不同工作水头)下要达到控制要求的标准所需要的最终目的。导叶开度设定值,并将值送与开度控制器,由开度控制器进行调节。

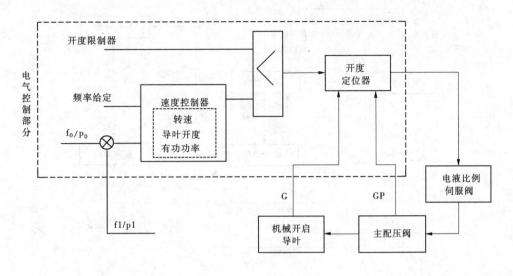

图 2

(2)开度控制器。将直接动作于电液比例伺服阀,驱动主配压阀开启导叶,将导叶的实际开度控制到与速度控制器设定的导叶开度一致。

在实际控制过程中,这两个部分的控制功能各不相同,两个功能部分的结合构成一个完整的调速器电气调节部分。

3 高效的控制语言

NEYRPIC 调速器的两个部分:速度控制器和开度控制器的控制功能实现都利用了 GRAAL 这种高效的控制语言。

GRAAL 控制语言构成及语法与 C 语言的结构较相接近,但由于 GRAAL 针对的是自动控制方向,故而所拥有的语法构成更趋近于标准的自动控制动态结构图,不同的地方只是自动控制传递的是函数,而 GRAAL 除了传递函数外还有控制过程和命令流程。

3.1 语言构成

控制语言离不开用于程序执行与计算的常量和变量,这些在 GRAAL 里面同样重要,常量和变量分为逻辑输入、输出量(BOOL 量)和连续输入、输出量(数值量),同时也将变量与实际信号输入关联对应;语法结构包括数值计算、判断跳转、函数内插表,控制传递函数,计算判断函数等。

3.2 流程执行

在 GRAAL 语言中,作为自动控制组成部分的控制流程,其描述采用判断转向的方式,即满足条件就执行相应流程,否则就跳转。对实际的发电机组开停机流程来说,可以通过判断机组断路器位置及开停机命令来执行相应的控制步骤(见图 3)。

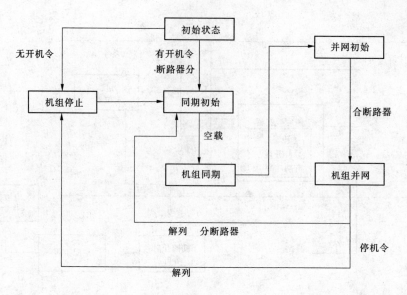

图 3

根据图 3 所示的逻辑功能,可以生成以下的编程语句:

```
DECLARE LOGIC
    VRAI＝V           /*－－－－－－定义中间常为真的变量,用于跳转执行－－－－－－*/
FINDECL
    ……
GRAPHE               /*－－－－－－程序开始－－－－－－*/
    ETAPE    INIT    /*－－－－－－程序初始化－－－－－－*/
        SI   /IN_R0 ALORS   VEILLE      /*－－－SI…ALORS…语法为判断,相当于 IF…
THEN…－－－*/
        SI   IN_R0.IN_R1 ALORS   INITRS    /*－－－－"/"为取非,"."为与运算－－－－
*/
        SI   IN_R0./IN_R1 ALORS   INITRC
    FINET
    ETAPE   VEILLE   /*－－－－－－机组停止状态－－－－－－*/
        GE_ETAP＝1  /*－－－标志机组状态的变量－－－*/
        ……
        SI IN_R0 ALORS   INITRS
    FINET
    ETAPE   INITRS   /*－－－－－同期初始状态－－－－－*/
        GE_ETAP＝2
        ……
        SI VRAI ALORS  SYNCHR0     /*－－－标志系统状态变量后,直接跳转－－－*/
    FINET
```

ETAPE SYNCHR0   /* —————机组同期状态——————*/

    SI /IN _ R0 ALORS VEILLE

    SI IN _ R0./IN _ R1 ALORS INITRC

FINET

ETAPE INITRC   /* —————并网初始化—————*/

    GE _ ETAP=3

    ......

    SI VRAI ALORS COUPLE

FINET

ETAPE COUPLE   /* —————机组并网状态—————*/

    SI /IN _ R0 ALORS VEILLE

    SI IN _ R0. IN _ R1 ALORS INITRS

    FINET

FINGR

3.3 内插表

在调速系统控制中,有一类比较常见的是具有线性关系的两个或几个量的控制结合,这些量之间互相关联,两者有着很严密的线性对应关系。在 GRAAL 中,可以通过简单的内插表语法,将这些量通过数组的结构组合成线性控制曲线,在控制过程中,根据某个量的当前数值可以迅速以查表的方式寻出另外关联量的值,可以非常清晰地显出控制的框架构成。

图 4 是调速系统常见的需要的控制量—导叶开度与控制量—导叶接力器位移之间的线性度曲线。

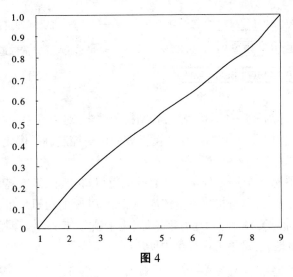

图 4

DECLARE TABLE   /* —————————定义表——————————*/

   LINE_SERV0 TABLEAU   10 /* ————定义表名及表内数组————*/

0	0.1	0.2	0.3	0.4	0.5	0.6	0.7	0.8	1
0	0.067	0.151	0.246	0.332	0.443	0.552	0.661	0.774	1

FINDECL

内插表的功能不仅在于关联两个变量,还可以对三个关联量进行线性组合,同时还可以提供针对不同工作状况下的控制 PID 参数寻找、参数的自动调节适应等。

3.4 自动控制过程

自动控制过程有特定的动态结构图,一般的结构图多用于控制传递函数的实现,在 GRAAL 中,可以在动态结构图的基础上,通过常量和变量将控制的整个过程有机结合,利用动态结构图的构成方式,进行运算处理后得到结果,以供程序进一步使用,在图 5 中,调速系统中的有功功率输入和输出处理,以结构图的方式实现控制及运算的过程。

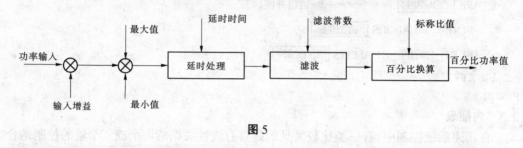

图 5

据图 5 可以生成以下的编程语句:

```
CONTINU
    PT_MW0  SOMME 2  IN_MW  &27  PU_DEC  &27      /*------输入及增益----
------*/

    PT_MWDF  SOMME 3  PT_MW0  &31  PT_MW0  -&33 UN &33  /*---输入限定于最
大与最小间---*/

    PT_MWDx  RETARD  PT_MWDF  ZER005 0.05  /*-----加入延时进行延时处理----*/
    PT_MW  ORDRE1  PT_MWDx  1 &28  /*-----加入滤波常数进行滤波-----*/
    PT_MWN  DIV  PT_MW  PU_W110  /*-----百分比换算-------*/
FINCONT
```

采用动态结构图作为程序的运行表示,其结构很清晰,对于程序运行的整个过程可以用函数的形式表述,通过对过程中参数的修改可以方便地对控制进行优化。

3.5 外部通讯控制

NEYRPIC 调速器有一个用于外部通讯的 D9 通讯口,其内部支持协议使用 MODBUS 标准,在 GRAAL 语言中,可以直接将变量传递到 MODBUS 的通讯地址位中,这些地址包括位地址(用于读、写逻辑(BOOL)量),还有字地址(用于读、写连续数值量)。这些地址中留有 MODBUS 通讯的保留地址,是不可在程序中使用的。

4 存在的问题

(1)GRAAL 语言的可读性、可操作性较差,编程较复杂,在采取技术优化等措施时,不能

快速投入应用;

(2)控制部分实现的设计较为复杂,导致故障点增多,故障率增加;

(3)调试主机的通讯兼容性较差,程序版本较多,造成对不同参数读写的繁杂。

5　结语

三峡左岸电站调速系统电气部分控制采用成熟的自动控制理论体系,结合自动控制的过程和结构,其技术包含水平较高。但从上面分析我们可以看到,GRAAL语言的编程亲切度较低,程序理解较困难,这与现在很多自动控制如 PLC(可编程控制器)等的程序设计图示化解释相比,处于不利位置,未来也将会有面向对象的图示编程语言版本出现。

三峡左岸电站调速系统液压冗余电液转换器问题分析与解决方案

王广宇

(哈尔滨电机厂有限责任公司)

三峡左岸电站 14 台机组水轮机调速系统由法国 ALSTOM 公司总承包,主合同于 2000 年 5 月生效。根据合同,哈尔滨电机厂有限责任公司(以下简称哈电公司)作为中国国内惟一分包制造商将分包制造、装配和试验 5 台套的调速系统设备,同时接受 ALSTOM 的技术培训和技术转让,从而使哈电公司全面掌握三峡左岸调速系统的设计和制造技术,具备独立设计、制造、试验和供货三峡机组全套调速系统设备的能力。

目前,由 ALSTOM 提供的 7 台套调速系统已投入运行,首台机组于 2003 年 6 月正式投产发电。在现场静态调试曾出现过一些问题,但大部分已解决,而液压冗余电液转换器的电磁选择阀不能正常切换及切换不到位的问题仍然存在,虽然 ALSTOM 公司的技术人员作了很多努力,也想了许多办法,但还没有被彻底解决。了解到这一情况后,哈电公司的技术人员对此进行了分析,找出了出现问题的根源,通过厂内试验加以验证,提出了切实可行的解决方案。

本文就电磁选择阀不能正常切换及切换不到位的问题从控制系统、液压系统及其内部结构加以分析。

1 冗余电液转换器与冗余的调节器间的逻辑关系

按三峡左岸调速系统技术要求,电气部分设计了三个调节器,即 N-1500N(自动主用)、N-1500S(自动备用)和 N-1000(电手动);为了提高运行的可靠性,在电液转换环节设置了两个冗余的电液转换器,即 TR10 和 ED12(皆为 ALSTOM 公司自主产权产品),由一个标准的电磁换向阀作为选择阀与三个调节器构成相应逻辑关系,以此决定在某种工况下,其中一个电液转换器处于工作状态,另一个电液转换器处于备用或故障状态。

调节器、电液转换器、位置反馈传感器和测速信号之间的逻辑关系,见图 1。

三种工况下的装置状态如下:

(1)第一种工况。所有装置和元件、电源正常,N-1500N 作为自动主用机完成调节和控制任务,N-1500S 和 N-1000 处于跟踪和备用状态,电磁选择阀使 TR10 处于工作状态,ED12 处于切除状态。

(2)第二种工况。当 N-1500N 或与之有关的元件或信号出现故障时,则自动由 N-1500N 切至 N-1500S,电液转换器不改变,仍为 TR10。

(3)第三种工况。当 N-1500N 和 N-1500S 均出现故障,则调节控制自动切至 N-1000,同时电磁选择阀使 TR10 处于切除状态,ED12 投入工作,实施该工况下的电手动操作和控制。

由上得知,对于冗余系统,除了电气部分的正常切换外,液压部分即电磁选择阀的正常切换也异常重要。

当N-1500N和N-1500S及与之连接的装置、设备恢复正常后,即可由现地手动开关再重新切至N-1500N和N-1500S所在的自动通道。

该设计原理是可行的、先进的,可大大提高系统的运行可靠性。

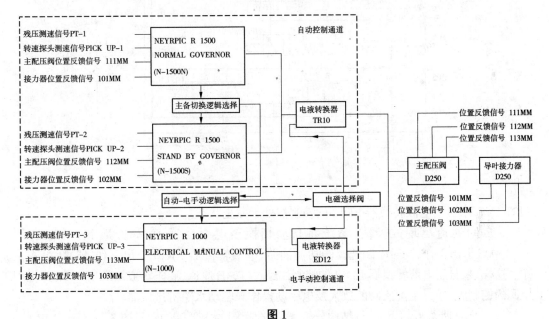

图1

2 问题的出现

以上观点从工作原理上分析不出任何问题,但在现场进行静态试验时,发现电磁选择阀有不能正常切换及切换不到位的现象,没有达到设计要求。经过现场分析,一种观点认为是油脏,电磁阀发卡所致;另一种观点认为是电磁阀的制造质量不好所致,但更换了几个电磁阀后,该现象仍然存在。

目前,三峡左岸已有7台机组发电,至今这一问题尚未彻底解决,应该说具有共性,其问题不在原理设计上,而在具体的结构上。现场的具体现象是这样的:在刚刚通油的情况下,切换是正常的,但是,几次操作后,就会出现两个方向都不能切换到位的情况,由此可以判断是内部的具体结构有不适合的地方。

3 问题的分析

ALSTOM公司为三峡左岸提供的调速系统液压冗余电液转换器原理图见图2。

电液转换器TR10的控制出口A接至电磁选择阀的P口。当电气处于全自动通道时,电磁选择阀的左端电磁铁109EM带电,阀的左位处于工作位置,来自于电液转换器TR10的控制油经过P-B通道、液压集成块的出口A,到主配压阀的控制腔,通过主配压阀的放大及自动操作来驱动水轮机接力器;与此同时,电液转换器ED12的控制出口A接至电液选择

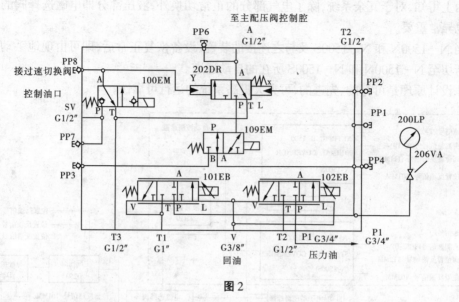

图 2

阀的 T 口, 来自于电液转换器 ED12 的控制油处于截止状态。

当自动通道出现故障时, 系统将自动切换至电手动通道, 一方面 N‑1500N 和 N‑1500S 退出工作, 同时电磁选择阀切换油路, 电液转换器 TR10 退出工作, ED12 投入工作。这样, 来自于电液转换器 ED12 的控制油经过 T‑B 通道、液压集成块的出口 A, 到主配压阀的控制腔, 通过主配压阀的放大及电手动操作来驱动水轮机接力器。

以上是原理说明, 下面进行结构分析, 电磁选择阀的内部结构图见图 3。

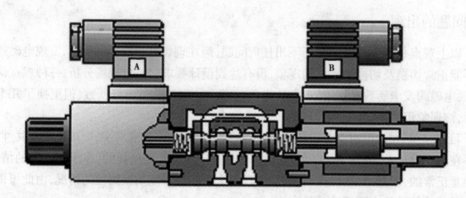

图 3

无论在任何工况下, 电磁选择阀的 T 口接压力油是客观存在的, 在调节过程中, 来自 ED12 的控制油可能是压力油, 也可能是回油。一旦是压力油, 它势必通过活塞右端与阀体的间隙进入电磁铁控制杆和活塞所在的右侧空腔; 同时, 压力油也通过阀体内的通道及活塞左端与阀体的间隙进入电磁铁控制杆和活塞所在的左侧空腔。在刚刚通油情况下, 两腔都是空的, 几次操作以后, 左右空腔即充满液压油。由于电磁铁是标准产品, 其操作力是有限的, 加之活塞和阀体间的间隙极小, 尤其是在选择阀的 P 口和 T 口都通压力油情况下, 无法使活塞正常切换,也就出现了切换不到位的必然现象。所以,目前的分析和现场的实际现象是相吻合的,可以说这就是问题所在。从电磁换向阀本身结构来看,T口接压力油本身就是错误的,不符合阀的使用要求,必然会出现不正常的现象。

4 厂内验证试验及解决方案和试验

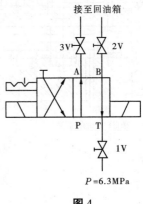

图4

根据以上分析和现场的实际现象,哈电公司在厂内做了模拟试验来加以验证。试验原理图见图4。

取一个 4WED50/OFAG24NZ5L 电磁换向阀,关闭阀门 2V 和 3V,打开阀门 1V,将 6.3MPa 的压力油通入电磁换向阀的 T 口,很快地阀的左右端的手动操作按钮都处于外部极限位置,这是由于渗漏到电磁铁左右空腔的液压油所致,用手很难操作。即使可以操作得动,一旦松开,手动操作按钮立即恢复到外部极限位置。打开阀门 2V 和 3V,现象还是如此。

对此,我们设计了以下两种方案,并进行了通油和通电试验。

4.1 方案一

将原有的电磁选择阀更换为一个由电磁换向阀和由其控制的液动换向阀组成的电液换向阀组,并进行了油路接口的重新设计,原理图见图5。

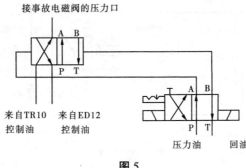

图5

新设计的用于试验的液动换向阀的结构图见图6。

4.1.1 试验原理

按图7进行试验管路连接,试验压力为6.3MPa,关闭所有阀门。

4.1.2 试验步骤

(1)手动操作电磁阀处于右位,开启阀门 3V、4V 和 1V,再微微开启 5V,此时 5V 出口有压力油流出;关闭阀门 1V,此时 5V 出口没有压力油流出;再开启阀门 2V 此时 5V 出口也没有压力油流出。

(2)手动操作电磁阀处于左位,开启阀门 3V、4V 和 2V,再微微开启 5V,此时 5V 出口应有压力油流出;关闭阀门 2V,此时 5V 出口也没有压力油流出;再开启阀门 1V,此时 5V 出口也没有压力油流出。

(3)全开启 1V、3V 和 5V,微开启 2V,手动操作电磁阀使之处于左位及右位,5V 出口油

151

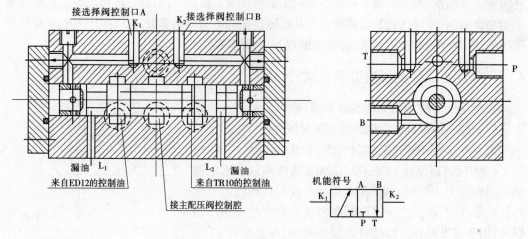

图 6

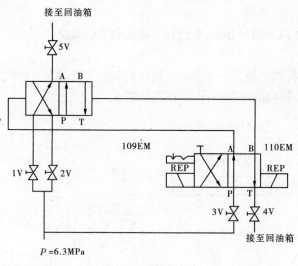

图 7

流相对的小和大。

(4)全开启 2V、3V 和 5V,微开启 1V,手动操作电磁阀使之处于左位及右位,5V 出口油流相对的大和小。

以上试验重复做了若干次,都无不正常现象。

4.2 方案二

直接使用电磁换向阀,改变油路的连接,试验原理见图8。

4.2.1 试验原理

按下面原理图进行试验管路连接,试验压力 6.3MPa,关闭所有阀门。

4.2.2 试验步骤

(1)手动操作电磁阀处于左位,开启阀门 1V,再微微开启 3V,此时 3V 出口有压力油流出;关闭阀门 1V,此时 3V 出口没有压力油流出;再开启阀门 2V,此时 3V 出口也没有压力油流出。

(2)手动操作电磁阀处于右位,开启阀门 2V,再微微开启 3V,此时 3V 出口有压力油流出;关闭阀门 2V,此时 3V 出口没有压力油流出;再开启阀门 1V,此时 3V 出口也没有压力油流出。

(3)全开启 1V 和 3V,微开启 2V,手动操作电磁阀使之处于左位及右位,3V 出口油流相对的大和小。

(4)全开启 2V 和 3V,微开启 1V,手动操作电磁阀使之处于右位及左位,3V 出口油流相对的小和大。

以上试验重复做了若干次,都无不正常现象。

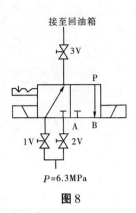

图8

5 用户意见

2004 年 4 月 6 日,在宜昌三峡电厂,哈电公司技术人员就此问题与电厂运行、检修、监理和安装等部门进行了充分的交流,有关人员一致认为哈电公司的分析合理、确切,解决方案可行,建议哈电公司继续完善这一工作,彻底消除目前存在的安全隐患,保证三峡左岸机组的安全运行。

6 技术改造最终方案

根据以上哈电公司所做的工作,可以说完全有把握彻底解决这个问题,拟推荐改造方案如下:

(1)把目前所用电磁选择阀的油口连接做变动,改变 TR10 和 ED12 与电磁选择阀的油路连接关系,使 T 口避免接压力油,原理见图 9。

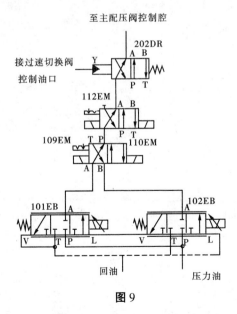

图9

(2)把原有的电磁选择阀改为由电磁换向阀及其控制的液动换向阀组成的电液换向阀组,与原来的液压部件的逻辑关系不变,原理见图 10。

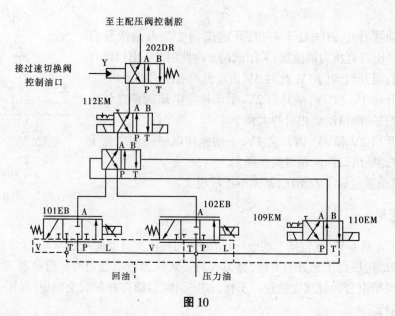

图 10

经过方案比较,我们认为将目前所用电磁阀的油路连接做变动是最简单的方法,只是要重新设计和加工一个安装电液转换器等液压部件的一个集成块体,不增加其他任何加工件。

改造的原则为:①保持原有的集成块体的外型尺寸不变;②保持管路接口的位置和连接尺寸不变;③保持所有电气接口和技术参数不变;④使用所有 ALSOM 使用的机电元件(TR10、ED12 和电磁阀等)。

采用可编程计算机(PCC)的水轮机调速器和同步发电机励磁装置

潘熙和　严国强　张祖贵

（武汉长江控制设备研究所）

由于可编程序控制器具有设计环境是工业现场,设计对象是工业控制,设计原则是高度可靠,并且其硬件和软件具有易学易懂等特点,特别是它的高度可靠性,使得 PLC 在水电站控制领域越来越受到用户的欢迎;在 PLC 被推广应用的同时,工业 PC 机(简称 IPC)由于其特有的大容量和高速性备受工控用户的青睐。武汉长江控制设备研究所(以下简称长控所)研制的 PCC 调速器和 PCC 励磁装置是充分考虑了 PLC 和 IPC 两种机型的优点,充分发挥可编程计算机控制器的技术特点而研制的一代新型机组辅机控制设备。

1　PCC 介绍

可编程计算机控制器集成了 PLC 的标准控制功能和工业计算机的分时多任务操作系统等功能,除具备 PLC 的高可靠性外,还具有 PC 机的高速性和大容量等特点。

PCC 最大的特点在于它具有类似于大型计算机的分时多任务操作系统。与常规 PLC 采用的单任务时钟扫描方式不同,PCC 采用的是分时多任务操作系统。PCC 采用分时多任务机制构筑其应用软件的运行平台,这样应用程序的运行周期由操作系统的循环周期来决定,而与程序的长短无关。由此,它将应用程序的扫描周期同真正外部的控制周期区别开来,满足了实时控制的要求,而且这种控制周期可以在 CPU 运算能力允许的前提下,按照用户的实际要求任意修改。

基于这样的操作系统,PCC 的应用程序由多任务模块构成,这样给项目应用软件的开发带来了很大的便利,因为这样可以方便地按控制项目中各部分不同的功能要求,如数据采集、报警、PID 调节运算、通信控制等,分别编制出控制程序模块(任务),这些模块既相互独立运行,而数据间又保持一定的相互关联,这些模块经过分步骤的独立编制和调试完成之后,可一同下载至 PCC 的 CPU 中,在多任务操作系统的调度管理下并行运行,共同实现项目的控制要求。

此外,PCC 还具有多样化的应用软件设计风格。除采用常用的梯形图编程外,PCC 还可以采用高级语言编写复杂的程序。

PCC 在远程通信方面提供了灵活多样的解决方案。系统除全面支持 ETHERNET、PROFIbus 和 CANbus 等标准网络或现场总线协议外,还为用户提供了创建自定义协议的串行通讯帧驱动器(FRAME DRIVE) 工具,由于具备这样的技术优势,PCC 常常能解决许多常规 PLC 无法实现的通信难题,轻松实现了各种不同产品、不同通信协议之间的互联。

PCC 在工业控制中的强大功能优势,使它在越来越多的应用领域中,日益显示出不可低估的发展潜力。

PP41是奥地利贝加莱(B&R)工业自动化公司B&R2000系列介于B&R2003和B&R2005之间的一种集显示操作面板和控制器于一体的可编程计算机控制系统。由于该控制器自身的特点以及调速器和励磁的电气要求,使得它特别适用于水轮机调速器和同步发电机励磁的开发和产品制作。除以上介绍的基本特性外,PP41还有如下具体技术特性:

(1)具有比常规PLC更高的可靠性,平均无故障时间达50万h(即57年)。

(2)PP41公用PCC全系列软件开发工具Automation Studio,利用该软件可实现显示、控制、驱动和通讯等任务的配置和编程,开发手段十分方便。不像PLC与IPC工控产品,操作界面与调节控制需用不同的开发软件。

(3)PP41的主处理器为摩托罗拉芯片68332,为32位CPU,具有高速的智能处理器TPU,TPU功能可使系统响应时间达到微秒(μs)级,而CPU不需作任何加载。

(4)具有良好的电磁兼容能力和现场总线全面支持技术,体现着世界工控领域的发展方向。

2 PCC水轮机调速器调节器构成

PCC调速器由于其硬件本身的可靠性很高,一般采用单机结构,应用户的特别要求也可以提供双机。调节器由PP41控制机(控制器和显示操作面板一体化)、4路模拟量输入模块AI354、两路模拟量输出模块AO352、10路开关量输入模块DI138、用于与监控系统进行通讯的RS232接口模块IF311或RS485/RS422接口模块IF321组成(见图1)。值得一提的是,PP41内部还提供两个备用模块扩展槽,以便扩展功能,提供10路开关量输入接口X2,8路晶体管输出接口X3。此外,PP41本体提供一个PC机开发PCC程序用的RS232接口和一个远距离网络通讯用的CAN现场总线接口。

3 PCC水轮机调速器测频问题

测频环节是水轮机调速器最重要的前置环节,是调节器的计算基础,一旦出错或故障,自动调速器就会崩溃。因此,无论是什么类型的调速器,测频问题是大家最关心的。为了提高测频可靠性,PLC调速器废弃了用单片机或其他数字电路的传统测频方法,而在PLC本体测量上花了很多心思,为了提高PLC本体测频的精度和实时性,引入了静态测频值和动态测频值的概念;IPC调速器的测频,有的仍然采用单片机测量,通过串口或总线并口送给IPC,也有的采用IPC系统的高速计数器模板在IPC的CPU中通过相应的操作系统(开发环境)来求取,IPC调速器的测频可能会因为单片机的可靠性问题带来不可靠,也可能会因为操作系统受病毒感染、重新启动或死机问题带来不可靠。

PCC调速器的测频环节是一个硬件和软件都简单易行的过程,具有如下几个特点。

3.1 测频通道多

PP41本体的X2开关量输入接口中有10路DI输入,其中前4个通道具有TPU功能,用来处理测频。它可以同时测量4路频率,即机组频率3路和电网频率1路。包括机组残压测频主通道一路,机组残压测频备用通道一路,机组齿盘测频通道一路,电网残压测频通道一路。

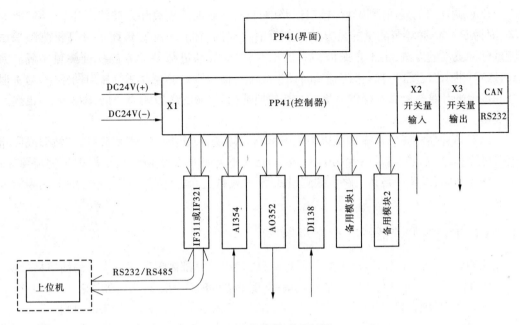

图1 PCC调速器调节器构成

3.2 测频过程简单

相对于PLC测频和IPC测频,PCC测频的软件部分显得更加简单且规范化。对应于4路专用测频通道,PCC有专用的测频语句。更重要的一点是,PP41中携带有测频程序的专用功能块。使用者只需要将频率的数字方波信号接入测频通道端口,然后按照规范设置软件上的通道,通过调用测频功能块和运行测频程序,就可以获得频率的数值。

这种测频方法对使用者没有很高的要求,而且简单,容易操作。

3.3 测频精度高,实时性强,可靠性高

测频程序如下:

$$\text{Speedn FUB LTXcpiX}(\ )\ (\text{其中}\ n=1,2,3,4,X=C,D,E,F)$$

$$f = \text{晶振}\ /\ \text{Speedn.DifCnt} * \text{Speedn.PCnt}$$

程序中:

FUB是别名调用命令语句,表示数组Speedn别名调用功能块LTXcpiX( ),功能块LTXcpiX( )具有测频功能。

Speedn.PCnt表示采用多个周期测量然后取平均值的方法,其值代表测量的周期数,在测频初始化程序中由用户给定;在程序初始化中设置Speedn.PCnt=1,这样,通过功能块和程序上的设置,以保证测频的强实时性。

Speedn.DifCnt表示累加到的脉冲个数,它由程序计数器给出。

PP41中频率测量的晶振为6.3MHz,为内部时钟。

水轮机调节系统的速动性和稳定性要求,调速器的性能指标要求,需要频率测量有较高的精度和较强的实时性。

PCC调速器的测频时钟为6.3MHz,而一般的单片机或IPC测频时钟为1~4MHz,因此PCC调速器较其他类型的调速器有更高的测频精度。

PCC调速器的残压测频硬件接口回路中,只有正弦波的隔离和方波整形环节,不需要分频,因为PCC测频环节测量的是方波的上升沿之间的时间,不存在传统的计算机测频采用测量脉冲宽度的方法,由于正弦波信号的不对称性,必须进行分频才能保证测量精确。因此,PCC测频比传统的计算机测频实时性提高了一倍。PCC的齿盘测频接口回路中,为了保证和传统的计算机测频一样的精度(假设时钟相等),分频的次数缩小一倍,即实时性也提高了一倍。

PCC调速器测频的可靠性从以下三方面得以体现:残压测频不需要分频,方波形成回路简单可靠;6.3MHz的计数时钟为PCC内部时钟,不需要外部制作硬件回路,时钟回路可靠;提供残压两路、齿盘一路共三路机频测量回路,软硬件冗余,互为热备用,充分保证测频的可靠性。

4　PCC水轮机调速器核心程序示例

除测频环节外,PID计算、AD采样计算、DA输出计算都体现了编写程序的简单易行。

PID计算程序可以制作成一个功能块库,能够被随时调用。现举例如下:

积分项计算:$YIK = YIK\_1 + KIV * [XK + BP * (PG - YIK\_1)]$

式中,XK为频差标幺化本次值;BP为永态转差系数;PG为功率给定值;KIV为积分项运算系数;YIK_1为积分项上次计算值;YIK为积分项本次计算值;$T=10ms$,为该级别任务的循环执行时间,可由用户修改。

将这类程序置于高速任务中,可以有效地保证系统的实时性,提高调速系统的性能指标。值得一提的是,相对于PLC,PCC程序中对变量的命名更人性化,程序的可读性也更强。

5　PCC同步发电机励磁调节器构成

PCC励磁调节器一般采用单机结构,应用户的特别要求也可以提供双机。当采用单机时,提供一个80C196微机手动调节通道。调节器硬件配置如下:由PP41控制机(CPU控制器和显示操作面板一体化)、一个4路模拟量输入模块AI354、一个10路开关量输入模块DI138、两个4通道数字量输出模块DO135、一个用于与监控系统进行通讯的RS232接口模块IF311或RS485/RS422接口模块IF321组成。而且PP41内部还提供了10路开关量输入接口X2,8路晶体管输出接口X3。此外,PP41本体提供一个PC机开发PCC程序用的RS232接口和一个远距离网络通讯用的CAN现场总线接口(见图2)。

从PCC励磁调节器的构成可以看出,其硬件配置与PCC调速器相近,只是将调速器的AO352模数转换模块换成励磁的DO135用于移相触发的数字量输出模块;风格相同,都采用PP41控制器系统,系统调节用编程软件和人机界面用组态软件一样采用一体化系统;相同的工作平台,方便与计算机监控的接口和通讯组网,更便于用户成套选择机组的辅机产品。

6　PCC同步发电机励磁软件移相的实现

在微机励磁的发展过程中,为了提高调节器的可靠性,人们尝试开发PLC励磁,长控所也不例外。目前可编程励磁装置大多采用PLC来实现励磁操作回路,或采用PLC来实现数

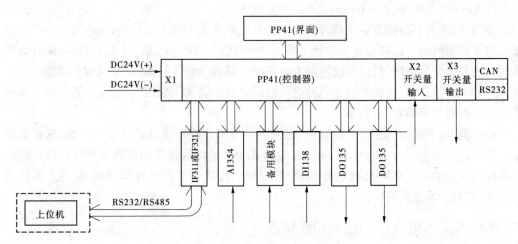

图2　PCC励磁调节器构成

字给定,或PID调节利用PLC来完成;但移相触发等对CPU速度要求很高,实时性要求更强的功能就没法利用PLC本体完成了。作为励磁调节器的最后结果,移相触发是PLC的最大难点,几乎不可能。目前PLC励磁最常用的是将PLC的调节输出用外部的模拟电路(如TC787或线性集成电路)转换成触发脉冲。

励磁调节有着和调速调节类似的调节规律,这里不多介绍,励磁限制与保护运算,这里也不多阐述。移相触发是励磁调节器中最核心的部分,对于移相触发功能的实现,PCC相对于PLC而言具有无可比拟的优势。下面简单介绍PCC本体实现移相触发功能。

利用PCC的TPU功能能够简单、可靠地实现移相触发。触发角是频率的函数,且与同步点有关,我们在高速任务中作频率测量,确定同步信号点,然后就可以得到触发角。其程序如下:

```
Speed1 FUB LTXcpiC( );        调用TPU功能,测频通道
JF＝6300000/Speed1.DifCnt;    计算出频率JF


DIL＿E FUB LTXdilE( );        调用TPU功能,同步信号通道
DOL＿4 FUB LTXdol4( );        调用TPU功能,脉冲输出的第一个通道
DOL＿5 FUB LTXdol5( );        调用TPU功能,脉冲输出的第二个通道
DOL＿6 FUB LTXdol6( );        调用TPU功能,脉冲输出的第三个通道
DOL＿7 FUB LTXdol7( );        调用TPU功能,脉冲输出的第四个通道
DOL＿8 FUB LTXdol8( );        调用TPU功能,脉冲输出的第五个通道
DOL＿9 FUB LTXdol9( );        调用TPU功能,脉冲输出的第六个通道
DOL＿4.LoHiDelay:＝(AFA/360)＊6300000/JF
DOL＿5.LoHiDelay:＝(60/360)＊6300000/JF
DOL＿6.LoHiDelay:＝(60/360)＊6300000/JF
DOL＿7.LoHiDelay:＝(60/360)＊6300000/JF
DOL＿8.LoHiDelay:＝(60/360)＊6300000/JF
```

DOL _ 9.LoHiDelay: = (60/360) * 6300000/JF

变量 AFA 为 PID 调节运算所计算出的触发电角度 α，DOL _ 4.LoHiDelay 为第一个通道的低电平延时时间。以同步点为时间基准，低电平延时时间由 DOL _ 4.LoHiDelay 的计算值所对应的晶振个数来确定，这样就将触发电角度 α 转换为触发时间，即完成移相功能。由于在一组的六个脉冲中，相邻的两个脉冲之间时间间隔相同，所以第二个通道至第六个通道的低电平延时时间都为 60°电角度。

由于频率的测量、同步信号的确定、触发脉冲的实现都是在高速任务中实现，这样就保证了调节过程的实时性。而且 PP41 的晶振为 6.3M，足以保证系统的调节精度。PCC 的内部软件触发功能取代常用的 PLC 外部模拟电路触发，减少了自制外部回路，提高了系统的可靠性，有利于系统的维护。

7 PCC 调速器和 PCC 励磁的功能特点

PP41 自身带有控制器和显示操作面板，因此 PCC 调速器电柜和 PCC 励磁的调节器显得结构简单，节省空间，图文丰富，功能完善，且具有很好的性价比。

PP41 的显示面板上带有 5.7″的 LCD 显示区、包括数字键在内的多种功能按键以及指示灯，结合软件，可以完成切换画面、设置密码、修改参数、显示工况、数据列表、辅助实验等多种功能。非常人性化的工作平台，充分体现以人为本的设计理念。

(1)可以设置多级密码。持有密码的级别越高，对系统行使的权力越大。在本调速器产品中，只用到了二级密码。在不输入密码的情况下，操作者只能观察到一幅画面(初始画面)中的数据；当输入一级密码后，操作者可以通过切换按键观察到各个画面的数据；当输入二级密码后，操作者除可以观察各个画面之外，还可以通过数字键修改调节系统参数。

(2)功能模块有很好的通用性。如 AO352 为两路模拟量输出模块，可通过模块开关设置为 0~10V 电压输出或 4~20mA 电流输出，电压或电流输出无须更换硬件模块。

(3)对时变测量数据有绘图打印处理功能。通过上位机，PP41 除能够在线监测、显示各参数外，还可以描绘各时变数据的曲线并通过打印机打印出曲线和图形来。

(4)屏幕保护功能。通过软件设置，显示面板在无人操作的情况下保持一定的点亮时间后会自动变成黑色背景，以保护屏幕，延长寿命。敲击 PP41 上任一按键，显示面板可以恢复点亮状态。

(5)FLASH 数据保存。存储介质既不是常用的小空间存储器，也不是容易磨损、怕振动的磁盘，而是采用先进的 FLASH 存储技术。程序保存在 FLASH ROM 中，永远不会消失，修改的整定参数放在 FLASH RAM 中，掉电可以保持(锂电池)。

(6)故障指示和报警。当系统发生故障时，PP41 会根据不同类型的故障，以不同的速度闪烁相应的指示灯，以提示操作人员注意并处理。当系统级故障时，故障报警接点吸合，告之上位机监控系统。

(7)编程语言高级化。调节器的编程语言为类似如 C 语言的贝加莱自动化公司 Automation Basic 语言，程序简单，可读性强，易掌握。

(8)辅助试验功能。通过操作面板上的功能键和显示屏，可以很方便地完成空载摆动和静态特性测试等辅助试验功能。

(9)可靠、丰富、高精度、高实时性的测频功能与精确、及时的软件移相触发脉冲功能(前面已阐述)。

(10)改善和提高调速器与励磁系统的性能指标。PCC可以将整个调节控制分成数个具有不同优先权的任务等级(TASK CLASS)。不同的任务等级,优先权越高,其扫描周期越短;优先权越低,其扫描周期越长。充分利用PCC的多任务分时操作系统资源,将主循环和一般性的判断处理程序放在普通任务层;将导叶开度、水头、有功、无功采样等放在普通高速任务层;定子电压、转子电流、PID运算、D/A、位控输出等实时性要求更高的程序放在最高级别的高速任务层;将测频和软件移相触发等利用PCC本体所特有的TPU功能和TPU功能模块来实现,从而改善和提高整个调节系统的性能指标。

8 厂内试验及工业运行结论

长控所的PCC水轮机调速器和PCC同步发电机励磁至目前为止,已成功投运于广东的英德波罗水电站、福建的黄塘甲水电站、云南的挖窖河水电站、四川的交脚河水电站等十多台机组。调速器的整机特性与电机转换器的选择、电液随动系统构成有着密切的关系,就同类系统方案将PCC调速器与PLC调速器作过对比,前者的整机可靠性至少等同于后者,前者的静态动态性能指标明显优于后者。目前同步发电机励磁以自并激励磁方式为主,PCC励磁以自并励产品进行了试验,可靠性明显高于普通微机励磁,静态动态性能指标明显优于PLC励磁,与普通微机励磁基本等同。

(1)PCC水轮机调速器仿真室和现场进行了静态特性测试、自动开停机、自动空载摆动、空载扰动、甩25%负荷、甩100%负荷试验,以及故障模拟等国标有考核要求的多项试验。试验结果表明,各项性能指标皆满足或优于国标和部标的要求。

(2)PCC励磁调节器进行了实验室的动态模拟和现场真机的自并励残压起励到100%机端电压、自并励逆变灭磁、手动调节机端电压范围、电压/频率特性、±10%阶跃响应、发电机调压精度、调差率整定范围、发电机端电压静差率、自并励方式甩负荷(甩100%无功)等试验。试验结果表明,国标考核的各项性能指标皆满足或优于国标和部标的要求。

9 结语

近十年来,我国在水轮机微机调速器的研究方面十分活跃,在研制新型调速器方面也积累了丰富的经验。现在市场上比较畅销的产品主要是PLC调速器和IPC调速器,它们在某些方面确实代表着水轮机调速器的方向,符合水电厂无人值班、少人值守和综合自动化的要求,且深得用户的欢迎。可编程计算机调速器就是在综合以上两种机型优点的基础上开发的一种新型水轮机微机调速器。测频回路多、信号源可选,测频软硬件能冗余、容错,测频回路简单可靠,测频精度高、实时性强,丰富的串口、网络和现场总线接口,方便用户操作和管理的操作口令,非常人性化的人机界面,辅助试验和试验过程曲线的记录与打印等。这些优越的硬件特性和丰富的软件功能使得PCC水轮机调速器有着非常广阔的市场空间。

同步发电机励磁装置的功能随着工业控制领域的发展而日趋完善,新型调节器将以优良的品质推动励磁行业的发展。现在市场上比较畅销的主要是单片机、IPC、PLC、DSP微机励磁装置。高度可靠性,32位机,TPU功能,大容量、高速度,软件硬件功能化、模块化,全新的总线概念(即I/O总线和系统总线分离),多处理器构成的多任务分时操作系统,高级语言编程,将这些优点集于一身的可编程计算机控制器用于励磁调节器的开发,PCC本体精确、及时的软件移相触发脉冲功能,提高了励磁装置的可靠性,同时保证了调节品质和性能指标优良,满足或优于国标和部标。

可以相信,在水轮机调速器行业,PCC励磁将以令人信服的优越性领衔励磁行业。可以预见,PCC水轮机调速器和PCC励磁装置在机组辅机控制中将得到广泛的应用。

参 考 文 献

[1] 齐蓉.可编程计算机控制器原理及应用.西安:西北工业大学出版社,2002
[2] 潘熙和,周国斌.水轮机可编程调速器若干问题研究.长江科学院院报,2001(2)
[3] 齐蓉.新一代可编程计算机控制器技术.西安:西北工业大学出版社,2000
[4] 潘熙和,等.PLC励磁调节器和PCC励磁调节器的研究与实现.人民长江,2003(10)
[5] 南海鹏.水轮发电机组PCC控制.西安:西北工业大学出版社,2002
[6] 周双喜,等.同步发电机数字式励磁调节器.北京:中国电力出版社,1998
[7] 樊俊,等.同步发电机半导体励磁原理及应用.北京:水利电力出版社,1991
[8] 丁尔谋.发电厂励磁调节.北京:中国电力出版社,1998

几种常用电液转换元件的特点对比及其应用

王丽娟

（武汉长江控制设备研究所）

笔者长期从事水轮机调速器的研制工作，多年来与同行一道领略了本行业的技术进步。近些年来，大家普遍认为，调速器电液随动系统最关键的也是故障率最高的环节电液转换元件，大量引入了工业领域电子行业和液压行业的成熟技术，突破了行业封闭、停滞状态。由此产生了各种高可靠性、高性能以及所谓智能化的电液转换元件。在此，笔者主要介绍几种不同结构、广泛使用的电液转换元件的特点对比及其应用。

1 电液转换器

水轮机调速器中所采用的电液转换器（又称电液伺服阀），是调速器电液随动系统的关键元件，其作用是将微弱的电气信号线性的转换成具有一定操作力的机械位移或转换为具有一定压力的流量输出。本文所涉及的这类电液转换器是指调速器制造厂家研制生产的专用电液转换元件，如早期的控制套式电液转换器，20世纪80年代的双锥式、环喷式等电液转换器，亦有极少数采用液压工业用电液伺服阀作为电液转换元件。控制套式电液转换器因其抗油污能力差、故障率较高而不再使用，双锥式、环喷式电液转换器这两种伺服阀是从工作原理上和结构上保证没有卡阻和失效的可能而沿用至今。它们的共同之处是对油质污染非常敏感，至今仍然是一种响应性最好的电液转换元件。

双锥式电液转换器由电气/位移转换部分和液压放大部分组成，电信号产生的电磁力形成位移，直接控制液压放大部分的先导阀。其中，电气/位移转换部分为动圈式结构，磁路由永磁体和内外导磁体构成，动圈位于上部环形工作磁隙中；液压放大部分以上、下阀芯组成的双锥阀为先导，差压活塞为功率放大级。

双锥式电液转换器的主要特点可归纳为以下两个方面：①它具有工业用电液伺服阀良好的静态、动态指标。因为电液伺服阀控制可允许较大的放大倍数，可以获得较高的静态与动态精度；②采用双锥阀控制差压活塞，具有独特的自动清污能力和良好的对称补偿性能。由于这类电液转换器在零位时（中位）是有流量输出的，所谓对称补偿作用，是将该双锥阀采用外流式和内流式两种结构形式组合而成的，在油压波动和负载变化时，由于具有良好的对称补偿性能，保证了零点漂移很小。

在抗油污方面，双锥阀特有的结构实现了自动清污。当建立油压后，双锥阀的工作间隙为一环形线隙，压力油通过间隙的路径极短，一般在0.1~0.3mm（控制套式电液转换器油流通过间隙一般为3~5mm），杂质不易在此滞留聚集。即使万一双锥阀的工作间隙被杂质堵塞，工作腔的油压会瞬时升高，这时双锥阀的工作间隙亦瞬时加大，堵塞物立即被高速油流冲走。这就是双锥式电液转换器所特有的自动清污能力。此外，动圈里还设有交流振动线圈，工作时在振动电流的作用下，使双锥阀芯振动，杂质难以在阀口处滞留或聚集。

由此可见,电液转换器以其固有高响应特性优势仍在各大中小型电站服役。例如,在云南以礼河梯级,1998～2000 年相继投运的三、四级电站的八台机组(四喷嘴冲击式机组,喷嘴单控、折向器集控),共使用了 40 台双锥式电液转换器,稳定运行至今。

2 电液比例控制阀

很多年以来,大多数工业液压控制系统中,当需要高性能的位置或速度控制时,人们首先想到的(也曾经是惟一的解决办法)是采用电液伺服阀的闭环控制系统。但由于电液伺服阀是一种高技术条件下的方向和流量控制阀,不可避免地带来制造难度和制造成本、维护不方便等弊病。因此,在并不需要伺服阀的全部性能和潜力的应用场合,这些问题就可能成为主要缺点。电液比例控制阀是 20 世纪 70 年代初人们为了克服伺服阀在工业应用中的一些缺点,在伺服阀的基础上发展起来的。经过二三十年的发展,除仍保留中位死区外,其稳态特性已与伺服阀不相上下,频宽达 10～25Hz。这样,电液比例控制阀已获得远比伺服阀更为广泛的工业应用。

电液比例控制阀按其控制功能来分类,可分为比例压力控制阀、比例流量控制阀、比例方向控制阀和比例复合阀。前两者为单参数控制阀,后两者为多参数控制阀(如同时控制压力、流量和油流方向)。比例方向阀属于两参数控制阀,能同时控制流体运动的方向和流量,在压差恒定的条件下,通过它的流量与输入的电信号成比例,而液流方向取决于控制阀的两个比例电磁铁中哪个被激励。

电液比例控制阀按液压放大极的级数来分,又可分为直动式和先导式。直动式是由电－机转换元件直接推动液压功率级。由于受电－机转换元件的输出力的限制,直动式比例阀能控制的功率有限,一般控制流量在 50L/min 以下。先导控制式比例阀由直动式比例阀与能输出较大功率的主阀级构成,目前,二级比例阀可以控制的流量通常在 500 L/min 以下。

电液比例控制阀在调速器的电液随动系统中,不仅直接替代传统的电液转换器,而且因其批量和规格化生产,避免了专用电液转换器小批量加工的工艺难度和加工设备引起的制造缺陷,可靠性有了很大提高。目前,我们通常采用直动式电液比例方向阀,直接或间接(作为先导级)实现对液压放大执行元件流量和方向的控制。

2.1 适宜性

在选用液压行业的通用元件电液比例控制阀替代电液随动系统中传统的电液转换器方面,我们做过大量的分析研究和各种试验,得到很多认识;尤其是通过多年的实践运行,电液比例控制阀在水轮机调速器中的应用以它特有的优势获得成功并得到推广。下面就电液比例控制阀应用中我们最关心的问题进行探讨。

为了降低制造难度和制造成本以及减小中位(无信号状态时阀芯的自然位置)泄漏,液压行业通用的电液比例控制阀保留了中位死区,即比例阀的阀芯与阀套通常具有一定的搭叠量,此搭叠量一般为额定控制电流的 10%～15%。由流量特性曲线可见,在死区范围内(正搭叠区),流量为零,当离开负开口区后,其特性与零开口阀相同。可见,死区直接影响系统的调节品质。因此,应用比例方向阀时,只有越过这个死区范围,其特性才是线性的。为了克服这个死区,通常采用电气控制的方法把死区消除或尽量减小。例如,比例放大器具有幅值可调的初始电流功能,在双向控制中,预先给比例阀比例电磁铁加上与死区相等的控制电流,当有信号电流输入后,两者之和已越过死区范围,并进入线性工作区。在电气控制上使阀芯快速移过中位,系统即作出响应,可见初始电流提高了比例阀的灵敏度,改良阀的特性,从而减小了死区实际范围。事实上,这是用一个很简单的电路就可以实现的。

目前,液压行业通用的电液比例控制阀频率特性的转折频率可在25Hz左右。而传统的电液转换器,如武汉长江控制设备研究所、长沙星特公司和武汉三联公司生产的双锥式、环喷式电液转换器都曾做过频率特性试验,其转折频率大多在3～4Hz。可见,电液比例控制阀应用在水轮机调速器上,能保证其静态和动态指标达到或优于国家相关标准的规定。下面是电液比例控制阀控制的电液随动系统与电气柜配合时,静态动态特性指标参数实测结果:

转速死区 $I_x \leqslant 0.03\%$;

接力器不动时间 $T_q = 0.16s$。

此外,由于电液比例控制阀保留了中位死区,同时也带来了一个中位无泄漏优点。当比例阀阀芯与阀套采用正搭叠量,在无电信号工况时,即使在开环回路中也可保证受控负载(如导叶接力器)可靠的锁定,这一点对水轮机调速器来讲是至关重要的。传统的电液转换器在稳态时(固定负荷运行时)通常耗油量均在3L/min左右,而电液比例控制阀中位泄漏量在0.1L/min左右。

2.2 应用情况

这些年来,水轮机调速器中采用的直动式电液比例方向阀中,有独立控制的,也有作先导控制的。所谓独立使用就是用比例阀的输出直接驱动导叶接力器或喷针接力器。

我们认为,在一定的控制功率范围内,采用一级液压放大,电液随动系统的结构将大大简化。液压元件的减少,无疑可大幅度提高系统的可靠性。通常机组操作功在18 000N·m以下,操作油压在16.0MPa左右或冲击式机组的喷针控制系统,采用一级液压放大,比例阀直接驱动。如:云南绿水河二级电站的四喷针冲击式水轮机组,就是采用四只电液比例阀直接控制四个喷针接力器,自1998年改造投运至今,运行稳定、可靠。迄今,应用直动式电液比例方向阀独立驱动的调速器已有近百台在电站运行。

在大型调速器中,比例阀作为电气与液压的接口元件实现电液转换。图1为武汉长江控制设备研究所研制的水轮机调速器电液随动系统原理框图。

从图1中我们可以看到,由于主配压阀采用了新的结构,与电液比例阀构成了一个非常有特点的电液随动系统。传统的主配压阀辅助接力器的控制是靠先导级引导阀传递机械位移输入和机械位移反馈,即使是采用流量式输出电液转换器,亦是通过转换后以机械位移方式驱动主配压阀的先导级控制液压系统的。而新主配压阀的主要特点是,先导级引导阀被固定于中位,辅助接力器的控制采用液压(流量)输入和液压(流量)反馈,构成液压内反馈。因而,电液比例阀很方便地实现了对液压系统的流量和方向控制,无须任何杆件和中间伺服缸,电液随动系统得到很大的简化,易于系统集成。

由此可见,在水轮机调节行业,将比例阀这样成熟的技术移植过来,提高了电液随动系统采用液压行业通用标准件和集成化程度,非常有利于水轮机调节技术的进步和发展。自1996年以来,电液比例控制阀控制式调速器在大型调速器(主配压阀 $\Phi80$、$\Phi100$、$\Phi150$)上

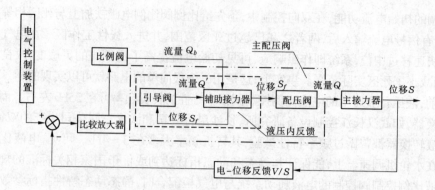

Q_b—比例阀输入流量；Q'—辅助接力器反馈流量；Q—电液随动系统输出流量；

S_f—辅助接力器位移；S—主接力器位移

图1 水轮机调速器电液随动系统原理框图

已得到广泛应用。各项性能指标优于国家相关标准的规定。

3 电/机转换器

用电机(步进电机、直流伺服电机、交流伺服电机、摆动电机等)控制的水轮机调速器，是一种采用无油结构电/机转换器作为电液转换部件的。它不但发挥了电机技术的优势，同时彻底规避了油液污染问题，可以说，在很大程度上提高了可靠性。因此，在大中型水电站得到广泛应用。

目前，用电机(步进电机、直流伺服电机、交流伺服电机、摆动电机等)作为电液转换部件的电/机转换器，有两种不同的系统结构形式，一种是中间接力器型系统，另一种是电液随动型系统。比如，电机本身不具有复中元件特性，没有确定中位，而主配压阀则是复中元件。因此，不具备复中能力的电/机转换器在系统中不能直接取代电液转换器，而是替代中间接力器。然而，中间接力器型系统并非为水轮机调节系统的最佳模式。自复中电/机转换器的研制成功，才使电机控制的优势在水轮机调速器中得到充分发挥。

武汉长江控制设备研究所研制的自复中电/机转换器，主要由电气、机械传动和复中机构三大部分组成。其中电气部分为交流伺服电机，设置在上部；机械传动为滚珠螺旋副，设置在中部；复中机构为单弹簧复中机构，设置在下部。最大特点是：当电源消失后能靠单弹簧自复中机构自动复中(恢复平衡位置)；与液压放大机构构成电液随动装置，完全是在常用的电液转换器方式下工作；无油控制。

3.1 适宜性

初次接触电机控制的调速器时，一般都认为电机惯性大，采用它进行控制的调速器速动性较差。为说明这个问题，我们将电/机转换器的几项动态特性参数与公认速动性很好的电液转换器控制的调速器相比较。

例如时间常数：在电/机转换器中，由于采用多线大导程滚珠螺旋副实现将电机的旋转运动转换成直线位移，电机转120°即可使下一级引导阀走完全行程。若设置伺服电机的转速为每秒走四圈，走120°则需要0.11s，那么引导阀和主配压阀走完全行程亦是0.11s。然而，在常用的电液转换器方案里主配压阀运动全行程约为0.2s(实验测定)。实际上，用伺服电机作为电液转换部件,其运动速度比通常的电液伺服阀(双锥型和环喷型)要快。

又如频率特性:在研制过程中,我们用做电液转换器频率特性试验类似方法对用交流伺服电机组成的电/机转换器进行了频率特性测试,测试时被测装置带 20kg 重物作负载,结果其转折频率为 2.9Hz,如图 2 所示(图 3 为电液转换器的频率特性)。

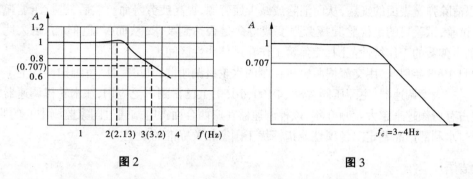

图 2   图 3

将伺服电机作为电液转换部件与电液转换器的频率特性进行比较和分析,由图 2、图 3 所示频率特性曲线可见,由交流伺服电机组成电/机转换器的动态特性参数与常用的电液转换器的动态特性参数相当,那么其速动性指标完全可以满足调速器的基本要求。

此外,我们知道,对于水轮机调速器的电液随动系统,由于系统中其他环节的惯性时间常数比电液转换器的大得多,不会因为选用了频率响应极高的电液伺服阀而使电液随动系统的速动性有显著的提高。而在自动控制系统中,为提高系统的抗干扰能力,有时还必须人为地降低某些部分(或环节)的响应速度。在大型的电液随动系统中,由于控制油管长,存油量大,主配压阀开启和关闭太快,会产生液压系统中不能容允的油锤。因此,必须限制液压系统中某些部件的反应速度。可见,在水轮机调速器中电液转换部件的频率响应速度不是越高越好。

3.2 应用情况

交流伺服电机组成自复中电/机转换器的电气部分,采用日本松下公司生产的 MINAS 全数字式交流伺服电机和交流伺服驱动器驱动。其中,交流伺服驱动器是一个功能强大、控制方式灵活、适合多种用途的驱动装置,同时它本身带有 CPU 和人机交互界面,可以对其控制方式及参数进行设置和修改,满足不同工况下调速系统的速动性和稳定性的要求,以求达到最优控制;而交流伺服电机带有绝对编码器,控制精度高、输出力矩大、力矩特性好、惯量小,而且结构坚固、简单。

机械部分包括机械传动机构和自复中机构。其中机械传动机构,是通过滚动丝杠副把电机的旋转运动转换成直线运动的重要环节。我们选择了由韩国 TAIJNG(太敬)直线运动系列经销商提供的由德国生产的滚珠丝杠副。滚珠丝杠副的结构形式是在丝杠轴和螺母之间塞进了钢珠,这些钢珠在螺纹道槽中循环滚动。其特征有:①是动的球接触,启动力矩小,可在低速下点动作精细的微动操作;②精选材料(螺母和丝杆材料为铬钼合金钢)和优化热处理(渗碳后淬火硬度达 HRC58~62),具有出色的耐久性;③滚动的球接触,润滑简单,在正常运行条件下,只需定时加润滑脂;④因为是滚动的球接触,传动效率极高(通常>90%),直线运动很容易转换为旋转运动。由此可见,滚珠丝杠副所有特征保证了电/机转换器在转换过程中运动传递的可靠性和精确性。

　　自复中机构设置在电－机转换器的下部,其中关键零件是用于复中的压缩弹簧。首先,该压缩弹簧的材料采用合金弹簧钢丝,因为恒弹性合金热膨胀系数很小,弹性模量在－50～＋100℃之间基本无变化。热处理工艺除了进行消除应力回火处理外,表面还进行喷丸处理,以清除弹簧表面的疵病,从而消除或减少疲劳源,提高疲劳寿命。然后,进行压缩弹簧的疲劳试验,试验目的是检验其疲劳强度或寿命是否达到要求,从而保证弹簧的耐久性。其次,确定弹簧的工作特性范围,使弹簧工作在最佳线性区间。

　　自 1998 年以来,用交流伺服电机控制的水轮机调速器,其可靠性、可维护性均上了一个台阶。在大型调速器(主配压阀 $\Phi80$、$\Phi100$、$\Phi150$)上已得到广泛应用,在水轮机调速器的市场中占有份额越来越大。2000 年,该种调速器在广西合面狮电站通过国家监测中心的测试,并通过水利部产品鉴定。各项性能指标优于国家相关标准的规定。

4　结语

　　以上分别介绍了水轮机调速器中不同结构的三种电液转换元件,是笔者的一些认识和体会。下面将电液转换器、电液比例阀和电/机转换器的基本性能、特点和与电气配合静态、动态指标做一综合比较,见表1。

　　在应用中,最适合的就是最好的。

表1　三种电液转换元件的特性及其比较

名　称	电液转换器	电液比例阀	电/机转换器	备　注
结构	复杂	简单	较简单	
自身中位死区	无	有	无	
转速死区 i_x(%)	0.012～0.03	0.012～0.03	0.012～0.03	与电柜配合
频宽(Hz)	3～4	10～25	3～4	
不动时间(s)	0.14～0.16	0.14～0.16	0.14～0.16	与电柜配合
耗油量(L/min)	3	0.1	无	
抗污染能力	较强	较强	极强	
应用油压等级	较低	高	高	

注:表中电液转换器系指水轮机调速器专用。

参 考 文 献

[1] 黎启柏.电液比例控制与数字控制系统 . 北京:机械工业出版社,1997

[2] 秦忆,等.现代交流伺服系统 . 武汉:华中理工大学出版社,1995

[3] 王丽娟,吴应文,等.交流伺服控制式 PLC 水轮机调速器的研究与实践 . 水力发电,2001(4)

[4] 郭建业,等.巨型水轮机调速器比例集成式电液随动系统 . 长江科学院院报,2000(1)

水轮机电液调速器及电/机转换器的频率特性

吴应文　吴浩洋

(武汉长江控制设备研究所)

1　问题的提出

　　描述水轮机调速系统动态特性,除了传递函数以外,还常用幅相频率特性,根据绘制在复平面里的开环系统幅相频率特性曲线来判断闭环系统的稳定性及动态品质。画在对数坐标里的幅频和相频特性曲线(波德图)常用来分析调速系统的稳定性及稳定裕量。但是,目前获得调速系统及装置对数频率特性的途径,通常是把调速系统中各环节当做一阶惯性、二阶振荡、一阶微分、比例等典型环节,忽略一些次要因素,用理论计算的方法求取典型环节的特征参数。这样得到调速系统或装置的对数频率特性我们称之为该系统或装置的理论频率特性。它与系统或装置的实际频率特性有多大的误差,一直是我们想探讨的问题。笔者曾在水电站对安装在水轮机上的电液调速器的频率特性进行了一次实测,并将该调速器实测对数频率特性与理论对数频率特性作了对比,得到了一些有益的启示。

　　此外,近来水轮机调节行业内,一直对用伺服电机做成的电/机转换器的速动性十分关注。为此,笔者用过去做电液转换器特性的方法,对用伺服电机构成的电/机转换部件的频率特性进行了实测,本文将介绍实测的结果。

2　水轮机电液调速器频率特性测试

2.1　被试电液调速器描述

　　被试调速器为安装在湖北陆水电站三号机组的 JST－100 型双调集成电路电液调速器。

调速器系统结构:电子调节器加电液随动系统结构。

电子调节器:串联式 PID 调节器(集成电路)。

传递函数:

$$W_T(S) = \frac{(1 + T_n S)(1 + T_d S)}{b_t T_d S}$$

参数范围:b_t 为 1%～110%,T_d 为 2～20s,T_n 为 0～3s。

电液随动系统:由放大器、电液转换器、液压放大器、主配压阀、主接力器和位移传感器组成。

电液随动系统的传递函数:

$$W_D(S) = \frac{1}{T_N S + 1}$$

主配压阀直径:100mm;

行程:±12mm;

主接力器：$2 \times \phi 350$mm $S_a = 410$mm；

工作油压：25kg/cm^2。

2.2 测量仪器及接线描述

调速器频率特性测试接线图如图1所示。

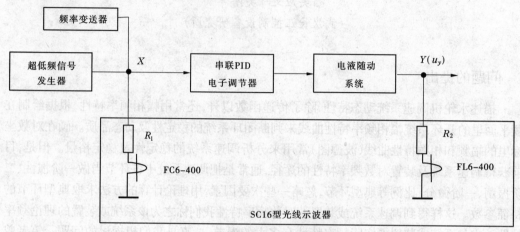

图1 调速器频率特性测试接线图

试验用仪表有：XFD－8型超低频信号发生器；SC16型光线示波器；SBD－6型超低双线示波器(监视用)。

2.3 调速器对数频率特性测试方法

(1)机组进水门关闭，蜗壳水排空，调速器接力器带实际导水叶。投入工作油压，调速器处于自动运行工况。

(2)切除调速器频率变送器，用超低频信号发生器的信号代替调速器测频输出信号，作为调速器的输入信号，并用 FC6－400 示波器振子记录该信号。同时，用另一 FC6－400 示波器振子记录调速器接力器(从接力器位移传感器接出)信号，此信号为调速器的输出信号。

(3)调整输入信号和输出信号光点的灵敏度，使输入信号 $X = 0.1$ 时和输出信号 $Y = 1$ 时两信号光点偏移量相等。

(4)整定调节器参数：例如，$T_n = 0.5$s，$b_t = 0.5$，$T_d = 4$s，$b_p = 0$。

(5)当超低频信号发生器输出信号为零时，用频率整定装置将接力器开度移动到50%左右，然后，将超低信号发生器以不同频率信号输入，控制输入信号的幅值，使输出信号波形保持为正弦波不畸变。拍摄不同频率下的输入和输出信号波形。

(6)根据拍摄的示波图，测量并计算各种频率下输出信号与输入信号幅值的比值，$A^1(\omega) = \dfrac{A_{出}(\omega)}{A_{入}(\omega)}$，折算成调速器输出与调速器转速信号的比值 $A(\omega) = \dfrac{Y(\omega)}{x(\omega)} = A^1(\omega) \times 10$。同时，从示波图上求取输出与输入正弦波信号的相角差 $\phi(\omega)$。数据列入表1。

(7)将按典型环节及整定的参数计算出理论频率特性也列入表1。

表1

周期	T(s)	40.2	30.2	20.0	16.0	12.0	10.1	8.0	6.0	4.0	3.0	2.0	1.0	0.5
角速度	ω(rod/s)	0.16	0.21	0.314	0.39	0.52	0.62	0.78	1.05	1.57	2.09	3.14	6.22	12.57
实测值	$A^1(\omega)$	0.366	0.32	0.286	0.27	0.32	0.33	0.37	0.47	0.66	0.81	1.14	1.62	1.9
	$A(\omega)$	3.7	3.2	2.9	2.7	3.2	3.3	3.7	4.7	6.6	8.1	11.4	16.2	19
	$20\lg A(\omega)$	11.4	10.1	9.2	8.6	10.1	10.4	11.4	13.4	16.4	18.2	21.2	24.0	25.6
	$\phi(\omega)$	$-35.8°$	$-26.0°$	$-7.13°$	0	17.7°	24.7°	37.77°	41.3°	52.7°	46.5°	44.8°	21.18°	
理论值	$A^1(\omega)$	3.96	3.38	2.86	3.01	3.21	3.44	3.8	4.70	6.5	8.10	10.8	15.0	18.0
	$20\lg A^1(\omega)$	12.0	10.6	9.1	9.5	10.1	10.6	11.6	13.4	16.3	18.2	20.8	23.2	25.2
	$\phi(\omega)$	$-40°$	$-29.0°$	9.3°	0	16.0°	23.0°	32.0°	40.0°	45.3°	47.3°	45.4°	32.1°	18.6°

注:调速器调节参数:$T_n=2$s,$T_d=4$s,$b_t=0.5$s,$b_p=0$,$T_N=0.3$s。

幅频特性:

$$A_{理}(\omega) = \frac{\sqrt{(T_d\omega)^2+1} \times \sqrt{(T_n\omega)^2+1}}{b_t T_d\omega \times \sqrt{(T_N\omega)^2+1}}$$

相频特性:

$$\phi_{理}(\omega) = -90° - \arctan T_N\omega + \arctan T_d\omega + \arctan T_n\omega$$

(8)按表1所列数据,作出调速器的实测对数频率特性曲线和理论对数频率特性曲线,如图2所示。

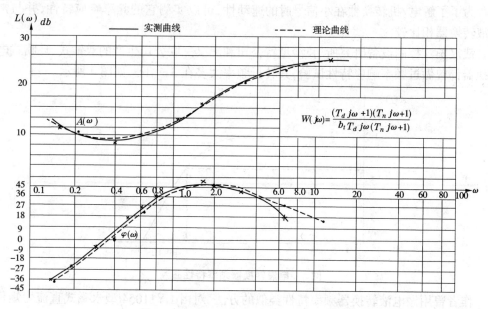

图2 电液调速器的对数频率特性曲线

3　用伺服电机构成的电/机转换器的频率响应特性

为了提高微机调速器的抗油污能力,提高可靠性,借鉴数控机床中电机驱动技术,采用伺服电机(步进式电机、直流伺服电机和交流伺服电机)、驱动电源和位置传感器构成的电/机转换器,作为微机调速器的电气机械转换部件,其系统原理框图如图3所示。初次接触电机控制的微机调速器时,一般都会认为电机惯性较大,采用它控制的微机调速器的速动性可能较差。实际上,用伺服电机做成的电气机械转换部件,在大扰动时,其运动速度比双锥型和环喷型电液转换器要快。从试验测得上述两种电液转换器的飞升特性(即输入加阶跃扰动,测量电液转换器输出位移的响应曲线)可知,常规电液转换器输出达到稳定值(3mm左右)的历时一般为 $0.15\sim0.2s$,据此可以计算出电液转换器输出运动的最大速度为: $V_{Dmax}=3mm/0.15s=20mm/s$。

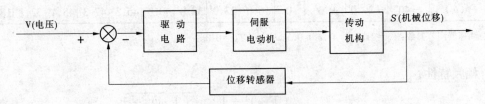

图3　电/机转换器原理图

而用伺服电机设计的电/机转换器,在阶跃扰动下,输出的最大运动速度可达到:输出位移100mm时,历时小于3s甚至更小,输出的最大运动速度为: $V_{Smax}\geqslant100mm/3s=33mm/s$。

显然,电/机转换器大波时运动速度较电液转换器要快。

为了了解电/机转换器在小信号时的速动性,可以实测它的频率响应特性,并与常规电液转换器相比较。

武汉长江控制设备研究所、长沙星特公司和武汉三联公司生产的双锥式、环喷式电液转换器都曾做过频率响应特性试验,其转折频率大多在 $3\sim4Hz$,如图4所示。

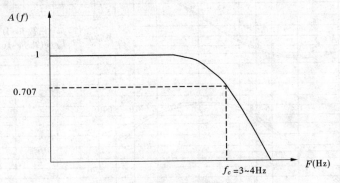

图4　电液转换器频率特性曲线

作者曾用做电液转换器频率特性类似的方法,对由 LY11054 型永磁式直流力矩伺服电机组成的电/机转换器的频率特性进行测试。当被试装置带 20kg 和 2kg 重物做负载时,实测数据详见表2、表3,图5、图6为上述两种负载下实测的频率特性曲线,其转折频率分别为2.9Hz和3.2Hz。可见,由直流伺服电机构成的电/机转换器的频率特性曲线,与常用的电液转换顺频率特性曲线及特征参数基本相同。说明它们具有基本相同的速动性。

表2 带2kg负载实测数据

仪器刻度	2.0	1.5	1.0	0.8	0.7	0.6	0.5	0.4	0.35	0.30
信号周期 $T(s)$	1.83	1.38	0.91	0.75	0.63	0.58	0.47	0.37	0.32	0.28
信号频率 $F(Hz)$	0.55	0.72	1.10	1.33	1.59	1.72	2.13	2.70	3.13	3.57
$A_入$	26	26	26	26	26	26	26	26	26	26
$A_出$	26	26	26	26	26	28	29	22	21	16
$K = A_出/A_入$	1.0	1.0	1.0	1.0	1.0	1.08	1.12	0.85	0.81	0.62

表3 带20kg负载实测数据

仪器刻度	2.0	1.0	0.8	0.7	0.6	0.5	0.4	0.35	0.3
信号周期 $T(s)$	2.0	1.0		0.63	0.54	0.46	0.36	0.32	0.27
信号频率 $F(Hz)$	0.5	1.0	1.25	1.59	1.85	2.17	2.78	3.13	3.70
$A_入$	26	26	26	26.5	26	26	26	26	26
$A_出$	26	26	26	26	26	24	18.5	17.0	14.5
$K = A_出/A_入$	1.0	1.0	1.0	1.02	1.0	0.92	0.71	0.65	0.56

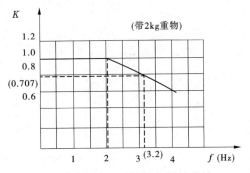

图5 电/机转换器频率特性曲线

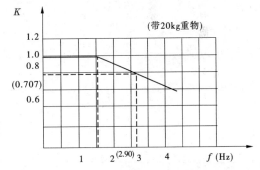

图6 电/机转换器频率特性曲线

4 结语

(1)图2所示调速器对数频率特性是从电站投入使用的电液调速器上实测的结果。实测的调速器对数频率特性与理论计算的对数频率特性十分接近,误差发生在频率特性的高频区。试验结果表明,参数设置较准确的集成电路电液调速器和微机调速器的理论频率特性与实际频率特性误差不大。

(2)对用伺服电机构成的电/机转换器频率特性实测数据表明,电/机转换器的频率响应与常规电液转换器的频率响应特性相近,它们的速动性基本相同。

参 考 文 献

[1] [日]绪方胜彦.现代控制工程.卢伯英等译.北京:科学出版社,1978
[2] 吴应文,郭建业.新型水轮机电液调速器的研究与试验.水力发电,1982(2)
[3] 沈祖诒.水轮机调速器参数最佳整定——频率响应法.华东水利学院学报,1984(1)

高油压调速器

郭建业 郭 恩 王党生

(武汉市汉诺优电控有限公司)

1 电液调速器需要现代液压技术

水轮机调速器产生于 19 世纪末期,经历了由机械液压调速器(以下简称机调)向电液调速器(以下简称电调)发展的漫长历程,到 20 世纪八九十年代,电调已十分成熟,成为水轮机调速器的主流产品。

电调的电气部分善于及时应用电子行业的新技术、新产品,几乎与电子技术同步发展。无论是电子管、晶体管、集成电路,还是微机和可编程控制器(PLC),往往是问世不久,就在水轮机电液调速器上得到了应用。

而电调的机械液压部分却基本处于停滞状态,液压元件与数十年前的机调一样,依然是单件、小批量的生产模式;工作油压仍然维持在 2.5MPa 或 4.0MPa 的低压水平上,与现代液压技术存在着巨大差距。众所周知,现代液压技术与电子技术一样,拥有大量先进而成熟的技术成果。如液压元件品种齐全,标准化、系列化程度高,均为大批量工业化生产;特别是其工作油压较高,在冶金、矿山、起重、运输及工程机械等行业中,工作油压早已达到 16~31.5MPa。

从本质上讲,正是由于没有及时吸收、应用液压行业的新技术、新产品,才导致了电调机械液压部分的停滞和落后状态。因此,只有更好地吸收、应用液压行业的新技术、新产品,才能使电调机械液压部分加快技术进步,实现产品的更新换代。

2 高油压调速器的产生及发展

基于上述认识,作者自 1994 年起,开始研制以电液比例控制及标准液压件为特征、工作油压为 16MPa 的高油压电液调速器。1997 年初,第一台工作油压为 16MPa、操作功为 50 000N·m 的高油压电液调速器在四川都江堰的双柏电站投入运行,接着又有五台同型号的高油压调速器陆续在重庆市的赶场电站和鱼背山电站投入运行。1999 年该型高油压调速器通过部级鉴定,并于 2000 年获得水利部科技进步三等奖。与此同时,该调速器的关键技术"电液比例随动装置"还获得了国家专利(专利号:95-2-080331)。

高油压调速器一面世,便以其高性能、高可靠性、高性价比等显著的技术经济优势赢得了用户和市场,迅速得到推广。短短数年间,初步形成了自 3 000N·m 到 50 000N·m 的各型中小型高油压调速器产品。截止到 2003 年底,已有数百台中小型高油压调速器在全国各地电站投入运行,且已出口国外。受到用户、设计院、主机厂家及安装单位的一致好评,显示了强大的生命力。

3 高油压调速器的主要特点

充分采用液压行业中先进而成熟的技术成果,是高油压调速器的主要特点。传统的水轮机调速器及油压装置,工作油压低,采用价格很高的螺杆泵及小批量生产的非标液压件,体积大,用油量大。高油压调速器的工作油压定为 16MPa,全面采用了液压行业的各类先进而成熟的标准产品。在压力油源部分,采用了高压齿轮泵、滤油器、囊式蓄能器及相应的液压阀;在控制部分采用了电液比例阀、工程液压缸及其他各类液压件;在结构上采用了液压集成块和标准的液压附件。可以说,高油压调速器已完全融入了当今液压行业和现代液压技术之中。

4 高油压调速器的技术经济优势

与传统的低油压调速器及油压装置相比,高油压调速器具有十分显著的技术经济优势。主要有以下几方面:

(1)高油压调速器应用了电液比例随动装置等现代电液控制技术,减少了调速器的液压放大环节,结构简单,工作可靠,具有优良的速动性及稳定性。

(2)高油压调速器的液压元器件标准化、专业化、国际化程度高,均为大批量工业化生产,具有强大的技术支撑和可靠的质量保证体系,在国内外市场均有丰富的硬件资源。不仅确保了产品质量,也为采购备品备件提供了便利。

(3)高油压调速器的工作油压高,因而体积小、重量轻,用油量也少得多,使电站布置方便、美观。

(4)采用囊式蓄能器储能,胶囊内所充氮气与液压油不直接接触。这不仅使油质不易劣化,延长液压油使用寿命;更重要的是囊式蓄能器胶囊密封极为可靠,氮气极少漏失,检修期内一般不需补气。需要时,使用随机供货的补气装置和瓶装氮气可方便地进行补气。由于囊式蓄能器的突出优点,既免除了电站运行中的补气工作,又可使电站不须设高压空气系统,省去相应的副厂房,使电站建设节约一笔可观的投资。

5 加快大型高油压调速器的推广应用

2002 年,武汉市汉诺优电控有限公司在我国率先研制成功 GKT - 80 型大型单调节高油压调速器(操作功为 80kN·m),并于 2003 年 5 月在福建安溪县水闸桥电站三台机组上先后投入商业运行,运行情况良好,受到用户好评。目前,用于转桨式水轮机的大型双调节高油压调速器,尚有若干技术难点,需作进一步的研究;但大型单调节高油压调速器已经形成系列产品,跨入了水电建设的广阔市场。

大型单调节高油压调速器,以液压缸(即接力器,下同)的额定操作功(kN·m)作为其工作容量的特征值。目前共有 GKT - 80、GKT - 100、GKT - 150 三种规格,其操作功分别为 80kN·m、100kN·m、150kN·m。

大型高油压调速器具备高油压调速器的全部优点,而且,调速器的容量越大,体积、重量的减少和性价比的提高就越显著。在大型高油压调速器的生产中,不仅调速器及油压装置(高压油源)由调速器厂家供货,液压缸及高压软管也由调速器厂家供货,与常规油压调速器相比,具有明显的价格优势。

大型高油压调速器安装方便,布置美观。导叶接力器(液压缸)直径显著减小,有利于水轮机导水机构的设计和水轮机室的布置。对于混流及轴流定桨的立式机组,液压缸直接与控制环连接,布置于水轮机层;调速柜推荐采用电气柜和机械液压柜分离方案,电气柜布置于发电机层,机械液压柜则靠近液压缸布置于水轮机层。这样既可缩短油管长度,又利于运行管理。调速柜如为机电合一柜,则应布置于发电机层。

综上所述,高油压调速器面世近十年来,显示了强大的生命力,成为现代调速器机械液压部分发展的一种趋势。大力加快高油压调速器、特别是大型高油压调速器的推广应用,是高油压调速器发展面临的迫切任务。

无油自复中电/机转换器的调速器在电站的应用

向家安　李　红　张新华

（武汉事达电气股份有限公司）

采用新型无油自复中电/机转换器的调速器是最近几年开发出的产品。由于其取消了机械硬反馈，以及电转部分采用了无须用油的滚珠丝杠副，形成了结构更加简单、用户维护方便、无静态耗油等诸多优点的电/机转换器。目前已经广泛运行在中小型水电机组。但是，由于该类型调速器无机械硬反馈装置和主配压阀搭叠量加大，与传统的调速器存在着较大的差别，在大型水电站(200MW)以上的机组还是空白。笔者经过参与现场调试，总结如下。

1 自复中机械原理及其特点

1.1 自复中机械原理

无油自复中电/机转换器结构原理如图1所示，主要分以下三部分：伺服电机(1)、联轴套(14)、滚珠丝杆为第一部分；丝杆螺母与输出杆(5)为第二部分；复位弹簧(10)、锁紧螺母(6)、弹簧座(11)为第三部分。

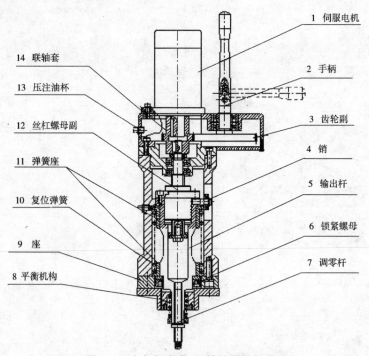

图1　无油自复中电/机转换器结构原理

机械系统采用了较大螺距的滚珠丝杠螺母副作传动机构，将伺服电机的角位移转换为输出杆的直线位移。传动精度、效率高,不会自锁。电机与滚珠丝杠通过联轴器套相连,丝杠螺母与输出杆相连,当调速器系统因事故或故障切换至手动运行时,伺服电机驱动停止工作,此时转动力矩消失,在复位弹簧的作用下,驱使输出杆自动回复到中间位置,相应地主配压阀的活塞回复到中位,同时接力器也就能停止并保持在当时的开度位置。机械手动操作是通过转动手柄来实现的。在自动状态时手柄处于垂直状态,需要手动操作时,轻轻地按下手柄,使之呈水平状态,然后顺时针或逆时针转动手柄,从而实现接力器的开启和关闭。

1.2 无油自复中电/机特点

(1)无须用压力油操作,避免了油液带来的冲击、泄漏、腐蚀等危害,并简化了主配压系统的油路。减少了液压系统的故障。

(2)主要部件采用的是滚动丝杆副传动。滚动丝杆副几乎无间隙的传动、极小的滚动摩擦系数,决定了其传动精度高、传动效率高,有利于提高调速器的动态性能。

(3)断电时在复位弹簧的作用下无须反馈机构的反馈,输出轴自动回复到中间位置,继而接力器停止并保持在当时的开度,简化了机械结构,确保了机组的安全。

(4)手操机构简单,操作方便,容易实现机械手动运行。

(5)设计有平衡机构,克服了主配压阀中引导阀向上的弹簧力,使得伺服电机减小了向下的驱动功率,并与向上的驱动功率保持一致。

2 电气工作原理及传递函数

2.1 电气工作原理

微机综合数字信号经数字(专用的定位模块)转换为频率固定的脉冲信号(0~180kHz)给伺服电机驱动器,此脉冲信号的数值定义了伺服电机的位置,其值为零时证明主配压阀为平衡位置接力器不会产生位移。驱动器控制输出三相电流(变频但电压不变)使伺服电机产生角位移,此角位移驱动滚珠丝杠使之转换为直线位移,经过引导阀一级液压放大,驱动主配压阀移动,产生足够的液压操作力,控制接力器来调节水轮机的导叶开度。

图2为电气工作结构图。

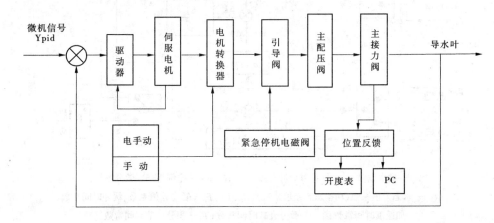

图2

2.2 伺服控制系统

伺服控制系统选用 Panasonic 公司的 MINAS A 系列产品。该伺服控制系统驱动器部分与伺服电机之间形成独立的控制闭环系统,采用编码器作为检测元件,具有定位精度高、响应迅速、控制力矩大等诸多优点。

其主要参数如下。

控制电源:AC220V±10% 允许频率变化±5%,DC220V±15%;

控制系统:IGBT PWM 控制(正弦波控制);

编码器:旋转编码器,增量式,11 线,2500 脉冲/转;

位置控制:最大输入脉冲频率线驱动器为 500kpps,集电极开路为 200kpps;

指令方式:CW/CCW;

方式:线驱动器和集电极开路;

通信:PS232C 与 RS485,最大 16 轴;

保护功能:欠压、过压、过流、过载、再生放电、编码器出错、位置偏差、过速、指令脉冲分倍频错误、偏差计数器出错、驱动禁止输入错误,等等;

频率响应:500Hz。

2.3 PID 结构及传递函数

其 PID 结构采用并联 PID 算法,测频回路运用残压和齿盘测频方式,两种测频方式互为备用,当其中一套发生故障时,自动切换至备用方式。调速器在发电工况时增加了开环增量调节±$\Delta Y(\Delta P)$,使其在增/减负荷时直接和 PID 相加,以使快速、准确地带上负荷。并联 PID 结构如图 3 所示。

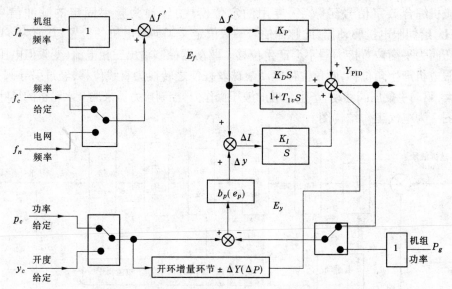

Δf—频率偏差;Y_{PID}—计算导叶开度;K_P、K_I、K_D—比例、积分、微分系数;

$b_p(e_p)$—永态差值系数(功率永态差值系数);B_t、T_d、T_n—暂态差值系数、缓冲时间常数、

加速度时间常数;T_{1v}—微分衰减时间常数;T_y—积分环节时间常数

图3

机组频差 $\Delta F(S)$ 至计算导叶开度 $Y_{\mathrm{PID}}(S)$ 的传递函数

当取 $b_p = 0$ 和忽略 T_y/T_{1v} 的作用时,传递函数如下:

$$\frac{Y_{\mathrm{PID}}(S)}{\Delta F(S)} = K_P + \frac{K_I}{S} + \frac{K_D S}{1 + T_{1v}S} = \frac{T_d + T_n}{b_t T_d} + \frac{1}{b_t T_d}\frac{1}{S} + \frac{\frac{T_n}{b_t} \cdot S}{1 + T_{1v}S}$$

3 现场投运及试验结果

3.1 静特性试验

试验方法:常规方法;

相临两点间的频差:0.24Hz;

试验条件:无水试验,调速器假合油开关,调速器切频率模式;

试验参数:调速器 $b_p = 6\%$,$b_t = 5\%$,$T_d = 2s$,$T_n = 0s$;

试验结果:转速死区 $i_x = 1.0‰$(国家标准 4‰),

　　　　永态转差系数 $b_p = 5.7\%$,

　　　　开机方向非线性度 13.0‰,

　　　　关机方向非线性度 13.6‰。

试验结果分析:由于机械部分无机械硬反馈,即取消了传统的钢丝绳反馈和回复机构。传统的电液转换由于被滚珠丝杠所取代,其自身所带的机械死区已近似为 0。

3.2 空载扰动试验

试验方法:频率给定施加 ±8% 额定频率的阶跃;

试验条件:机组开机未起励,调速器试验状态,调速器机械开限及电气开限至 30%;

试验参数:$b_p = 6\%$,$b_t = 40\%$,$T_d = 10s$,$T_n = 1.5s$;

试验结果:+8%(+4Hz)阶跃扰动(48Hz→52Hz) 超调量 0%,调整时间 $t_p = 28.2s$,

　　　　−8%(−4Hz)阶跃扰动(52Hz→48Hz) 超调量 0%,调整时间 $t_p = 32.8s$。

试验结果分析:根据现场设计提供的参数:$T_a = 9.5s$,$T_w = 3.5s$。设计要求调整时间小于 $15T_w$ 即 52.5s,超调量不大于扰动量的 30%(1.2Hz)。以上测试结果完全满足要求。

3.3 空载频率摆动试验

试验方法:连续 3 次 3 分钟频率摆动测量;

试验条件:机组开机未起励,调速器试验状态;

试验参数:$b_p = 6\%$,$b_t = 40\%$,$T_d = 10s$,$T_n = 1.5s$;

试验结果:第一次,最高频率 $f_{\max} = 50.040\mathrm{Hz}$,最低频率 $f_{\min} = 49.950\mathrm{Hz}$,摆动值 0.09%,

　　　　第二次,最高频率 $f_{\max} = 50.042\mathrm{Hz}$,最低频率 $f_{\min} = 49.954\mathrm{Hz}$,摆动值 0.088%,

　　　　第三次,最高频率 $f_{\max} = 50.042\mathrm{Hz}$,最低频率 $f_{\min} = 49.948\mathrm{Hz}$,摆动值 0.094%;

试验结果分析:频率摆动值明显优于国家标准0.15%。

3.4 甩负荷试验

甩25%负荷:不动时间0.17s。

试验结果分析:由于选用了响应时间更快速的交流伺服电机和取消机械反馈和回复机构,测至主接力器的不动时间优于国家标准的0.2s。

4 结语

由于电转部分不需要用油,其静态耗油量等于0。在空载稳定运行时(无起励),其油泵启动间隔时间达到58min(平均测量结果)。发电工况时(无负荷调整),油泵启动间隔时间达到8h(平均测量结果)。有效地延长压油泵的启动间隔时间,使油泵寿命得以延长,提高了经济效益。产品的调节品质明显达到或优于国家标准。由此证明:自复中电/机转换器型调速器完全可以运用于大型水电站机组。

参 考 文 献

[1] 魏守平.现代水轮机调节技术.武汉:华中科技大学出版社,2002
[2] 李晃.并联PID水轮机调速系统静态特性.大电机技术,1992(2)
[3] 魏守平,罗萍.水轮机调速器的PLC测频方法.水电能源科学,2000(4)
[4] 沈祖诒.水轮机调节.北京:水利电力出版社,1988
[5] MODICON TSX系列PLC硬件手册.Schneider公司

步进式冗余调速器的可靠性设计

吕桂林　陈启明　徐建文

（武汉四创自动控制技术有限责任公司）

随着水电站"无人值班（少人值守）"的实施,调速器的可靠性已成为衡量其质量的重要指标之一。调速器的可靠性是指调速器在规定的条件下,在规定的时间内完成规定功能的能力。若采用定量定义,就是指调速器在时间 t 内不失效的概率 $P(t)$。可靠性是介于固有技术和管理科学之间的一门新兴的边缘学科,具有技术与管理的双重性,是可建立的、可分配的,也是可验证的。要提高调速器的可靠性必须从技术和管理两方面从严要求,可靠性设计决定了系统的固有可靠性,严格的质量管理体系可以使产品不会因人为因素而降低可靠性,"产品的可靠性是设计出来的,生产出来的,管理出来的"。近年来,世界各发达国家已把可靠性技术和全面质量管理紧密地结合在一起,有力地提高了产品的可靠性。作为水电设备生产厂家,必须树立"以质量求生存,求发展"的观点,把可靠性和产品性能同等看待,将可靠性要求纳入产品指标体系,建立可靠性的考核要求和办法。在这里只讨论水轮机调速器硬件结构的可靠性设计。

1 可靠性模型

步进式冗余调速器是以两套完全相同的、互为主/备用的步进式无油电转作为电液转换机构,以两套配置相同的可编程控制器(PLC)作为调速器控制核心,以两套相同型号的绝对式光电编码器作为主接力器反馈的调速器,其功能框图见图1。

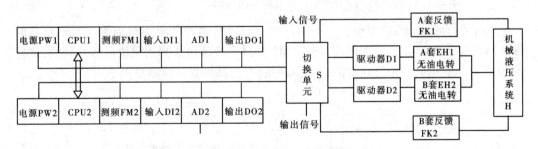

图1　步进式冗余调速器功能框图

根据调速器功能框图,其可靠性逻辑关系可用如图2所示的任务可靠性结构模型表示。

此可靠性模型为可修复混合式容错系统。为了讨论方便,假定组成系统单元的寿命和维修时间的分布均为指数分布,每个单元处于什么状态是相互独立的。

步进式冗余调速器的电源分系统和接力器反馈分系统分别配置两套完全相同的模块,构成可修复并联系统[1],电源分系统可靠度为:

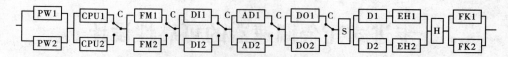

图2 步进式冗余调速器任务可靠性结构模型

$$R_{pw}(t) = \frac{b_d \mathrm{e}^{-a_d t} - a_d \mathrm{e}^{-b_d t}}{b_d - a_d} \tag{1}$$

平均无故障工作时间为：

$$MTBF_{pw}(t) = \int_0^{+\infty} R_{pw}(t)\mathrm{d}t \tag{2}$$

这里，$a_d = \dfrac{1}{2}\left[3\lambda_d + u_d - \sqrt{\lambda_d^2 + 6\lambda_d u_d + u_d^2}\right]$;

$b_d = \dfrac{1}{2}\left[3\lambda_d + u_d + \sqrt{\lambda_d^2 + 6\lambda_d u_d + u_d^2}\right]$;

$1/u_d$ 为电源的平均修复时间；λ_d 为电源的失效率。

接力器反馈分系统可靠度为：

$$R_{fk}(t) = \frac{b_f \mathrm{e}^{-a_f t} - a_f \mathrm{e}^{-b_f t}}{b_f - a_f} \tag{3}$$

平均无故障工作时间为：

$$MTBF_{fk}(t) = \int_0^{+\infty} R_{fk}(t)\mathrm{d}t \tag{4}$$

这里，$a_f = \dfrac{1}{2}\left[3\lambda_f + u_f - \sqrt{\lambda_f^2 + 6\lambda_f u_f + u_f^2}\right]$;

$b_f = \dfrac{1}{2}\left[3\lambda_f + u_f + \sqrt{\lambda_f^2 + 6\lambda_f u_f + u_f^2}\right]$;

$1/u_f$ 为反馈的平均修复时间；λ_f 为反馈的失效率。

正常运行时，双 PLC 中一个主用，另一个热备用，两者之间实时通讯。通讯正常时，两套 PLC 的 CPU 模块、输入模块、输出模块、AD 采样模块和测频模块可相互替换，这样，双 PLC 分系统构成一个可修复的并－串联系统[1]，其可靠性模型见图3。

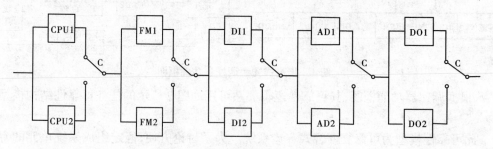

图3 双 PLC 可修复并－串联系统

其数学模型为：

$$R_{rpp}(t) = \prod_{i=1}^{5} \frac{\mathrm{e}^{-\lambda_c t}(b_i \mathrm{e}^{-a_i t} - a_i \mathrm{e}^{-b_i t})}{b_i - a_i}$$

这里，$a_i = \dfrac{1}{2}\left[3\lambda_i + u_i - \sqrt{\lambda_i^2 + 6\lambda_i u_i + u_i^2}\right]$；

$\qquad b_i = \dfrac{1}{2}\left[3\lambda_i + u_i + \sqrt{\lambda_i^2 + 6\lambda_i u_i + u_i^2}\right]$；

$1/u_i$ ($i = 1\sim5$)分别为每个模块的平均修复时间；

λ_i ($i = 1\sim5$) 分别为每个模块的失效率；

λ_c 为通讯模块的失效率。

当通讯模块故障时，两套 PLC 系统构成一个可修复的串 – 并联系统[1]，其可靠性模型见图 4。

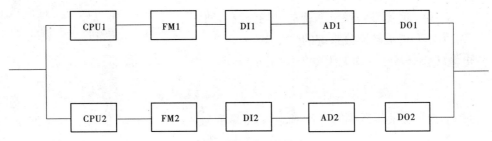

图 4 双 PLC 串 – 并联系统

其数学模型为：

$$R_{rps}(t) = \frac{b_k e^{-a_k t} - a_k e^{-b_k t}}{b_k - a_k}$$

这里，$a_k = \dfrac{1}{2}\left[3\lambda_k + u_k - \sqrt{\lambda_k^2 + 6\lambda_k u_k + u_k^2}\right]$；

$\qquad b_k = \dfrac{1}{2}\left[3\lambda_k + u_k + \sqrt{\lambda_k^2 + 6\lambda_k u_k + u_k^2}\right]$；

$1/u_k$ 为单套 PLC 系统的平均修复时间；

λ_k 为单套 PLC 系统的失效率。

利用全概率分解法可求得双 PLC 分系统数学模型[2]为：

$$R_{dplc}(t) = R_c(t) R_{rpp}(t) + [1 - R_c(t)] R_{rps}(t)$$

其中，$R_c(t) = e^{-\lambda_c t}$，为通讯模块的可靠度。分别将 $R_{rpp}(t)$、$R_{rps}(t)$、$R_c(t)$ 带入上式即可得双 PLC 分系统数学模型（可靠度）为：

$$R_{dplc}(t) = e^{-\lambda_c t}\prod_{i=1}^{5}\frac{e^{-\lambda_c t}(b_i e^{-a_i t} - a_i e^{-b_i t})}{b_i - a_i} + (1 - e^{-\lambda_c t})\frac{b_k e^{-a_k t} - a_k e^{-b_k t}}{b_k - a_k} \qquad (5)$$

双 PLC 分系统平均无故障工作时间：

$$MTBF_{plc} = \int_0^{+\infty} R_{dplc}(t)\mathrm{d}t \qquad (6)$$

设 λ_s 为切换模块的失效率，则其可靠度为：

$$R_s(t) = e^{-\lambda_s t} \qquad (7)$$

切换模块平均无故障工作时间：

$$MTBF_s = \frac{1}{\lambda_s}$$

电液转换分系统由步进电机驱动器和步进式无油电转构成一个可修复的串－并联系统[1]，其数学模型(可靠度)为：

$$R_{deh}(t) = \frac{b_l \mathrm{e}^{-a_l t} - a_l \mathrm{e}^{-b_l t}}{b_l - a_l} \tag{8}$$

这里，$a_l = \frac{1}{2}\left[3\lambda_l + u_l - \sqrt{\lambda_l^2 + 6\lambda_l u_l + u_l^2}\right]$；

$b_l = \frac{1}{2}\left[3\lambda_l + u_l + \sqrt{\lambda_l^2 + 6\lambda_l u_l + u_l^2}\right]$；

$1/u_l$ 为单套电液转换分系统的平均修复时间；

λ_l 为单套电液转换分系统的失效率。

电液转换分系统平均无故障工作时间：

$$MTBF_{deh} = \int_0^{+\infty} R_{deh}(t)\mathrm{d}t \tag{9}$$

设 λ_h 为机械液压系统的失效率，则其可靠度为：

$$R_h(t) = \mathrm{e}^{-\lambda_h t} \tag{10}$$

机械液压系统平均无故障工作时间为：

$$MTBF_h = \frac{1}{\lambda_h}$$

由于整个系统是由电源分系统、双 PLC 分系统、切换单元、电液转换分系统、机械液压分系统和接力器反馈分系统组成的一个串联系统，所以步进式冗余调速器的可靠性数学模型(可靠度)为：

$$R_{sys}(t) = R_{pw}(t)R_{dplc}(t)R_s(t)R_{deh}(t)R_h(t)R_{fk}(t) \tag{11}$$

步进式冗余调速器系统平均无故障工作时间：

$$MTBF_{sys} = \int_0^{+\infty} R_{sys}(t)\mathrm{d}t \tag{12}$$

只要将式(1)、式(3)、式(5)、式(7)、式(8)、式(10)代入上式即可进一步求得步进式冗余调速器的可靠度和平均无故障工作时间。由于表达式过长，这里就不一一列出。

2 可靠性指标分配

为了达到调速器所规定的可靠性指标，必须将其按照一定的分配原则和分配方法，合理地分配给每一个分系统、单元和元器件，使工程技术人员明确自己所负责设计的产品应该达到的可靠性指标，并将保证可靠性指标的措施应用到产品中去。

可靠性分配必须满足下面的基本不等式[2]：

$$f(R_1, R_2, \cdots, R_n) \geqslant R_S^*$$

式中：R_S^* 为系统的可靠性指标；$R_1, R_2, \cdots, R_n$ 为分配给 $1, 2, \cdots, n$ 个分系统的可靠性指标；$f(R_i)$ 为分系统的可靠性和系统的可靠性之间的函数关系。

在这里，我们采用工程加权分配法[2]，该方法除了考虑各单元重要性和复杂性外，还考虑多种因素,并将多种因素的影响用不同的加权因子表示。对于服从指数分布的串联结构模型系统的可靠性指标分配,其分配公式如下:

$$MTBF_j = \frac{\sum\limits_{j=1}^{N}\prod\limits_{i=1}^{n}K_{ji}}{\prod\limits_{i=1}^{n}K_{ji}}MTBF_s \tag{13}$$

式中:$MTBF_j$ 表示第 j 个单元平均无故障工作时间;$MTBF_s$ 表示系统平均无故障工作时间;K_{ji} 表示第 j 个单元第 i 个分配加权因子。

步进式冗余调速器可靠性模型可表示为电源分系统、双 PLC 分系统、切换单元、电液转换分系统、机械液压分系统和接力器反馈分系统的串联系统,如图 5 所示。假定步进式冗余调速器可靠性服从指数分布,则可通过式(13)为各分系统分配可靠性指标。

图 5　步进式冗余调速器的串联模型表示

在这里,我们主要考虑复杂因子、重要因子、环境因子、标准化因子、维修因子和元器件质量因子,分配以电源分系统为标准单元,其各项分配因子取 1,其他各项与电源分系统比较所得各加权因子取值如表 1 所示。

表 1

项目	电源分系统	双 PLC 分系统	切换单元	电液转换分系统	机械液压分系统	接力器反馈分系统
复杂因子	1	0.5	1	0.5	0.5	0.4
重要因子	1	1	1	1	1	1
环境因子	1	1.2	1	1.5	2	2
标准化因子	1	0.5	2	1	2	1.5
维修因子	1	2	2	1.5	2	1
元器件质量因子	1	0.5	1	0.5	2	1
$\prod\limits_{i=1}^{6}$	1	0.3	4	0.56	8	1.2
$\prod\limits_{j=1}^{6}$	15.06					

当我们确定了系统平均无故障工作时间 $MTBT_s = 50\,000h$ 且其可靠度呈指数分布时,由公式(13)可求得各分系统或单元的平均无故障工作时间:

电源分系统　$MTBF_{pw} = 15.06 \div 1 \times 50\,000h = 753\,000h \approx 86.0$ 年

双 PLC 分系统　$MTBF_{dplc} = 15.06 \div 0.3 \times 50\,000h = 2\,510\,000h \approx 286.5$ 年

切换单元　$MTBF_s = 15.06 \div 4 \times 50\,000h = 188\,250h \approx 21.5$ 年

电液转换分系统　$MTBF_{deh} = 15.06 \div 0.56 \times 50\,000h \approx 1\,344\,643h \approx 153.5$ 年

机械液压分系统　$MTBF_h = 15.06 \div 8 \times 50\ 000\text{h} = 94\ 125\text{h} \approx 10.7$ 年

接力器反馈分系统　$MTBF_{fk} = 15.06 \div 8 \times 50\ 000\text{h} = 94\ 125\text{h} \approx 10.7$ 年

3　可靠性设计

步进式冗余调速器可靠性设计采用了各种设计准则,包括新技术应用准则、简化设计准则、热设计准则[3]、电子元器件选择准则[4]、降额设计准则、电磁兼容设计准则[3]、容差设计准则和性能稳定性设计准则等。这里主要讨论步进式冗余调速器的冗余设计特点。

根据可靠性指标分配以及从以前调速器出现的问题分析可知,调速器的薄弱环节主要集中在控制部分、接力器反馈和电液转换部分(如图 1 所示),调速器将这三部分都按冗余设计。

控制部分的电源、PLC 的输入/输出/AD 采样/CPU/测频都设计成冗余结构,只要有一个电源正常,整个控制部分就都有电源,提高了电源系统的可靠性;两套可编程控制器(PLC)之间只要通讯正常(采用高速现场总线通讯),其他模块(输入/输出/AD 采样/测频)都可互为备用,且 PLC 模块支持热拔插功能,两套 PLC 之间互为热备用,运行相同的程序,相互切换无扰动。每个接力器反馈采用两套反馈,通过切换单元可相互备用。

最主要的是调速器采用了冗余的电液转换机构,其结构如图 6 所示,只要有一个驱动器和一个无油电液转换器正常,电液转换机构就能正常工作。一个无油电液转换器正常工作时,另一个备用无油电液转换器处于复中位置,当其步进电机处于失磁状态时,有一个向下的作用趋势,其作用力设为 F_2,等于引导阀向上的作用力 F,当工作中的无油电液转换器向下走一定的行程时,只需克服 $F/2$ 的作用力即可,同样备用无油电液转换器也只需克服 $F/2$ 的作用力即可作为支点使用,由于备用无油电液转换器处于复中位置,有一个向下的作用力 $F_2(F_2 = F)$ 可以克服引导阀向上作用于备用无油电液转换器的作用力 $F/2$,所以其不会随着工作中的无油电液转换器的移动而移动;当工作中的无油电液转换器向上移动时,由步进电机克服无油电液转换器向下的作用力 $(F_2 - F/2 = F/2)$,备用无油电液转换器仍然可以克服引导阀向上的作用力 $F/2$。上述情况,备用无油电液转换器处于手动复中位置,当无油电液转换器处于自动复中位置时,步进电机励磁,可保持 $4.9\ \text{N·m}$ 力矩,所以其作为支点使用更没有问题。

这种冗余的电液转换机构的特点是:具有断电自动复中功能,复中精度高,主/备用切换无扰动,手/自动切换无扰动,零点易调整,对油质无要求,不耗油,不受温度影响,结构简单可靠等。

以上各分系统均选用进口高质量的元器件,以满足系统对各元器件的可靠性要求。

切换单元在系统中地位重要,其可靠性直接影响系统的可靠度,在此,我们可选用一小型 PLC 作为切换单元,以提高其平均无故障间隔时间,一般 PLC 平均无故障间隔时间可达 300 000h。

4　结果分析

下面通过可靠性设计,分析每一个分系统的平均无故障工作时间是否达到所分配的

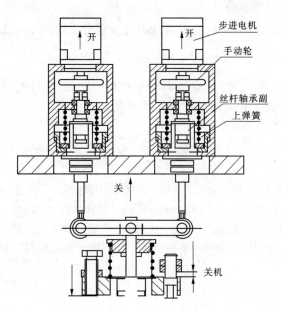

步进电机
手动轮
丝杆轴承副
上弹簧

开

关

关机

图 6　步进式冗余电液转换机构

指标。

电源分系统采用两套台湾明纬开关电源,互为主备用,设其平均无故障工作时间 $MTBF_{pw}=2\times8\,640\mathrm{h}$,平均修复时间 $MTTR_{pw}=8\mathrm{h}$,则由式(2)求得电源分系统平均无故障工作时间 $=2\,133$ 年,大于 86.0 年,满足指标分配要求。

为了计算简单,我们可将双 PLC 分系统简化为测频单元和 PLC 两部分,由这两部分组成可修复混合式系统。这样式(5)便可表示为:

$$R_{dplc}(t)=\mathrm{e}^{-\lambda_c t}\prod_{i=1}^{2}\frac{\mathrm{e}^{-\lambda_c t}(b_i\mathrm{e}^{-a_i t}-a_i\mathrm{e}^{-b_i t})}{b_i-a_i}+(1-\mathrm{e}^{-\lambda_c t})\frac{b_k\mathrm{e}^{-a_k t}-a_k\mathrm{e}^{-b_k t}}{b_k-a_k}\qquad(14)$$

设通讯模块平均无故障时间为 $MTBF_c$,PLC 平均无故障时间为 $MTBF_1$,测频模块失效率为 $MTBF_2$,通讯模块平均修复时间为 $MTTR_c$,PLC 平均修复时间为 $MTTR_1$,测频模块平均修复时间为 $MTTR_2$,且 $MTBF_c=MTBF_1=300\,000\mathrm{h}$,$MTBF_2=8\,640\mathrm{h}$,$MTTR_c=MTTR_1=MTTR_2=8\mathrm{h}$,则由式(6)可得双 PLC 分系统的平均无故障时间为:

$$MTBF_{plc}=\int_{0}^{+\infty}R_{dplc}(t)\,\mathrm{d}t\approx4\,251\,853\mathrm{h}\approx485\,\text{年}>286.5\,\text{年},\text{满足指标分配要求。}$$

由于切换单元选用 PLC,其平均无故障间隔时间可达 $300\,000\mathrm{h}=34.2$ 年,大于 $173\,250\mathrm{h}=21.5$ 年,满足指标分配要求。

设单套电液转换装置的平均无故障时间为 $MTBF_l\approx5\,040\mathrm{h}$,单套电液转换装置平均修复时间为 $8\mathrm{h}$,则由式(8)、式(9)可得电液转换分系统的平均无故障时间为:

$$MTBF_{deh}=\int_{0}^{+\infty}R_{deh}(t)\,\mathrm{d}t\approx1\,595\,160\mathrm{h}\approx182\,\text{年}>153.5\,\text{年},\text{满足指标分配要求。}$$

根据已有系统的运行情况,机械液压分系统平均无故障间隔时间 $MTBF_h$ 至少大于 12 年。

设单套接力器反馈装置的平均无故障时间为 $MTBF_f = 2\,160h$，单套接力器反馈装置平均修复时间为 8h，则由式(3)、式(4)可得接力器反馈分系统的平均无故障时间为：

$$MTBF_{fk}(t) = \int_0^{+\infty} R_{fk}(t)\,\mathrm{d}t = 294\,840h \approx 33.7\,年 > 10.7\,年。$$

由上面分析可知，步进式冗余调速器各分系统均可达到或超过所分配的可靠性指标，即满足调速器平均无故障工作时间 50 000h 的要求。

参 考 文 献

[1] 叶鲁卿．水力发电过程控制理论、应用及发展．武汉：华中科技大学出版社，2002
[2] 高杜生，张玲霞．可靠性理论与工程应用．北京：国防工业出版社，2002
[3] 刘建候，裘履正．仪表可靠性工程和环境适应性技术．北京：机械工业出版社，2003
[4] 孙青，庄弈琪，王锡吉，等.电子元器件可靠性工程．北京：电子工业出版社，2002

基本型逻辑控制器在水轮机调速系统中的应用

吕桂林

（武汉四创自动控制技术有限责任公司）

李 浩

（武汉理工大学自动化学院）

1 引言

水轮机调节系统是一个本质非线性、时变、非最小相位系统,其控制性能指标与稳定性一直是人们所关注的问题。随着控制技术的发展,水轮机调速系统的控制规律也在不断地发展和完善。虽然近年来,自适应控制,变结构时变参数自完善控制,模型参考多变量最优控制等基于现代控制理论的控制模型和控制方法也被提出并进行了大量的理论研究,但由于水轮机调速系统是一个时变且存在随机扰动而又相对快速的控制系统,目前,仍然广泛采用 PID 控制规律[1]。而常规 PID 控制系统需要精确的数学模型,一般只适用于线性系统,常规的 PID 控制很难得让其具有良好的动态品质。

新型控制器——基本型逻辑控制器,俗称九点控制器,根据偏差与偏差变化率实际运行状况抽象成九个工况点,从而给出相应的控制策略进行有效的控制。其基本思想是控制器根据控制系统的实际运行模式特征,不断地改变或调整控制决策,以便使控制器本身的控制规律适应于控制系统的需要,获得良好的响应性能。由于这种控制器产生的控制作用只取决于被控对象的运行工况,因而对相当广泛的被控对象具有适应性[3,4]。由于不同的工况点对应不同控制策略,因此又具有变结构非线性控制的特点。控制算法简单,易于工程应用的实现。对于稳定的控制对象,能同时得到良好的静态品质和动态品质,即使对于不稳定的被控对象也有镇定调控作用。因此,基本型逻辑控制器适合应用于水轮机调速系统中用来改善其特性。

2 九点控制器原理和控制策略

九点控制器是依据偏差和偏差变化率来调整控制器输出[2],其组成如图 1 所示。其中 $r(t)$ 定为系统给定阶跃输入,$c(t)$ 为其输出响应,则定义偏差 $e = r(t) - c(t)$,偏差变化率 $e = (e_i - e_{i-1})/t$,t 为采样周期,i 和 $i-1$ 分别为本次采样时刻和上次采样时刻,设

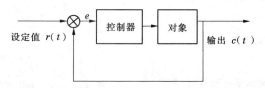

设定值 $r(t)$　　　输出 $c(t)$

图 1　九点控制器原理示意图

$\pm e_0$ 为系统允许偏差(误差限,其中 e_0 为误差上限, $-e_0$ 为误差下限), $\pm \dot{e}_0$ 为系统允许偏差变化率($\dot{e}_0$ 为误差变化率上限, $-\dot{e}_0$ 为误差变化率下限,限内称为零带)。

　　系统的运行特性表征为系统偏差及偏差变化率的大小。根据响应曲线的模式特征,将系统偏差及偏差变化率的大小各自分类为 3 种情况。这样的组合变化就有 9 种情况,每种情况都代表系统的一种运动模式,称之为工况。控制器根据工况的不同采用相应的控制策略。工况的确定和相应的控制策略如表 1 所示。

表 1　控制策略

偏差	偏差变化率		
	$\dot{e} \geqslant \dot{e}_0$	$\|\dot{e}\| < \dot{e}_0$	$\dot{e} \leqslant -\dot{e}_0$
$e \geqslant e_0$	强加(k_{4+})	稍加(k_{3+})	弱加(k_{2+})
$\|e\| < e_0$	微减(k_{1-})	保持(k_0)	微加(k_{1+})
$e \leqslant -e_0$	弱减(k_{2-})	稍减(k_{3-})	强减(k_{4-})

　　控制器根据这些由偏差、偏差变化率的组合而形成的 9 种工况采取相应的控制策略,及时向控制对象进行能量补充和消耗,从而达到控制目的和跟踪性能要求。而每一时刻仅对应一种控制策略;因为系统的偏差及其偏差变化实时变化,控制器根据偏差和偏差变化所确定的工况,不断在 9 种控制策略中来回切换,直至系统被控制在预定的运行模式下。

　　用工况来表示系统的运动运行模式,在确定控制策略之前,必须明确各个工况的划分。也就是说,必须确定误差和误差变化率零带的上下限,这两个基本参数将被称为两个边界条件,用 $\pm e_0$ 和 $\pm \dot{e}_0$ 表示。而对应于 9 个工况的控制策略用 K_i($i=1,2,3,4;-1,-2,-3,-4;0$)来表示。控制器的控制效果取决于这两个边界条件和 9 个控制参数的大小,因此分析这些参数的作用区域以及对系统动静态响应的影响将是九点控制器具有良好性能的关键。图 2、图 3 分别是九点控制器相平面与响应曲线示意图,是分析控制策略的基础。

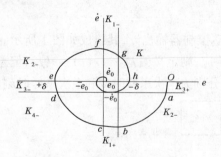
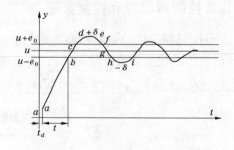

图 2　九点控制器相平面示意图　　　图 3　九点控制器响应曲线示意图

3 九点控制器调速系统设计

水轮机调节系统现在多以步进式可编程微机调速系统为主,其电液执行机构如图4所示。若忽略步进式无油电转反应时间常数(取 $T_{Y1}=0$)时,YPID 至 Y 的数学模型[5]为

$$G(s) = \frac{1}{1 + T_Y s}$$

理想的水轮机的数学模型[5]为

$$G(s) = \frac{1 - T_W s}{1 + 0.5 T_W s} \cdot \frac{1}{T_a' s + e_n}$$

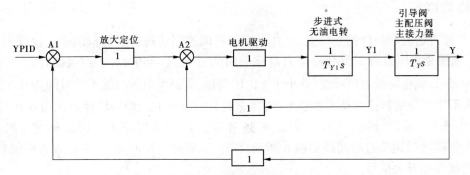

图 4　电液执行机构

水轮机的特性十分复杂,其具体的数学模型尚难以建立,而九点控制器不需要被控对象的数学模型。在水轮机调节系统中,九点控制器根据频率偏差 e 及其变化率 $\dot{e}$ 的实际运行状况抽象成九个工况点,从而给出相应的控制策略进行有效的控制。把这些偏差转成导叶接力器活塞的位移,使之平衡于新的工况下运行。水轮机调节系统模型如图5所示。

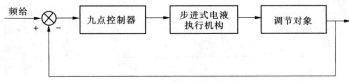

图 5　水轮机调节系统模型

具体控制策略分析如下:

(1)若 $e \geq e_0$ 且 $\dot{e} \geq \dot{e}_0$,控制器给出 K_{4+}(强加)策略;

(2)若 $e \geq e_0$ 且 $-\dot{e}_0 \leq \dot{e} \leq \dot{e}_0$,控制器给出 K_{3+}(稍加)策略;

(3)若 $e \geq e_0$ 且 $\dot{e} \leq -\dot{e}_0$,控制器给出 K_{2+}(弱加)策略;

(4)若 $-e_0 < e < e_0$ 且 $\dot{e} \leq -\dot{e}_0$,控制器给出 K_{1+}(微加)策略;

(5)若 $e < -e_0$ 且 $\dot{e} \leq -\dot{e}_0$,控制器给出 K_{4-}(强减)策略;

(6)若 $e < -e_0$ 且 $-\dot{e}_0 \leq \dot{e} \leq \dot{e}_0$,控制器给出 K_{3-}(稍减)策略;

(7)若 $e < -e_0$ 且 $\dot{e} \geq \dot{e}_0$,控制器给出 K_{2-}(弱减)策略;

(8)若 $-e_0 < e < e_0$ 且 $\dot{e} \geq \dot{e}_0$,控制器给出 K_{1-}(微减)策略;

(9)若 $-e_0 < e < e_0$ 且 $-\dot{e}_0 \leqslant \dot{e} \leqslant \dot{e}_0$，控制器给出 K_0（保持）策略。

$\pm e_0$ 为系统允许偏差取决于系统精度要求，$\pm\dot{e}_0$ 为系统允许偏差变化率根据具体调节过程决定（如闭环开机过程要求频率上升快，使机组迅速摆脱低速区，加快开机过程允许偏差变化率就较大）。系统动态响应时，K_{3+} 影响系统的延迟时间，K_{2+} 影响系统的上升时间，K_{4-} 影响系统超调，K_{2-} 影响系统的振荡次数，一般在确定了 K_{2+}，K_{2-}，K_{4-} 之后，来调节 K_{4+} 的值达到减小调整时间的目的。在 K_i 均满足运行条件的情况下，K_0 与系统的稳态误差有关。一般情况下，$K_{4+} \geqslant K_{3+} \geqslant K_{2+} \geqslant K_{1+}$，$K_{4-} \geqslant K_{3-} \geqslant K_{2-} \geqslant K_{1-}$，$K_0$ 一般取较小值使得系统稳态时的振荡频率较小。

4 模拟试验

在原理研究和设计的基础上，对九点控制器调速系统进行了模拟试验。设计水头为 17m，油压装置压力为 2.5MPa，接力器反应时间常数 $T_Y = 0.1$s，$T_w = 1.5$s，$T_a = 8.5$s，$e_g = 0.547$。试验结果为：空载摆动小于 ± 0.075Hz；甩 25% 负荷时的不动时间为 0.18s；甩 100% 额定负荷的转速波动次数 0.5 次，转速调节时间为 16s；静态特性死区为 0.01%；非线度小于 0.2%；开机时间小于 30s。上述各项指标均达到或优于国家标准。机组甩 100% 负荷时的调节过程曲线如图 6 所示，图中 Y 曲线为导叶开度，F 曲线为机组频率，DL 曲线为油开关信号。

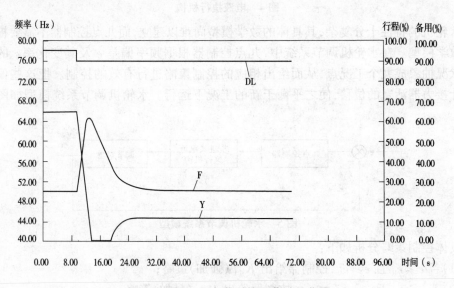

图6 甩100%负荷时的调节过程曲线

5 结语

从仿真结果可以看出以下特点：

（1）九点控制器控制有较好的动态响应特性，它优于常规的 PID 控制。

（2）在工况变化时，与传统 PID 算法相比，九点控制器有更好的鲁棒性。

（3）九点控制器能自动根据工况变化过程中偏差和偏差变化量来改变控制策略，因而具有较好的自适应能力。从而能保证调节系统具有良好的动态品质和静态特性,是一种非常有效的控制方式。

参 考 文 献

[1] 程远楚,叶鲁卿.水轮机调速器的非线性 PID 控制.大电机技术,2002(1)
[2] 孙晓明,张南纶.基本逻辑型控制器.见:中国人工智能学会第九届年会论文集.北京:北京邮电大学出版社,2001
[3] 孙晓明.九点控制器对不同类型输入的仿真研究.见:2002 中国控制与决策学术年会论文集(14t-hCDC).沈阳:东北大学出版社,2002
[4] 孙晓明.九点控制器控制精度的仿真研究.武汉理工大学学报,2002,24(5)
[5] 魏守平.现代水轮机调节技术.武汉:华中科技大学出版社,2002

一种极具推广和使用价值的水轮机微机调速器

——WW(S)T"四无"型微机调速器

周泰经

(长沙星特自控设备实业有限公司)

魏守平

(华中理工大学)

吴应文 饶培棠 罗 萍 吴浩洋

(武汉星联控制系统工程有限公司)

1 引言

自 20 世纪 80 年代初起步,经过近 20 多年的发展,国产微机调速器已取代机械调速器和常规模拟电路电液调速器,在国内各种类型、不同容量的机组中得到普遍采用。其技术性能和功能与国外著名企业产品处于同一先进水平。

随着国内区域电网的形成和发展,且容量迅速加大,电网频率的稳定和控制将更多地依靠 AGC(自动发电控制)和发电调度自动化来实现。而机组的运行方式更多是并入区域电网,调速器作为末端控制器,完成机组功率控制的作用。所以近年来,随着调速器在功能和性能得到不断提高的同时,水电厂广大用户对产品的稳定性、可靠性给予了更多的关注,提出了更高的要求。

"四无"型微机调速器正是充分考虑这一发展要求而推出的一种高性能可靠产品。它以 PLC(可编程控制器)作为数字控制器,以交流伺服电机位置环控制实现电气/机械无油全数字转换。在国内首创采用"滚珠螺旋自动复中"专利技术,实现断电情况下主配压阀保持在中位。机械柜无手/自动切换,无明管(柜内),无机械反馈和钢丝绳(柜外)。产品结构简单、合理,抗油污能力强。电站运行实践表明,该调速器性能指标先进,几乎无故障运行,可靠性、稳定性都有很大的提高。

2 PLC 可编程控制器数字调节器

"四无"型微机调速器以 PLC 构成调节器控制核心。采用适应式变参数调节规律,动、静态技术指标先进,PLC 本机测频。设置大屏幕触摸屏,显示精确、直观、清晰,操作简单、方便,实现了十分良好的人机交互界面。加上完备、合理的软件结构和体系以及辅以各种防错、容错功能,使得整个控制部分的运行十分良好、稳定、可靠。

PLC 至今在各类工业现场应用最广泛,是最普及的工业控制计算机。经 20 多年的发展形成了十分完备的标准体系和制造体系。各制造厂商严格按有关规范生产,产品十分成熟。其特别突出的是高可靠性和环境要求低,有文章赞誉"至目前为止还没有任何一种工业控制设备可以达到可编程控制器的可靠性",因而特别适应于水电厂运行、使用环境。还有控制精度(字长)、运算速度、输入/输出口、存储器容量等,都足以满足包括特大型水电机组的控制要求。其编程、操作、使用都是直接面向设计、运行人员,是现场工作人员十分欢迎的"蓝领计算机"。可以说PLC是水轮机微机调速器十分理想的数字调节器硬件平台。

3 交流伺服电机位置环控制实现电气/机械无油转换

水轮机调速器传统上都采用包括电液转换器、比例阀等有油部件作为电气/机械转换环节,对用油过滤精度要求极高(有的高达5~15μm),要达到这一点对于目前水电厂运行环境是比较困难的。在90年代我国工程技术人员和科研工作者创造了具有自主知识产权的以控制电机来构成电气/机械无油转换部件,并发展成为国内近代调速器主流结构之一,在不同类型各种容量机组得到广泛应用。相比而言,交流伺服电机具有全数字位置与速度接口,还自带定位精度很高的旋转编码器位置反馈。这种位置反馈与电机一体化结构较之其他需另装位置反馈装置的控制电机具有更高的稳定性和可靠性。

4 滚珠螺旋自动复中装置

早期的以电机实现电气/机械转换的调速器,多采用二级液压随动系统或采用机械开限随动接力器开度的结构方式。因为电机是一个积分元件,在动态过程中,若电源突然消失(故障),或者停在开机侧,或者停在关机侧都将造成机组运行故障(电厂确实出现过类似事故)。

"四无"型微机调速器采用"滚珠螺旋自动复中装置"(见图1)专利技术(专利号ZL 00225696.7)首次实现电机型电气/机械转换,其输出在断电时自动复中,因而维持主配压阀在中位,接力器不动,这一突破得到行业内普遍认可。随后国内也相继出现了或相仿或不同的几种"自动复中装置"。但就结构、性能和可靠性比较而言,我们感到还是这种初创性的更好一些。

由交流伺服电机位置环控制加上滚珠螺旋自动复中装置构成"无油电液转换器"。该环节与油质无关,零位不受油压、油温影响,无须添加振动电流防卡。既不耗油,也不受滤油精度的限制,具有很好的运行稳定性和可靠性。装置采用多头大导程滚珠丝杆,电机旋转±1/4圈即达到正、负输出最大行程;加上无油"电液转换器"和引导阀是通过上、下组合复位弹簧直接连接的。结合力大,操作力小,因而系统具有很好的灵敏性和速动性,调速器的动、静态品质很好。

5 机械柜无手/自动切换;无机械反馈和钢丝绳(柜外);无明管(柜内)

自动复中使液压控制部分的输出可靠,稳定在平衡位置,当数字调节器退出(或电源消失时),机械液压系统自动处于手动状态。操动机构上的手轮,即可开、关导叶。一松手系统自动复中,处于平衡状态。机械手/自动切换无限制、无扰动,不会出现误操作。而这种一旦控制作用消失系统即恢复平衡位置的结构,允许取消传统的机械反馈或钢丝绳。同时柜内无明管,结构件又是集成油路,整个装置简洁、无渗漏,调整、维修、保养十分方便。

"四无"型微机调速器一推出,其优良的品质便引起广大水电厂用户的极大关注,至今

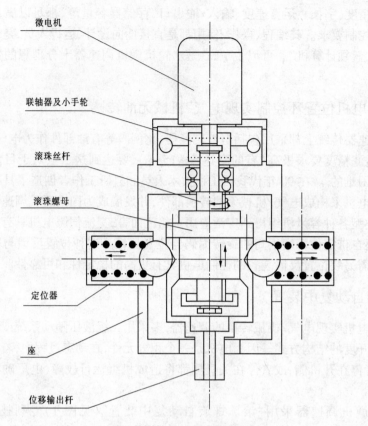

微电机

联轴器及小手轮

滚珠丝杆

滚珠螺母

定位器

座

位移输出杆

图1　滚珠螺旋自动复中装置

已有数十台产品在各地电厂运行(见图2)。其机械液压系统还被著名的 VA TECH 公司选中,将其与该公司电控装置构成调速器系统用在浙江分水江电厂贯流机组的控制上。

该产品于2002年9月通过省部级鉴定,并获2003年省部级科技进步一等奖,现正在申报2004年国家科技进步奖过程中。在鉴定会上,由工程院院士等国内知名专家组成的专家组对产品给予了高度评价。在"鉴定意见"中肯定:"该型调速器中的'无油电液转换器'系由'滚珠螺旋自动复中装置'(专利号: ZL 00225696.7)联结交流伺服电机所组成,在国内外具有原创性。脉冲位控方式的全数字控制在水轮机调速器的运用,在国内外尚属首次。"为鉴定所进行的省一级科技信息中心进行的国内外查新结论是:"在国内外均未发现与该查新项目综合技术特点相同的产品的文献报道。"

"四无"型微机调速器是业内知名专家合力推出的又一新的力作,成果凝聚了他们的智慧和心血。而产品的推出对业内同行也起到了一种借鉴和推动的作用。产品自身先进的调节品质,优良的结构和极高的运行可靠性和稳定性也表明,该调速器极具推广和使用价值。

参 考 文 献

[1] 魏守平.我国水轮机数字式电液调速器评述.水电自动化与大坝监测,2003(5)

[2] 钟肇新,彭侃编译.可编程控制器原理及应用.广州:华南理工大学出版社,1999

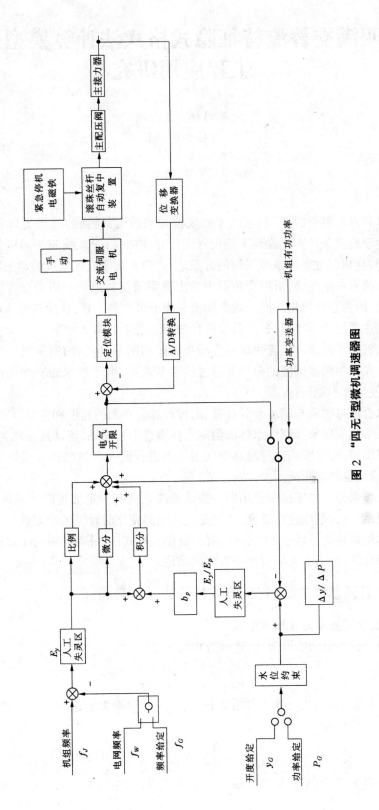

图 2 "四无"型微机调速器图

明满交替流特征隐式格式法计算模型及工程应用研究

陈乃祥　樊红刚

（清华大学）

1　绪言

随着水利水电事业的发展,水电工程规模越来越大,碰到的地质地理条件越来越复杂。有时由于地质条件不允许而不能设置调压井,有时由于系统间于调压井可设与可不设之间,此时变顶洞方案将是可采用的方案之一,但必须研究该系统的动态特性。由于该类电站尾水位有一定变幅,所以变顶洞中常出现明满交替流动。明满交替流动是一种很复杂的流动,因为它在流道的同一地点明流和满流可交替出现,这给这种流动的计算带来困难。目前主要解法有狭缝法[1]、激波拟合法[2]及刚性水体法[3]等。

狭缝法解决了明流与满流用统一方程来描述的问题,但目前所见到的计算格式计算不易稳定。尤其当明流满流的分界面越过计算节点时,由于波速的剧变使计算结果发生畸变,甚至使计算不能进行。

激波拟合法将明流与满流分开计算,通过计算分界面的速度和位置以联系起来,该方法可描述夹带气泡现象。刚性水体法假定水体刚性不可压缩,流动速度均匀但不恒定,气泡中气体可压缩,可对明满交替流动中气泡运动进行研究。该两种方法描述的现象更为复杂,工程应用也尚有距离。

由于大型水力发电工程中采用的一般是顶高线具有一定坡度的变顶洞,空气容易排出,则可以狭缝法为基础进行研究,关键是波速剧烈变化时计算的稳定性。本文在分析多种格式计算稳定性的基础上,给出了一种特征隐式格式法,并对其进行了试验验证。将其应用于工程计算,给出了工程应用中有用的结论。

2　明满交替流基本方程、特征隐式格式法及试验验证

2.1　明满交替流基本方程基本形式

对于倾角较小封闭管道流动,连续方程可写成

$$v \frac{\partial h}{\partial x} + \frac{\partial h}{\partial t} + \frac{a^2}{g} \frac{\partial v}{\partial x} = 0 \tag{1}$$

式中:h、x 分别为管道中心压力和沿程长度;a、v、t 分别为波速、流速、时间。

运动方程可写成

$$g \frac{\partial h}{\partial x} + v \frac{\partial v}{\partial x} + \frac{\partial v}{\partial t} = g(i - J_f) \tag{2}$$

用水头 h 来代替压力,沿程坡降 $i \approx -\sin\alpha$,定义 $J_f = fv|v|/2gD$。α、D 分别为水道倾

角、管径，f 为达西-威斯巴哈摩擦系数。

对于明渠流动，连续方程对棱柱形断面明渠可写成

$$v \frac{\partial h}{\partial x} + \frac{\partial h}{\partial t} + \frac{A}{B} \frac{\partial v}{\partial x} = 0 \tag{3}$$

运动方程可写成

$$g \frac{\partial h}{\partial x} + v \frac{\partial v}{\partial x} + \frac{\partial v}{\partial t} = g(i - J_f) \tag{4}$$

对比可知式（2）和式（4）的形式完全相同，定义明渠流动中水面波波速为 $c = a = \sqrt{gA/B}$，则式（1）和式（2）也可以写成同一形式。对统一形式的微分方程组可以用相同的方法来求解，A、B 为明渠过流面积和液面宽度。

2.2 特征隐式格式法及试验验证结果[4]

为了寻求收敛性好的明满交替流动求解方法，上述方程中 v 用流量 Q 代替，将方程（1）、（2）或方程（3）、（4）按特征线解法思路展开成两对特征线方程，然后，沿 c^+ 方向，将其对应的特征线方程还原为偏微分方程

$$Bc^- \left(\frac{\partial h}{\partial t} + c^+ \frac{\partial h}{\partial x} \right) - \left(\frac{\partial Q}{\partial t} + c^+ \frac{\partial Q}{\partial x} \right) = s \tag{5}$$

沿 c^- 方向，也将其对应的特征线方程还原为偏微分方程

$$Bc^+ \left(\frac{\partial h}{\partial t} + c^- \frac{\partial h}{\partial x} \right) - \left(\frac{\partial Q}{\partial t} + c^- \frac{\partial Q}{\partial x} \right) = s \tag{6}$$

方程中 $c^+ = Q/A \pm \sqrt{gA/B}$，$s = -gA(i - J_f)$。方程（5）、（6）只是借助了特征线的形式，而并不受特征线方法要满足库朗条件的制约。对方程（5）、（6）采用如下差分格式：

$$\frac{\partial Q}{\partial x} = \frac{Q_{m+1}^{n+1} - Q_m^{n+1}}{\Delta x} \qquad \frac{\partial Q}{\partial t} = \frac{Q_m^{n+1} - Q_m^n}{\Delta t} \tag{7}$$

$$\frac{\partial h}{\partial x} = \frac{h_{m+1}^{n+1} - h_m^{n+1}}{\Delta x} \qquad \frac{\partial h}{\partial t} = \frac{h_m^{n+1} - h_m^n}{\Delta t} \tag{8}$$

式中：m 表示计算断面；n 表示时层。

方程中重力项和摩擦项按 $n+1$ 时层来计算，通过在同一时步内的迭代计算来实现，其他系数按 n 时层来计算，把方程（7）、（8）代入方程（5）、（6）并整理有：

$$\begin{cases} a_1 h_m^{n+1} + b_1 Q_m^{n+1} + c_1 h_{m+1}^{n+1} + d_1 Q_{m+1}^{n+1} = e_1 \\ a_2 h_m^{n+1} + b_2 Q_m^{n+1} + c_2 h_{m+1}^{n+1} + d_2 Q_{m+1}^{n+1} = e_2 \end{cases} \tag{9}$$

其中，各系数计算如下：

$$a_1 = -\frac{B_m^n c^- c^+ \Delta t}{\Delta x} \quad b_1 = \frac{c^+ \Delta t}{\Delta x} \quad c_1 = B_m^n c^- - a_1 \quad d_1 = -(1 + b_1)$$

$$e_1 = B_m^n c^- h_m^n - Q_m^n + \Delta t f \quad a_2 = B_m^n c^+ + a_1 \quad b_2 = -\left(1 - \frac{c^- \Delta t}{\Delta x}\right) \quad c_2 = -a_1 \quad d_2 = -(1 + b_2)$$

$$e_2 = B_m^n c^+ h_m^n - Q_m^n + \Delta t f \quad c^+ = \frac{Q_m^n}{A_m^n} \pm \sqrt{\frac{gA_m^n}{B_m^n}} \quad s = -gA_m^{n+1}\left(i_m^{n+1} - \frac{n^2 Q|Q|}{A^2 R^{4/3}}\bigg|_m^{n+1}\right)$$

利用方程（9），根据流体网络系统及给出相应的初始条件和边界条件写出方程组，通过编程计算即可得到具有明满交替流动的水电站动态数值解。

为了试验验证上述明满交替流计算模型的正确性,结合某实际电站的尾水系统进行了水工水力学物理模型试验,模型从尾水管直锥段做起至下游尾水池。该电站采用一机一洞的单元引水方式,尾水采用四条尾水支洞汇合至一条主洞的四合一布置方式。作为例子图1给出2号机支洞与主洞接点处的压力过渡过程曲线。

从图1中可以看出,水深(压力)的变化和其周期两者基本相同;洞高线和水位线比较可知,测点处水位在瞬变过程中交替低于和超过洞顶,即在瞬变过程中出现明满交替流动和明满流分界面通过计算节点,说明该计算模型可以计算满流、明流和明满交替流动;曲线中发生较大的压力脉动(见图中椭圆内)时,在计算结果中也得到相应体现。

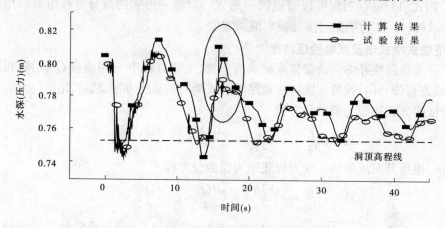

图1 主洞2号测点水深(压力)变化曲线

3 工程应用

在建立水轮机、发电机、调压井(闸门井)、调速器、明流、管道流及后两者连接处[5]等计算模型的基础上,按前述计算模型建立明满交替流特征隐式格式法矩阵自生成系统,对三峡[6]、向家坝、百色及溪洛渡等电站进行了开环大波动及闭环大、小波动计算。现将计算中得到的有参考意义的一些看法简述于下。

3.1 变顶高的尾水洞洞顶坡度与明满交替流动时最大压力的关系

以向家坝水电站为例,机组中心线到变顶洞出口最大长度为382.93m,采用变顶高的尾水洞方案,即尾水隧洞的洞顶有一定坡度,对其洞顶坡度与明满交替流动时最大压力的关系进行了计算研究,计算结果如图2所示。

由图2可以看出,尾水隧洞洞顶的坡度越大,产生的明满交替流动造成的最大压力越小,即明满流动的压力波动越小,从而对机组稳定运行和系统安全越有利。但对于采用变顶高尾水洞的系统,应该合理协调明满流动与系统稳定运行、施工工程量及地质地理条件的关系,从技术和经济的角度选取出最优的洞顶坡度。

3.2 斜顶尾水隧洞中出现最大压力的工况和位置

为了计算明满交替流动出现时,尾水隧洞洞顶可能的最大压力,要对水电站在不同上下游水位组合下进行大量计算。以向家坝水电站变顶高尾水隧洞方案为例,对40多个明满交替流动的工况进行了计算。计算表明,明满交替流动产生较大压力波动的工况发生

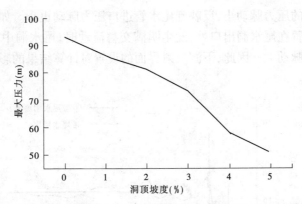

图2　向家坝水电站尾水洞洞顶坡度与明满交替流动最大压力的关系

在上游最低水位,并且下游水位稳态线交于尾水隧洞洞顶线中部附近时,隧洞中出现的压力极值最大。整理出的部分尾水位时尾水隧洞沿程的最高测管水头包络线如图3所示,图中曲线旁边数字为相应工况的尾水水位值。

由图3可以看出,在下游水库水位高于隧洞洞顶起点高程和低于洞顶末点高程时,尾水隧洞内就会发生明满交替流动现象。在水位由隧洞洞顶起点高程逐渐上升的过程中,明满交替流动现象逐渐加剧,产生最大压力的位置逐渐靠近洞顶末点,产生的最大压力首先逐渐上升,在下游水位上升到271.5m(洞顶线中部附近高程)时产生了最大压力,之后随着下游水位继续上升,明满交替流动逐渐减弱,产生的最大压力逐渐减小。在下游水位超过隧洞洞顶末点高程后,尾水隧洞内的流动全为满流,明满交替流动现象消失。

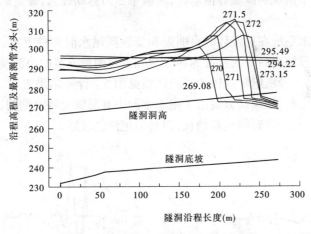

图3　向家坝水电站尾水隧洞顶高及最高测管水头包络线

3.3　下游反射断面位置对明满流计算结果的影响

以向家坝水电站变顶洞方案为例,共装机4台,引水道单机单管布置,两机共用一条尾水洞,后又合用一宽尾水明渠与下游河道相连,对该系统以下两种情况进行计算:①不考虑尾水明渠的作用,将下游反射断面设在变顶洞洞口;②考虑尾水明渠的作用,将下游反射断面设在明渠下游出口。

两种情况下1号机尾水管进口压力变化见图4,由于考虑尾水明渠的作用,尾水隧洞中明满交替流动的压力脉动小,反映到尾水管进口压力脉动也小。如果不考虑明渠作用,下游反射界面设置在尾水洞出口处,发生明满交替流动时,尾水洞中压力脉动大,相应的尾水管进口压力脉动大。因此,下游反射界面的设置对计算结果的影响较大,需要根据实际情况合理设定。

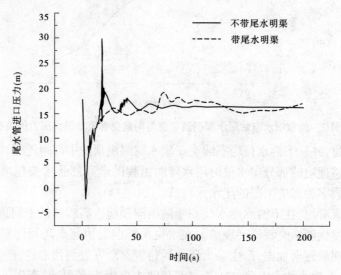

图4 向家坝电站大波动1号机尾水管进口压力变化

3.4 尾水隧洞中明满交替流对小波动稳定性的影响

电站尾水隧洞中出现明满交替流动时,隧洞中压力脉动较大,需要研究其对电站小波动稳定性的影响。

三峡水电站尾水系统在预设计时有明渠和变顶高尾水洞两种方案,变顶高尾水洞方案机组中心线到变顶洞出口最大长度为346.90m。对两种方案的小波动工况进行计算研究,两种方案小波动1号机组转速过渡过程曲线见图5。计算结果表明,两种方案的系统在小波动下都是稳定的,变顶高方案由于尾水主洞中有明满交替流动的出现,波动量的幅值比明渠方案稍大,稳定的时间也要稍长,但是稳定性仍较好。

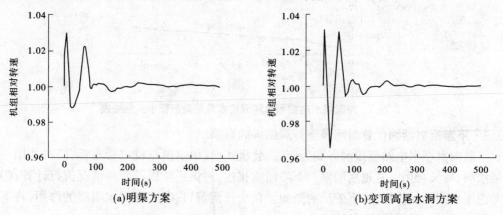

图5 三峡水电站中两种方案小波动工况机组转速变化曲线图

向家坝水电站尾水系统的预设计时,有调压室和变顶高尾水洞两种方案,对两种方案的小波动工况的计算研究表明,两方案的系统都是稳定的。在对变顶高尾水洞方案明满交替流动最严重的工况及调压室方案分别进行小波动计算,得出两种方案机组转速过渡过程曲线见图6。由图可以看出变顶高尾水洞方案和调压室方案在小波动工况中产生的最大转速上升基本相同,但是调压室方案中由于调压室水位波动的影响,其稳定的时间明显长于变顶高尾水洞方案。

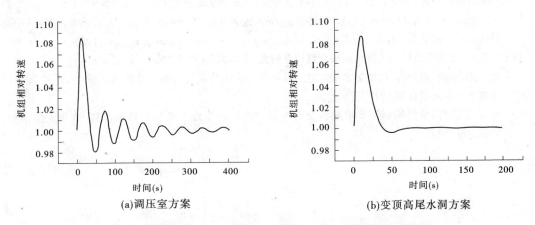

(a)调压室方案   (b)变顶高尾水洞方案

图6　向家坝水电站中两种方案小波动工况机组转速变化曲线图

综上所述,对多个电站中出现的明满交替流动的计算研究表明,尾水隧洞形状特别是洞顶的坡度对明满交替流动时尾水隧洞中出现的压力有显著的影响,设计时洞顶要求有一定坡度,洞顶的坡度越大,即洞顶线和稳态水面线交角较大时明满交替流动造成的最大压力越小,对机组运行的稳定性越好。

对于具体电站的尾水系统,根据工程量的大小和动态品质的好坏,可通过优化选取最优的尾水隧洞洞顶坡度;在变顶高尾水洞方案中,上游最低水位且下游水位稳态线交于尾水隧洞洞顶线中部附近的大波动工况是隧洞中明满交替流时出现最大压力的工况;变顶高尾水洞方案的下游反射面界位置的设定对其过渡过程有非常明显的影响,反射界面的正确设定显得特别重要。

4　结语

明满交替流特征隐式格式法计算模型经试验验证和多个大型水电工程的计算表明:

(1)该方法可应用于明满交替流计算,计算稳定性好,且能很好地反映明满交替流压力脉动特性。

(2)选择好极值工况,正确确定下游反射断面,通过优化计算,可选择有一定坡度变顶洞作尾水系统的方案。

参 考 文 献

[1] Priessmann A,Cunge J A. Calcul des intumeseences sur machines electroniques. IX meeting, International Assoc. For Hydraulic Research, Dubrovnik, 1961

[2] Wigget D C. Transient of hydraulicflow in mixed-free-surfece systempressurized ,Jour,Hyd. system. Jour, Hyd. Div., Amer. soc. of civEngrs., v98, n1, jan.,1972

[3] Mccorquodale J A, Hamam M A. Modeling surcharged flow in sewers Proc., Int. Symp. On Urban Hydrol., Hydr. And Sediment Control, University of Kentucky, Lexington, Ky.,1983

[4] 樊红刚.复杂水力机械装置系统瞬变流计算研究.清华大学[博士学位论文],2003.4

[5] 刘立宪,李辉,陈乃祥.大型输水或发电工程动态仿真中明流管流联合计算问题研究.见:全国水利水电水力机械信息网 1997 年会论文

[6] 李辉,陈乃祥,樊红刚,等.具有明满交替流动的三峡右岸地下电站的动态仿真.清华大学学报, 1999,39(11)

水轮发电机励磁系统篇

组态编程技术在励磁系统中的应用研究

吴国兵　许敬涛　李孔潮　张兴旺

(广州电器科学研究院)

1　引言

现代励磁控制系统,是以微处理器为基础的智能系统,综合了计算机、网络通讯、自动控制、图形显示、冗余及诊断、软件设计等先进技术。其中,软件的可靠性和稳定性对励磁系统的稳定性有着至关重要的影响。软件是程序和数据的总和,传统工控软件设计过程中,将控制算法和顺序控制流程直接捆绑在程序当中,至多只能修改各个控制算法所使用的参数,可扩展性差,工作量大,开发周期长,可靠性需要通过长期运行来检验。如果要根据用户需求来修改系统某一部分的需求,则要修改软件源代码,可靠性又需要重新验证,给生产和维护带来诸多不便。实际应用中,软件需要实现的功能是相似的,可以引入面向对象的软件设计思想,将数据从程序中分离出来,程序只包含控制软件共性功能的代码,而用数据来描述具体的控制需求。使用这种思想设计出来的软件一般分为组态工具和运行程序两个部分,可以适用几乎所有用户的需求。由于软件代码不用修改,软件的可靠性不用重复验证。

2　控制系统构成

根据功能的不同,励磁系统的控制部分可以划分为调节器、功能柜智能控制单元、灭磁柜智能控制单元、现地操作单元、监控系统接口、人机界面,各个部分通过现场总线组成一个网络。对各部分的功能进行综合,可以看出,这些控制模块的任务可以划分为:数据采集、反馈控制、顺序控制、控制输出、人机接口、冗余和通讯功能。

2.1　数据采集

数据采集可以分为 AI 和 DI,其中对 AI 部分,通过对原始值线性校正、采样算法和补偿算法进行组态,可以满足对各种交直流模拟量的采集和处理。

2.2　反馈控制

控制系统按照指定的控制算法,对设定值和现场值进行运算处理,给出运算结果,完成对电压、电流等的控制。

2.3　顺序控制

通过编辑逻辑图的方法,用户可以指定中间变量、输出变量与输入信号之间的关系,通过与反馈控制模块的配合,可以实现反馈控制与顺序控制相结合起来,完成几乎所有的控制功能。

2.4　控制输出

根据用户的定义,将反馈控制和顺序控制部分的输出连接到相应的输出通道上,可以是模拟量输出,也可以是数字量输出。

2.5　人机输出

通过美观的图形界面,将系统的状态展现在用户面前,同时提供简单、可靠的操作手段,使用户通过集中操作就可以完成对系统各部分的控制。

2.6　自诊断

系统各部分的状态,包括硬件状态和软件状态都可以从人机界面上观察到。每一个子系统都监视内部各部分的状态,包括 CPU 状态,关键部分的运行状态,输出口的状态检查。在检测到自身故障后,发出切换命令,以实现关键控制部分的自诊断和冗余。

2.7　通讯

根据现场总线的通讯协议,用户可以对通讯数据格式进行定义,以实现对通讯协议的组态。

3　控制模块的组态

根据实现的功能不同,模块所需配备的资源也不尽相同。可以选用相应的扩展子板,完成对资源的个性化配置。完成对资源的描述后,就可以在组态工具软件中使用扩展的资源,包括 A/D、D/A、D/I、D/O 等。为了方便使用,需定义各种资源的属性:

A/D 的地址,输出范围,精度,最大转换速度,转换间隔;

D/A 的地址,输出范围,精度,刷新时间间隔;

D/I、D/O 的是否隔离,电平范围,刷新时间间隔。

4　控制算法的组态

利用组态工具软件绘制回路图,由运行程序来解释回路图并进行控制。实现的关键在控制回路的识别和计算顺序的控制。

组态界面中功能模块之间通过连线构成控制回路,其中前组模块的输出连接到后组模块的输入端称为正向连线,如图 1 所示;反之,称为反向连线。单回路、串组回路、前馈回路的识别,对计算机来说是一件相当困难的工作。可以采用递归式回路识别方法,从输出位置或输入位置开始搜索整个控制回路。

另外一个难点在于计算顺序的问题。因为在控制回路中有的输出端口有时会连接多个输入端口,既有正向连线,也有反向连线。如果简单地按照上述方法进行计算,则有的参数可能会在同一周期内计算多次。

5　顺序控制的组态

可以采用逻辑图的方式来描述顺序控制,通过与门、或门、非门、定时器的连接,组成一张逻辑图,来描述各种顺序控制。用户在组态工具软件上以所见即所得的方式绘制逻辑图,绘制完成后,通过编译算法,转换成目标文件,传送到控制单元去执行。

在励磁系统中,SCADA 系统接口部分经常需要根据用户的需求来改变输出接点的定义,通过使用组态的方法,在现场可以根据用户的需求任意调整输出接点的定义,由于不需要修改执行程序,所以也不用重新验证程序的可靠性,减小了现场工作量。图 2 为某一

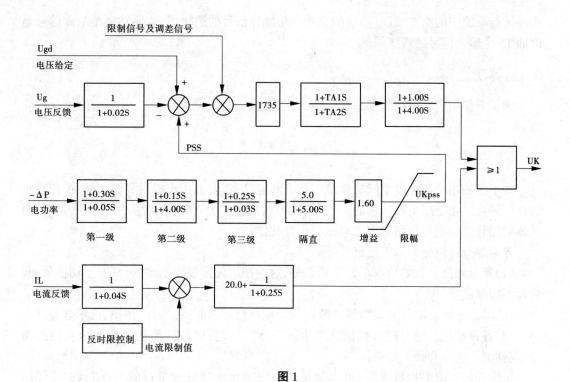

图1

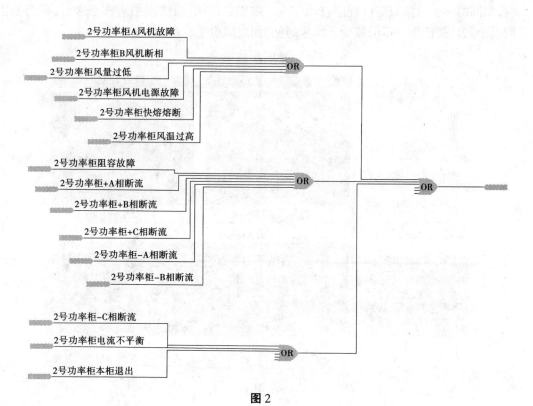

图2

实际运行系统中的组态画面,描述的是功率柜故障信号的逻辑图,表明功率柜故障信号是前面 15 个输入信号的或逻辑。

6 运算功能

为了方便用户对系统数据进行处理,提供加法、减法、乘法、除法、求平均值等运行功能。

7 图形组态

为了方便用户监视整个励磁系统的状态和操作,需要为用户提供界面友好、操作直观的操作界面。在使用组态技术后,开发人员可以集中精力,编制美观实用的图形元素,而具体的操作画面则可以用组态工具进行个性化定制。

界面部分可以分为以下三种:

(1)背景画面。比如功率单元的形态等,这些图形元素显示出来后,只要不切换画面,它就不需要刷新。

(2)动态画面。随着实时数据的变化而周期刷新的,如各种表计、棒图、批示灯等。

(3)各种按钮。用户通过鼠标或触摸屏操作时,就要进行画面切换或发送相应的指令,包括通讯指令和开关量输出。

采用面向对象编程技术时,可以将每一个图形元素定义成单独的类(CLASS),使用时,相同的多个对象只需由程序自动生成。如图 3 所示,虽然图中有多个表计,但都是由同一个表计类产生。不但减少了编程时间,而且减少了程序的大小。

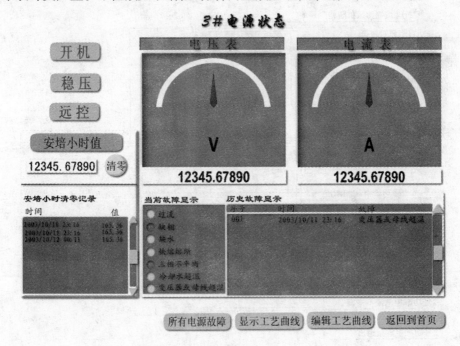

图 3

8　结语

　　本文论述的方法已经在励磁系统中应用,经过长期的实际运行检验,表时系统是稳定可靠的。由于采用高级语言编程,组态工具和运行程序的可移植能力都非常强,可以方便地适应不同硬件平台和操作系统,适用于不同的控制系统。在励磁系统设计中采用组态编程技术后,很大程度上减少了重复性劳动,使设计人员可以将更多精力放在控制规律的研究以及关键技术的研究上,有助于提高国产励磁装置的整体水平。

同步发电机控制方式的探讨

王 剑

（广州电器科学研究院博士后工作站、华南理工大学博士后流动站）

毛宗源

（华南理工大学自动化科学与工程学院）

随着电力系统规模的扩大与复杂化,大容量机组及快速励磁装置增长使得电力系统阻尼特性恶化,而电网互联易引起连锁反应导致大面积停电,对电力系统的稳定性提出了更高的要求。因此,关于发电机控制的研究受到了电力部门和学术界的广泛重视,提出了各种新的控制方法与技术。本文将对已进行广泛深入研究并有少量实际应用的综合控制、线性最优控制及非线性最优控制与目前占主要地位的 PID 控制进行对比性探讨。

1 发电机励磁、调速综合控制

相对于发电机励磁、调速独立控制,综合控制的最大好处就是能够更有效地提高电力系统稳定性。

1.1 励磁、调速独立控制不利于提高电力系统的稳定性

传统上,发电机输出的有功功率、无功功率分别由速度调节器和励磁调节器控制,已发展得很成熟,基本能满足目前电力系统的运行需要。但这种控制方式不太有利于提高发电机组及电力系统的稳定性。励磁与调速控制相互独立,各自对反馈量进行调节,不考虑发电机的耦合作用造成它们之间的相互影响,尤其是当发生有功振荡,二者都做出响应时,缺乏必要的协调,从而不利于电力系统的稳定及安全可靠运行。

虽然可以同时应用励磁控制附加 PSS 和速度调节器附加 GPSS,期望更有效地抑制有功振荡,但由于独立的励磁与调速控制缺乏协调,其抑制效果难达到最佳,甚至在某些情况下不利于系统的稳定。

1.2 关于综合控制的几点看法

1.2.1 综合控制的优点

(1)提高电力系统稳定性,提高发电机输出功率动态稳定极限。

(2)实现发电机组运行工况最优。

(3)缩短发电机组开机与并网同期跟踪时间[1]。

(4)综合控制有利于进相运行时控制进相深度保证发电机不失稳。随着电力系统机组容量不断扩大、输电线路电压等级提高及长度不断增加,电网容量越来越大,使电力系统电容电流也不断增大,在午夜、节假日等低谷负荷时,容易引起无功功率过剩,致使电压升高甚至超过允许值,接到高压电网特别是位于远方的发电机组需要有适当的进相能力,以保持电厂送电电压低于允许最高水平。实践证明,用发电机作进相运行吸收无功功率,调整系统电压,是调压节能、提高电力系统经济效益的有效措施[2,3]。由于水电机组往往

承担调峰调频任务,又往往是远距离输电,故对水电机组尤其有意义。

1.2.2　综合控制的可行性

人们早就认识到综合控制的好处,但是由于传统的调速器是机械式的,惯性时间常数大,发生有功功率振荡时,调速器不能及时响应,只能利用附加电力系统稳定器 PSS 的励磁控制来抑制振荡,故即使采用调速、励磁综合控制,发电机的稳定性也不会比它们的独立控制优越很多。从根本上说,励磁系统与调速器的惯性时间常数差别过大使得综合控制的优越性难以在提高电力系统稳定性方面充分体现。长期以来,电力系统对提高稳定性也没有迫切的需要,加上由于专业界限以及控制理论及其应用研究还不能满足现实需要,也使调速与励磁控制分别设计和实现,难以考虑它们的协调问题。

然而,调速机械制造及控制方法经长期的研究与发展,以及调速系统的数字化,惯性时间常数大幅减小,使得通过调速系统来直接抑制低频有功振荡已成为可能,国外在大型机组上的试验已经证明了 GPSS 的有效性,国内业已出现 GPSS 产品。因此,励磁、调速控制同时用于抑制低频有功振荡已具备现实可行性。而励磁系统与调速装置惯性时间差别的缩小使得综合控制能有效协调励磁、调速装置的动作,提高电力系统稳定性。

1.2.3　综合控制方式

综合控制可以有多种方式,有不同的硬件结构和控制算法。

(1)控制器硬件一体,采用多变量控制算法。集励磁与调速于一体的多变量综合控制器,用同一硬件平台、同一套控制规律及算法取代目前使用的励磁、调速各自独立的硬件与控制规律及算法,对发电机进行综合控制,发电机转速和输出电压是多变量系统中的两个状态变量,控制规律与算法已包含着二者之间的内在联系,故可实现励磁、调速控制相互协调,使发电机组在最优或接近最优工况下运行,提高发电机组的稳定能力,有效抑制低频有功振荡,提高极限输出功率。

(2)控制器硬件一体,基本控制算法独立,附加协调控制。基本控制可以采用已有的励磁、调速独立控制方式,即 PID＋PSS 控制。协调控制的作用主要是在开机、停机、甩负荷及大干扰后的暂态过程中协调励磁、调速控制,实现快速稳定。在某种意义上,协调控制起励磁、调速之间的解耦作用。由于基本控制采用现已很成熟的励磁、调速独立控制技术,因此这种形式的综合控制更容易获得用户的信任和接受。

(3)控制器硬件独立,基本控制算法独立,附加协调控制。这种方式非常接近传统的励磁、调速独立控制模式,只是增加了协调功能。较前两种方式更适合用于旧机组的技术改造。

此处提到的综合控制是采用现行的成熟技术,因而完全具有可行性,综合控制当然也可以采用智能、自适应等各种其他的控制方法与技术。

1.2.4　综合控制器的可靠性

认为综合控制会降低发电机组的可靠性,这是不正确的,综合控制只会简化硬件结构,而附加的控制、保护功能与独立控制完全相同,因此可靠性只会提高。事实上,无论励磁、还是调速发生故障,都得停机,如果励磁、调速控制器共用一个硬件平台,发生控制器硬件故障的可能性就减小了一半。有人认为一体化综合控制器会因励磁故障导致综合控制器不工作,从而使得停机时不能像独立的调速器那样制动水轮机。这也是一种错觉,综合控制器故障就相当于独立的励磁、调速装置都发生故障,其安全保护措施与独立控制的情形是一样的。当然,综合控制器也应采用两套甚至三套冗余方式。

2 PID 控制与多变量最优控制比较

尽管多变量线性、非线性最优控制有其先进性,但技术的先进性不等于应用的可行性和实用性。目前看来,至少技术上还需改进和完善。

2.1 PID 控制简单实用,有改进、提高的空间

目前,无论是励磁还是调速几乎都是采用 PID 控制,其技术的成熟性和实用性毋庸置疑,虽然技术上还存在一些不足,不过其改进、提高的空间依然很大。

2.1.1 PID 控制的优点

(1)简单实用。用户对控制方式的理解程度不仅影响到对控制方式的接受程度,对设备正确操作与安全运行也很重要。PID 控制概念简单清晰,而频域法的幅相频率特性又直观地同时反映了系统的静、动态放大倍数及稳定性。用户很容易掌握其控制规律,并根据性能要求调整控制参数。

(2)鲁棒性好。这是因为 PID 控制对模型的依赖程度比较低,甚至可以相当低。而线性、非线性最优控制完全建立在模型基础之上,尽管在一定程度上可以实现鲁棒控制,但其控制性能在根本上还是依赖于模型精度。

(3)现场调试容易。频率特性的测试分析设备大大方便了现场调试及参数整定。即使不知道被控对象的数学模型,也可以现场调试到满意或接近最佳效果,确定调速器 PID 参数的正交试验法就是一个实例。

2.1.2 PID 控制的改进空间很大

PID 控制的不足主要在于暂态稳定能力。尽管附加 PSS 能提供非常好的阻尼效果,如励磁 PID+PSS 控制可以使发电机输出的动态稳定功率达到线路极限[4],但对暂态过程的稳定能力还有待于提高。PID+暂态 PSS 是提高暂态稳定性的一种选择,暂态 PSS 只在大干扰时投入运行。另一种方法是,根据不同的工况选择不同的 PID 参数,既然暂态过程的控制目标已从精度变为稳定性,改变参数是很自然的,对 PID 控制而言也很容易做到。必须指出的是,对于 PID 励磁控制,当因某种原因发电机失去部分负荷时,机端电压会升高,但只要不超过允许极限,就不希望 AVR 马上减小励磁电流,从而延缓转速上升,因此需要附加电功率突然减小时维持高机端电压的控制功能。

尽管 PID 控制技术已完全成熟,但依然是受到广泛研究的领域,处于不断发展之中。学术界及工业应用部门针对一般性或特定的应用对象,提出了各种智能、自适应、非线性及其他形式的 PID 控制。研究出具有良好暂态稳定性的发电机组 PID 控制应该是完全可能的。

另一方面,在现有 PID 控制的基础上引入多变量协调控制,实现励磁、调速控制作用的解耦和综合,也能有效提高系统稳定性。

从根本上说,目前的 PID 控制已完全满足了电力系统正常的稳定运行要求,虽存在不足,但没有改进的急迫性,随 PID 控制技术的发展,附加励磁与调速协调控制的 PID 控制方式完全可能满足未来电力系统对稳定性的更高要求。

2.2 多变量线性最优控制有待改进及提高实用性

线性最优控制考虑了内在的机电耦合关系,对提高稳定性是非常有益的。这正是它的优点所在。其控制作用总是将所有受控状态的偏差及控制代价的平方和的时间积分最小化。而不像励磁或调速的 PID 控制,只是将电压或转速偏差控制在一定范围内。较 PID 控制,线性最优控制尤其有利于暂态过程的稳定,控制系统的任务是尽快结束暂态过程,使机组稳定在新的平衡状态上,即此时的目标是稳定机组(维持同步),而不仅是稳定转速和电压或减小其偏差,甚至可能需要短时间内维持一定的偏差以防失步。

但是,从实际工程应用的角度看,线性最优控制还有待进一步认识和理解,还有不足之处需要改进,也有必要提高其实用性。主要有以下几个方面的问题:

(1)对于性能指标 $J = \int_0^\infty [x^T Q x + u^T R u] dt$,如何确定权阵 Q、R,使得在所有可能的选择中,此 Q、R 是最优的,否则不是全局最优。同时,还必须考虑机组的不同工况、实际控制量的限幅作用等问题。

(2)性能指标并不能直接反映电压、转速及其他被控状态的精度。

(3)只要是闭环控制,就存在稳定性问题。因此,不管是采用何种控制方式,精度和稳定性总是一对矛盾。线性最优控制是如何处理这对矛盾,达成最优折中也需要搞清楚。一些研究表明,线性最优控制可能会使大扰动后的机端电压远离初始值,超过允许极限。

(4)线性最优控制如何处理模型所忽略的振荡环节及小时间常数环节的影响也值得研究。原理上,线性最优控制能够抑制任何频率的振荡。但是,它所采用的数学模型阶次不能太高,总是忽略掉实际系统的一些高频振荡及小时间常数环节,如轴系的弹性模型、测量环节及控制器时滞等。如果完全不考虑这些因素或处理不合理,实际的线性最优控制甚至可能激发次同步振荡或其他频率的振荡。不过水电机组基本不存在次同步振荡问题。

(5)考虑到负载特性的不确定性,包括发生输电线路短路或断路,线性最优控制所依赖的模型也是部分不确定的。目前情况下,在线实时辨识困难很大。由于可能存在大的负载特性变化,即使引入鲁棒控制也很难实时地解决此问题。

(6)现场调试不便。因为线性最优控制算法中的参数是整体设计出来的,一个参数影响多个状态,故不能轻易单个地改动。而用户更难以根据实际需要调整参数。

必须指出的是,上述问题除第一点外,也是其他多变量控制应该解决或回答的。否则,其实用性就会受到影响或很难为用户接受。从国外情况来看,线性最优也不是被肯定的发电机控制方式。

2.3 多变量非线性最优控制的优越性有限,可行性不足

线性最优控制中存在的问题与不足,在非线性最优控制中也同样存在,这里不再重复。下面仅讨论非线性最优控制能否真正体现出大偏差控制的优越性。

一种被学术界广为接受的观点是,由于电力系统是高度非线性动态系统,近似线性化的数学模型并不能正确表示实际的控制系统,以此为根据所设计的控制器也就不能在大偏差范围内正确有效地工作,因此要实现发电机组的良好控制,尤其是大干扰后的暂态过程控制,必须采用非线性控制才可能获得满意的稳定性。

但是,由于大扰动意味着大偏差,故暂态过程中,不论何种控制方式,正确的控制输出都会饱和,因此对第一摆的抑制效果必然没有明显区别,模型精确与否已不重要。而第一摆之后,关键是使振荡尽快衰减并收敛到新的平衡点,这取决于系统阻尼的大小,可以通过在第一摆结束时投入 PSS 来实现。由此可见,实现大偏差向平衡点的过渡,虽然具有准确描述非线性系统状态模型的控制规律可能会做得更好一些,但并不存在明显的优越性。

另外还有两个关键性问题:

(1)到目前为止,研究最多的主要是采用精确线性化方法的非线性控制,无论是微分几何或是直接精确线性化,都存在一些问题,如都需求导步骤,但求导会带来噪声和无法实现的大幅值状态量,而且,反馈线性化往往需要很大的控制量去抵消系统的非线性[5],这意味着精确线性化的物理实现存在困难。

(2)除了精确线性化本身不具鲁棒性外,2.2 小节第 5 点已指出,负荷及线路电抗的不确定性,直接导致依赖精确模型的非线性控制不具鲁棒性。即使能在线实时辨识出负载特性,实时精确线性化也是很困难的问题。

正是由于此两点,使得一些人转而研究非线性鲁棒控制或其他非线性控制,特别是无源性非线性控制引起了一些研究人员的兴趣和重视。

3　结语

(1)发电机励磁、调速综合控制有利于提高电力系统的稳定性,并存在可行性。

(2)大偏差或暂态过程时,系统应该呈饱和控制状态,类似 bang - bang 控制是必然的,系统模型精确与否对控制作用没有明显影响,故此时即使是真正的最优非线性控制也不会有明显的优越性。

(3)稳态时的小扰动,完全可以采用近似线性化模型,没有必要采用非线性模型。

(4)暂态和稳态应该采用不同的控制规律,暂态过程的控制目标是避免发电机失步及使机组快速恢复到新的平衡状态,同时保证电压不超限,稳态时的控制目标为频率/电压精度。

参 考 文 献

[1] 卢志刚,吴士昌,等.发电机的广义跟踪同期控制研究,中国机电工程学报,1997,17(3)

[2] 薛军,朱光辉,王维超,等.发电机调相运行对高压电网电压与无功控制的作用.西北电力技术,2001
(6)

[3] 张建忠,万栗,等.大型汽轮发电机进相运行在线自动控制装置.中国电力,2001,34(2)

[4] 刘增煌,方思立.电力系统稳定器对电力系统动态稳定的作用及与其他控制方式的比较.电网技术,
1998,22(3)

[5] 吴青华,蒋林.非线性控制理论在电力系统中应用综述.电力系统自动化,2001,25

发电机空载强励灭磁仿真研究

尹华杰

（华南理工大学电力学院）

许敬涛

（广州电器科学研究院）

1 概述

为了在发电机发生定子绕组出线端短路或开路等故障时,能够迅速切除端电压,大型发电机的励磁系统都配有灭磁装置。灭磁装置的工作原理很简单,就是在需要时,切除励磁电源,并在励磁回路中接入电阻,以使励磁回路的电流迅速下降到零,从而使发电机端电压达到零。

发电机灭磁过程需要的时间,除与接入的灭磁电阻类型、大小相关之外,还同发电机本身各绕组的时间常数相关。灭磁系统的设计目标,就是要在满足有关国家标准规定,并保证磁场断路器安全的前提下,用尽可能少的灭磁电阻,使励磁电流尽快下降到零。

为了设计出符合要求的灭磁电阻,我们综合考察了灭磁容量的各种计算方法(包括ABB 计算法、一般供货商估算法以及面积估算法等),推导了考虑漏感不饱和特性的灭磁容量计算方法,以确定灭磁电阻的推荐值;另一方面,我们建立了发电机空载强励灭磁过程的状态方程,利用龙格－库塔法对选定的灭磁电阻,进行灭磁仿真。由于许多发电厂无法给出发电机完整的参数,我们又研究了利用有限的发电机参数,根据参数的经验范围表,对缺失参数进行估算的方法。最后开发了具有以上各功能的、精度较高的灭磁仿真软件。

2 发电机空载灭磁过程的状态方程

空载时,发电机只有励磁绕组和直轴阻尼绕组起作用,以下建立这两个绕组的电压平衡方程。假定发电机的直轴阻尼绕组已折算到励磁绕组,则励磁绕组电压平衡方程式为

$$0 = U_{RM}(i_f) + L_{fD}\frac{\mathrm{d}i_D}{\mathrm{d}t} + L_f\frac{\mathrm{d}i_f}{\mathrm{d}t} + r_f i_f \quad \text{(不饱和时)}$$

$$= U_{RM}(i_f) + \frac{\mathrm{d}\boldsymbol{\Psi}_{Df}}{\mathrm{d}t} + \frac{\mathrm{d}\boldsymbol{\Psi}_f}{\mathrm{d}t} + r_f i_f \quad \text{(饱和时,磁链表示)}$$

$$= U_{RM}(i_f) + N_f\left(\frac{\mathrm{d}\boldsymbol{\Phi}_m}{\mathrm{d}t} + \frac{\mathrm{d}\boldsymbol{\Phi}_{f\sigma}}{\mathrm{d}t}\right) + r_f i_f \quad \text{(饱和时,磁通表示)}$$

$$= U_{RM}(i_f) + N_f\frac{\mathrm{d}\boldsymbol{\Phi}_m}{\mathrm{d}i_{\sum}}\left(\frac{\mathrm{d}i_f}{\mathrm{d}t} + \frac{\mathrm{d}i_D}{\mathrm{d}t}\right) + L_{f\sigma}\frac{\mathrm{d}i_f}{\mathrm{d}t} + r_f i_f$$

直轴阻尼绕组折算到励磁绕组的电压平衡方程式为

$$0 = L_{fD}\frac{\mathrm{d}i_f}{\mathrm{d}t} + L_D\frac{\mathrm{d}i_D}{\mathrm{d}t} + r_D i_D \qquad (\text{不饱和时})$$

$$= \frac{\mathrm{d}\Psi_{fD}}{\mathrm{d}t} + \frac{\mathrm{d}\Psi_D}{\mathrm{d}t} + r_D i_D \qquad (\text{饱和时，磁链表示})$$

$$= N_f\left(\frac{\mathrm{d}\Phi_m}{\mathrm{d}t} + \frac{\mathrm{d}\Phi_{D\sigma}}{\mathrm{d}t}\right) + r_D i_D \qquad (\text{饱和时，磁通表示})$$

$$= N_f\frac{\mathrm{d}\Phi_m}{\mathrm{d}i_{\sum}}\left(\frac{\mathrm{d}i_f}{\mathrm{d}t} + \frac{\mathrm{d}i_D}{\mathrm{d}t}\right) + L_{D\sigma}\frac{\mathrm{d}i_D}{\mathrm{d}t} + r_D i_D$$

而发电机空载特性曲线为

$$E_0(i_{\sum}) = 4.44 f_N k_{N1} N_S \Phi_m$$

$$\frac{\mathrm{d}\Phi_m}{\mathrm{d}i_{\sum}} = \frac{1}{4.44 f_N k_{N1} N_S}\frac{\mathrm{d}E_0(i_{\sum})}{\mathrm{d}i_{\sum}}$$

所以有

$$\begin{cases} U_{RM}(i_f) + N_f\dfrac{\mathrm{d}\Phi_m}{\mathrm{d}i_{\sum}}\left(\dfrac{\mathrm{d}i_f}{\mathrm{d}t} + \dfrac{\mathrm{d}i_D}{\mathrm{d}t}\right) + L_{f\sigma}\dfrac{\mathrm{d}i_f}{\mathrm{d}t} + r_f i_f = 0 \\[3mm] N_f\dfrac{\mathrm{d}\Phi_m}{\mathrm{d}i_{\sum}}\left(\dfrac{\mathrm{d}i_f}{\mathrm{d}t} + \dfrac{\mathrm{d}i_D}{\mathrm{d}t}\right) + L_{D\sigma}\dfrac{\mathrm{d}i_D}{\mathrm{d}t} + r_D i_D = 0 \\[3mm] \dfrac{\mathrm{d}\Phi_m}{\mathrm{d}i_{\sum}} = \dfrac{1}{4.44 f_N k_{N1} N_S}\dfrac{\mathrm{d}E_0(i_{\sum})}{\mathrm{d}i_{\sum}} \end{cases}$$

式中 $i_{\sum} = i_f + i_D$。其中 i_D 是阻尼绕组电流折算到励磁绕组的数值，在正常运行时，$i_{\sum} = i_f(i_D = 0)$。记 $\mathrm{d}\Phi_m/\mathrm{d}i_{\sum}$ 为 D_f，从上式可解得

$$\begin{cases} \dfrac{\mathrm{d}i_f}{\mathrm{d}t} = \dfrac{-i_f\cdot r_f(L_{D\sigma} + N_f D_f) + i_D\cdot r_D N_f D_f - U_{RM}\cdot(L_{D\sigma} + N_f D_f)}{L_{f\sigma}L_{D\sigma} + N_f D_f\cdot(L_{f\sigma} + L_{D\sigma})} \\[4mm] \qquad = \dfrac{-i_f\cdot\dfrac{r_f}{L_{f\sigma}}\left(1 + \dfrac{N_f D_f}{L_{D\sigma}}\right) + i_D\cdot\dfrac{r_D N_f D_f}{L_{f\sigma}L_{D\sigma}} - U_{RM}\cdot\dfrac{1}{L_{f\sigma}}\left(1 + \dfrac{N_f D_f}{L_{D\sigma}}\right)}{1 + N_f D_f\cdot\left(\dfrac{1}{L_{f\sigma}} + \dfrac{1}{L_{D\sigma}}\right)} \\[6mm] \dfrac{\mathrm{d}i_D}{\mathrm{d}t} = \dfrac{i_f\cdot r_f N_f D_f - i_D\cdot r_D(L_{f\sigma} + N_f D_f) + U_{RM}\cdot N_f D_f}{L_{f\sigma}L_{D\sigma} + N_f D_f\cdot(L_{f\sigma} + L_{D\sigma})} \\[4mm] \qquad = \dfrac{i_f\cdot\dfrac{r_f L_f D_f}{L_{f\sigma}L_{D\sigma}} - i_D\cdot\dfrac{r_D}{L_{D\sigma}}\left(1 + \dfrac{N_f D_f}{L_{f\sigma}}\right) - U_{RM}\dfrac{N_f D_f}{L_{f\sigma}L_{D\sigma}}}{1 + N_f D_f\cdot\left(\dfrac{1}{L_{f\sigma}} + \dfrac{1}{L_{D\sigma}}\right)} \end{cases}$$

上式是关于状态变量 (i_f, i_D) 的状态方程，其中 D_f 和 U_{RM} 都是状态变量的非线性函数。记该状态方程为矩阵形式：$\boldsymbol{I}' = f(\boldsymbol{I})$，则可以使用以下格式的高阶龙格 - 库塔法（四阶）求解：

$$
\begin{cases}
\boldsymbol{I}(t_{n+1}) = \boldsymbol{I}(t_n) + \dfrac{h}{6}(\boldsymbol{K}_1 + 2\boldsymbol{K}_2 + 2\boldsymbol{K}_3 + \boldsymbol{K}_4) \\[2mm]
\boldsymbol{K}_1 = f(\boldsymbol{I}(t_n)) \\[2mm]
\boldsymbol{K}_2 = f(\boldsymbol{I}(t_n) + 0.5h\boldsymbol{K}_1) \\[2mm]
\boldsymbol{K}_3 = f(\boldsymbol{I}(t_n) + 0.5h\boldsymbol{K}_2) \\[2mm]
\boldsymbol{K}_4 = f(\boldsymbol{I}(t_n) + h\boldsymbol{K}_3)
\end{cases}
$$

其中 $h = t_{n+1} - t_n$，为可变步长。

3 发电机参数的计算和估算

3.1 一般参数的计算公式

3.1.1 $N_f D_f$ 的计算

在状态方程中，$N_f D_f$ 出现最为频繁。根据前面的定义，$N_f D_f$ 不是发电机一个单纯的参数，它等于励磁绕组匝数(通常不给定)乘以磁通对总等效励磁电流的导数，即

$$
\begin{aligned}
N_f D_f &= N_f \frac{\mathrm{d}\Phi_m}{\mathrm{d}i_\Sigma} = N_f \frac{1}{4.44 f_N k_{N1} N_S} \frac{\mathrm{d}E_0(i_\Sigma)}{\mathrm{d}i_\Sigma} \\
&= k \frac{\mathrm{d}E_0(i_\Sigma)}{\mathrm{d}i_\Sigma} = \frac{\mathrm{d}[kE_0(i_\Sigma)]}{\mathrm{d}i_\Sigma} = \frac{\mathrm{d}(N_f \Phi_m)}{\mathrm{d}i_\Sigma} = \frac{\mathrm{d}(L_{ad}(i_\Sigma)i_\Sigma)}{\mathrm{d}i_\Sigma}
\end{aligned}
$$

由于 k 为常数，因此对于任何电流 i_Σ，下式都成立

$$
k = N_f \frac{1}{4.44 f_N k_{N1} N_S} = \frac{L_{ad}(i_\Sigma)i_\Sigma}{E_0(i_\Sigma)} = \frac{L_{ad}(i_{f0})i_{f0}}{E_0(i_{f0})}
$$

获得 k 后，则对于任何电流 i_Σ，有

$$
N_f D_f = k \frac{\mathrm{d}E_0(i_\Sigma)}{\mathrm{d}i_\Sigma} = \frac{L_{ad}(i_{f0})i_{f0}}{E_0(i_{f0})} \frac{\mathrm{d}E_0(i_\Sigma)}{\mathrm{d}i_\Sigma} = L_{ad}(i_{f0}) \frac{\mathrm{d}[E_0(i_\Sigma)/E_0(i_{f0})]}{\mathrm{d}(i_\Sigma/i_{f0})}
$$

3.1.2 励磁绕组及直轴阻尼绕组电感、电阻的计算

已知励磁绕组电阻 $R_{f75}(\Omega)$、励磁绕组时间常数 $T'_{d0}(\mathrm{s})$，则励磁绕组总电感为

$$
L_f = T'_{d0} R_f \qquad (\mathrm{H})
$$

若已知定子绕组漏抗的标幺值 x_σ，以及 x_d、x'_d、x''_d 的标幺值和 $T''_d(\mathrm{s})$，则有

$$
x_{ad} = x_d - x_\sigma
$$
$$
x_f = x_{ad}^2 / (x_d - x'_d)
$$
$$
x_{f\sigma} = x_f - x_{ad}
$$
$$
x_{D\sigma} = \cfrac{1}{\cfrac{1}{x''_d - x_\sigma} - \cfrac{1}{x'_d - x_\sigma}}
$$
$$
x_D = x_{ad} + x_{D\sigma}
$$
$$
R_D^s = (x_{D\sigma} + x_{ad} /\!/ x_{f\sigma} /\!/ x_\sigma)/(2\pi f_N)/T''_d
$$

若已知 x_f 和 L_f 的比值，因所有折算到定子的电抗同相应折算到励磁绕组的电感之间都具有该比值，故

$$L_{ad} = x_{ad}\frac{L_f}{x_f}$$

$$L_{f\sigma} = x_{f\sigma}\frac{L_f}{x_f}$$

$$L_{D\sigma} = x_{D\sigma}\frac{L_f}{x_f}$$

$$L_D = x_D\frac{L_f}{x_f}$$

$$R_D = R_D^s\frac{L_f}{x_f}2\pi f_N$$

3.1.3 定子绕组漏抗 x_σ 的估算

当 x_d、x'_d 给定,而 x_σ 未给定时,x_σ 可由容量等参数来估算:

方法一:

$$x_{f\sigma} = (0.1 \sim 0.2)x_d \qquad (较大容量机组取较大值)$$

$$x_f \approx 1.15x_d$$

因此,由 $x_f = x_{ad}^2/(x_d - x'_d)$ 可得

$$x_{ad} \approx \sqrt{1.15x_d(x_d - x'_d)}$$

$$x_\sigma = x_d - x_{ad} \qquad (偏小)$$

方法二:

$$x_p \approx x_\sigma + 0.63(x'_d - x_\sigma)$$

$$\approx 0.8x'_d$$

因此,有

$$x_\sigma = 0.459x'_d \qquad (偏大)$$

3.2 各种不饱和电抗的计算(折算到定子侧)

3.2.1 不饱和直轴电枢反应电抗 x_{ad}

以 x_f 表示折算到定子侧的励磁绕组总电抗,由于

$$
\begin{aligned}
x_d - x'_d &= (x_{ad} + x_\sigma) - (x_\sigma + x_{ad} /\!/ x_{f\sigma}) \\
&= x_{ad} - x_{ad} /\!/ x_{f\sigma} = x_{ad} - x_{ad}x_{f\sigma}/(x_{ad} + x_{f\sigma}) \\
&= x_{ad}[1 - x_{f\sigma}/(x_{ad} + x_{f\sigma})] \\
&= x_{ad}^2/(x_{ad} + x_{f\sigma}) \\
&= x_{ad}^2/x_f
\end{aligned}
$$

所以有

$$x_{ad} = \sqrt{x_f(x_d - x'_d)}$$

3.2.2 励磁绕组漏抗 $x_{f\sigma}$

由瞬变电抗 $x'_d = x_\sigma + x_{ad} /\!/ x_{f\sigma} = x_\sigma + 1/(1/x_{f\sigma} + 1/x_{ad})$ 可得

$$x_{f\sigma} = 1/[1/(x'_d - x_\sigma) - 1/x_{ad}]$$

或
$$x_{f\sigma} = x_f - x_{ad}$$

3.2.3 阻尼绕组直轴漏抗 $x_{D\sigma}$

由超瞬变电抗 $x''_d = x_\sigma + x_{ad} /\!/ x_{f\sigma} /\!/ x_{D\sigma} = x_\sigma + 1/(1/x_{f\sigma} + 1/x_{ad} + 1/x_{D\sigma})$ 可得

$$x_{D\sigma} = 1/[1/(x''_d - x_\sigma) - 1/x_{ad} - 1/x_{f\sigma}] = 1/[1/(x''_d - x_\sigma) - 1/(x'_d - x_\sigma)]$$

或
$$x_{D\sigma} = x_D - x_{ad}$$

3.3 缺失参数的估算

当 x''_d 或 T''_d 未给定时,则须由 x_d、x'_d、x_σ、T''_{d0}、S_N 以及机组类型等信息进行预测。本文的预测以各种发电机的参数经验范围(见表1)为依据,在机组信息与参数的经验范围之间构建了一个映射,从而根据机组信息对参数进行预测,为缺失参数提供推荐值。

表1 经验参数范围表(统计平均值/统计范围)

项目	汽轮机组	有阻尼水轮机组	无阻尼水轮机组	调相机组
x_d(标幺值)	1.8/1.5~2.4	0.95/0.7~1.3	0.95/0.7~1.3	1.7/1.4~2.5
x'_d(标幺值)	0.23/0.15~0.31	0.33/0.24~0.45	0.3/0.2~0.4	0.16/0.14~0.22
x''_d(标幺值)	0.15/0.1~0.2	0.21/0.16~0.2	0.25/0.15~0.35	0.16/0.14~0.22
T'_{d0}(s)	6/5~12	6.1/1.77~10.3	6.1/1.77~10.3	7.8/5.6~10
T''_d(s)		0.055/0.017 7~0.1	0.55/0.017 7~0.1	

设在表1中,某个参数的下限为 a,上限为 b,统计平均值为 p。引入辅助变量 t 以及映射 $f(t)$,$f(t)$ 将 $t \in [0,1]$ 映射到值域 $[a,b]$ 上。由于 p 为统计平均值,因此在 $t=0\sim 1$ 范围内,$f(t)$ 的定积分为 p。设映射具有以下的指数函数形式:

$$f(t) = C_0 + C_1 e^{C_2 t}$$

其中 C_0、C_1、C_2 为待定系数。该函数应该以点 $(0,a)$ 和 $(1,b)$ 为端点,且平均值为 p,即

$$\int_0^1 f(t)\mathrm{d}t = p$$
$$f(0) = a$$
$$f(1) = b$$

由此可求得系数 C_0、C_1、C_2。

对于表1中各个参数,在相应的系数 C_0、C_1、C_2 全部已知之后,就可以根据机组的部分已知参数,去估计缺失参数。具体方法举例说明如下:假如已知某发电机为汽轮机组,且给定了 x_d,而 x''_d 未给定;现将 x_d 代入相应汽轮机组 x_d 的映射函数,可以获得辅助变量 t 的一个值,假定为 t_0;由于 t_0 表明了该汽轮机组在参数 x_d 的统计意义上在 $[0,1]$ 范围内的位置,因此可以假定,该汽轮机组在参数 x''_d 的统计意义上在 $[0,1]$ 范围内也处于 t_0 位置的附近;基于这种假定,故将 t_0 代入汽轮机组 x''_d 的映射函数,从而得到 x''_d 的一个预测值。如果在表1中,机组有多个已知参数,则可以应用每个已知参数,分别对缺失参数进行一次预测,最后求平均值。

4 灭磁电阻的估算

4.1 励磁绕组储能的计算

励磁绕组储能是灭磁电阻容量选择的主要考虑指标。储能的计算方法很多,有 ABB 计算法、一般供货商估算法、面积估算法等。下面推导储能的计算公式。

设绕组放电回路的总电阻为 R,当放电电流 i_f 为零时,储能消耗完毕。电阻 R 上消耗的总能量即为励磁绕组的储能。放电时回路电压方程为

$$Ri_f + \frac{\mathrm{d}\Psi}{\mathrm{d}t} = Ri_f + \frac{\mathrm{d}L_fi_f}{\mathrm{d}t} = Ri_f + \frac{\mathrm{d}(L_{ad}+L_{f\sigma})i_f}{\mathrm{d}t} = Ri_f + \frac{\mathrm{d}L_{ad}i_f}{\mathrm{d}t} + L_{f\sigma}\frac{\mathrm{d}i_f}{\mathrm{d}t}$$

$$= Ri_f + \frac{\mathrm{d}L_{ad}i_f}{\mathrm{d}E_0(i_f)}\frac{\mathrm{d}E_0(i_f)}{\mathrm{d}t} + L_{f\sigma}\frac{\mathrm{d}i_f}{\mathrm{d}t} = Ri_f + k\frac{\mathrm{d}E_0(i_f)}{\mathrm{d}t} + L_{f\sigma}\frac{\mathrm{d}i_f}{\mathrm{d}t} = 0$$

所以总储能为

$$W_0 = \int_0^\infty (Ri_f)i_f\mathrm{d}t = -\int_0^\infty \left[k\frac{\mathrm{d}E_0(i_f)}{\mathrm{d}t} + L_{f\sigma}\frac{\mathrm{d}i_f}{\mathrm{d}t}\right]i_f\mathrm{d}t$$

$$= -\int_{if}^0 ki_f\mathrm{d}E_0(i_f) + L_{f\sigma}i_f\mathrm{d}i_f$$

$$= \int_0^{E_0(i_f)} ki_f\mathrm{d}E_0(i_f) + \frac{1}{2}L_{f\sigma}i_f^2$$

$$= k\int_0^{E_0(i_f)} i_f\mathrm{d}E_0(i_f) + \frac{1}{2}L_{f\sigma}i_f^2$$

$$= \frac{L_{ad}i_{f0}}{E_0(i_{f0})}\int_0^{E_0(i_f)} i_f\mathrm{d}E_0(i_f) + \frac{1}{2}L_{f\sigma}i_f^2$$

$$= \frac{L_{ad}i_{f0}}{E_0(i_{f0})}i_{f0}E_0(i_{f0})\int_0^{i_f^*} i_f^*\mathrm{d}E_0^* + \frac{1}{2}L_{f\sigma}i_f^2$$

$$= L_{ad}i_{f0}^2\int_0^{i_f^*} i_f^*\mathrm{d}E_0^* + \frac{1}{2}L_{f\sigma}i_f^2$$

式中:i_f^*、E_0^* 是以空载时的励磁电流和反电势为基值的标幺值,由此可见,励磁绕组储能由互感储能和漏感储能两部分组成。因漏感为不饱和电感,其储能系数为 0.5;互感则为饱和电感,其储能系数正比于标幺化的空载特性曲线与 E_0 轴包围的面积。

设空载励磁电流 i_{f0} 时的标幺化空载特性曲线与 E_0 轴的面积为 S_0,额定励磁电流 i_{fN} 时的面积为 S_N,强励励磁电流 $i_{f\max}$ 时的面积为 $S_{\max}$,则根据前述推导,各励磁电流下的总储能分别为

$i_f = i_{f0}$ 时: $\quad W_0 = L_{ad}i_{f0}^2S_0 + 0.5L_{f\sigma}i_{f0}^2 = W'_0 + 0.5L_{f\sigma}i_{f0}^2$

$i_f = i_{fN}$ 时: $\quad W_N = L_{ad}i_{f0}^2S_N + 0.5L_{f\sigma}i_{fN}^2 = W'_0 \cdot S_N/S_0 + 0.5L_{f\sigma}i_{fN}^2$

$i_f = i_{f\max}$ 时: $\quad W_{\max} = L_{ad}i_{f0}^2S_{\max} + 0.5L_{f\sigma}i_{f\max}^2 = W'_0 \cdot S_{\max}/S_0 + 0.5L_{f\sigma}i_{f\max}^2$

传统上直接使用公式 $L_fi_f^2S$ 计算储能的面积估算法,由于未考虑漏感的不饱和性,在较大励磁电流时,计算结果明显偏小;而这里介绍的考虑漏感不饱和性的计算方法,则由于未考虑到励磁电流特别大时,漏磁路也将出现饱和的问题,故在励磁电流特别大时,计算结果将稍微偏大。

4.2 灭磁电阻的设计

根据国家标准 GB7409—87 第 4.7.1 款的规定,灭磁电阻的选择,应该使灭磁过程中,励磁绕组的反向电压 U_r 不低于出厂时励磁绕组对地试验电压幅值的 30%,不高于 50%。结合标准对发电机出厂试验的规定,有以下三种情况[1]:

(1)额定励磁电压小于 150V 的发电机,出厂试验电压为 1 500V,故有

$$1\,500\sqrt{2} \times 30\% \leqslant U_r \leqslant 1\,500\sqrt{2} \times 50\%$$

(2)额定励磁电压为 150～500V 的发电机,出厂试验电压为额定电压的 10 倍,故有

$$10U_N\sqrt{2} \times 30\% \leqslant U_r \leqslant 10U_N\sqrt{2} \times 50\%$$

(3)额定励磁电压为 500V 以上的发电机,出厂试验电压为额定电压的 2 倍,再加 4 000V,故有

$$(2U_N + 4\,000)\sqrt{2} \times 30\% \leqslant U_r \leqslant (2U_N + 4\,000)\sqrt{2} \times 50\%$$

依据以上规定,由空载强励时的励磁电流 $i_{f\max}$ 来确定所需要的灭磁电阻配置。由于绕组电流不能突变,接入灭磁电阻的瞬间,灭磁电阻通过的电流即为 $i_{f\max}$,相应的电阻压降即为励磁绕组的反向电压。设灭磁电阻由电阻元件按 n_p 组并联,n_s 组串联的方式构成;单个电阻元件在通过 1A 电流时的压降系数为 c_r(对线性电阻,即为电阻值),电流非线性指数为 c_i(对于线性电阻,$c_i = 1$),容量为 c_w,则励磁绕组承受的最大反向电压为

$$U_r = n_s c_r \left(\frac{i_{f\max}}{n_p} \right)^{c_i}$$

灭磁电阻设计的目标就是:①选择适当的灭磁元件总数目 $n_s n_p$,使灭磁电阻的总容量符合励磁绕组总储能的要求;②在灭磁元件总数目 $n_s n_p$ 基本固定的情况下,选择正确的 n_s、n_p 组合,使 U_r 尽可能接近国家标准规定的反电压上限和磁场断路器电压上限中较小的值,从而加速灭磁过程。

5 软件界面及实例

基于前面所述的电机状态方程、参数计算(估计)方法,开发了发电机空载强励灭磁的仿真软件,界面如图 1 所示。图 2 则为仿真过程中截获的一个显示曲线的动态画面,三个曲线分别为励磁绕组电流、直轴阻尼绕组电流以及励磁绕组反向电压(画面中 y 轴的上、下限范围很小,所以曲线看起来像直线)。

图 3 则为根据长江水利委员会提供的 ABB 公司的三峡水电机方案的有关参数[3],进行仿真的结果。它以曲线的形式,给出了灭磁过程中励磁绕组的电流、直轴阻尼绕组的电流,以及励磁绕组承受的反向电压;同时它还以文字方式,列出了励磁绕组、直轴阻尼绕组以及灭磁电阻等三部分消耗的能量。

利用仿真软件的参数估计功能,对上述三峡 ABB 水轮发电机的参数进行了缺失估计。估计结果见表 2。从表 2 可以看出,估计结果在一定程度上同实际值符合,尤其是对 x''_d 的估计,差别较小。因此,当用户无法给定参数 x''_d 时,由此方法取得估算值是可取的。

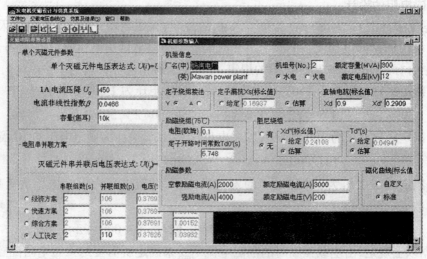

图 1　灭磁仿真系统界面

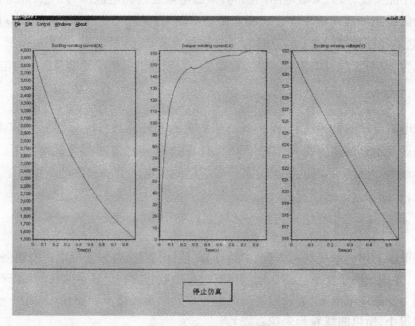

图 2　仿真过程中的界面

　　同样针对 ABB 的三峡水轮发电机参数,利用不同方法计算了其空载强励时的磁场储能,结果见表 3。可见,本文推导的考虑漏感不饱和的计算方法,计算结果同仿真结果几乎相同。

6　结语

　　本文研究了发电机空载强励的灭磁仿真问题,所获得的发电机缺失参数估计算法,用于 x_d'' 的估计时,可以得到大致合理的估计值,基本能够满足参数缺失时的仿真要求;本文推得的磁场容量计算方法,考虑了漏感的不饱和特性,其结果同仿真所得十分接近,同

ABB 估算法、一般供货商估算法、普通的面积法相比,结果更为合理。

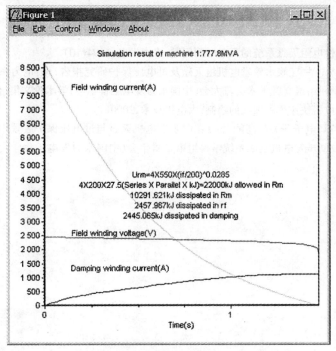

图3 ABB 提供参数的三峡水电机组仿真结果

表2 三峡机组参数的估计

给定参数	实际值	估计值
$x_d = 0.939$(额定容量,不饱和)	$x'_d = 0.315$ $x''_d = 0.24$	$x'_d = 0.283\ 3$ $x''_d = 0.232$
$x_d = 0.835$(额定容量,饱和)	$x'_d = 0.295$ $x''_d = 0.20$	$x'_d = 0.259$ $x''_d = 0.203$

表3 不同计算方法之磁场储能计算结果比较

方法	公式	储能(MJ)
ABB 估算法	$w_{max} = 3w_N$	18.294
一般供应商估算法	$w_{max} = 0.5L_f I_{f0} I_{fmax}$	11.808
面积估算法	$w_{max} = L_f I_{f0}^2 S_{max}$	9.111
漏感不饱和法	$w_{max} = (L_f - L_{f\sigma}) I_{f0}^2 S_{max} + 0.5 L_{f\sigma} I_{fmax}^2$	15.288
仿真结果	$w_{max} =$ 灭磁电阻消耗 + 励磁绕组消耗 + 阻尼绕组消耗	$10.291\ 6 + 2.458\ 0 + 2.445\ 0 = 15.195$

参 考 文 献

[1] 张得平.关于线性电阻灭磁系统的灭磁时间问题.水力发电,1994(10)

[2] 冯士芬,彭辉,易先举.三峡水轮发电机组灭磁及过电压保护研究报告.见:电力系统稳定及同步发电机励磁系统学科组成立暨学术交流大会(中国水力发电工程学会)学术论文集.合肥,2002.10

[3] 李自淳.同步发电机快速灭磁曲线的绘制.大电机技术,2000(4)

[4] 吴光辉,王波.PTC电子开关与高能 ZnO 在同步发电机灭磁与过电压保护装置中的应用研究.见:电力系统稳定及同步发电机励磁系统学科组第二届年会(中国水力发电工程学会)学术论文集.宜昌,2003.12

EXC9000励磁系统简介及调节器模型参数的试验分析

许敬涛　张兴旺　李孔潮　吴国兵

(广州电器科学研究院)

1 引言

电力系统的稳定性长期以来是电力系统的重要研究课题,在对提高系统稳定性而采取的措施中,励磁被认为是既经济又有效的手段之一。随着电力系统的互联,加上励磁系统性能的提高和控制技术的发展,励磁对电力系统稳定性的影响得到了高度重视,励磁系统的性能在电力系统稳定分析计算中成为一个不可忽视的因素。因此,励磁系统数学模型的建立和参数的测定变得十分重要。

目前已在应用的励磁控制规律中,PID+PSS具有物理概念清晰、计算比较简单、易于现场调试、性能优良等特点,因而得到了广泛应用。在国内,PSS投运数量过低,对电网的安全运行带来不利影响,这一问题已日益得到有关电力部门的高度重视。

投入PSS功能时,其中有一环节是对励磁调节器数学模型的确认。全国各大电力试验院及有关试验部门在测试励磁调节器模型参数时,希望励磁厂家能提供方便的试验手段,这样才能节省现场投运时间;同时希望测试结果与数学模型理论值相符,以利于PSS参数的计算、整定。

由广州电器科学研究院(以下简称广科院)研制的EXC9000励磁系统在设计过程中充分考虑了测试、整定励磁系统模型参数所需要的软硬件条件,能保证试验顺利、高效地完成。

2 EXC9000励磁系统简介

EXC9000励磁系统的主要特点是功能软件化、系统数字化。该系统的数字化不仅体现在调节器,也体现在功率柜和灭磁柜。励磁系统的各个部分均能实现智能检测、智能显示、智能控制、信息智能传输和智能测试,极大地提高了装置的可靠性和工艺水平。该系统吸收了目前数字控制领域先进的研究成果和工艺,增添了新的精巧的解决方案和手段,如DSP数字信号处理技术、可控硅整流桥动态均流技术、高频脉冲列触发技术、低残压快速起励技术、完善的通信功能和智能化的调试手段等。现场总线技术也被用于励磁系统的各个部分进行控制和信息交换,使励磁装置成为一个有机的、完整的整体。

EXC9000型励磁调节器具有独立的数字/数字/模拟三通道、两种不同的调节组态。每个调节通道配有一套独立的智能化故障检测系统,调节器采用多CPU模式协同工作,分工合理、运算速度快、功耗低,可以在全封闭环境里工作,无须散热风扇,采用标准的欧洲卡结构和尺寸及高密度的针—孔连接器,抗冲击、抗振动能力强。调节器人机界面采用一体化工控平板机,具有多层三维汉化画面,不仅可以直观地显示励磁系统的运行工况,也可用做现场调试工具,实现智能化调试。调节器对外接口方式灵活多样,通信规约简单实用,可满足不同监控系统接口的需要。调节器在电路设计、工艺结构等方面采取了多种抗干扰措施,充分发挥了屏蔽、接地、滤波、布线设计的作用,显著降低了调节器的故障率,并通过了国家级实验室的电磁兼容性检验。

高输出电流、强停风机能力及智能化是广科院励磁功率柜的主要特点。额定输出2 000A等级的功率柜已在全国各地20多个电站投运50多套,最早投运的距今已有10年以上。单柜停风机输出能力为1 000A/1h,800A/2h,为国内之最。结合三峡子课题——大型机组励磁功率柜的研究,广科院还于2001年研制成功单柜额定输出能力达4 000A的功率柜。

智能化的功率柜实现了工况检测智能化、工况显示智能化、信息传输智能化、控制智能化、智能退柜、动态均流等功能。智能化方案为功率柜提供了全方位监测,大大简化了功率柜的操作回路,功率柜的任一种故障信号、任一个状态信号均可通过总线方式输出。动态均流技术是广科院的一项发明专利,采用这项技术可以确保并联运行功率柜均流系数大于98%。

在灭磁柜内也引入了智能控制系统,取消了常规表计和指示灯,灭磁柜的操作、控制、状态监视、信息传递、信息显示、试验等均实现了智能化。

3 励磁调节器模型参数试验及结果分析

3.1 励磁调节器数学模型

自动励磁调节器采用 PID+PSS 控制规律,其中电压调节部分采用两级超前滞后环节,如图1所示。

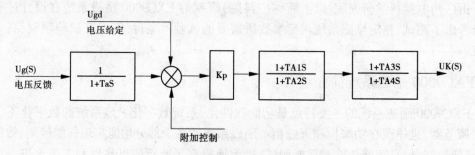

图1 自动电压调节器(AVR)数学模型

PSS部分包括一级滤波、两级超前滞后环节、一级隔直环节和放大单元,如图2所示。

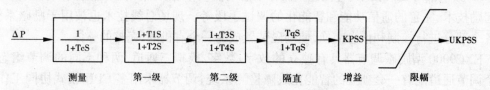

图2 电力系统稳定器(PSS)模型

3.2 试验系统组成

采用广州电器科学研究院专用于励磁试验的动模机组系统,其组成如图 3 所示。该系统可进行励磁系统闭环试验;与电网并列,可进行发电机并网后的有关试验,如欠励试验、调差试验等。

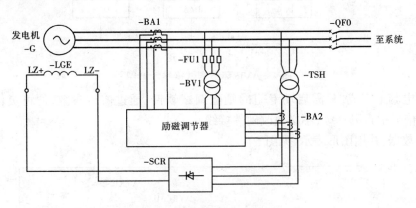

图 3 动模机组原理接线图

测试主要仪器为 Aginent 公司的 35670A 动态信号分析仪,该仪器具有内装式伪随机信号源,可通过 FFT 分析一次测取各种频率时被测系统的幅值和相位关系,直接输出其幅频及相频特性曲线,曲线显示可选线性坐标或半对数坐标。该仪器具有自动量程调整和多次平均功能,若测得的曲线相关系数较低或曲线毛刺过大,可进行多次平均,以提高相关系数,保证测量的精确度。35670A 还具有扫描正弦分析功能,具有更宽的动态测量范围,可以覆盖几十个频段,扫描正弦分析可比 FFT 分析提供更好的频率响应结果。

励磁调节器扩展了 16 路 A/D 信号输入回路及 4 路 D/A 信号输出回路并引出到端子,专用于试验。在进行 AVR 及 PSS 环节检查测量时,将白噪声信号或扫描正弦信号接入调节器 A/D 输入端及动态信号分析仪的 CH1 通道,将调节器 D/A 输出接入动态信号分析仪的 CH2 通道。试验过程中,不用更改硬件接线,即可检查所有的环节(包括独立的或综合的)。在测量励磁系统无补偿特性和有补偿特性时,只需将动态信号分析仪 CH2 的接线改为接调节器另一端子,以获取无滞后特性的 PT 电压信号,无须另加电压变送器。

3.3 AVR 环节模型参数试验

接线示意图见图 4。

其中,AVR1 的传递函数为:$\dfrac{1+0.5S}{1+4S}$;

AVR2 的传递函数为:$\dfrac{1+0.05S}{1+0.03S}$。

测试方法:动态信号分析仪输出的白噪声信号经 A/D 加到 AVR1 的输入点,将白噪声信号和调节器 D/A 输出分别引至低频信号分析仪的 CH1 和 CH2 通道,在做不同环节测量时,输出信号可以是图 4 中的 out1、out2、out3 信号,以便测出两个信号 CH1 和 CH2 的频率响应特性。本次试验主要是测低频振荡频率 0.2~2.5Hz 段的频率特性。试验操

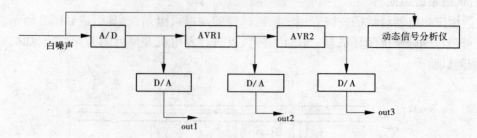

图4 AVR 环节测试接线示意图

作在调试电脑上完成,只需启动专门的励磁调试软件,通过修改参数,便可灵活地选择 D/A转换信号引自哪一级,不必更改硬件接线。

记录数据,并用图形表示(见图5)。

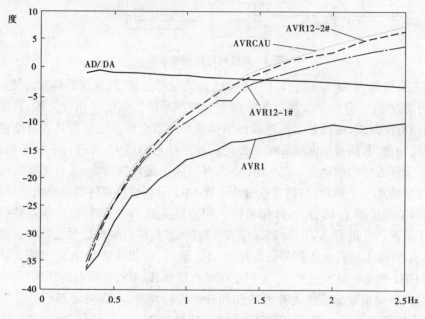

图5 AVR 环节相频特性

图 5 中,AD/DA 为 A/D 输入和 D/A 输出环节的滞后特性,即信号源与输出 out1 的相频特性;AVR1 为信号源与输出 out2 的相频特性;AVR12－1♯为信号源与输出 out3 的相频特性。曲线 AVR12－2♯是考虑了 A/D、D/A 的影响,即 AVR12－1♯减去 AD/DA 的纵坐标值后的相频特性;AVRCAU 为 AVR 环节第一级和第二级总的相频特性理论计算值。

从图 5 中可以看出,测量系统中由 A/D 输入、D/A 输出引起的相位滞后与频率成正比,在 2.5Hz 时滞后 3.4 度。从测量结果分析,可以把 A/D 输入和 D/A 输出看做是一个纯滞后环节,其时间常数稍大于 $T/2$($T=5ms$,是调节程序定时计算周期)。因为 D/A 的更新周期为 T,它是在试验过程中人为加入的环节,对试验结果有影响,但对于调节计算却没有影响。A/D 输入环节始终存在,但更新周期很短,约为 0.625ms。扣减 D/A 输出滞后的影响,AVR 的相频特性与理论值是十分接近的,最大误差小于 1.5 度。

3.4 PSS 环节模型参数确认

测试接线示意图如图 6 所示。

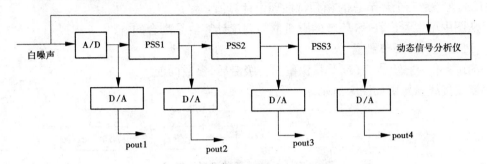

图 6　PSS 环节测试接线示意图

其中,$PSS1 = \dfrac{1+0.15S}{1+4S}$;

$\qquad PSS2 = \dfrac{1+0.3S}{1+0.05S}$;

$\qquad PSS3 = \dfrac{5S}{1+5S}$。

测试结果见图 7。

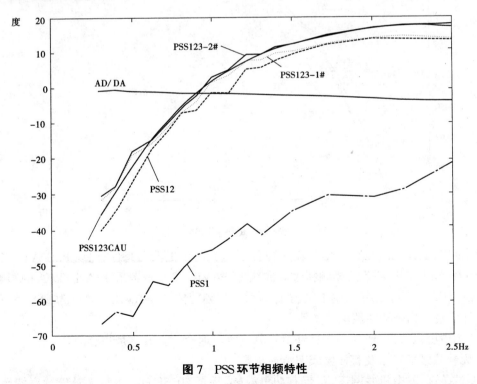

图 7　PSS 环节相频特性

图 7 中,AD/DA 为 A/D 输入和 D/A 输出环节的滞后特性,即信号源与输出 pout1 的

相频特性;曲线 PSS1 为信号源与输出 pout2 的相频特性;PSS12－1# 为信号源与输出 pout3 的相频特性;PSS123－1# 为信号源与输出 pout4 的相频特性。曲线 PSS123－2# 是考虑了 A/D、D/A 的影响,即 PSS123－1# 减去 AD/DA 的纵坐标值后的相频特性; PSS123CAU 是三个环节总的相频特性理论计算值。

从图中可以看出,PSS 环节的测量值与理论计算值是吻合的。

3.5 PSS＋AVR 环节测量

测试条件:静态,AVR 环节只保留第一级滞后,参数同前。

测试接线示意图如图 8 所示。

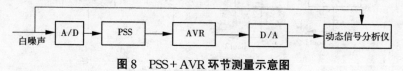

图 8 PSS＋AVR 环节测量示意图

测试结果见图 9。

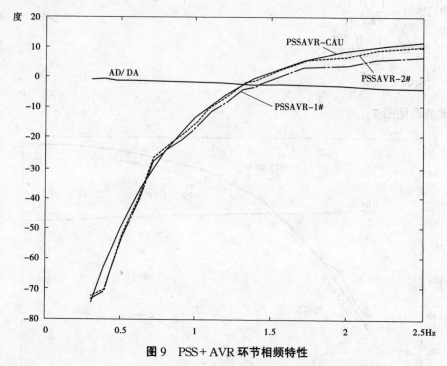

图 9 PSS＋AVR 环节相频特性

图 9 中,曲线 AD/DA 为 A/D 输入和 D/A 输出环节的滞后特性;曲线 PSSAVR－1# 为 PSS 环节和 AVR 环节的相频特性。曲线 PSSAVR－2# 是考虑了 A/D、D/A 的影响, 即 PSSAVR－1# 减去 AD/DA 的纵坐标值后的相频特性;PSSAVR－CAU 为 PSS 环节和 AVR 环节总的相频特性理论计算值。

从图中可以看出,PSS＋AVR 环节的测量值与理论计算值也是吻合的。

3.6 无补偿频率特性及有补偿频率特性测量

测试条件:发电机并网运行,带有功负载(调频至 50.5Hz)。进行无补偿频率特性测量时,PSS 切除,白噪声叠加于 AVR 给定点,测量机端电压相对于白噪声信号的相频特性;测量有补偿特性时,PSS 投入,用白噪声信号取代电功率作为 PSS 输入,测量机端电压相对于白噪声信号的相频特性。反映机端电压三相综合平均值的直流量在调节器上已有输出,不必另加电压变送器。试验原理图见图 10。

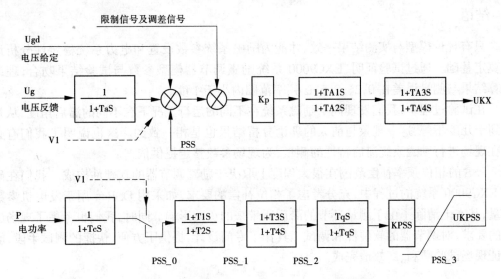

图 10　无补偿及有补偿频率特性测量示意图

记录测量结果示于图 11 中。

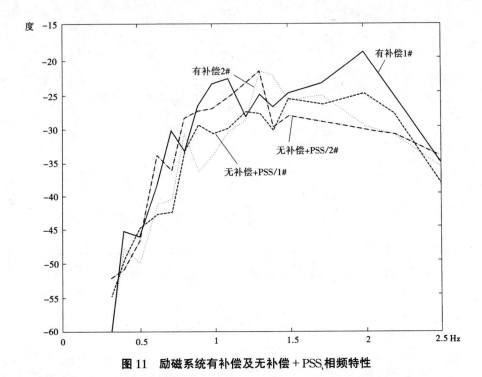

图 11　励磁系统有补偿及无补偿 + PSS 相频特性

其中,无补偿 + PSS/1♯ 和无补偿 + PSS/2♯ 分别是两种不同工况下的无补偿频率特性加上 PSS 环节理论计算结果后得到的相频特性曲线。有补偿 1♯ 和有补偿 2♯ 是在两种不同工况下测量得到的有补偿频率特性曲线。从图中可以看出,在不同工况下,励磁系统有不同的滞后角度,从几度到十几度不等,当然,这里面也包含了测量误差。

4 结语

只有理论模型与实测结果一致,才能为励磁系统参数设置和电力系统稳定性分析计算奠定基础。通过试验证明,EXC9000 系统励磁调节器模型参数与试验结果吻合,理论计算结果与测量误差在 0.2~2.5Hz 频率范围内小于 1 度。

在试验过程中,我们发现同一励磁系统在不同的运行工况下有不同的滞后角度,从几度到十几度不等,这一现象与前人的理论分析结果也是相一致的。这也说明了我们有必要在现场进行励磁系统滞后特性的测量,为现场参数整定提供依据。

PSS 的相位频率补偿范围在很大程度上取决于励磁调节器的软硬件构成。我们在研制 EXC9000 系统的过程中,充分考虑了相位补偿的要求,如采用 DSP 专用于发电机参数测量,基本上清除了由于测量环节的滞后所带来的负面影响。同时,我们也考虑了现场试验的要求,对调节器的软硬件和调试工具作了专门设计,提供了方便、快捷的测试手段,能保证现场试验顺利、高效地完成。

CAN 总线在励磁系统中的应用

吴国兵 许敬涛 张兴旺 李孔潮

(广州电器科学研究院)

1 引言

随着电子技术的不断进步,各种微控制器的性能不断提升,而成本则在不断下降,这些都推动了励磁系统内部各测控部分的数字化进程。通过使用嵌入式系统模块,可以对励磁系统各关键部分的状态进行监视和控制,在出现异常情况时能够进行报警和自动采取应急措施,提高设备的可靠性和安全性。在大量使用嵌入式系统后,励磁系统内部能够反映系统运行状态的各种模拟量和数字量都被采集,包括整流桥的桥臂电流、励磁电压、励磁电流、调节器内部的状态量甚至可控硅的温度。如此丰富的信息要在整个励磁系统内共享,就对励磁系统内部各嵌入式系统的联网提出了要求:传输速度足够快,能够满足内部大量的信息交换的需求;紧急数据能够得到比较快的传输,能够满足实时性的要求。

在对大量的工业现场总线进行分析和对比后,我们选择了 CAN 总线作为系统内部的通信网络。

2 CAN 介绍

CAN(Controller Area Network),即控制器局域网络。由于 CAN 最初是为汽车监测、控制系统而设计,其独特的设计使 CAN 总线拥有高性能的同时也具备高可靠性。CAN 属于总线式串行通信网络,与一般的通信相比,CAN 总线的数据通信具有突出的可靠性、实时性和灵活性。它具备以下特点:

(1)CAN 为多主方式工作,网络上任一节点均可在任意时刻主动地向网络上其他节点发送信息。

(2)CAN 网络上的节点信息不是针对传统的站编号形式,而是对数据包进行编号,不同编号的数据包拥有不同的优先级,可以满足不同的实时要求。

(3)CAN 采用非破坏性总线仲裁技术,当多个节点同时向总线发送信息时,优先级较低的节点会自动退出发送,而最高优先级的节点则可以不受影响地继续传输数据。

(4)CAN 可以通过报文过滤手段,实现点对点、一对多及全局广播几种方式。

(5)CAN 方式的直接通信距离最远可达 10km;通信速率最高可达 1Mbps。

(6)CAN 上的节点数据通信主要取决于总线驱动电路,目前可达 110 个;理论上有 2k 的编号可以使用。

(7)采用短帧结构,传输时间短,受干扰概率低,具有良好的检错效果。

(8)CAN 的每帧数据都有 CRC 校验及其他检错措施,保证了数据出错率极低。

(9)CAN 的通信介质可以选择双绞线、同轴电缆或光纤,选择灵活。

(10)CAN 节点在错误严重的情况下具有自动关闭输出功能,以使总线上其他节点可以继续操作。

3　CAN 总线技术在励磁系统中的应用

3.1　系统结构

励磁系统可以划分为调节器、功率单元、灭磁单元。为了全面地监测和控制整个励磁系统,在系统中的关键单元都加入了嵌入式系统,用来测量状态量,并做出相应的控制;为了方便对外接口,加入了对外接口单元;为了方便现地操作和现场试验,加入了人机界面部分(Human-machine Interface)。各个嵌入系统包括调节器都通过 CAN 交换信息。网络结构如图 1 所示。

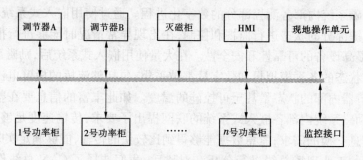

图 1　CAN 在励磁系统中的应用

3.2　各嵌入系统功能

3.2.1　调节器

调节器部分包括数据采集单元、I/O 接口、控制核心、实时录波单元、参数整定单元、试验接口、CAN 通信接口(如图 2 所示)。

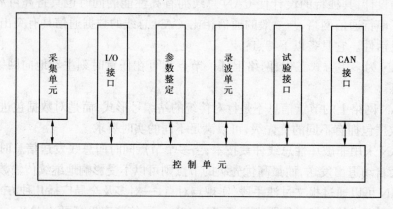

图 2　调节器构成

录波单元负责记录调节器采集的实时数据,在核心单元和 CAN 接口控制下,可以记录两组共 40s 的高分辨率实时数据,保存在 RAM 中。

参数整定单元处理调节器各环节参数的整定工作,根据 CAN 总线的指令,它能够发送和接收调节器各环节的参数。

试验接口在试验状态下,能够根据 CAN 总线的指令,完成各种试验,比如阶跃试验等。

3.2.2　功率柜智能单元

功率柜智能单元包括数据采集单元、I/O 接口、控制核心、参数整定单元、CAN 通信接口(如图 3 所示)。

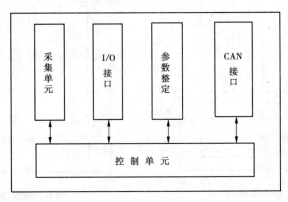

图 3　功率柜及灭磁柜智能单元构成

采集单元可以采集整流桥各桥臂电流、进风口及出风口温度和风量,根据设定的系数,可以在整流桥出现异常情况时发出报警信号,也可以自动切除本柜脉冲,实现自动退柜。这些异常信号包括风温过高、风量过低、桥臂断流、桥臂电流不平衡、快熔熔断、阻熔故障等。所有这些信号都不断地通过 CAN 总线发送至励磁系统其他部分。

3.2.3　灭磁柜智能单元

灭磁柜智能单元硬件设计与功率柜智能单元相同。主要任务是监视灭磁开关节点,过压保护装置动作状态,厂用电源、操作电源工作情况,测量并传送励磁电压、励磁电流、转子温度等。所有这些信号都不断地通过 CAN 总线发送至励磁系统其他部分。

3.2.4　现地操作单元

现地操作单元包括 I/O 接口、控制逻辑、记忆单元、CAN 总线接口(见图 4)。

现地操作单元的主要任务是完成对操作逻辑的控制,如增减磁操作、起励逻辑控制,逆变失败逻辑控制;记录用户对励磁系统的个性化配置,如系统电压跟踪的投切、残压起励功能的投切等。它既可以接收 I/O 命令,也可以接收 CAN总线发送过来的操作指令。

3.2.5　人机界面

人机界面包括控制逻辑、操作界面、记忆单元、CAN 总线接口(见图 5)。

人机界面是用户和励磁系统进行交互的媒介。励磁系统的状态信息通过它展示在用户面前,用户也是通过它对励磁系统进行操作和配置。另外,它配有大容量存储介质,可以记录系统的各种数据,

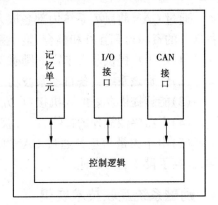

图 4　现地操作单元构成

比如故障时刻调节器的录波数据,励磁系统的所有故障信息记录等。

3.2.6　监控接口

监控接口的主要任务是与电站计算机监控系统连接,可以是 I/O 方式也可以是串行通信方式。主要由控制逻辑、通信接口、开关量模块、CAN 总线接口构成(见图6)。

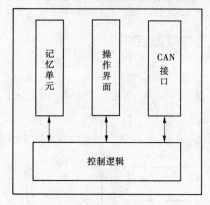

图5　人机界面构成

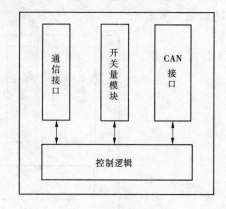

图6　监控接口构成

本单元的任务可以分为两部分:第一,通过 CAN 接口获取励磁系统各部分的信息,并进行汇总,取得非常丰富的状态量信息和运行数据,这些状态量信息可以根据用户的自由定义进行输出,输出形式为无源节点或串行通信。通信接口采用 RS485,可以使用 MODBUS 等多种协议。第二,接收监控系统的串行命令并传送给执行机构。

3.3　实际应用及效果

通过实际测量,在 250K 波特率,CAN 总线有终端电阻的情况下,总线上的波形良好,数据传输非常可靠,正确率达 100%,平均速度在 190kbps 以上,利用率达 76%。在峰值传输的情况下,可以达到当前设定的极限值。

本方案已经在 110MW 机组及 50MW 机组励磁系统上进行工业运行,状态稳定,CAN 总线非常可靠,用户的操作响应快,通过人机界面能非常清晰地观察整个励磁系统状态,给运行和维护带来很大的便利。

3.4　小结

通过 CAN 将励磁系统内部各嵌入系统连接成一个有机的整体,实现了信息共享,使各部分的资源得到互补和整合,整个系统的性能得到提升。主要表现在以下几方面:

(1)给用户提供非常丰富的励磁系统状态信息,便于用户了解励磁系统的状态。

(2)使励磁系统具备自动录波功能,为分析故障原因提供依据。

(3)能够提供友好的人机接口,方便用户操作和设定励磁系统的参数。

(4)不需要做额外的接线,即可获得强大的试验手段。

(5)由于大量信息都通过 CAN 总线进行传递,减少了柜间接线,使系统设计更为简洁,提高了设备的可靠性。

4　励磁系统互联技术展望

随着 32 位 MCU 的不断推广和应用,MCU 的速度越来越快,功能越来越强劲,以太网已经成为其标准配置;网络技术不断发展,以太网的主流速度已经发展到100Mb/s。这些必将引发工业控制设备结构深刻的技术变革。工业以太网可能成为控制系统网络发展的方向。主要原因有以下几个:

(1)成本的降低和速度的提高。以太网适配器从20世纪80年代的1 000美元降到现在的几十元人民币,而速度则由以前的10Mb/s提升到现在的100Mb/s甚至10 000Mb/s。

(2)现代企业对信息的需求越来越多。人们迫切需要了解生产过程的实时数据,将实时生产信息与企业的ERP系统结合起来。企业的信息层大多数采用了以太网的解决方案,当控制层和设备层都采用以太网时,则可实现各层之间信息的无缝连接,而且整个网络系统将是透明的。

(3)以太网的开放性和兼容性。工业以太网因为采用由IEEE802.3所定义的数据传输协议,为广大厂商所采用。

(4)随着技术的不断成熟,工业以太网的鲁棒性和可靠性得到不断提升,已经能够满足需求。

(5)各种操作系统都配备以太网的各种协议。

所有这些都必将推动以太网从信息层不断向设备层渗透,最终实现"一网到底"。

5 结语

结合CAN及励磁系统需求,本文提出并研究设计了一套基于CAN互联技术的励磁系统。该系统通过使用带CAN接口的嵌入式系统,使励磁系统内部实现数字化、网络化。试验运行表明,系统可靠性高,实时性强,满足现场运行需求。

使用网络技术,将励磁系统各部分连接成一个有机的实体,是新一代励磁系统的必由之路,无论是现场总线还是工业以太网都能满足现在的需求。

水轮发电机磁场能量估算新法

陈贤明　朱晓东　王　伟

（国电南京自动化研究院）

1　前言

在我国,电力工业作为国民经济的先行官正在蓬勃发展,水电作为清洁的绿色能源之一更加受到重视,国家今后仍将大力开发水力资源,水轮发电机的使用更为广泛,通常为保护水轮发电机,已经有着成熟的机组继电保护装置,能及时将发生故障的发电机从电网解列,并同时切断励磁电源,然而,如储藏在发电机磁场中的巨大能量不能迅速释放,势必造成故障扩大,甚至会造成难以挽回的损失。

早些年常在灭磁时转子回路串入电阻,电阻愈大灭磁愈快,吸收的能量愈多,但这时在发电机励磁绕组上感应的反电压也愈大。为防止励磁绕组被击穿,水轮发电机励磁的国标规定,灭磁用电阻应是磁场绕组电阻的 3～5 倍。

近年来,为进一步加快灭磁,非线性电阻如氧化锌(ZnO)、碳化硅(SiC)已被广泛采用,并得到了良好的效果。和线性电阻比如铸铁电阻不同,非线性电阻有能容量问题,如能容不够会烧毁,能容选得太大,体积大、占地面积大,维护工作量大,也没有必要。选择非线性电阻能容涉及到水轮发电机磁场能量的大小,进一步又涉及对哪一种发电机工况磁场能量最大的估计,当前国内外看法不同,国内倾向于发电机空载发生误强励时,国外常用发电机额定运行发生突然短路时,文献[1]对此问题已作了初步探讨,本文是在它的基础上,利用水轮发电机典型的空载特性曲线的分析表达式作进一步探讨,并给出了更为明晰的结果,为选择用非线性电阻灭磁确定其能容大小奠定基础。

2　磁场能量计算

如图 1(a)所示,由直流电压 u_1 向一个带铁心的线圈供电,如将线圈中分布电阻提出,用集中电阻 R 表示,e 是线圈的感应电势,线圈的磁通主要部分是和全部 n 匝线圈相连的进入铁芯的主磁通 Φ,另一部分是通过空气闭合的漏磁通 Φ_s。电路方程为

$$u_1 - iR = e = \frac{\mathrm{d}\Psi}{\mathrm{d}t} = n\frac{\mathrm{d}\Phi}{\mathrm{d}t} + L_s\frac{\mathrm{d}i}{\mathrm{d}t} \tag{1}$$

对主磁通 Φ,从图 1(b)所示磁化曲线上知,当电流 i(或磁势 $F = ni$)变化 Δi,引起 Φ 变化 $\Delta\Phi$,其感应电势是式(1)右侧的第一项,右侧第二项是线性的漏感磁通变化产生。现在假定在 $\mathrm{d}t$ 时间内,电源 u_1 供给的电能除去在电阻上的损耗外为

$$\mathrm{d}w = ei\mathrm{d}t = L_s i\mathrm{d}i + ni\mathrm{d}\Phi = L_s i\mathrm{d}i + F\mathrm{d}\Phi \tag{2}$$

从能量守恒定律出发,这些能量均被转换为线圈的磁场能量 $\mathrm{d}w_f$,当 i、Φ 从 0 分别增至 i_1、Φ_1

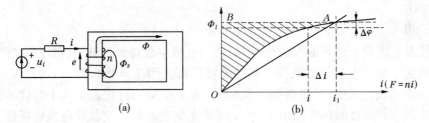

(a)

(b)

图1 铁心线圈(a)和其他磁化曲线(b)

$$w_f = \frac{L_s}{2} i_1^2 + \int_0^{\Phi_1} F \mathrm{d}\Phi = \frac{L_s}{2} i_1^2 + \text{阴影面积 } OABO \tag{3}$$

即此时的主磁通磁场能量由磁化曲线和纵轴间阴影面积 $OABO$ 代表。如果磁化特性是直线 OA 时显然主磁通磁场能量由三角形 OAB 代表,即

$$w_f = \frac{1}{2} L_s i_1^2 + \frac{1}{2} \Phi_1 i_1 = \frac{1}{2}(L_s + L) i_1^2 \tag{4}$$

由此看出磁场能量是正比于磁通和产生它的电流的乘积,当主磁通和产生它的电流是线性关系时,磁场能量才和电流平方成正比。对铁芯带有空气隙的上述铁芯线圈来讲,磁场能量公式(3)仍成立,由于空气隙导磁系数小,大部分磁场能量储藏在空气隙中。

对于定子开路的带气隙的同步发电机而言,其空载特性,即图2的发电机端电压 U_0 和磁场电流 i_f 的关系,$U_0 = f(i_f)$ 本质上和带空气隙的铁芯线圈相同。注意,这里 U_0 实质上代表磁场主磁通,L_s 代表磁场绕组漏磁通引起的漏感,因此公式(3)仍适用,三角形面积 OBC 代表气隙中储藏的磁场能量,面积 OAB 代表铁芯中的磁能。

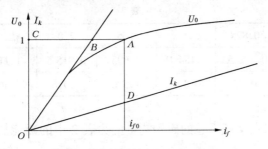

图2 同步发电机空载特性 U_0 和短路特性 I_k

同步发电机的空载特性也可用表达式来表示[2]。一般讲,在合理的技术性能和经济要求下设计出的发电机空载特性应和常规特性相差不大(见表1)。

表1 常规水轮发电机空载特性(在前两行)

U_0	0	0.55	1.0	1.21	1.33	1.4
i_f	0	0.5	1.0	1.5	2.0	2.5
$U_0{'}$	0	0.55	1.0	1.194	1.322	1.412

这里1单位的励磁电流对应着空载特性上的额定电压的励磁电流。为了易于计算发电机空载时的磁场能量,对发电机的空载特性可采用下述分析表达式表示:

$$如\ i_f \leqslant Ib \qquad\qquad U_0 = Li_f \qquad\qquad (5a)$$

$$如\ i_f > Ib \qquad\qquad U_0 = (M \times i_f)/(N + i_f) \qquad\qquad (5b)$$

式中，Ib 代表上述两个函数曲线的交点，如果发电机空载特性已知，常数 L、M、N 就可用试凑法确定。对于上述常规的发电机空载特性可选用 $L = 1.1$、$M = 1.95$、$N = 0.95$。将它们代入上述表达式中，可知道 $Ib = 0.823$。表 1 中第三行代表了这个替代特性。替代特性和常规空载特性的误差很小，工程使用是完全允许的。空载发电机磁场能量仍可按照公式(3) 计算，其主磁通磁能在标幺制中表示如下：

$$如\ i_f \leqslant Ib \qquad\qquad \omega_a = L \times i_f^2/2 \qquad\qquad (6a)$$

$$如\ i_f > Ib$$

$$\omega_a = \int_0^{\Phi_1} i_f \mathrm{d}\phi = \int_0^{Ib} i_f \mathrm{d}Li_f + \int_{Ib}^{i_{f0}} i_f \mathrm{d}[(Mi_f)/(N + i_f)]$$

$$= L \times Ib^2/2 + MN\left[\ln(N + i_{f0}) - \frac{i_{f0}}{N + i_{f0}}\right] + k \qquad (其中\ k\ 是常数) \qquad (6b)$$

对常规发电机空载特性用替代特性，其磁场能量为

$$如\ i_{f0} \leqslant 0.823, \qquad\qquad \omega_a = 0.55 \times i_{f0}^2 \qquad\qquad (7a)$$

$$如\ i_{f0} > 0.823,$$

$$\omega_a = 0.167\,154 + 1.95 \times 0.95\left[\ln(0.95 + i_{f0}) - \frac{i_{f0}}{0.95 + i_{f0}}\right] \qquad (7b)$$

表 2 列出了按上述表达式求出的空载发电机在不同励磁电流下主磁链磁场能量的计算结果。

表 2

i_{f0}	0.5	0.823	1	1.5	2.0	2.5	3.0	3.5
Ω_a	0.137 5	0.372 53	0.454 15	0.693	0.915 5	1.119	1.30	1.476
ω_a/ω_{a1}	0.303	0.82	1	1.526	2.016	2.464	2.862	3.25

应该指出，发电机在空载下总的磁场能量应为表 2 中的磁能加上储存在转子绕组漏磁链中的能量。

3 水轮发电机磁场能量测量

3.1 试验 1

假定图 3 中的磁场开关闭合，当空载发电机运行在额定转速和额定电压 U_0 下，磁场开关 FB 的常闭触点和电阻 R 相连接，R 值假定等于转子绕组的电阻值。假定这时的励磁电压和励磁电流分别为 U_{f0} 和 I_{f0}(在标幺制中 $I_{f0} = 1$)

如果在时间 t_1，FB 断开，I_{f0} 开始时保持不变，流过 FB 的常闭触点和电阻 R，随后以时间常数 $T'_{d0}/2$ 衰减，如图 4 所示。

因在 FB 断开后，没有能量提供给励磁系统，所以时间 t_1 后释放的能量应该是储存在磁场内的所有能量。显然下述表达式是成立的：

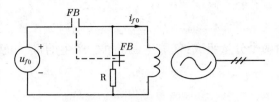

图 3　发电机磁场开关和励磁电路

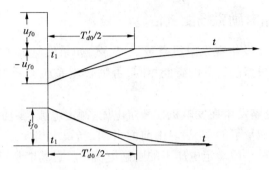

图 4　空载发电机灭磁时励磁电压和电流

$$u_f = - u_{f0} \mathrm{e}^{-\frac{2t}{T'_{d0}}} \tag{8}$$

$$i_f = i_{f0} \mathrm{e}^{-\frac{2t}{T'_{d0}}} \tag{9}$$

电阻 R 上消耗的能量为 R_{is}：

$$w'_0 = \int_0^\infty u_f i_f \mathrm{d}t = - \frac{1}{4} u_{f0} i_{f0} T'_{d0} \tag{10}$$

其中，T'_{d0} 是定子开路时发电机转子绕组的时间常数。显然磁场的总磁能 w_0 是 w'_0 的两倍，也就是 $\frac{1}{2} u_{f0} i_{f0} T'_{d0}$

3.2　试验 2

假定发电机定子短路，缓慢地加上励磁电压和电流，其大小和试验 1 中的值相同，为 U_{f0}、I_{f0} 然后断开 FB，灭磁过程与试验 1 类似，只是时间常数 T'_{d0} 被定子短路时发电机转子绕组时间常数 T_d' 所代替。这种情况下的总磁能 w_k 为

$$w_k = - \frac{1}{2} u_{f0} i_{f0} T'_d \tag{11}$$

上述两种情况下的磁能比为

$$K = \frac{w_0}{w_k} = \frac{T'_{d0}}{T'_d} = \frac{x_d}{x'_d} \tag{12}$$

表达式 (10)、(11) 中的负号代表磁能是由磁场释放的。可以看出在同样的励磁电流 I_{f0} 下，两种情况的磁能是不同的。通过有关方程计算可以证明这个差别是因为不同的转子磁通链引起的。这说明发电机磁场的磁能是正比于励磁电流和它产生的实际存在的磁通链的乘积。按公式(10)计算的磁能值 w_0 比在表 1 中的值稍大一些，因为忽略了磁路的饱和。为了能得到更精确的结果，试验 1 应在替代空载特性上的 82.3% i_{f0} 点进行，

则

$$\omega_0 = 0.339 u_{f0} i_{f0} T'_{d0} \tag{13}$$

事实上这个磁能是由两个分量组成：气隙主磁链 Ψ_a 产生的 ω_a 和转子绕组漏磁链 Ψ_{fs} 产生的 ω_{fs} 应有

$$\omega_a = \omega_0 - \omega_{fs} = 0.339 [u_{f0} i_{f0} T'_{d0} - L_{fs} i_{f0}^2] \tag{14}$$

其中，L_{fs} 为转子绕组漏电感。

4　发电机三相短路时励磁场能量估算

　　首先假定三相短路发生在发电机空载下，显然，如果继电保护能瞬时切断 FB 开关，这时的磁能和发电机短路前空载的磁能相同，否则必须要加上开关时间内的励磁电源输入励磁电路的能量。

　　其次，假定三相短路发生在发电机在额定电压、额定电流、零功率因数下运行(这是发电机运行在最大磁场能量下的情况)。由前面可知，当发电机定子端发生持续三相短路，而励磁电流等于发电机空载额定电压下的励磁电流 i_{f0}，磁场能量可用公式(11)计算。三相短路时转子磁链 $\Psi_{fdk} = \Psi_{fd0} \dfrac{x'_d}{x_d}$，通常它远离发电机空载特性饱和段。空气隙主磁链 $\dfrac{x_{ad}}{x_{fd}} \Psi_{fdk}$ 产生电势，完全用在由短路电流在电枢漏抗和电枢电阻上的压降上(大多数情况下电阻压降可忽略)。实际上，可以只算漏抗降，用图 5 中线段 ab 表示，线段 bc 表示定子短路电流产生的电枢反应磁势。通常图 5 中的三角形 abc 称为短路三角形。应该注意，只有发电机的短路比(scr)等于 1，这时定子短路电流 I_k 等于额定电流(标幺制中为 1)。否则 $I_k = scr$。

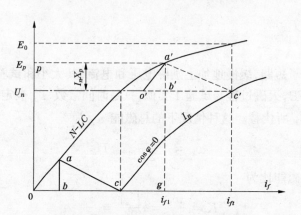

图 5　用于确定突然三相短路时发电机磁能的空载
特性和额定电流下零功率因数特性

　　现在考虑发电机运行在额定电流、零功率因数滞后下画出定子端电压 U 和励磁电流 i_f 的曲线，如图 5 所示。它亦可用沿着空载特性平行移动短路三角形 abc 的方法得到，就是将三角形 abc 的 a 点沿空载特性移动时 c 点的轨迹 cc'。假定 $scr = 1$，则线段 $0p(U_n +$

$I_n \times X_p$)代表发电机气隙磁链,其中 X_p 是蒲梯(Potier)电抗, I_n 是额定电流,线段 $0g$ 代表对应于发电机在沿零功率因数滞后、额定电压、额定电流下的内电势 E_p 的磁场电流 i_{f1}),从式(5b)可得:

$$i_{f1} = \frac{0.95(U_n + I_n x_p)}{1.95 - (U_n + I_n x_p)} \tag{15}$$

线段 $b'c' = bc$ 代表电枢反应磁势,在标幺制中为 $1 - I_n \times X_p / 1.1$。总磁势为

$$i_{ft} = \frac{1.95 - 0.05(U_n + I_n x_p)}{1.95 - (U_n + I_n x_p)} - 0.91 I_n x_p \tag{16}$$

对应着总磁势 i_{ft} 的电势,E_0 可从发电机空载饱和曲线上得到。在上述所讨论的情况下,实际的磁场磁链应为

$$\frac{\Psi_{fdl}}{\Psi_{fd0}} = \frac{x'_d + x_l}{x_d + x_l} \quad \text{或} \quad \Psi_{fdl} = \frac{x'_d + x_l}{x_d + x_l} \frac{x_{ad}}{x_d - x'_d} E_0 \tag{17}$$

其中,x_l 是负荷感抗,在标幺制中等于1。从上述试验1和试验2可知,串有感抗 x_l 的三相短路、励磁电流为 $0.823 i_{f0}$ 时的磁能 ω_l 为

$$\omega_l = 0.339 \left[i_{f0} u_{f0} \frac{x'_d + x_l}{x_d + x_l} T'_{d0} - L_{fs} i_{f0}^2 \right] \tag{18}$$

由发电机气隙主磁通引起的磁场磁能应为

$$\omega_{an} = \frac{\Psi_{fdi}}{1.1 \times 0.823} \frac{i_{ft}}{0.823} \omega_l \tag{19}$$

当发电机突然三相短路发生在发电机运行在零功率因数滞后、额定电流、额定电压时,如果继电保护能瞬时动作,切断励磁供给,其磁能等于上述短路前的磁能,这时总磁能应为

$$\omega_{sct} = \omega_{an} + \frac{1}{2} L_{fs} i_{ft}^2 \tag{20}$$

否则,总磁能中还应加上在开关时间内励磁电源提供的电能。

5 计算例子

现以 ABB 公司为三峡左岸水电厂提供的水轮发电机参数为例,其主要数据如下:额定功率为 700MW,额定电压为 20kV,额定转速为 75r/min,额定功率因数为 0.9,额定励磁电流与电压为 4 158A、475.9V,空载额定电压下励磁电压、励磁电流为 191.8V、2 352A。

采用静止自并励励磁系统。

$$T'_{d0} = 10.1s \quad T'_d = 3.2s \quad x'_d = 0.315/0.295(不饱和值／饱和值)$$

$$x_d = 0.939/0.835 \quad T''_d = 0.28s \quad x''_d = 0.24/0.2$$

$$r_{fd} = 0.114\,4\Omega(130℃)转子磁场自感 L_f$$

$$L_f = r_{fd} \times T'_{d0} = \left[(191.8/2\,352 + 0.114\,4)/2 \right] \times 10.1 = 0.99(\text{H})$$

假设磁场绕组漏感 $L_{fs} = 0.187(\text{H})$

空载发电机气隙主磁链在励磁电流为 $0.823 i_{f0}$ 时有

$$\omega_a = 0.339\left[u_{f0}i_{f0}T'_{d0} - L_{fs}i_{f0}^2\right] = 1.19(\text{MJ})$$

现在,在国内的空载发电机发生误强励时,机端过电压上升到 1.3 倍额定电压以上,继电保护将动作。现假定空载误强励电流达到 $2i_{f0}$,并认为三峡水轮发电机空载特性与表 1 中的常规特性差别不大。当空载发电机端电压达到 1.33 额定电压,励磁电流为 $2\,352 \times 2 = 4\,704(\text{A})$。发电机空载特性 $U_0 = f(i_f)$ 是瞬时有效的,亦即没有时延。因励磁系统故障引起的误强励,励磁电流缓慢上升受时间常数 T'_{d0} 限制,在本例内过电压保护将在超过 4 704A 动作,考虑到开关跳闸的延时,实际值可能还要大一些。假定空载误强励励磁电流为发电机空载额定电压下励磁电流的两倍,即 4 704A,从表 2 可得气隙主磁通储存的磁能为

$$\omega_{a-er} = 1.19 \times \frac{0.915\,5}{0.372\,53} = 2.92(\text{MJ})$$

储藏在磁场绕组漏磁链中的励磁能 ω_{fs} 计算如下:

$$\omega_{fs} = (L_{fs}/2) \times I_{fo} \times I_{fo} = (0.187/2) \times 4\,704 \times 4\,704 = 2.07(\text{MJ})$$

总磁能为

$$\omega_{a-er} + \omega_{0s} = 2.924 + 2.07 = 5.0(\text{MJ})$$

如忽略非线性,气隙磁通储存的磁能就与励磁电流的平方正比,即

$$\omega_{a-er} = 1.19 \times \frac{2^2}{0.823^2} = 7.02(\text{MJ})$$

如空载发电机端电压在误强励下到达 1.3 倍额定电压后,过电压保护失效,励磁电压和励磁电流继续上升,比如说上升到 7 056A($3 \times 2\,352$),如果忽略非线性,气隙主磁通储存的磁能为

$$\omega''_{a-er} = \left(\frac{3}{0.823}\right)^2 \times 1.19 = 15.8(\text{MJ})$$

如计及饱和引起的非线性,则

$$\omega''_{a-er} = \frac{1.3}{0.372\,53} \times 1.19 = 4.153(\text{MJ})$$

两种情况下磁场绕组漏磁链贮存的磁能均为 4.68MJ。

由此可以看出,忽略饱和所计算出的磁能太大,没有意义。现在用同一例子对发电机在零功率因数滞后、额定电流、额定电压下运行时,发生了突然三相短路,作磁能计算。同样假定发电机空载特性为替代的常规特性,依据式(18),在此情况下励磁电流为 $0.823i_{f0}$,磁能为

$$\omega_l = 0.339 \times \left[2\,352 \times 191.8 \times \frac{1.315}{1.939} \times 10.1 - 0.187 \times 2\,352^2\right] = 0.697(\text{MJ})$$

从式(16)可得总磁势为

$$i_{ft} = \frac{1.95 - 0.05 \times (1 + 0.17)}{1.95 - (1 + 0.17)} - 0.91 \times 0.17 = 2.27$$

再从式(5b)得

$$E_0 = (1.95 \times 2.27)/(0.95 + 2.27) = 1.374$$

从式(17)得

$$\Psi_{fdl} = \frac{x'_d + x_l}{x_d + x_l} \frac{x_{ad}}{x_d - x'_d} E_0 = \frac{1.315}{1.939} \times \frac{0.79}{0.624} \times 1.374 = 1.18$$

从式(19)和式(20)可得

$$\omega_{an} = \frac{\Psi_{fdi}}{1.1 \times 0.823} \frac{i_{ft}}{0.823} \omega_l = 1.18 \times 2.27 \times 0.697/0.745 = 2.51\,(\text{MJ})$$

$$\omega_{sct} = \omega_{an} + \frac{1}{2} L_{fs} I_{ft}^2 = 2.51 + (0.187/2) \times (2\,352 \times 2.27) \times (2\,352 \times 2.27)$$

$$= 2.51 + 2.67 = 5.18\,(\text{MJ})$$

应该注意,$i_{ft}^2 = 2.27 i_{f0} > 2 i_{f0}$,但此时的磁能小于发电机空载误强励时励磁电流为 $2.27 i_{f0}$ 时的磁能。此外如继电保护不能瞬时切断磁场开关,磁能中还应加上在开关时间内励磁电流向磁场由电路供给的电能。

6 结语

本文介绍了计算水轮发电机空载误强励下,运行在零功率因数滞后、额定电流、额定电压下发生三相突然短路时发电机磁场能量计算的新方法。后者适合于计算发电机端突然三相短路最严重的情况。三相短路时发电机磁能主要取决于发电机短路前的工况。从本文例子可知,在同样的励磁电流下,空载发电机误强励下的磁能比发电机机端三相短路时的要大。此外,由于本文将发电机空载特性用分析表达式表示,磁能有可能用简单的公式计算得到。

三相四线制电力有源滤波器瞬时控制策略研究

王 彤 朱晓东 曾继伦

(国电南京自动化研究院电气控制技术研究所)

1 概述

随着电子技术的发展,配电网中整流器、变频调速装置、电弧炉、电力机车以及各种电力电子设备不断增加。这类电力电子装置大容量化和广泛应用对电能质量造成严重污染,并直接影响到一些对谐波敏感的设备,甚至引发严重事故。

电压和电流谐波在电力系统内部的主要危害可以归纳如下:

(1)引起电力系统内部的并联谐振和串联谐振,使得谐波含量放大,造成并联电容器过热甚至毁坏。

(2)使产生、传输和利用电能的效率降低。

(3)使电气设备绝缘老化或者过热、振动、产生噪音,缩短它们的使用寿命,甚至发生故障或烧毁。

(4)引起继电保护和自动装置误动作。

(5)对电力系统外部,谐波的危害则表现为对通信以及电子设备产生严重干扰。另一方面,现代工业、商业及居民用户的用电设备对电能质量更加敏感,对供电质量提出了更高的要求。仅依靠过去无源滤波技术治理谐波已不能满足要求,研究和开发适应这一要求的新技术已成为近年来电力系统研究领域中的新热点。对此,国外提出了 Custom Power 的概念,即利用电力电子技术来提高供电质量和可靠性,利用有源滤波技术来抑制谐波是 Custom Power 技术实施的主要手段之一。

过去传统的消除电网高次谐波的措施是采用 LC 型的无源滤波器,该类滤波器是设计在特定的高次谐波频率下产生串联谐振,对该频率的谐波分量呈现低阻抗,从而对谐波分量具有分流作用,达到降低或滤去高次谐波分量的目的。LC 型滤波器结构简单、运行可靠、维护方便,但还存在以下不足:

(1)谐波滤波效果受电力系统阻抗的影响较大。在有些情况下,滤波器有可能与系统阻抗形成谐振,从而放大谐波。

(2)当电力系统频率偏离 LC 型滤波器的设计频率时,滤波器不能有效地滤除谐波。

(3)当谐波电流超过滤波器的额定负荷时,为保护滤波器设备本身,必须把滤波器切断,在这种情况下,其滤波作用就完全丧失。

(4)对不确定谐波及随机谐波源的抑制效果差。

(5)对于多次谐波分量合成的谐波源,需采用多路单调谐 LC,因而它受到体积、价格、性能多方面的限制。

(6)无源滤波器不仅对谐波有抑制作用,而且能吸收基波无功功率。因而在无源滤波器的参数整定中,滤波和无功补偿有时难以协调。

(7)占地面积很大。

随着电力电子技术和半导体技术的迅速发展,有源滤波器的开发与研制引起了国内外各科研院所公司的关注。有源滤波器是一种向系统电网注入补偿谐波电流,以抵消负载所产生的谐波电流的主动式滤波装置,其结构上由静态功率变流器构成,由于采用高可控性和快速响应性的半导体器件如 GTO、IGBT 等,因而采用有源滤波器不仅可大大减小占地面积,而且可有效地解决上述 LC 型滤波器所存在的几个问题。有源滤波器的最大特点是能迅速地动态跟踪补偿随机的谐波电流。它的使用可彻底改变常规无源滤波器的工作局限性,使单节点多装置并存、静态、单调谐波治理发展为单节点单装置、动态的谐波综合治理。

有源滤波器工作时具有如下优点:

(1)该装置对系统来说,是一个谐波电流源,它的接入对系统阻抗不会产生影响。

(2)系统结构发生变化时,装置不存在产生谐振的危险,其补偿高次谐波的性能仍然不变。

(3)当系统谐波电流增大时,本装置不会过负荷。当系统谐波电流超过装置补偿能力时,装置仍可发挥最大的补偿功能,不必断开设备。

(4)补偿方式灵活,可根据不同的需要实现不同的补偿目的。如单纯的无功补偿,提高功率因素,节约能源;单纯的谐波抑制,补偿多次谐波,减少谐波损耗;综合谐波抑制和无功补偿等。

目前对电力有源滤波器的研究和装置研制主要针对三相三线制系统,而在许多工业及民用场合的负载都是三相四线制的。特别是一些有精密仪器或对电能质量要求很高的负载,往往是由三相四线制系统供电的单相负载,必须为它们提供对称无谐波的电力。因此,研制三相四线制电力有源滤波器具有很高的实用意义。

相比于三相三线制系统,三相四线制系统复杂得多。首先,三相三线制系统一般负载对称,而三相四线制系统中负载一般不对称。其次,三相四线制系统中存在零序电流分量,用三相三线制电力有源滤波器无法滤除。另外,在三相四线制系统中,三相电压波形往往包含负序及谐波成分,使得设计三相四线制电力有源滤波器变得更复杂。

一般来说,三相四线制电力有源滤波器有两种电路拓扑:一种是在常规三相逆变桥的基础上增加了一个桥臂(如图 1 所示),该桥臂专门为补偿流过中线的电流而设;另外一种则仍使用常规三相逆变桥,不同的是三相逆变桥的直流侧电容中点被连接至系统电源的中线上(如图 2 所示)。

由于三桥臂结构三相四线电力有源滤波器中三相逆变桥的直流侧电容中点与系统电源的中线相连,因而每相输出与交流中点形成回路。这样,只要控制三相逆变器使之每相输出零序补偿电流就可以实现对中线电流的补偿。很明显,三桥臂结构三相四线的电力有源滤波器比四桥臂结构更经济。但是,由于直流侧电容被分割为上下两组,因此必须在控制直流总电压的同时对上下电容的电压进行控制使之平衡,这使得三桥臂结构三相四线的电力有源滤波器控制更为复杂。本文主要讨论这种结构的三相四线制电力有源滤波器的控制策略。

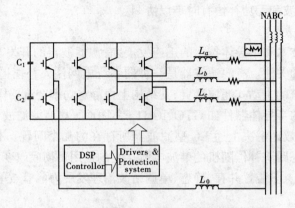

图1　四桥臂结构三相四线电力有源滤波器

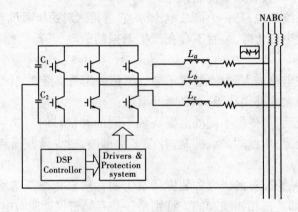

图2　三桥臂结构三相四线电力有源滤波器

电力有源滤波器的性能主要取决于其控制单元的软硬件设计。设计三相四线制电力有源滤波器的首要工作是将三相负载电流中的谐波、负序、零序分量提取出来(如果需要补偿无功,则还需要提取无功电流)。要完成指令电流的计算和补偿电流生成,使用高性能的数字信号处理器 DSP 是一种最佳的方案,同时还需要先进的控制算法。

2　指令电流提取算法

在三相三线制电力有源滤波器系统中,日本学者赤木泰文提出的基于瞬时无功概念的"$p-q$ 理论"已经被成功应用,通过计算负载的瞬时有功功率和瞬时无功功率,负载电流中的谐波可以方便地被提取出来。但是当系统电压存在谐波和不对称时,应用"$p-q$ 理论"算法就会出现计算偏差。为了解决这一问题,在"$p-q$ 理论"的基础上,基于"同步 $d-q$ 理论"的新型算法(原理框图如图3所示)发展起来。

在基于"同步 $d-q$ 理论"的新型算法中,由于应用 Park 变换算法,克服了"$p-q$ 理论"算法中因系统电压存在谐波和不对称带来的计算偏差。对含谐波的负载电流进行 Park 变换后,只有基波正序分量被变换为直流,各次谐波分量及负序基波分量经变换后仍为交流分量,这样就很容易利用低通滤波或高通滤波的方法将各次谐波分量及负序基波分量提取出来。

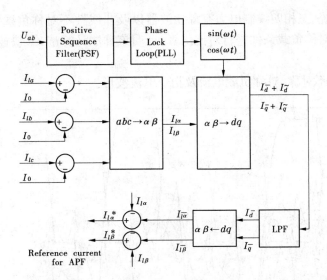

**图3 基于"同步 $d-q$ 理论"的三相四线制电力有源滤波器
谐波提取算法原理框图**

应该注意的是,进行 Park 变换所需的同步角必须尽可能地准确,否则仍会出现计算偏差。在实际应用中,同步信息的获取是通过检测系统电压波形的过零点实现的。在三相四线制系统中,三相交流电压波形中,往往存在不对称和畸变的情况,因此系统电压波形的过零点与三相正序电压的过零点之间将出现角度偏差 δ。Park 变换的计算偏差可以通过以下推导得到。

假设三相负载电流表达式为

$$\left.\begin{array}{l} i_a = \sqrt{2}\,I_l\sin(\omega t + \varphi) + \sqrt{2}\sum I_n\sin(n\omega t + \varphi n) \\[2mm] i_b = \sqrt{2}\,I_l\sin\left(\omega t + \varphi - \dfrac{2\pi}{3}\right) + \sqrt{2}\sum I_n\sin\left(n\omega t + \varphi n \pm \dfrac{2\pi}{3}\right) \\[2mm] i_c = \sqrt{2}\,I_l\sin\left(\omega t + \varphi + \dfrac{2\pi}{3}\right) + \sqrt{2}\sum I_n\sin\left(n\omega t + \varphi n \mp \dfrac{2\pi}{3}\right) \end{array}\right\} \quad (1)$$

当同步角有偏差 δ 时,Park 变换矩阵 C 变为 C',即

$$C = \begin{bmatrix} \sin(\omega t) & \cos(\omega t) \\ -\cos(\omega t) & -\sin(\omega t) \end{bmatrix} \qquad C' = \begin{bmatrix} \sin(\omega t + \delta) & -\cos(\omega t + \delta) \\ -\cos(\omega t + \delta) & -\sin(\omega t + \delta) \end{bmatrix} \quad (2)$$

于是 Park 变换的结果变为

$$\overline{id} = \sqrt{\dfrac{3}{2}}\,I_l\cos(\varphi) \qquad \overline{id}' = \sqrt{\dfrac{3}{2}}\,I_l\cos(\varphi + \delta) \quad (3)$$

$$\overline{iq} = \sqrt{\dfrac{3}{2}}\,I_l\sin(\varphi) \qquad \overline{iq}' = \sqrt{\dfrac{3}{2}}\,I_l\sin(\varphi + \delta) \quad (4)$$

为了解决同步角检测问题,应使用正序滤过和同步锁相环技术。

3 指令电流的计算机仿真

为了验证以上指令电流计算算法,研究工作中进行了计算机仿真。仿真中建立了包

括三相四线制系统、三相四线制电力有源滤波器以及非线性不对称负载数学模型。通过对对称负载和不对称负载条件进行对比仿真,证明该算法计算准确、快速,而且非常适合数字控制器实现。

图4、图5为不对称、对称负载电流及指令电流波形。

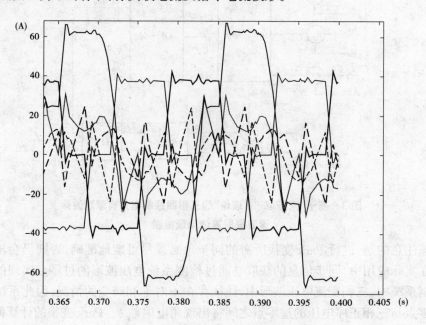

图4 不对称负载电流及指令电流波形

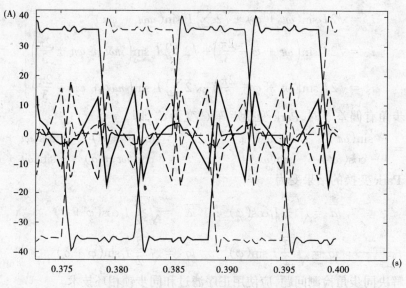

图5 对称负载电流及指令电流波形

为了演示因同步角偏差引起的计算误差,专门进行了仿真。仿真结果如图6所示(假设计算所用过零角滞后正序电压过零角2度):

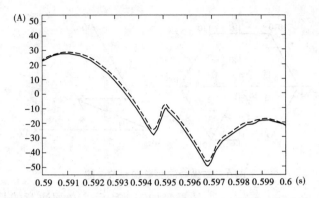

图6 同步角偏差仿真结果(实线为正确结果,虚线为错误结果)

4 三相四线制空间矢量调制技术

对于三相四线制电力有源滤波器,必须对三相电流和中线电流进行实时控制。由于这四个电流之和为零,因此只要对三相电流控制就可以实现对中线电流的控制。

在 $\alpha-\beta-0$ 坐标系下,三相四线制电力有源滤波器的数学模型可以由以下公式描述:

$$\left.\begin{array}{l} V_{\alpha} = R_{\alpha} \cdot i_{\alpha} + L_{\alpha} \cdot \dfrac{\mathrm{d}i_{\alpha}}{\mathrm{d}t} + V_{s\alpha} \\[2mm] V_{\beta} = R_{\beta} \cdot i_{\beta} + L_{\beta} \cdot \dfrac{\mathrm{d}i_{\beta}}{\mathrm{d}t} + V_{s\beta} \\[2mm] V_{0} = R_{0} \cdot i_{0} + L_{0} \cdot \dfrac{\mathrm{d}i_{0}}{\mathrm{d}t} + V_{s0} \end{array}\right\} \tag{5}$$

式中:V_s 表示系统三相电压在 $\alpha-\beta-0$ 坐标系下的矢量;V_{α}、V_{β} 和 V_0 分别表示逆变器输出电压在 $\alpha-\beta-0$ 坐标系下的矢量。

由三相四线制电力有源滤波器的数学模型可知,对三相电流及中线电流的控制是通过瞬时控制三相逆变器输出电压而实现的。

一般来说,PWM 变换器的电流控制策略主要有滞环比较调制和三角载波调制。滞环比较调制策略是最常用的一种电流控制策略,它能提供鲁棒性好、控制误差恒定、响应速度快的控制性能,实现方法也最简单,但由于开关频率不固定,导致功率回路设计困难。三角载波调制策略克服了开关频率不固定的缺点,但控制的鲁棒性有所降低。

在三相三线制系统中,恒频空间矢量调制法(SVPWM)因其控制频率恒定、控制鲁棒性好、响应速度快的优点,逐步得到越来越多的应用。对于三相三线制系统而言,电压矢量在两维 $\alpha-\beta$ 坐标系平面上(如图 7 所示)。

两维 $\alpha-\beta$ 坐标表示的电压矢量可以由功率变换器六个有效矢量中的两个相邻矢量以及两个零矢量[0 0 0]、[1 1 1]合成。通过零矢量的合理运用,使开关频率最低。与正弦型 PWM 调制方法相比,空间矢量调制法的直流电压利用率提高了约 15%。

在三相四线制系统中,由于两个零矢量分别变成正矢量[1 1 1]和负矢量[0 0 0],功率变换器六个有效矢量相应变成三维空间矢量(如图 8 所示),它们在 $\alpha-\beta-0$ 坐标系上

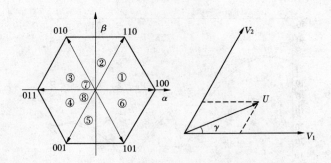

图 7   两维空间矢量调制示意图

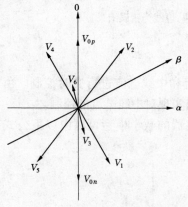

图 8   三维空间矢量示意图

的投影如表 1 所示。必须注意的是,功率变换器的六个有效矢量和正、负矢量中的零序分量将引起中线中的电流变化。

空间矢量调制法如应用在三相四线制电力有源滤波器中,控制策略必须做相应的改变。由图 8,通过合理选择这八个电压矢量,给定的空间电压就可以由 $V_1 \sim V_6$ 中两个相邻矢量以及 V_{0p}、V_{0n} 合成。图 9 中的仿真结果证明了该方法的可行性,三相不对称且有谐波的系统电流经过补偿后得到对称无谐波的电流波形。

表 1   三维空间矢量在 $\alpha - \beta - 0$ 坐标系

电压矢量	S_a	S_b	S_c	S_α	S_β	S_0
V_1	1	-1	-1	2	0	-1
V_2	1	1	-1	1	2	1
V_3	-1	1	-1	-1	2	-1
V_4	-1	1	1	-2	0	1
V_5	-1	-1	1	-1	-2	-1
V_6	1	-1	1	1	-2	1
V_{0p}	1	1	1	0	0	3
V_{0n}	-1	-1	-1	0	0	-3

5   结语

在三相四线制电力有源滤波器的设计中,应用"同步 $d - q$ 理论"的算法可以得到理想的计算结果,但应采用可靠技术保证同步相角的准确。另外,采用三维空间矢量调制算法是一种性能优异,同时也是切实可行的控制策略。

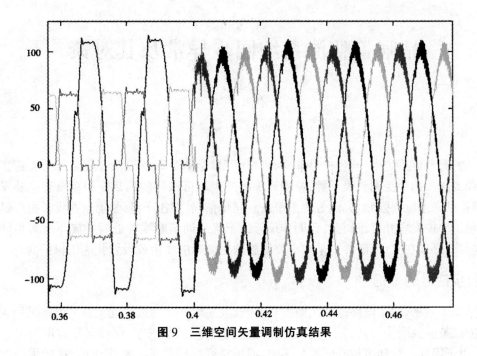

图9 三维空间矢量调制仿真结果

参 考 文 献

［1］L. Malesani, P. Mattavelli, S. Buso. Dead－Beat Current Control of Active Filters. IEEE 1998

［2］D. Shen , S. W. Lehn. Fixed－Frequency Space－Vector－Modulation Control For Three－Phase Four－leg Active Power Filters. IEE, Proc. Electr. Power Appl, Vol. 149, No. 4, July 2002

［3］Sangsun Kim, Prasad N. Enjeti. Control Strategies For Active Power Filter In Three－Phase Four－Wire Systems. IEEE 2000

［4］A. Dastfan, D. Platt, V. J. Gosbell. Design and Implementation of a New Three－Phase Four－Wire Active Power Filter with Minimum Components. IEEE 1998

［5］P. Verdelho, G. D. Marques. A Current Control System Based In αβ0 Variables For a Four－leg PWM Voltage Converter. IEEE 1998

［6］Fang－Zhuo, Yue－Wang, Zhao'An, Wang. The Configuration of Main Circuit and Control Strategy For Active Power Filter In Three－phase Four－Wire System. IEEE 2003

晶闸管整流系统同步异常及其对策

何长平

（宜昌市能达通用电气股份合作公司）

晶闸管整流系统中,同步信号准确、稳定、可靠是整个系统安全稳定运行的关键。同步错误或同步信号受到较强干扰,整流系统将产生不可预料的后果。如直流充电装置过流,静止励磁系统误强励、失磁等严重事故。同步错误(如相序错误)通常在设备出厂试验或现场试验中发现并得以纠正,而同步信号的干扰或同步断线等故障均属不可避免的偶发性故障,必须在软件、硬件上采取必要措施防止故障的发生或设置相应的保护措施。

1 同步信号的干扰

如图1所示,同步电路通常由滤波环节、放大整形环节构成。滤波环节通常采用无源滤波方式来吸收同步回路的干扰。在同步发电机自复励系统中,同步源通常取自可控硅阳极,由于串联电抗和可控硅的换相影响,波形畸变特别严重。然而通过60°的无源滤波后,波形得到很大改善,完全可以满足正常情况下的同步要求。但对于较宽的干扰信号或在负半周的干扰信号,这种无源滤波却无能为力。在图2中,假设正半周的过零上升点是我们需要的同步点,其干扰信号 A 中较窄部分被滤波电路所吸收,而较宽的干扰波却将使图3中的同步波头 1 分为 2,即有两个上升沿(如图3),显然这将使可控硅不能正确触

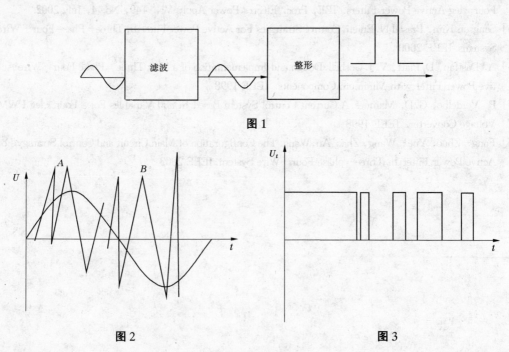

图1

图2   图3

发。在负半波里由于干扰信号 B 的作用,又产生多个同步上升沿。在目前普遍采用单相同步的数字控制系统中,将产生不可预料的后果。

虽然,我们可以采用△/Y 接线的同步变压器消除部分谐波,但要完全消除同步信号的干扰是不可能的,如雷电干扰、阳极由于自身换相产生的高次谐波和尖峰等。因此,我们必须采用其他办法来解决同步干扰问题。通常,我们可以用以下办法解决。必须说明的是,以下的解决办法均是基于数字控制系统——计算机控制系统。

1.1 硬件处理法

由于在数字系统中,同步信号通常用其上升沿对 CPU 进行外部中断,通过中断服务程序设定计数器计数值并启动计数器计数,从而实现移相触发可控硅。很显然,当我们把 CPU 的外部中断方式设为上升沿触发,再用一个单稳触发器将约一个周期的同步信号"锁定"为高电平,此时无论有什么样的干扰都不会导致多个上升沿而误中断——误发同步信号。如图 4 带有干扰的同步交流信号,经整形电路后变为半个周期的同步方波 U_{t1}(见图 5),此方波上升沿一方面向 CPU 申请中断,另一方面触发单稳电路(见图 6),经过或门 U_1 后输出如图 7 所示展宽的同步方波信号 U_{t2}。假设同步正弦信号的周期为 T,则 t_d 必须小于 T,否则下一个同步信号将被"屏蔽",但 t_d 太小,抗干扰的效果变差,经试验 $T - t_d = 0.5\text{ms}$ 较好。容易看出,这种硬件展宽同步方波在频率变化较大的场合应用将受到一定限制,如在发电机励磁系统,当机组甩负荷时励磁系统可能要在 45～70Hz 范围内工作,也就是说,$t_d + 0.5\text{ms}$ 必须小于或等于 1/70ms。除发电机甩负荷这一特殊情况外,励磁调节器几乎都工作在 50Hz 左右,此时,在同步信号的负半周约有 5.7ms 可能会受到干扰,抗干扰性能将大打折扣。但这一技术在工作频率变化不大的装置中应用还是可行的,如可控硅直流充电装置中应用。

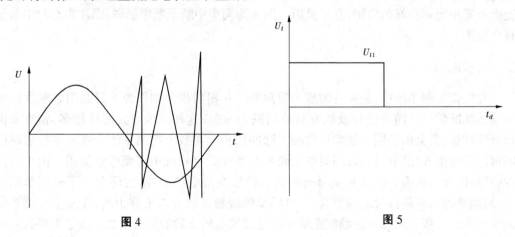

图 4　　　　　　　　　　　　　　　　图 5

1.2 软件处理法

硬件处理的最大问题是同步方波展宽时间为一固定值,因而频率适应性较差。但这一问题用软件方法却能得到很好解决。在同步中断服务子程序中首先"屏蔽"同步中断,设置 α 中断,再计算出展宽时间:$t_d = 1/f - 0.5\text{ms}$,设置"开放同步中断"的定时中断,在定时中断服务子程序中重新开放"同步中断"。这里的 t_d 是根据装置的实测频率计算出

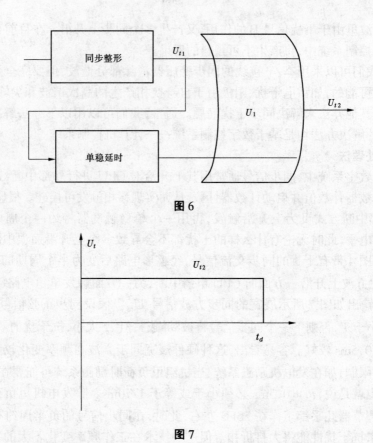

图 6

图 7

来的,因而不论在什么样的频率都能很好工作。这一方法我们曾在葛洲坝二江电厂直流充电装置中得到很好的应用,立竿见影。图 8 为同步中断子程序框图,图 9 为定时中断子程序框图。

2 同步断线

在模拟控制系统中,晶闸管的整流通常采用 6 相同步分别作为 6 只晶闸管触发脉冲的移相基准信号。同步信号及触发脉冲间隔为 60°。这种同步方式硬件较多,相对来讲可靠性较低,常会由于同步故障导致触发脉冲掉相。在数字控制系统中通过软件定时中断可精确模拟 6 相同步信号,因而单相同步方式在数字系统中得到广泛应用。由于硬件少,可靠性相对较高。但这只是对同步信号整形变换电路而言,实际上由于采用单相同步,对同步源的可靠性要求则更高,一旦同步断线触发脉冲将全部中断,使整个整流系统的输出为零。很显然在静止励磁系统中将造成发电机失磁的重大事故。由于阳极波形较差,自并励系统中采用机端同步方式较多,即同步信号取自发电机 PT,一般来说 PT 高低压侧都会装设熔断器,接触不良、保险熔断都会导致同步信号消失。如何发挥数字系统的优势而避其所短呢?以下介绍的是一个在实际中应用多年的方法:

虽然我们只需要 1 个同步相,但同时将 A、B、C 相同步信号引入装置中。正常时,我们只有 1 相作为工作相,其余 2 相备用。当同步断线时,通过软件首先判断是同步变压器

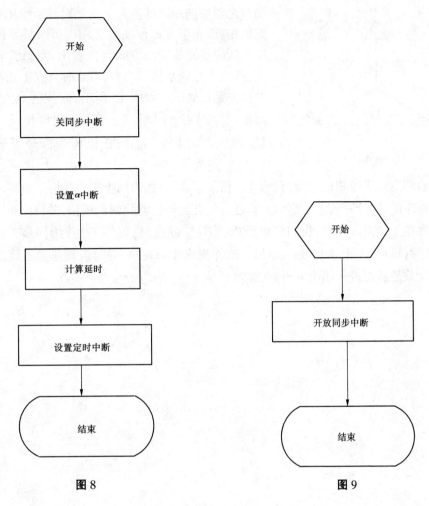

图 8

图 9

的副边还是原边断线,然后再分析出断线相,从而将正常同步源作为当前的工作信号源。假设三相同步变压器接线方式为△/Y0 - 11(见图 10),同步信号 U_a、U_b、U_c 经整形变换成方波,其上升沿分别对应于 CPU 的 3 个硬件中断信号,当同步中断响应后分别读出循环计数器的值 C_a、C_b、C_c。正常时 $C_a - C_b$、$C_b - C_c$、$C_c - C_a$ 均应为 120°所对应的计数值,否则必有断线相。同步副方断线是比较容易判断的,因为当副方 U_a、U_b 或 U_c 断线,

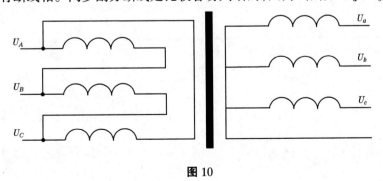

图 10

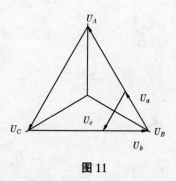

图 11

则与之对应的中断源消失。由于副方断线相并不影响其他相,因而副方即使断线 2 相也可维持系统正常工作。从同步变的接线方式可以看出,当原方有 1 相断线,虽然 3 相同步信号均有,但此时只有 1 相同步信号的相位是正确的。如图 11 所示,同步信号 U_a 与 U_{AB} 同相,U_b 与 U_{BC} 同相,U_c 与 U_{CA} 相位相同。现假设 U_A 断线,很显然 U_{BC} 的相位和幅值是正确的。而 U_a、U_c 则为 $-U_{BC}/2n$(n 为同步变压器变比),相位分别超前和滞后了原相位 60°。只有 U_b 相位正确,可作为同步相。我们只需在同步中断服务子程序中,对计数值 C_a、C_b、C_c 差进行组合比较就能找到断线相,并将同步工作相切换到正常相上即可。同理,我们可以分析,当 U_B 断线时,可将 U_c 作为同步工作相。当 U_c 断线时,可将 U_a 作为同步工作相。软件流程相对复杂一些,但都是通过读出定时计数器的计数值从而进行相位分析,在此略。

正温度系数电阻电子开关与高能氧化锌非线性电阻在同步发电机灭磁与过电压保护装置中的研究应用

吴光军　王波

（宜昌市能达通用电气股份合作公司）

1　概述

　　大型同步发电机快速灭磁是限制发电机或发电机－变压器组内部故障扩大的惟一方法。常见故障有：发电机定子绕组槽部或端部匝间短路，对地或相间短路，或主变压器内部短路。现有的发电机组配备的继电保护，只能将发电机从电网上断开，同时切断磁场电源，但不能消灭发电机磁场储存的巨大能量，后者能维持故障电流，导致烧毁绕组甚至熔化铁心，造成不可挽回的损失。所以只有在继电保护动作的同时，快速地消灭磁场，才能有效地保护发电机。

　　同步发电机灭磁装置主要用于同步发电机转子快速灭磁和过电压保护。对灭磁及转子过电压保护的要求是开断可靠、灭磁迅速、限压特性好，灭磁装置的投切自动监控，运行可靠，维护简便。迄今为止，用于灭磁的方法主要有线性电阻灭磁、灭弧栅灭磁、灭磁开关灭磁、逆变灭磁、非线性电阻灭磁、交流开关灭磁等。其中应用最多是采用磁场断路器配合氧化锌非线性电阻移能灭磁。但是因空载误强励时，灭磁开关建压不足以使转子能量转移至氧化锌(ZnO)电阻支路，从而引起灭磁开关烧毁的事故常有发生，随着运行中氧化锌电阻的老化，导致运行中的发电机组失磁也时有发生，重庆长寿狮子滩电站曾出现过几次阀片保险熔断事故。为此提出一种新的灭磁技术方案，本方案主要介绍以用高能 PTC 与 ZnO 非线性电阻为主所构成的 DHQ&YNQ 灭磁原理研究和大电流工业试验的设计参数。大容量、高耐压正温敏特性的 PTC 电阻元件，具有导通和阻断两大特性，合理应用能将转子电流迅速从灭磁开关主触头换流到低阻的 PTC 支路，实现触头的无弧开断。高能 PTC 电阻随着温度升高而阻断电流并建压，电流第二次转移到氧化锌非线性电阻，实现快速灭磁。它是替代由 RD 和可控硅跨接器组成的无弧建压辅助灭磁方案的最佳选择。灭磁系统的作用是当发电机内部或外部发生短路事故时能快速开断发电机的励磁电源，并迅速消耗掉储藏在励磁绕组中的磁场能量。

2　正温度系数电阻 PTC 的特性

　　高能氧化锌电阻用于灭磁已非常普遍，有关氧化锌电阻特性的资料也很多，故本文仅介绍 PTC 电阻的物理特性及其应用。

2.1　PTC 电阻的特性

　　PTC 是正温度系数 Positive Temperature Coefficient 的缩写。随着材料科学的迅猛发

展,PTC电阻的应用已从电子领域进入到电力领域,其能容和耐压水平都有了大幅度的提高,单片通流容量≥1kA,耐压≥1 200V,其阻值变化范围大于兆欧级,居里温度点 T_c 根据需要可在 80～120℃ 之间选择,PTC 的物理特性见图1。

图 1 中的 T_c 是居里温度,它是 PTC 相变的开始点,一般为 PTC 元件最小电阻 R_{min} 二倍阻值时所对应的温度点;R_c 为开关电阻,即居里点温度时对应的电阻;R_p 为最大工作电阻,即上限工作温度 T_p 所对应的电阻。

PTC 器件本身具有强烈的负反馈效应,它们组合应用时,就有自然均流的效果。所以不需要在灭磁电阻中串联均流电阻和快速熔断器,大大地减小了安装空间和消除因 ZnO 阀片的负阻特性所造成的短路隐患。其应用简单可靠,并有电流保护特性。其伏安特性见图 2。

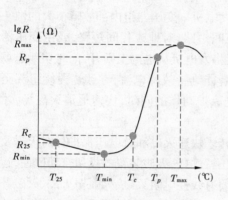

图 1 PTC 元件的温敏特性曲线

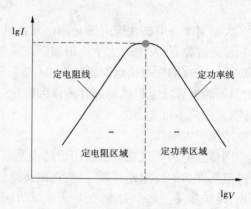

图 2 伏安特性

PTC 电阻加上电压达到热平衡时电压和电流的关系,也称静态特性。电压逐渐增加时,电流呈直线上升,达到最大值后则随之直线下降。电流最大点叫 $V\sim I$ 峰值,在 $V\sim I$ 峰值电压以下维持定电阻区域,在峰值以上电压时,即使改变外加电压也维持电功率几乎不变的定功率区域。

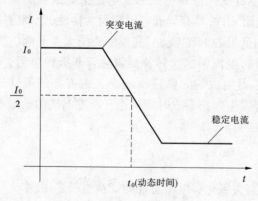

图 3 电流—时间特性

PTC 电阻的电流—时间特性如图 3 所示。

若 PTC 电阻处于定电阻区域时(室温或 T_c 以下时),则电流不随时间而变化,由于其电阻呈低阻值而流过电流很大,随着器件发热而温度上升,显示出电阻增大而电流减小的特性。

2.2 工作原理

PTC 的电阻值在居里温度 T_c 以下时,呈低阻态特性,温度大于 T_c 时,阻值会急剧上升至兆欧级,变成高阻状态。基于

PTC元件的物理特性,可以把它与灭磁开关配套使用,利用以 PTC 为主的电子换流器

DHQ对开关主触头换流并快速建压,实现灭磁开关无弧分断,可以解决因灭磁开关建压不足、转子能量无法转移至ZnO电阻而引起灭磁开关烧毁的事故。新装置在灭磁开始后,能迅速阻断施加于励磁绕组的励磁电源,并将绕组中的能量转移到以ZnO非线性电阻为主的移能器YNQ中,达到快速灭磁的目的。PTC器件本身具有强烈的负反馈效应,它们组合使用时,有自然均流的效果,所以不需要在灭磁电阻中串联均流电阻和快速熔断器,大大减小了安装空间和消除因ZnO阀片的负阻特性所造成的短路隐患。其应用简单可靠,并有电流保护功能。

3 灭磁原理与试验接线

3.1 大型机组灭磁系统的基本要求

大型机组灭磁系统通常应满足下列基本要求:

(1)灭磁时间尽可能短(快速灭磁)。

(2)在灭磁过程中产生的过电压必须限制在低于发电机转子回路的设备及励磁绕组绝缘所允许的耐压水平。

(3)灭磁彻底,即在灭磁装置动作后,应使发电机最终的剩磁低于能维持短路点电弧的数值。

随着大功率电力电子元件的发展,国外近期采用电子开关来代替机械式灭磁开关。这是因为,电子开关无机械触点、无火花和瞬时过电压、动作速度快、易于维护,克服了机械开关动作频繁、触头易烧毁、机械调整复杂、失控后易产生危险的转子过电压等缺点。

3.2 试验接线

试验接线如图4所示,图中的YNQ为移能器,DHQ为电子换流器,PTC&ZnO为过电压保护组件,FL为测试或仪表用分流器。

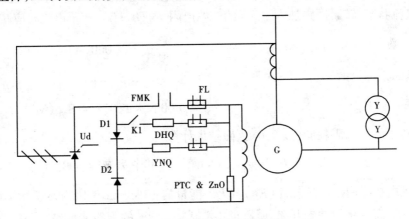

图4 灭磁系统试验主接线图

3.3 工作原理说明

正常运行时,灭磁开关FMK主触头与断路器K1的触点闭合,电子换流器DHQ及移能器YNQ因为被主触头短接而不工作(不承受电压)。正常灭磁或事故跳闸灭磁时,FMK主触头先跳开,磁场电流由FMK主电路换流到K1支路上,FMK主触头实现无弧分断或不烧损主触头的小电弧分闸。DHQ为初始电阻值很小的高能PTC组件,在电源电压的作用下吸能发热,使其电阻值急剧上升,在磁场电流的作用下,迅速在其两端建立起断口电压 U_k,当 U_k 超过移能器 YNQ 中高能 ZnO 的压敏电压(U_{10mA})时,即能有效阻断磁场电流,并实现快速灭磁,磁场断流后 K1 跳开,断开的时间可设定。K1 的主要作用如下:

(1)停机时能切断电源电压对 DHQ 的作用。

(2)使磁场主回路中有明显的断开点。PTC&ZnO 组件有吸收正反向过电压的作用,使过电压≤1 200V。

4 灭磁和过电压保护装置设计

4.1 参数计算

4.1.1 机组励磁参数

机端电压 13.8kV,有功功率 125MW,无功功率 69MVar,励磁电流 1 580A,转子直流电阻 0.2Ω。励磁方式为带串联变压器的三相全控桥式整流自复励。

4.1.2 灭磁参数设计

灭磁参数是按葛洲坝 125MW 机组在最恶劣的灭磁条件(空载误强励)下,能可靠灭磁设计的。

最大励磁电压:$V_{fmax} = K \times 1.35 \times E \times \cos\alpha_{min} \approx 1\ 200V$,其中 E 为励磁功率柜阳极电压 790V,α_{min} 为发电机强励角,通常为 5°～15°。

最大励磁电流:$I_{fmax} = \dfrac{V_{fmax}}{R} = \dfrac{1\ 200}{0.2} = 6\ 000(A)$

(1)转子储能的计算:发生空载误强励时,转子回路的最大电流为 6 000A,在发电机磁场断路器主触头开断的同时,转子电流开始向电子换流器(DHQ)转移,这时励磁回路仍处于整流状态,转子回路加入 DHQ 的初始电阻 $R_T(0.1Ω)$,转子电流相应减小到

$$I'_{fmax} = \frac{V_{fmax}}{R_f + R_T} = \frac{1\ 200}{0.2 + 0.1} = 4\ 000(A)$$

转子储能为

$$E_{max} = \frac{1}{2} \times I'^2_{fmax} \times L = \frac{1}{2} \times 4\ 000^2 \times 1.072 = 8.6(MJ)$$

(2)转子绕组电阻耗能(按 0.6s 灭磁结束计算):

$$E_{fr} = \int_0^{0.6} i_f^2 \times R_f dt = 1.92(MJ) \quad (其中\ i_f\ 按\ 4\ 000A\ 计算)$$

(3)水电机组阻尼绕组耗能(E_D)占灭磁能量的 15%～20%(1.29MJ),由于励磁变压器挂在机端,定子绕组并未开路,所以也要消耗约 6.8%的灭磁能量($E_A = 0.59MJ$)。

(4)移能器消耗的灭磁能量为

$$E_Y = E_{max} - E_{ff} - E_A - E_D = 4.8(MJ)$$

4.2 器件选择

电子换流器 8 组,每组 500A、1 600V,标称能容 1.4MJ;移能器 7 组,每组 $U_{10mA} = 1\ 280V$,标称能容 4.8MJ;灭磁开关 3WN6 型,1 600A/690V;二极管 1 000A/3 600V 2

只;K1 为 660V、1 000A 的空气断路器;ZnO/PTC 组件一套;分流器 FL2 000A/75mV 3 只。

5 关于氧化锌电阻选用的方法

5.1 重要技术指标

ZnO 电阻压敏电压:指在规定条件下,氧化锌非线性电阻流过给定的直流电流(10mA)时两端的电压降,用 U_{10mA} 表示。灭磁中使用为高能片,若高压片采用 1mA 电流下电压表示。

ZnO 电阻能量容量:指能承受的最大冲击能量,在此能量冲击下非线性电阻不会击穿但会迅速老化。如凯立电气公司的氧化锌每片 20kJ。

ZnO 电阻标称容量:即工作能容量,在承受 0.1～1s 的冲击波后能自动恢复原有特性,并对 ZnO 电阻的老化不起主导作用。如凯立公司每片为 10kJ。

ZnO 电阻残压:指在规定条件下,非线性电阻流过指定的直流电流(100A 或 60A)时,两端的电压降,凯立公司用 U_{60A} 表示。中科院等离子体物理研究所采用 U_{200A} 表示。

ZnO 电阻残压比:规定为残压 U_{60A} 与压敏电压之比 U_{10mA},残压比一般选取要求不大于 1.5 倍。ZnO 电阻荷电率:指在额定负荷下,长期承受的电压峰值与压敏电压之比,要求不大于 0.6。

漏电流:指在 $\frac{1}{2}U_{10mA}$ 电压下流过非线性电阻的直流电流。

组合系数:指 ZnO 电阻需要经过串、并联组合才能应用,一般通过计算机程序选配。

5.2 ZnO 电阻压敏电压、残压及标称容量等计算原则

5.2.1 发电机转子磁场储能

针对一台发电机组来说,发电机转子磁场储能为

$$W = \frac{1}{2}LI_{fd}{}^2 + \sum_{\Psi_0}^{\Psi} I_{fd}\Psi$$

式中:I_{fd} 为励磁绕组最大电流;L 为转子差漏电感;Ψ 为励磁绕组磁链,$\Psi = \varphi_0 + \varphi\delta_m$。

当参数不全时,可以进行粗略计算:

$$W = \frac{1}{2}LI_d{}^2$$

式中:L 为转子电感,$L = T'_{d0} \times R_{(75℃)}$;$I_d$ 为额定励磁电流。

5.2.2 压敏电压、残压的选择

要使氧化锌电阻可靠地工作,漏电流必须尽可能小。这与材料组成和制造工艺有关。另一方面,也与正确的选用压敏电压有关。选取压敏电压的主要依据是工作电压、转子绝缘水平、励磁方式以及晶闸管的重复峰值电压等。

具体来说:$U_残 \leqslant 0.65U_绝$($U_残$ 为 ZnO 残压,$U_绝$ 为转子绝缘);

$U_残 \leqslant 0.7U_{RRM}$($0.7U_{RRM}$ 为拐点电压,U_{RRM} 为晶闸管反向重复峰值电压);

荷电率 $K = U_I/U_{10mA} \leqslant 0.6$($U_I$ 为持续运行电压,$U_{10mA} = U_残/1.5$);

$U_残 \leqslant U_K - U_{0min}$($U_K$ 为磁场断路器开断弧压,U_{0min} 为励磁电源输出最小电

压);

$U_残$ 要能使 ZnO 灭磁时间 T_m 为最小;

$U_残 \geqslant 3.2U_{fd}$(U_{fd} 为发电机额定励磁电压值);

$U_残 \leqslant 1.5U_{10mA}$;

$U_{10mA} = 1.12U_{1mA}$。

根据上面计算原则,确定氧化锌电阻的残压等技术参数就非常简单了。

6 结语

通过试验,可以得出以下结论:

(1)高能 PTC 和氧化锌非线性电阻灭磁方案可以达到预期的灭磁目标。

(2)串联灭磁对灭磁开关的弧压要求低,并联灭磁对灭磁开关的弧压要求高。

(3)移能器 YNQ 能吸收相当大的能量,整个灭磁时间由电子换流器 DHQ 的换流时间和移能器 YNQ 吸收转子能量的时间构成。

(4)通过测量 YNQ 支路电流,灭磁电流可以正常转移。

2500A 热管晶闸管整流装置

吴光军
(宜昌市能达通用电气股份合作公司)

1 引言

随着大功率晶闸管技术的发展,目前发电机组励磁系统普遍采用单柜额定电流在1 000~3 000A 的大功率整流柜,但由于大电流时晶闸管的耗散功率非常大,使得散热问题成为严重影响功率柜安全运行的问题之一,因其擎住电流随温度降低而升高,维持电流随温度升高而减小,温度升高导致 dU/dt 水平下降。散热设计的基本任务是,为器件设计一个热阻尽可能低的热流通路,使器件发出的热量能尽快地发散出去,从而保证器件运行时,其内部的结温始终保持在允许的结温之内。散热器结构的选择需考虑以下因素:辅助设备的能耗、体积和重量;装置的复杂性和操作的难易程度;装置的可靠性、可用性和可维护性。

本装置采用回路式热管散热器,实现了气、液分流,从而解决了普通热管结构工作时,气、液混流引起的相互干扰问题,将热管的传热效率提高一倍,具有优异的热传导性能和较低的热阻,有效地改善晶闸管的散热条件,提高晶闸管和成套装置的输出能力;同时还降低对外部环境的要求,不使用冷却风机,降低装置运行的震动和噪音,减少柜内灰尘积聚及设备的日常维护工作量。

2 热管散热器工作原理

1963 年,美国科学家 G. M. GrovUlr 发明并成功制造出热管。热管的定义是:一个密闭封焊的蒸发冷却器件,在封闭的真空腔体内,通过工作介质的相变进行热量传递。其结构如图 1 所示,由密封管、吸液芯和蒸汽通道组成。

其工作原理,是靠毛细作用使液相工质由冷凝段回流到蒸发段,并使液相工质在蒸发段沿径向均匀分布。工作介质在热管的蒸发段吸收外部热量,液体沸腾形成蒸汽(发生相变),因为腔体内部为真空状态,阻力很小,工作介质的蒸汽在很短的时间内就会到达热管的冷凝段,在冷凝段工作介质释放热量,蒸汽冷凝变成液体,工作介质的液体通过管内吸液芯的毛细作用回流到热管的蒸发段,完成一个工作循环。从轴向看,管的一端为蒸发段,另一端为冷凝段,中间为绝热段。工作时外部热源的热量传至蒸发段,通过热传导使工作介质的温度上升,进一步导致液相介质吸热蒸发。液体的饱和蒸汽压随着温度上升而升高,从而使蒸汽经蒸汽通道流向低压部分,即流向温度较低的冷凝段。蒸汽在该段冷凝,放出的热量通过充满工质的吸液芯和管壁的热传导,由管子外表面传给冷源。此后冷凝液体可以在没有任何外加动力的条件下,借助管内的毛细吸液芯所产生的毛细力回到加热段继续吸热蒸发,如此循环,达到热量从一处传输到另一处的目的。热管工作时,其

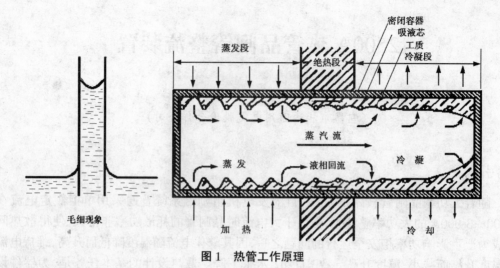

图1 热管工作原理

工作循环是在连续不断地进行的,不断地将热量传递出去。热管在进行相变过程中吸收和释放大量的热量。因此,热管散热器具有以下几个优点:

(1)热响应速度快。由于热管壳体内部为真空状态(一般为 1×10^{-3} Pa),工作介质的相变温度远低于常压下的沸点温度(启动温度低),内部流体的流动阻力小。因此,热管的传热系数一般为金属银的 $40 \sim 1000$ 倍。

由于热管是一个所谓的"自治"系统,它利用蒸发和毛细现象进行介质循环,不需要借助泵等外力,所以免除了风机等旋转部件;运行时没有噪声,可长期连续运行这一特点对电力生产具有特别重要的意义。

(2)等温性能好。由于液态介质的蒸发潜热大,同时蒸汽的流动阻力小,所以能够在温差较小的蒸发端至冷凝端间传送大量热量,亦即热管冷却装置的有效导热系数非常大,具有良好的等温性。一般一根长 10m 的热管,其两端温差为 $1 \sim 2℃$。

(3)冷、热段结构和位置布置灵活。热管组成的散热器的受热部分和放热部分结构设计和位置布置非常灵活,形状可为扁平也可是圆柱形,适用于各种复杂场合。在热阻相同的条件下,尺寸和重量要比普通散热器小 $1/3 \sim 1/2$。

(4)运行安全可靠,不污染环境。热管的工作介质在封闭的腔体内进行工作,封口采用先进的焊接技术,加之冷却介质数量少,即使泄漏也不可能造成电气事故。其工作寿命一般为 20 年,它所采用的制造材料不会对环境产生任何污染,是一种环保产品。

3 晶闸管整流柜冷却方式的比较

3.1 自冷式散热器

所谓"自冷式"冷却是通过空气的自然对流及辐射作用将热量带走,这种散热效率很低,但是由于它的结构简单、无噪声、维护方便,特别是没有旋转部分,所以可靠性高,非常适用于额定电流在 500A 以下的器件或简单装置中的大电流器件。

3.2 风冷式散热器

风冷式散热器主要用于电流额定值在 $500 \sim 2000$A 的器件。风冷式散热器的特点是散热效率高,其传热系数是自冷式散热效率的2～4倍。但采用风冷需配备风机及风道,因而噪声大、容易积聚灰尘、可靠性相对降低、维护工作量大。

3.3 热管式散热器

热管是一种新型、高效的传热元件,具有优异的传热特性,传热效率高,沿轴向的等温特性好。由于其热耗散效率比同质量的铜散热器大2～3个数量级,自20世纪70年代商业化应用以来得到各方面的重视,用于晶闸管的散热,可提高晶闸管工作效率和使用寿命。

4 工作原理、技术指标与晶闸管选型

4.1 三相全控整流桥工作原理

本装置采用三相全控整流桥接线,共6只晶闸管元件。装置适用于大容量同步发电机静止整流励磁系统的自并励系统、自复励系统,既可工作于整流状态,也能够工作于逆变状态(见图2)。现以整流工作状态进行说明:在控制角 $\alpha < 90°$ 时,输出平均电压 U_d 为正,三相全控桥工作在整流状态,将交流转变为直流。三相全控桥式整流电路输出电压 U_d 的波形在一个周期内分为均匀的六段,故计算其平均电压 U_d 只需求交流线电压在 $(-\pi/6 + \alpha)$ 至 $(\pi/6 + \alpha)$ 的平均值即可: $U_d = \dfrac{1}{\frac{2\pi}{6}} \int_{-\frac{\pi}{6}+\alpha}^{\frac{\pi}{6}+\alpha} \sqrt{2}\,U_l \cos\omega t\,\mathrm{d}\omega t = \dfrac{3}{\pi}\sqrt{2}\,U_l \times 2\sin\dfrac{\pi}{6}\cos\alpha =$

$1.35 U_l \cos\alpha$ 。

三相全控桥中,共阴极组的元件在各自的电源电压正半周时导通,而共阳极组的元件则在其电源电压负半周时导通。为了使全控桥正常工作,形成电流通路,必须使共阳极组和共阴极组的元件在任一瞬间各有一只可控硅导通状态(换流期间有三只导通)。为此,触发脉冲必须适应三相全控整流的要求。一般有两种方法解决:其一是采用双窄脉冲触发见图3,对于数字式计算机控制的全控整流电路,利用软件中断实现双窄脉冲触发非常方便。在一个周期中对每一只可控硅需要连续触发两次,两次脉冲间隔为60°。采用专业数据处理器DSP的高速输出作为智能脉冲处理,无须主控CPU干预,可以执行正常流程。这种脉冲产生方式非常简单自然,硬件、软件均很简单,产生的脉冲稳定可靠。

双窄经光电隔离后,传送至脉冲列形成放大板后,输出为高频脉冲列,脉冲列经过脉冲变压器隔离后送到晶闸管控制极。本装置使用的脉冲变压器采用了高强度绝缘材料,并经过环氧树脂浸漆,一、二次之间绝缘强度达15kV。同时,脉冲变压器铁心采用了高磁密材料,输出脉冲无延时和振荡现象,输出脉冲波形稳定,抗干扰能力强。

4.2 技术指标

额定交流输入电压:800V;

额定直流输出电流:2 500A;

柜体尺寸:2 200mm×1 000mm×1 000mm(高×宽×厚)(柜体颜色可选)。

各项指标均符合 GB7409—97 及 SD299—89、DL/T 650—1998 标准的有关规定。

4.3 可控硅选型设计

4.3.1 通态平均电流 I_{TAV} 选择

本装置额定电流设计为 2 500A,额定输入电压为 800V。考虑 1.1 倍长期过载情况,

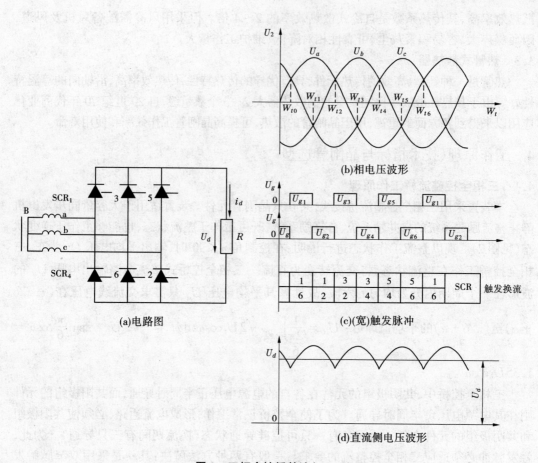

(b)相电压波形

(c)(宽)触发脉冲

(d)直流侧电压波形

图2 三相全控桥整流($\alpha = 0°$)

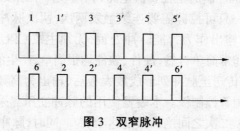

图3 双窄脉冲

故

(1)连续输出最大直流电流：

$$I_{d\max} = 1.1 \times I_{fd} = 1.1 \times 2\,500 = 2\,750(A)$$

(2)桥臂平均电流：

$$I_{A(AV)} = 1/3 I_{fde} = 1/3 \times 2\,500 = 833(A)$$

(3)桥臂有效值电流：

$$I_{rms} = \sqrt{3} I_{A(AV)} = \sqrt{3} \times 833 = 1\,443(A)$$

(4)可控硅通态平均电流：

$$I_{TAV} = \frac{I_{rms}}{1.57} = \frac{1\,443}{1.57} = 919(\text{A})$$

在额定工况下电流裕度系数 $K_i = 2.5$,则

$$I_{T(AV)} = K_i \times I_{TAV} = 2.5 \times 919 = 2\,298(\text{A})$$

取标准值 $I_{T(AV)} = 2\,500\text{A}$。

4.3.2　断态重复峰值电压 V_{RRM} 选择

断态重复峰值电压 V_{RRM} 选择应使每臂元件承受的最大反向电压小于元件实际承受的反向重复峰值电压。

反向重复峰值电压按下式进行选择:

$$U_{RRM} \geqslant K_U K_{CG} K_b U_{ARM}$$

式中:U_{ARM} 为阳极电压;K_U 为电压裕度系数,按技术规范应不小于1.3,为了提高装置的可靠性,取 $1.8\sim2.0$;K_{CG} 为过电压冲击系数,取1.5;K_b 为电压升高系数,取1.1。

由于　$U_{ARM} = 1.414 \times U_p$

所以　$U_{RRM} \geqslant K_U K_{CG} K_b U_{ARM} \geqslant 2.0 \times 1.5 \times 1.1 \times 1.414 \times 800 \approx 3\,733(\text{V})$

取整后选 $U_{RRM} = 4\,000\text{V}$。

5　可控硅整流桥换相尖峰过电压抑制措施

5.1　可控硅换相尖峰过电压产生的原因及抑制

可控硅产生换相尖峰过电压的原因是由于可控硅元件本身换相关断过程中,在电路中激发起电磁能量的相互转换和传递而引起的。为了减小换流尖峰电压,必须在元件呈反向阻断特性时为反向恢复电流提供一个泄放回路,通常采取由电容电阻组成换流缓冲器(snubbUlr)支路与晶闸管元件并接来限制该尖峰电压值。

图 4 表示毛刺 UP 随 C 及 Q 变化的关系曲线($Q = \alpha + \gamma$,α 为触发角,γ 为重叠角)。尖峰率 $\mu = U_P / \sqrt{2} UL$(UL 为阳极电压)是受阻容电路 C 支配的。C 与 R 组成的阻容"缓冲"电路应尽可能地靠近被保护的可控硅管,引线要短。电容 C 的参数与反向恢复电荷 Q_r 有关,而 Q_r 与 SCR 管的额定正向平均电流 I_t 有关:$C = (1\sim2) I_t \times 10^{-3} \mu\text{F}$。在此电容回路内串联电阻

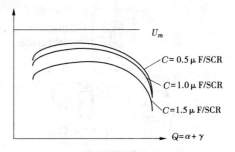

图 4　尖峰率 μ 与 Q 角关系

R,是为了避免可控硅管开通时电容 C 放电电流上升率过大以及在电感回路中产生谐振。$R \leqslant (1\sim3) L_1 + L_a / C\Omega$,其中 $L_1(\mu\text{F})$ 为变压器漏感,L_a 为引线及桥臂电感。可控硅管并联的阻容保护 C 增大,抑制毛刺的效果是明显的,但会增加可控硅导通瞬间电流上升率。最好采用反向阻断式阻容保护,以避免这一不利因素,特别需要注意 R 的发热。电阻功率要选大一些,以防止过热烧毁。

5.2　阻容计算

为了限制 $\mathrm{d}U/\mathrm{d}t$ 水平,抑制换相尖峰,常规采用晶闸管元件两端并联 RC 吸收网络。

时间常数为 $T = RC \leqslant 3.3\text{ms}$,设计程序如下。

(1)计算整流变正常二次电流 I_{SN}:

$$I_{SN} = \sqrt{\frac{2}{3}} \times 1.1 \times I_{DN}$$

式中:I_{DN} 指功率柜额定输出电流。

(2)计算分相电感 L:

$$L = 2L_p = \frac{U_K \cdot E}{\sqrt{3} \cdot \omega \cdot I_{SN}}$$

式中:U_K 是整流变阻抗电压,E 是阳极电压,$\omega = 2\pi f$。

(3)计算交流电压最大跳变值,此时移相角和换相角按 $\alpha + \delta = 90°$考虑。

$$V_J = \sqrt{2} \cdot E \cdot \sin(\alpha + \delta)$$

(4)校核晶闸管电流上升率是否满足要求:

$$\mathrm{d}i / \mathrm{d}t = V_J / L$$

(5)根据可控硅生产厂家产品数据手册,查出恢复电荷 Q_s 值,计算阻容参数。

时间常数:$\tau = 2Q_s / 1.414 V_J$;

电容:$C = 2 \times I_T \times 10^{-3}$;

电阻:$R = \tau / C$。

(6)确定电容耐压,按照额定阳极电压的 4~5 倍选择。

(7)计算电阻功率:

$$P_R = 3fCU_m^2 \times 10^{-6}$$

阻容参数设计图见图 5。

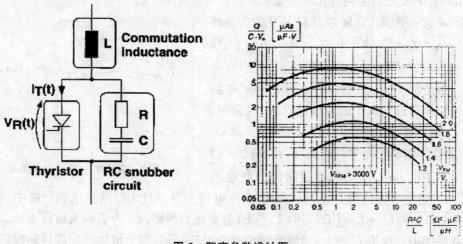

图 5 阻容参数设计图

当阳极电压为 800V,晶闸管额定电流为 2 500A 时,计算得出 $C = 1\mu\text{F}/2\ 100\text{V}$,$R = 50\Omega/500\text{W}$。经工业试验验证该参数能够满足机组运行要求。因录波仪电压低,按 2:1 比例分压录波图。

6 均流措施

均流的三种设计方法为：①均长连接线法；②元件筛选法；③大功率整流柜并联输出用均流互感器法。作用：限制交流侧压降和晶闸管电流上升率 $\mathrm{d}i/\mathrm{d}t$、电压上升率 $\mathrm{d}U/\mathrm{d}t$ 以及并联整流桥组的解耦。

7 温度实时监测与显示控制仪

温度显控仪是以智能单片机为核心，三路 A/D 温度采样电路，双路越限报警输出，数码显示电路，通信接口电路组成。可与上位机进行交换晶闸管壳温数据通信。

温度采集是由应用非常广泛的 Pt100 电阻通过特殊加工构成，将瓷封装热电阻置于外带螺纹的铜柱内，以环氧树脂浇注固定，温度探头安装方便，数据采集准确可靠，经 5kV 耐压实验通过。在温度超过整定温度时能够自动报警并启动后备风机运行。信号以及控制回路多处采用抗干扰隔离技术，使装置运行更加可靠。

8 装置的保护及测量部分

装置具有以下保护及测量部分：

(1)晶闸管短路保护用快速熔断器并附带有熔断报警信号器；

(2)晶闸管换相过电压阻容保护；

(3)阳极电压互感器、检测开关、阳极电压表；

(4)分流器及直流电流表；

(5)温度显示及报警控制装置、脉冲监视与报警信号。

9 结语

通过葛洲坝电厂 19F 机组试验，热管散热大功率整流装置技术性能优于普通强迫风冷晶闸管整流装置，是大中型发电机组整流装置技术换代的最佳选择。

智能自适应微机励磁控制技术研究及试验分析

胡国庆

(宜昌市能达通用电气股份合作公司)

毛承雄　余　翔

(华中科技大学)

1　引言

随着三峡电厂巨型发电机组的投运,电力系统即将实现全国联网,联网后的电力系统运行稳定性将成为未来电力系统控制技术的关键课题。而解决电力系统运行稳定性的主要办法包括发电厂发电机组的稳定控制和电网的稳定控制两大课题。

由于水、汽轮机转动惯量和时间常数大的原因,发电厂发电机组的稳定控制主要采用发电机励磁系统控制技术,常用方法是最优控制和在 PID 控制中增加 PSS 控制两种方法。

电网的稳定性控制技术即 FACTS(柔性交流输电系统)技术,常用方法是 UPFC(统一潮流控制器)、TCSC(输电线路可控串联补偿)、ASVG(静止无功补偿电源)、IPC(相间功率控制器)、CSC(转换静止补偿器)、PQC(电力质量控制器)等。

本文主要介绍发电机励磁最优控制的新方法——智能自适应控制。

2　自适应控制技术

随着电力系统的发展、机组容量的不断增大、电网建设速度的加快,电力系统小干扰稳定问题已逐步得到缓解。影响电网安全运行的主要矛盾已转化为电力系统大干扰稳定性问题,即暂态稳定性问题。改善与增强电力系统大干扰稳定性必然要研究大干扰安全稳定控制理论与方法,即可归纳为研究以下非线性电力系统的控制问题。自适应励磁控制便是解决发电机及其相联系统非线性问题的主要方法之一。

2.1　自适应最优控制理论

由于数字计算机的应用,过去很多在连续域分析的问题已转化成在离散域进行分析。对于单输入单输出确定性系统,在离散域内其传递函数可用式(1)表示。对于非线性系统则在工作点线性化,同样可用该式表示。

$$\frac{y(z^{-1})}{u(z^{-1})} = \frac{z^{-d}(b_0 + b_1 z^{-1} + b_2 z^{-2} + \cdots + b_{m-1} z^{-m+1} + b_m z^{-m})}{1 + a_1 z^{-1} + a_2 z^{-2} + \cdots + a_{n-1} z^{-n+1} + a_n z^{-n}} \tag{1}$$

式中:$y(z^{-1})$ 和 $u(z^{-1})$ 分别为被控对象的输出量和控制量;$d \geqslant 1$,为被控对象的时延;$n \geqslant m + d$,为可实现条件;$b_0 \neq 0$。

但对于实际系统,被控对象的参数 a_i、$b_j (i = 1, 2, \cdots, n; j = 0, 1, \cdots, m)$ 有可能是时变的,因此很难得到,需要采用辨识的方法得到它们。常用方法是采用递推最小二乘辨识法辨识这些参数。

展开式(2-1),取 Z 反变换,考虑噪声项,即可得到系统的辨识模型为

$$y(k) - b_0 u(k - d) = \varphi^{\mathrm{T}}(k)\theta(k) + \xi(k) \tag{2}$$

式中:$\xi(k)$为白噪声。

$$\varphi^{\mathrm{T}}(k) = \begin{bmatrix} y(k - n)\cdots(k - 1) & u(k - m - d)\cdots u(k - d - 1) \end{bmatrix}$$
$$\theta(k) = (- a_n \cdots - a_1 \quad b_m \cdots - b_1)$$

根据递推最小二乘法有:

$$\theta(k + 1) = \theta(k) + G(k)\begin{bmatrix} y(k) - b_0 u(k - d) - \varphi^{\mathrm{T}}(k)\theta(k) \end{bmatrix} \tag{3}$$

$$G(k) = \frac{P(k)\varphi^{\mathrm{T}}(k)}{\lambda + \varphi^{\mathrm{T}}(k)P(k)\varphi(k)} \tag{4}$$

$$P(k + 1) = \frac{1}{\lambda}\begin{bmatrix} P(k) - G(k)\varphi^{\mathrm{T}}(k)P(k) \end{bmatrix} \tag{5}$$

$$(k = 0,1,2,\cdots)$$

式中:λ 为遗忘因子,$0 < \lambda \leqslant 1$,通常在 $0.95 \sim 0.99$;在这里矩阵 P 为估计的协方差矩阵,对称正定矩阵。

在对系统没有任何信息的情况下,可以选取辨识初值为

$$\theta(0) = 0 \qquad P(0) = aI$$

式中:a 为计算机所允许的尽可能大的正数。

辨识出被控对象的参数后,通过求解离散 Riccati 方程式即可计算出最优控制。因此,自适应最优控制器由辨识器、最优反馈系数计算部分和控制器三部分组成,如图 1 所示。最优控制理论在理论上可以始终保证闭环系统是稳定的。

2.2 自适应最优控制器的设计

完成自适应最优控制,需要进行如下几个方面的设计。

2.2.1 确定被控对象模型结构

设计自适应最优控制器设计,首先要确定被控对象模型的结构,即传递函数式(1)中

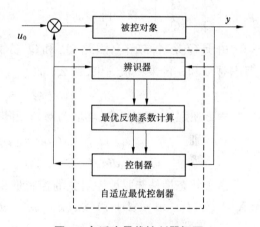

图 1 自适应最优控制器框图

d、n 和 m。如果对一个系统可以建立数学模型,那么其阶数就可以确定。例如,对于电力系统中一台同步发电机励磁控制系统,当发电机用派克模型来表达时,$d = 1, n = 7, m = 6$;当发电机采用五阶模型表达时,$d = 1, n = 5, m = 4$;当发电机采用简化的三阶模型表达时,$d = 1, n = 3, m = 2$。通常情况下,在实时励磁控制系统中,采用 $d = 1, n = 3, m = 2$ 模型,该模型简单,计算量也小,且能满足控制系统要求。

2.2.2 选取权矩阵

在自适应最优控制器中,权矩阵 Q 的选取(权矩阵 R 通常选取为 1)是很重要的,它的选取将影响到控制器的性能。一般是根据状态变量的选取而确定权矩阵,含有大量的经验成分。一种选取 Q 阵的方法为

$$Q = diag\left\{\frac{1}{x_{10}^2}, \frac{1}{x_{20}^2}, \cdots, \frac{1}{x_{n_q 0}^2}\right\}$$

对于多控制量系统，选取 R 阵为

$$R = \rho diag\left\{\frac{1}{u_{10}^2}, \frac{1}{u_{20}^2}, \cdots, \frac{1}{u_{n_r 0}^2}\right\}$$

其中，$x_{i0}, i=1,2,\cdots,n_q$，$u_{jo}, j=1,2,\cdots,n_r$，分别为被控对象各状态量和控制量的最大值。如果对某状态量不限制，其对应的加权系数可以取为零。该方法的特点是给予所有的状态和控制量以同等的重视程度。这样由确定加权系数变为只确定一个参数 ρ。

状态向量 X 可以写成：

$$X = \begin{bmatrix} U \\ Y \end{bmatrix}$$

式中：$U = [u(k-m-d+1) \quad u(k-m-d+2)\cdots u(k-1)]^{\mathrm{T}}$；

$Y = [y(k-n+1) \quad y(k-n+2)\cdots y(k)]^{\mathrm{T}}$。

这样自适应最优控制器的性能指标可以写为

$$J = \frac{1}{2}\sum_{k=1}^{\infty} [U^{-\mathrm{T}} Y^{-\mathrm{T}}]\begin{bmatrix} Q_{uu} & Q_{uy} \\ Q_{yu} & Q_{yy} \end{bmatrix}\begin{bmatrix} U \\ Y \end{bmatrix} + u_T(k-1)Ru(k-1)$$

式中：$\begin{bmatrix} Q_{uu} & Q_{uy} \\ Q_{yu} & Q_{yy} \end{bmatrix}$ 为权知阵 Q。

由于 Q 是对称矩阵，因此 Q_{uu} 和 Q_{yy} 亦为对称矩阵，并且 $Q_{uy} = Q_{yu}^{\mathrm{T}}$。一般情况下，不考虑对 y 和 u 的乘积项约束，那么，取

$$Q_{uy} = Q_{yu}^{\mathrm{T}} = 0$$

为方便起见，Q_{uu} 和 Q_{yy} 均取为对角矩阵：

$$Q_{uu} = diag(q_{11}, q_{22}, \cdots, q_{m+d-1, m+d-1})$$
$$Q_{yy} = diag(q_{m+d, m+d}, q_{m+d+1, m+d+1}, \cdots, q_{m+n+d-1, m+n+d-1})$$

由于状态量是选取被控对象的控制量和输出量在不同时刻的采样值：

$$X = (u(k-m-d+1) \quad u(k-m-d+2)\cdots u(k-2) \quad u(k-1)y(k-n+1)$$
$$y(k-n+2)\cdots y(k-1) \quad y(k))^{\mathrm{T}}$$

因此可以这样选取 Q_{uu} 和 Q_{yy}，在 Q_{uu} 中选取：

$$q_{11} \leqslant q_{22} \leqslant q_{33} \leqslant \cdots \leqslant q_{m+d-1, m+d-1}$$

而在 Q_{yy} 中选取：

$$q_{m+d, m+d} \leqslant q_{m+d+1, m+d+1} \leqslant \cdots \leqslant q_{m+n+d-1, m+n+d-1}$$

这样新得到的采样值加权大。由于控制量 u 还受到 R 的限制，因此也可考虑选取 $Q_{uu} = 0$。

2.2.3 求解离散 Riccati 方程

常用的求解方法比较多，采用迭代法求解时：

$$P_{k+1} = Q + A_T P_k A_a$$

$$A_a = A - B(R + B^T P_k B)^{-1} B^T P_k A$$
$$K = 0,1,2,\cdots$$
$$P_0 = I$$

由于在自适应最优控制器中,系统矩阵 A 和 B 包含有大量的零元素,大大地减少了计算中的乘法计算次数,因而也大大减少了计算量。

2.2.4 加入激励信号

为了使自适应最优控制器中的辨识器能长期得到含有丰富频率分量的被控对象的控制信号和输出信号,得到较好的辨识结果,有必要给被控对象以持久的激励信号。在理论上白噪声是理想的激励信号,它能给所有的频率分量均给予激励,但在实际系统中其产生是比较困难的。因而采用类似的信号七阶 PRBS,在选定的低频区域与白噪声具有类似的效果。

3 IAEC-2000 智能微机励磁控制器

IAEC-2000 智能微机励磁控制器由宜昌市能达通用电气公司与华中科技大学联合设计、开发制造,系统硬件由 DSP 与 PPC 微机、测量转换电路、电源单元和逻辑回路组成。与基本微机励磁控制器的构成比较,IAEC-2000 微机励磁控制器结构要简单许多。

IAEC-2000 采用硬件完全相同的双通道结构,每一通道仅由两个测量滤波插件、两个高速浮点 TMSC32DSP 插件、一个开关量显示插件和一个工作电源插件组成。其主要特点如下:

(1)在国内外首次将"智能自适应控制"技术用于励磁控制。

(2)硬件平台采用两块专用 DSP 板,除完成参数采样、计算外,还直接应用于励磁控制。

(3)除将现场 CAN 总线应用于微机励磁控制的数据通讯外,还应用于双通道、四 DSP 板的智能故障检测。

(4)控制器集成故障录波分析功能。

(5)控制器集成多种常用试验功能。

(6)励磁控制器集成多种常用调试功能。

(7)在励磁控制中应用定子电压交直流测量混成优选方法。

(8)控制器集成了优化维护系统。优化维护系统能时刻监视控制器和励磁系统的健康状态,并将健康信息实时送至中央控制室,为励磁系统提供状态检修信息。

4 动模试验分析

IAEC-2000 在华中科技大学完成了多达 200 个项目的试验,其实际主要指标如下:

(1)A/D 转换分辨率:2^{-14}。

(2)可控硅控制角分辨率:0.001 2°。

(3)可控硅控制角移相范围:15°~ 120°可调。

(4)发电机端电压静差率:0.1%。

(5)发电机调压精度:0.2%。

(6)机端电压手动调节速度:0.5%~0.8% Ugn/s。

(7)机端电压调节范围:

空载:10% ～ 115% Vgn;

负载:70% ～ 110% Vgn。

(8)调差率:－30% ～ ＋30%可调。

(9)发电机频率适应范围:35～80Hz。

(10)10% Vgn 阶跃响应:发电机定子电压超调量为阶跃量的 15%左右,振荡 1 次,调节时间 1.5s。

(11)甩发电机额定有功、无功负荷,发电机定子电压超调量不大于其额定电压的 15%,振荡不超过 3 次,调节时间不大于 5s。

动模试验还通过采用±4%负荷阶跃响应和不同短路模式的试验方法,完成了在自适应励磁控制(AEC)、PID 控制、PID＋PSS 控制以及线性最优励磁控制(LOEC)这四种不同控制方式下,励磁控制器对系统稳定的影响如表 1 和表 2 所示。

表 1　不同控制方式下的系统稳定控制性能

阶跃量	控制方式	振荡次数(次)	调节时间(s)	阻尼比
－5%	PID	＞11	4.08	0.079
	PID＋PSS	3	2.00	0.158
	LOEC	2	1.46	0.261
	AEC	2	1.72	0.243
＋5%	PID	6.5	4.9	0.066
	PID＋PSS	1	0.86	0.199
	LOEC	2.5	1.98	0.325
	AEC	1	1.34	0.171

表 2　不同控制方式在不同短路模式下的系统稳定性能

运行工况	短路模式	控制方式	短路时间(s)	振荡次数(次)	调节时间(s)
$P=0.70$pu $Q=0.25$pu	单相接地	PID	0.32	＞10	＞9.16
		PID＋PSS	0.18	3	1.54
		LOEC	0.20	2	1.46
		IAEC	0.18	2.5	1.76
	两相接地	PID	0.24	＞10	＞8.82
		PID＋PSS	0.20	6.5	4.58
		LOEC	0.18	3.5	2.42
		IAEC	0.22	2.5	1.98
	相间短路	PID	0.26	＞11	＞9.34
		PID＋PSS	0.20	5.5	4.62
		LOEC	0.18	3	1.58
		IAEC	0.18	2.5	1.80
	三相接地	PID	0.24	＞9	＞8.28
		PID＋PSS	0.22	7.5	5.54
		LOEC	0.20	4.5	3.24
		IAEC	0.20	3.5	2.78

表中数据显示,PID+PSS、LOEC 和 IAEC 三种控制方式下均能有效提高系统的阻尼,也可以说发电机励磁采用 IAEC 时,其系统稳定控制性能良好。

5 结语

在电力系统日益发展、电网规模不断扩大、机组容量不断上升的情况下,电力系统的稳定性问题越来越成为电力系统专业人员关注的焦点。因此,提高电力系统稳定性的措施不断涌现。发电机组是电力系统最基本的控制对象,在发电机励磁控制中,采用智能自适应控制方法是最直接而有效的方法之一。

参 考 文 献

[1] 韩曾晋.自适应控制.北京:清华大学出版社,1995
[2] 毛承雄.大型同步发电机自适应最优励磁控制[博士学位论文].武汉:华中理工大学,1990

无刷双馈电机及控制技术应用于小水电的可行性分析

王华君

（河北工业大学电工厂）

小水电以其良好的生态效益、综合的社会效益及明显的经济效益不同于其他电源形式,小水电的发展已成为中国一道亮丽的风景线。全世界小水电装机容量的 50％ 在中国,联合国工发组织下的国际小水电中心设在中国。小水电其电站装机容量较小,一般在10 000kW 以下。小水电及小水电站容量的特殊性决定了其机组特定的技术和经济要求。由于小水电具有规模小、工期短、施工期对环境影响小、开发技术成熟、投资风险小、维护方便、运行费用低等优点,使小水电成为可大规模持续发展的农村能源。

1 中国小水电的发展现状及机电设备存在的差距

1.1 装机状况及容量分布

中国小水电资源十分丰富,其技术可开发容量最新统计为 1.28 亿 kW,居世界第一位。目前开发达到 3 100 万 kW。根据中国 20 世纪 90 年代的统计,小小型以下水电机组占总装机组台数将近 90％。1994 年后,随着中国电气化县的建设,小水电装机又有很大发展。

根据规划,到 2020 年全国水电装机将达到 2.7 亿 kW,而小水电装机应达到 0.8 亿～0.9 亿 kW。按照这个发展规划,平均每年要投产约 350 万 kW,每年投入资金约 300 亿元。

1.2 机电设备存在的主要问题

中国小水电从数量上和综合效益上,都居世界前列。但是从机电设备性能指标、质量、机组效率、自动化程度上,与国外先进水平还有距离。特别是在低水头、大流量小水电设备的制造、微小水电的稳定、长期运行技术以及机组自动控制技术等方面与国外的先进水平相比还有相当大的差距。

1.3 在贯流机组方面的差距

目前,国际上开发低水头(小于 10m)水电站很普遍。发达国家研发、制造并已成功进入商业供应的低水头机组品种很多。贯流式主要用于超低水头(小于 5m)、大流量,采用转桨式 S 形为多。水轮机导水叶和转轮叶片双重调节,可适应水头变化较大的电站,随时调节,保持高效率运行。对轴伸贯流式机组,国外普遍采用增速器,以适应低水头、低转速水轮机与高转速发电机匹配的问题,降低发电机价格。目前我国增速器制造技术还比较薄弱。

2 小水电机组对调速器的基本要求

目前,我国绝大多数的小水电站为了提高经济效益和供电质量,都以并网方式运行。在这种情况下,小型水电站所占系统容量的比例很小,主要用于季节性发电,即"以水定电"。这种电站运行在基荷,此时自动调速器仅作为手动开停机和手动调负荷用。由于电站容量小,不具有备用作用,系统对这些小水电机组也无迅速投入的要求,无须自动调速器发挥作用。由于自动调速器结构复杂,运行维护技术条件较高,难度较大,不少农村水电站缺乏这方面的专业技术人员。据湖南省涟源市小水电统计,机电设备约占小水电站投资的46%,而调速器却占了机电设备总投资的22%。该市东风电站的6台调速器自安装以来一直未投入自动运行,而5年中调速器的贷款利息就达12万多元。另据河北省7个电站18台机组调查,水轮机配备的自动调速器并未发挥自动调速器的作用,仅在开停机和调节负荷时起了液动和手动操作的作用。

3 小水电恒速机组难以实现机组最佳效率运行

表1是某厂典型小水电机组参数表,从表中可以看出,不同水头压力下,其机组最佳转速是不同的。传统的定转速机组根本不能实现变速恒频运行。

表1　XJA－W－Z63/1×16型水轮机性能与配套表

水轮机					发电机			
工作水头 (m)	流量 (m³/s)	效率 (%)	出力 (kW)	最优转速 (r/min)	型号	容量 (kW)	转速 (r/min)	参考效率 (%)
65	0.689	85.1	374.1	512	SFW320－12/990	320	500	90.5
70	0.715	84.8	416.6	531	SFW400－12/990	400	500	91.0
75	0.704	84.2	458.7	550	SFW400－12/990	400	500	91.0
80	0.765	84.6	507.7	568	SFW500－10/990	500	600	91.5
85	0.788	85.0	558.7	585	SFW500－10/990	500	600	91.5
90	0.811	85.2	610.2	602	SFW500－10/990	500	600	91.5
95	0.833	85.0	660.1	619	SFW630－10/1180	630	600	93.7
100	0.855	84.7	710.4	635	SFW630－10/1180	630	600	93.7
105	0.876	84.5	762.6	651	SFW800－10/1180	800	600	94.1
110	0.897	83.2	805.1	666	SFW800－8/1180	800	750	94.3
115	0.917	84.0	868.9	681	SFW800－8/1180	800	750	94.3
120	0.937	84.6	932.8	696	SFW800－8/1180	800	750	94.3
125	0.956	85.0	996.4	710	SFW1000－8/1180	1 000	750	94.7
130	0.975	85.1	1 058.0	724	SFW1000－8/1180	1 000	750	94.7
135	0.993	85.1	1 119.6	738	SFW1000－8/1180	1 000	750	94.7
140	1.012	85.1	1 182.4	751	SFW1000－8/1180	1 000	750	94.7

4 无刷双馈电机特点及控制技术

无刷双馈电机自 20 世纪 90 年代,作为一种新型易于调速运行的电机,从理论研究到实际应用受到各国电气传动界的重视。除电力拖动外,在风力、水力发电领域,实现机组变速恒频运行有明显的优势。

4.1 无刷双馈电机的基本结构及运行原理

无刷双馈电机其定子设有两套不同极数的绕组或者一套特殊出线的不同极数绕组,其中一个作为(对于发电机)发电绕组,一个作为励磁绕组。其转子结构为特殊笼型绕组或与定子同极的两套绕组。该电机在转子的耦合之下,使定子两绕组产生相互电磁作用。无刷双馈电机理论同步转速如下:

$$N = \frac{60(f_P \pm f_C)}{P_P + P_C}$$

式中:P_P 为发电绕组极对数;P_C 为励磁绕组极对数;f_P 为发电绕组输出频率(50Hz);f_C 为励磁绕组频率(可调节);"$\pm$"中正号表示定子两绕组磁场旋转方向相同,负号表示定子两绕组磁场旋转方向相反。

由此可以看出,在两绕组磁场匹配适当的情况下,只要通过改变励磁绕组的频率,就可以按上述规律改变发电机转速,实现发电机的变速恒频运行。

在某种特殊情况下,无刷双馈电机可看成两个不同极数普通电机的特殊组合,因此可参照传统的电磁理论和设计方法进行设计。由于转子具有耦合两个定子绕组的作用,可将定子电磁量折算到转子上,便于分析。

从转子侧看电机的电势平衡关系:

$$S_C E_{2C} \pm S_P E_{2P} - S_P E_{1P} \frac{W_{P2} K_{P2}}{W_{P1} K_{P1}} - S_C E_{1C} \frac{W_{C2} K_{C2}}{W_{C1} K_{C1}} = 0 \quad (E \text{ 为矢量})$$

4.2 无刷双馈发电机控制技术及系统原理

该发电机由于其结构上的特殊性,其励磁电源实际上是一个特殊的变频电源,改变励磁电源的频率,可以改变发电机的工作转速,改变励磁电源的电压可以调节发电机的功率因数。考虑到发电机起励、变速恒频运行、停机及事故停机等技术要求,无刷双馈电机作为发电机运行,必须满足上述要求,配备自动调节机端电压、自动调节功率因数、自动开停机、逆变灭磁及电阻灭磁等基本环节。

图 1 为无刷双馈发电机系统单元示意图。

5 无刷双馈发电机应用于小水电的可行性

综上所述,针对目前小水电急需提高改进的现状,应用无刷双馈发电机及其控制技术是可行的。

(1)中国小水电在 7 万多台机组中(未计近几年数据),6 万多台为 1 000kW 以下机组,无论是高水头冲击式机组(500 ~ 1 000r/min),还是低水头贯流机组(150 ~ 300 r/min),为了提高机组运行效率都需要变速运行。无刷双馈发电机变速恒频运行方式可以轻而易举地解决此技术问题。

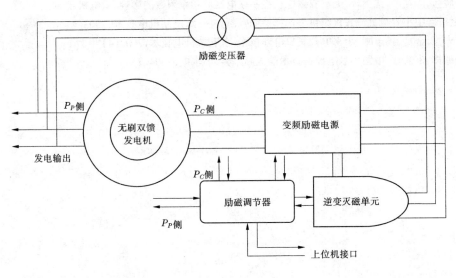

图1

(2)对于国外订货和中国越来越多的低速大流量贯流机组,为了减少增速器的投入成本和运行当中的效率损失,应用无刷双馈发电机可做到在基本不过多增加发电机体积和成本的前提下,实现需要的工作转速。如:对于150~300r/min 的机组,可采用6极发电机绕组、2极励磁绕组的组合方式,两个绕组磁场旋转方向相反接线。根据:

$$N = \frac{60(f_P \pm f_C)}{P_P + P_C}$$

$$N = \frac{60(50 - f_C)}{3 + 1}$$

当 f_C 范围为30~40Hz 时,发电机转速范围为150~300r/min。

(3)根据小水电的运行特点,对于1 000kW 及以下的小小型机组,应用无刷双馈发电机可完全不用自动调速器,应用调压阀、弹簧蓄能电手动操作器等低成本装置实现自动开停机。这样可以进一步降低机组投资成本、提高设备运行的可靠性、减少机组运行维护工作量,便于实行电站电气自动化。

(4)无刷双馈发电机是在定子侧实现励磁控制的,是一种无刷励磁方式,维护工作量少。

(5)在小水电中应用无刷双馈发电机及其控制技术,其综合成本会低于现在的常规设备,而且机组控制设备简化、简洁,为实现"无人值班,少人值守"的自动控制要求打下良好的基础。

无刷双馈发电机及其控制技术目前正处在样机实验阶段,随着该项技术产业化的进展,必将极大推进小水电机电设备的技术发展。

参 考 文 献

[1] 章玮,潘再年,贺益康.无刷双馈电机的原理及其应用前景.电器与电气设备,2000(7)

［2］王晓远,陈益广,沈勇环.无刷双馈电机控制端电压对功率因数的影响.微电机,2002,35(2)

［3］俞剑锋.中小容量贯流式机组机型选择简明判断方法.水电站机电技术,2003(4)

［4］朱志德,金鑫,杨志刚.小水电及其机电新技术.水电站机电技术,2003(4)

［5］栾加林,朱效章.中国小水电设备技术的国际差异.小水电,2004(2)

基于 PCC 的高可靠性励磁调节器

南海鹏　王　涛　杨晓萍

（西安理工大学）

　　同步发电机励磁调节器是水电站重要的基础自动化设备,其质量的好坏直接影响到电能品质和电站安全及经济运行,同时也影响电力系统的静态稳定和动态稳定。现有同步发电机励磁调节器一般均采用单片机或工业控制计算机实现。基于单片机的同步发电机微机励磁调节器,其硬件为自行设计制造,且各厂家均为小批量生产,故元件检测、筛选、老化处理、焊接及生产工艺等都受到限制,运行中可能出现单片机死机,使同步发电机励磁调节器失灵,从而使同步发电机励磁调节器的可靠性大大降低,严重影响同步发电机励磁装置的安全可靠运行;基于工控机的微机励磁调节器,其硬件标准化程度高,软件资源丰富,有实时操作系统支持,运行速度快,实时性强,图文显示方便,但装置访问时间较长,体积大,且成本高,仅适合于大型机组。可靠性较高的可编程逻辑控制器 PLC 由于其难以满足同步发电机励磁调节器中同步信号周期测量及产生可控硅移相触发脉冲的要求,难以用于同步发电机励磁装置。因此,研制高可靠性、多功能的励磁控制系统,并使之系列化、通用化、标准化是当前的发展趋势[1]。

　　本文提出的基于 PCC 的同步发电机励磁调节器是以 2003 系列可编程计算机控制器(PCC)为控制核心,它采用多处理器结构,其 I/O 处理器主要负责独立于 CPU 的数据传输工作,而双口控制器主要负责网络及系统的管理,它们既互相独立,又互相关联,从而使主 CPU 的资源得到了合理使用,同时又最大限度地提高了整个系统的速度。采用适应式变参数 PID 算法为控制策略的新一代同步发电机励磁调节器,使得调节系统能够根据发电机励磁系统的实际运行工况,自动调整控制参数。实际运行结果表明,该调节器结构简单、响应快、可靠性高、便于维护,具有自适应能力以及良好的静、动态特性和很高的可靠性。

1　PCC 励磁调节器硬件[2,3]

　　PCC 励磁调节器的硬件主要由 2003 系列中的 PP41 控制器,高速数字量输出模块 DO135,同步整形电路,触发脉冲放大电路,以及机端电压、无功功率、励磁电压、励磁电流等变送器和模拟量输入模块 AI774 等组成,如图 1 所示。另外 PCC 配有 RS232、RS485 和 CAN 等多种通讯接口,与电厂监控系统信息交互非常灵活。

　　PP41 模块是一种适应于中小型机器控制系统的小型可编程计算机控制器,它集微处理单元 CPU、时间处理单元 TPU、数字量输入、数字量输出及液晶显示屏于一体。PP41 自带有 10 个数字输入端口,9 个数字输出端口,并且有 6 个可扩展的插槽,根据励磁装置的要求,在 PP41 的基础上仅增加了一块模拟量输入模块 AI774 和两块数字量输出模块 DO135 即可满足 PCC 励磁调节器全部功能,其中 DO135 用于脉冲输出,AI774 用于励磁

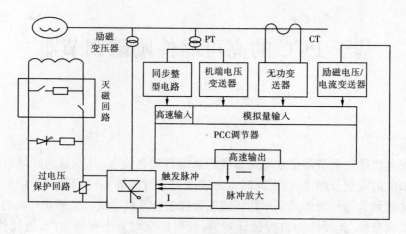

图1 PCC励磁调节系统原理图

电压、机端电压、无功功率、电网电压、无功功率等模拟量的输入,其他开关量的输入输出由PP41自带的数字量端口完成。由于脉冲输出需要TPU的支持,两块DO135模块只能插在支持TPU的第4、5、6三个插槽上,前三个插槽供模拟量输入输出、通讯模块等其他模块使用。

同步信号接入同步整形电路,整形成方波信号后送入PP41可与TPU相连接的高速输入端口,作为控制触发的基准点和同步信号周期测量信号。使用PP41内部的高速计数器将触发控制角转化为计数值,在计数值达到控制触发角对应的计数值时,通过TPU的处理,无延时地发出触发脉冲至高速输出模块DO135,由于脉冲的功率比较小,需要经过脉冲放大后,才能触发功率回路(见图1)。

励磁调节器的数据采集通过高性能的变送器,将励磁电流、励磁电压、机端电压、无功功率、电网电压、有功功率等模拟量,变换为4~20mA的电流后送入调节器的A/D转换模块AI774,经过适当处理后,供软件的各种处理所用。

2 PCC励磁调节器软件

调节器软件部分采用B&R公司独特的AB高级语言编制,编程更方便,更利于描述复杂的控制思想。整个软件的结构框图如图2所示。

2.1 同步信号周期测量原理

PCC模块PP41内部具有时间处理单元TPU,该处理单元利用其内部6.29MHz的计数时钟测量输入脉冲的频率。PP41同步信号周期测量的基本思路是:先将同步电压信号整形为同频率的方波信号,该方波信号经PP41的开关量输入接口送入PP41的TPU输入通道,TPU读取方波信号两相邻上升沿之间的计数值N,则所测同步信号周期为

$$T = N/f_c$$

式中:f_c为PP41内部计数器的计数频率。

2.2 触发脉冲的产生

对励磁系统来说,控制晶闸管导通的触发脉冲至关重要,它最终影响着励磁调节系统的性能和安全可靠性。本文提出的励磁调节器利用PCC和整形电路实现可控硅移相触

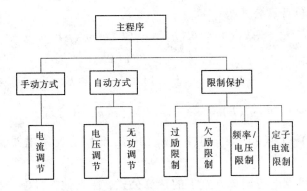

图 2　软件功能结构图

发,取代了用单片机或工业控制计算机实现的可控硅移相触发装置,从而提高了可控硅移相触发装置的可靠性,减少了事故;又因该装置的功能主要由 PCC 的 TPU 功能模块实现,使可控硅移相触发软件化,更便于使用、维护及调整。通过使用 PP41 内部的 TPU 特有的功能模块,可以形成所要求的触发脉冲序列,其产生的过程如下:

(1)将用于检测自然换流点的 TPU 通道 D 配以 TPU 的专用功能模块 LTXdilD( ),该模块设置为上升沿到来时无延时地向产生 1 号脉冲的 TPU 通道 0 发出一个链接信号。

(2)将用于产生 1 号脉冲的 TPU 通道 0 配以 TPU 的专用功能模块 LTXdol0( ),该模块设置为接到链接信号时延时 LoFilter1 后输出一个宽 HiFilter 的高电平脉冲,同时在其上升沿时刻无延时地向产生 2 号脉冲的 TPU 通道 1 发出一个链接信号。LoFilter1 对应于移相角度,其值为移相角 α 乘以 $T/360$;HiFilter 对应于触发脉冲宽度。

(3)将用于产生 2 号脉冲的 TPU 通道 1 配以 TPU 的专用功能模块 LTXdol1( ),该模块设置为接到链接信号时延时 LoFilter2 后输出一个宽 HiFilter 的高电平脉冲,同时在其上升沿时刻无延时地向产生 3 号脉冲的 TPU 通道 2 发出一个链接信号。LoFilter2 对应于 $T/6$ 即 60°电角度。

其余脉冲按照与(3)相同的方式依次产生。

2.3　PID 算法

采用适应式变参数 PID 控制规律,能够随系统的运行模式和运行状态的变化而自动调整 PID 控制规律和参数,以适应电力系统和发电机组不断变化的控制要求。励磁电压调节器的原理框图如图 3 所示。

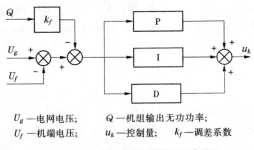

U_g —电网电压;　　　Q —机组输出无功功率;
U_f —机端电压;　　　u_k —控制量;　　k_f —调差系数

图 3　电压 PID 控制器原理框图

离散化后的 PID 计算公式为

$$u_k(k) = y_p(k) + y_i(k) + y_d(k)$$

$$y_p(k) = k_p \cdot e(k)$$

$$y_i(k) = y_i(k-1) + k_i T \cdot e(k)$$

$$y_d(k) = \frac{k_d}{T} \cdot (e(k) - e(k-1))$$

式中：$e(k) = U_g(k) - U_f(k) - k_f \cdot Q(k)$；$k_p$、$k_i$、$k_d$ 分别为比例增益、积分增益、微分增益；T 为采样周期。

以上公式为恒机端电压调节方式下的计算公式，在其他的控制方式下，采用相应不同的 PID 控制规律。

3 电站试验

基于可编程计算机控制器的调节器 2003 年 10 月安装于青海富源电站，并对该调节系统进行了全面的静态和动态特性试验，试验表明其性能指标满足或优于国标的要求，其中主要特性试验结果如下：

(1)对机端电压进行下扰 10%，得到扰动曲线如图 4 所示，无超调和振荡，调节时间小于 3s，优于国标 GB/T 7409.3—1997 要求的。

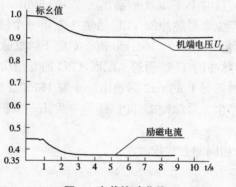

图 4 空载扰动曲线

(2)机组进行全压起励，响应趋曲线如图 5 所示，图中的电压给定按指数曲线上升，调节时间为 7s，无振荡和超调，优于国标 GB/T 7409.3—1997 要求的。

试验后励磁调节器即投入运行，一直运行良好。另外该励磁调节器已先后在数十座电站运行，运行结果表明，该励磁调节器具有很高的可靠性、快速性和稳定性，获得了用户的一致好评。

4 结语

本文提出的基于可编程计算机控制器的励磁调节器具有如下特点：

(1)整形电路和可编程计算机控制器配以适当软件完成同步信号周期测量和移相触发脉冲形成，提高了系统的可靠性及动态品质。

(2)采用可编程计算机控制器 PCC 作为励磁调节器的硬件，其平均无故障率达 50 万

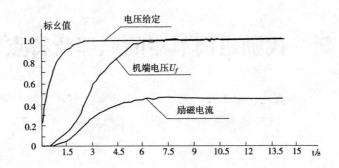

图 5　全压起励响应曲线

小时,大大提高了励磁调节器的可靠性。

(3)采用可编程计算机控制器 PCC 较之传统的单片机励磁调节器具有以下优点:①采用多 CPU 并行处理,从而使主 CPU 的资源得到了合理使用,同时又最大限度地提高了整个系统的速度;②采用多任务分时操作系统,从而使整个系统得到优化且具有较好的实时性;③引进了高级语言编程技术,使编程更方便,更利于描述复杂的控制思想。

因此,该励磁调节器一经推出就受到用户的好评,有着广阔的应用前景。

参 考 文 献

[1] 曾洪涛,等.高可靠智能型工业微机励磁调节器的研制.水电能源科学,2000(6)
[2] 南海鹏.水轮发电机组 PCC 控制.西安:西北工业大学出版社,2002
[3] 周双喜,李丹.同步发电机数字式励磁调节器.北京:中国电力出版社,1998

新一代励磁调节器的原理及特点

胡嘉纯　梅玉林　冯　炜　王小红　郝坤富

（南京申瑞电气系统控制有限公司）

1　引言

　　发电机励磁调节器自实现计算机和数字化以来，其优点得到了充分的体现和认可。但是，随着电力系统的发展，为不断改善和提高电力系统运行的动态品质和安全稳定的要求，励磁调节器面临着更高的要求以及新的课题，主要体现在以下几个方面：

　　（1）电力系统对电压控制的要求。为提高电力系统的稳定性，人们提出了许多新的方法和措施来改善系统的动态和暂态稳定性；采用发电机高压侧作为反馈信号的电力系统电压调节器（PSVR）；采用高压侧电压调节器（HSVR）；采用励磁和调速的综合控制器；混成自动电压控制 HAVC 的提出，为协调各电压调节设备的控制、实现对电力系统电压的有效控制提供了系统理论和方法。这些新的方法和理论需要通过发电机励磁调节器来实现，因此新的励磁调节器必须予以满足。

　　（2）励磁系统一次设备的实时监控。机组容量的增大，励磁一次设备的电压越高，电流越大，对其的监控应更加实时和详尽，以实现异常情况的预报警。为此，必须增加调节器的软硬件资源。

　　（3）适应电力系统自动化发展的要求。发电厂监控系统，电网监控系统已完全实现了网络化和远程控制，数据通讯采用通用流行的以太网。励磁系统必须要有网络化的接口，才能方便有效地接入电厂和电网的监控系统，为实现远程控制和诊断提供基础。

　　本文提出了新一代励磁调节器的原理和设计准则，介绍了以 32 位嵌入式系统芯片 ARM 为核心的微机励磁调节器具有的软硬件特点。

2　设计原理及准则

2.1　系统结构

　　采用分散式网络化的控制结构，每个功率柜和灭磁柜具有独立的智能控制模块，实现对功率整流和灭磁开关及过压保护的控制和监测。调节器采用双控制器冗余，控制器相互独立，实现对发电机励磁的控制。调节控制器和功率及灭磁控制模件都具有两个以太网接口，通过以太网络的连接，构成具有网络化的励磁控制系统，如图 1 所示。这种网络化的结构使励磁系统在不同机组之间，励磁系统与电厂监控系统、电网控制系统紧密的连接在一起，从而为实现前面引言所述的要求提供了基础和可能。

2.2　功率控制模件的功能

　　功率控制模件主要完成以下功能：

　　（1）可控硅移相控制。

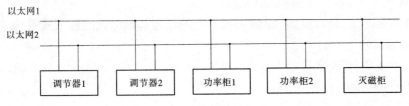

图 1　系统结构

(2)可控硅电流的测量。

(3)可控硅温度的监测。

(4)整流桥冷却风压、风机电源、组容吸收回路的监视。

(5)可控硅均流的控制及监视。

(6)整流桥过载记录和分析。

(7)以太网连接及通信。

2.3　灭磁控制模件的功能

灭磁控制模件主要完成以下功能：

(1)转子电流、转子电压的测量。

(2)初励回路的控制。

(3)过电压监测。

(4)转子一点接地监测和保护。

(5)转子测温。

(6)非线性电阻阀片导通的监视。

(7)无刷励磁旋转二极管监视。

(8)励磁回路保护跳闸。

(9)以太网连接及通信。

2.4　调节控制器的功能

调节控制器是励磁控制系统的核心,主要将完成以下功能：

(1)实现励磁的测量调节计算功能。

(2)实现控制及保护的常规要求。

(3)实现为提高电网稳定要求的复杂和新的控制规律,如 PSVR、励磁与调速的综合控制、电压的协调控制等。

(4)实现与其他机组的励磁系统,与电厂监控系统、电网控制系统的以太网连接及数据通信。

3　基于 ARM 平台的软硬件设计

3.1　系统硬件设计

根据上述的设计原理和准则,应用 32 位嵌入式系统芯片 ARM 为核心构成微机励磁调节器的硬件平台。

控制模件的核心硬件由 ARM 芯片、CPLD 大规模可编程逻辑阵列、高速 A/D 转换器、FLASH MEMORY 和 SDRAM 组成。

ARM 系列芯片,是以英国 ARM 公司生产的核为基础构成的嵌入式系统芯片。有以下特点和功能:

(1)32 位 CPU、RISC 指令集。

(2)50～400MHz 主频。

(3)10/100M 以太网口。

(4)2 个标准串口。

(5)JTAG 接口。

(6)低功耗。

可编程逻辑芯片 CPLD 实现可控硅移相控制和检测及一些逻辑控制。

高速 A/D 转换器对发电机交流定子电压、电流,转子电压、电流和其他模拟量进行实时监控。

FLASH 和 SDRAM 构筑了充分的程序和数据存储器空间,满足各种软件设计和功能的需要。

3.2 软件平台

ARM 芯片的软件设计基于内置的嵌入式操作 VXWORKS。VXWORKS 是一种实时多任务工业控制用的操作系统。操作系统对各种控制任务进行实时有序管理,使程序设计更加简单方便,效率高,编程语言采用高级语言 C /C++。

软件设计实现组态化,由组态软件根据不同的系统配置,进行硬件、数据库、流程的组态,自动生成用户需要的执行程序。

4 结语

新一代励磁调节器应以更大地发挥励磁系统对电力系统安全稳定的作用为准则,实现电力系统对励磁控制提出的新方法和理论。本文提出了以太网构成的分散式网络化的励磁控制系统,其强大的网络通信功能、嵌入式实时操作系统和软件的组态化设计,将是励磁调节器今后发展的趋势。

GER－1000型中小型水电站发电综合控制装置

王 丹 申 明 钟敦美 冯 炜 杜夕和 李 伟

(南京申瑞电气系统控制有限公司)

1 引言

目前中小型水电站主要二次控制设备的配置大多采用与大型电站相同的模式,监控、调速、励磁、保护等设备分别配置。这种方式造成设备众多,系统结构和二次接线复杂,成本居高不下。南京申瑞电气系统控制有限公司开发的采用全新设计理念的综合型发电控制装置,可以使用一套装置完成一台水轮发电机组的全部控制和保护、调节功能,大大简化了结构,提高了设备可靠性,降低了用户的采购和使用成本。

2 中小型水电站自动化设备的现状

自20世纪90年代以来,随着计算机和信息产业技术的进步以及电力事业的蓬勃发展,对水电站自动化程度提出了越来越高的要求,"无人值班(少人值守)"的工作自1994年开展已有10年,并取得了很大的成绩,30多个大中型水电厂已通过原国电公司组织的无人值班验收,电厂技术和管理水平大大提高,减人增效成果显著。但对于国内已建和正在建设的大批中小型水电站,尽管其对提高自动化水平的要求同样迫切,由于资金原因以及缺乏可供选用的性能价格比合适的自动化设备,其自动化水平的提高和"无人值班(少人值守)"的实现还有很多工作要做。

目前中小水电站实现自动化和无人值班的改造,大多数仍然沿用了大型水电站自动化设计的模式。电站电气二次设备往往是麻雀虽小,五脏俱全,数据采集、顺序控制、励磁、调速、自动准同期、保护等都要配置,每个功能都设置独立的装置,再加上风、水、油、厂用电等辅设系统,盘柜数量多,结构复杂,既大大增加了用户投资,也增加了电厂设备操作和维护的复杂性。而这些设备的许多功能又属于重复设置(例如仅机组测频就有转速测量装置、同期装置、交流采样装置、调速器、励磁装置、保护等诸多设备同时进行)。仅仅是监控系统的现地控制单元,就需要由PLC等控制器再加上独立的转速测量装置、交流采样装置、温度巡检装置、自动准同期装置堆砌而成,结构极其繁复。所以,开发研制满足中小型水电站自动化改造的发电综合控制系统,对中小型水电站提高自动化水平,实现无人值班有重大的意义。

3 GER－1000型发电综合控制装置

基于以上背景,南京申瑞电气系统控制有限公司开发了GER－1000型发电综合控制装置。它是集计算机监控、数据采集与处理、顺序控制、励磁、调速、自动准同期、测速、功率调节、保护等多项功能为一体的综合发电控制装置。采用分布式智能单元以及现场总线网络等先进技术,优化了系统结构,大大降低了投资成本。该装置以全新的理念和优越的结构、性能,为中小型水电站自动化改造和建设提供了新的选择。

3.1 装置的特点

GER-1000型发电综合控制装置具有以下特点。

3.1.1 以独特的系统结构实现了水轮发电机组自动化全面集成

该装置将计算机监控、数据采集与处理、顺序控制、励磁、调速、自动准同期、测速、功率调节、保护等多项功能集为一体,通过信息和功能的共享大大减少了设备的重复设置,一台发电机组的主要自动装置仅占两三面屏,设备投资明显降低。由于各功能单元有机结合,其性能得到充分发挥,为"无人值班(少人值守)"创造了更好的条件。

该装置突破了将各种单一功能由不同分立装置实现的传统模式,将以往重复配置而又不能实现互补功能的合并到不同的功能单元,而某些特别重要的功能又由不同单元构成冗余。例如:

(1)机组的交流采样由调速和励磁单元完成,两者互相备用,既省去了专用的交流采样设备又提高了可靠性。

(2)同期功能由调速单元直接完成,不必配置单独的同期装置,在简化结构的同时使同期过程的调节品质大为改善。

(3)机组转速测量使用双重原理,调速单元进行残压测速,主控单元完成机械脉冲测速,避免了仅仅因为测速装置发生故障造成机组无法正常停机的可能。

(4)机组的有功功率和无功功率调节由调速和励磁单元直接实现,显著改善了调节过程的动态响应指标和调节的安全性,设备接线也非常简洁。

3.1.2 功能单元的积木化组合,配置的高度灵活性

装置的监控、调速、励磁、保护等功能由相对独立的功能单元完成。每一种功能单元既可作为某一功能装置独立工作,又可按不同控制对象、不同用户要求实现积木化组合,构成发电机组综合控制装置、公用设备综合控制装置、开关站综合控制装置等。各种单元的灵活选配使之既可用于新建电厂也便于老厂设备的逐步改造。所有单元自带人机界面和通讯接口,便于单独试验和维护。

3.1.3 标准化设计的分布式智能模件技术

各功能单元采用标准化设计的分布式智能模件技术,不同的功能单元硬件结构相同,输入输出接口相同,各单元的CPU模件、电源模件和大多数I/O模件型号相同。由于对不同功能单元的优化设计,简化了系统结构,模件种类少,既减少了备件又便于维护管理和升级,使用户得到长久的收益。

3.1.4 现场总线技术

结合中小型水电站的特点,GER-1000型装置采用现场总线(CAN网络)技术实现单元的互联和信息共享,物理上仅需两根信号线。现场总线的应用,使得控制设备之间的互联变得很简单,大大节省了设备之间的连接电缆,提高了可靠性;简化了工程设计和现场施工及调试工作,缩短了工期。

3.1.5 强大的组态和调试软件

用户可以方便地通过交互式菜单,实现硬件配置、数据库生成修改、参数设置、报警定

义等组态工作,控制流程采用流程图方式输入,直观明了。

为方便现场试验和维护,该软件具有数据在线监视、内部事件记录查询、动态响应波形记录和显示、控制流程模拟、参数修改等丰富的调试功能。

3.1.6 功能独特的控制软件

装置的控制软件针对水电站的控制特点内置了许多专用的功能模块,包括机组工作状态判断、温度保护、控制流程的优先级管理等,大大方便了工程实施。

3.1.7 高可靠性和抗干扰能力

GER-1000 型装置采用优化结构和现场总线技术,结构紧凑合理,所有生产过程通道均采用隔离和滤波技术,具有很高的抗干扰能力和可靠性。

GER-1000 型综合控制装置所有功能单元,均采用结构相同的独立全封闭金属机箱和电源模件、CPU 模件、I/O 模件,电源系统高度冗余和分散。任何一个单元的故障不会影响其他单元自身功能的实现。对综合控制装置而言,不存在任何所谓的"整体故障",任何局部的故障都不会造成比原来单个装置故障更大的影响,反而由于结构的简化和控制环节的减少提高了可靠性。

所有单元的 CPU 模件采用总线不出模件的设计方式,大大提高了抗干扰能力。

开关量输出模件具备开出返读功能并提供开出电源投切接点,保证在开出模件故障时输出不会误动。

3.1.8 易于维护和扩展

GER-1000 型装置采用分散分布式控制结构,智能模件采用标准化设计,非常便于维护和扩展。对于用户而言,详细了解各个设备的内部工作状态对于日常维护而言极为重要。该装置将详尽的内部状态和工作信息统一上送至人机界面,给用户的维护工作提供了极大的便利。

3.1.9 高度可靠的电源系统

每一功能单元均采用交直流双路电源输入,各电源互相独立。开入、开出、通讯等方面用到的所有辅助电源全部冗余配置。

3.1.10 统一的设计和开发

由于各种功能由同一厂家的设备完成,避免了不同设备之间可能存在的配合问题,设备责任清晰,减少了用户在调试和维护过程中的协调工作。

3.1.11 开放的通讯接口

装置的对外通讯采用开放的 MODBUS 或 MODBUS ON TCP/IP 协议,既可以配置申瑞公司的上位机系统,也可以与通用的监控软件或第三方公司开发的监控软件配合使用。系统集成公司可以使用该装置的功能单元和组态软件便捷地进行水电站自动化项目实施。

3.2 装置结构与功能分配

3.2.1 装置结构

GER-1000 型发电综合控制装置既可作为发电机组 LCU(现地控制单元),也可作为开关站/公用设备 LCU 或坝区/闸门 LCU 与上位机和网络设备共同组成一套完整的水电厂计算机监控系统。

以下仅以机组控制装置为例说明其结构(如图1所示,其中电源部分未画出):

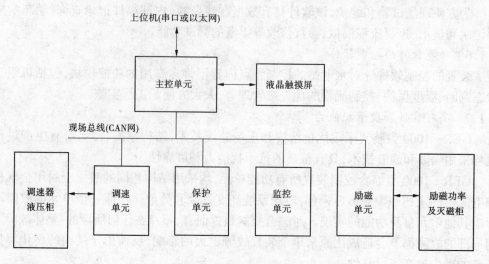

图1 装置结构图

其中各种功能单元可以根据需要配置,自动准同期功能由调速单元兼任,如果不配置调速单元则需要配置单独的同期单元。

调速、同期、励磁单元支持双重冗余配置,可以自动完成故障情况下的无扰动切换。

以上所有功能单元采用相同的机械结构,统一的软硬件平台,以现场总线代替了以往采用的大量 I/O 电缆,系统结构简洁明了,功能的独立性和互补性得到兼顾。

3.2.2 功能分配

(1)主控单元:主要完成数据采集(含开入、模入、温度、脉冲量)、顺序控制、人机界面管理和上位机通讯。机组脉冲测速也由该单元完成,与调速单元的残压测频构成冗余。

(2)监控单元:实现主控单元的 I/O 扩展。

(3)调速单元:完成机组转速测量、转速调节、有功功率调节、自动准同期和交流采样(该功能与励磁单元互为备用)。有功功率的调节设定值直接通过 CAN 网下达到调速单元并由调速单元执行,避免由监控系统进行二次闭环调节的缺陷,大大改善了调节品质。在自动准同期的过程中调速单元自动跟踪系统的频率和相位,加快了同期过程,避免了同期装置与调速器配置不佳的可能。

(4)励磁单元:功能有机组起励和灭磁、电压调节、无功功率调节和交流采样。无功功率的调节设定值直接通过 CAN 网下达到励磁单元并由励磁单元执行。在自动准同期的过程中励磁单元自动将机组电压跟踪系统电压,加快了同期过程。

(5)保护单元:实现发电机或发变组的电气保护。

(6)同期单元:如果机组单独设置水轮机调速器,则需配置同期单元,完成机组残压测速、交流采样以及断路器的自动准同期功能。电站公用设备综合控制装置(负责升压站和电站公用设备的监控)也可以配置该单元,以实现升压站各断路器的多对象自动准同期。

3.3 装置的功能

该装置的功能涵盖了水电站的主要二次设备,包括以下几个方面。

（1）开关量采集和处理。对开关输入量进行快速扫查,对开关量状态变化按不同性质进行事故、故障、状变处理和事件记录等,事件记录具备软件滤波和防抖动功能。

（2）模拟量和温度量的采集和处理。模拟量和温度量采集包括现场变送器直流输入和 PT、CT 等二次侧交流量、测温电阻输入,控制器对输入量进行模数转换及数据工程化处理。

（3）顺序控制操作。顺序控制操作功能可实现机组自动开停机、各种工况的转换、紧急停机,以及开关、刀闸、闸门和各种辅助设备的操作。该功能还包括对操作闭锁条件的检查、操作受阻时的自动处理和操作记录,对不同的控制流程自动实现流程的优先级闭锁和管理以及当地/远方控制权闭锁。

（4）机组转速测量功能。采用发电机机端电压的残压测频和对转速传感器的脉冲计数双重方法,实现机组转速的准确测量和整定转速值的输出。除将采样数据通过通讯方式上传外还提供有直接输出接点。

（5）自动准同期功能。实现机组或线路开关的快速、准确、无冲击的同期并网操作,支持多对象同期,支持软件转角和软件电压补偿等功能,自动记录同期过程的波形。

（6）励磁调节。可实现自并励机组、带直流励磁机的同步发电机组的励磁调节控制功能。

（7）转速调节。调速单元实现对水轮发电机组的调速控制。采用变结构、变参数 PID 调节算法,具有频率跟踪、负荷调节、导叶开度调节等控制功能。

（8）功率调节功能。根据上位机或当地人机界面的 P、Q 设值,进行有功功率、无功功率的闭环调节,调节规律为 PID,并进行必要的有功功率、无功功率的软件保护。

（9）保护功能。综合控制装置中包括发电机、变压器和线路的电气事故保护,机组的温度过高、过速保护,蠕动、事故低油压等水机保护功能。电气保护的事件记录、波形、整定值均可以远方访问。

（10）通讯功能。综合控制装置配置了 CAN 网接口、以太网接口和多个串行口,具有与上位机、触摸屏等其他设备通讯的功能。

（11）人机接口。通过液晶触摸屏可显示主要参数、状态和报警信息,并能输入控制和负荷调节命令。

（12）自诊断。综合控制器各功能单元具有智能自诊断功能,当出现硬件或软件故障时将产生自诊断和报警信息。包括:①硬件配置检查;②通讯状态检查;③开关量输出返读校验;④时钟同步检查;⑤测点品质检查;⑥电源检查;⑦组态文件(硬件配置、数据库、控制流程)检查;⑧控制、调节各种异常情况的原因记录。

3.4 工程实例

以下介绍采用 GER－1000 型综合发电控制装置进行水轮发电机组自动化改造的一个工程实例。

电厂:四川卧龙龙潭水电站;

机组容量:10MW;

由于电厂的调速系统刚刚进行过改造,故本次未配置调速单元。实际的配置如下:

主控单元 1 台(含开入量 64 点,开出量 32 点,模拟量 24 点);

监控单元 1 台(含温度量 48 点);

同期单元 1 台;

励磁单元 2 台(冗余配置);

发电机主保护单元 1 台;

发电机后备保护单元 1 台;

现地人机界面为六英寸彩色触摸屏一台;

励磁功率及灭磁柜 1 台(含三相全控整流桥、灭磁开关、过压保护电路等);

设备机柜共 2 台(含励磁功率及灭磁柜)。

由于大量的信息和命令通过现场总线传递,装置的总 I/O 点数要明显少于传统模式的配置。

结合本次改造,现场拆除或退出了原来的相应设备,补充了水压、油位、气压等变送器,更换了制动电磁阀,投入了新的调速器油泵和蝶阀油泵控制装置。目前 GER - 1000 型综合发电控制装置已经在现场稳定运行。

4   总结

对于中小型水电站而言,提高自动化水平能够带来巨大的效益,但是传统的自动化测控设备由于结构复杂、成本高昂使其难以在中小型机组上得到广泛的应用,设备投入使用后其日常维护、备件储备、人员培训也成为用户的巨大负担。采用全新设计理念的综合发电控制装置正是顺应了用户的实际需求,以其结构简单、性能优越、经济性强的特点成为中小型水电站自动化设备的最优选择。

智能化图形人机交互技术在微机励磁调节器中的应用

石雨涛　李朝晖

（华中科技大学）

1　引言

　　传统工业电气控制设备的人机交互手段都是采用分离元件,如指示灯、按钮及机械表计等。后来随着数字技术的应用,出现了以数码管或小型液晶屏为主要显示元件的综合仪表。但这些交互手段都不直观、不方便、不系统,功能单一,通用性差,即使应用数码管或小型液晶屏,也只能显示字母、文字或数字,操作者必须牢记繁多复杂的代号和操作。

　　随着计算机技术的迅速发展以及在工业领域的进一步应用,目前的工业控制设备功能越来越强大、操作越来越复杂,进而要求有智能化的、功能强大的、操作简便的交互手段与之匹配。工业微机成本的不断下降处理能力的大幅提高以及软件技术的飞速进步,又为新型智能化人机交互技术的实现提供了软件和硬件的基础。

　　本文介绍了一种基于集成一体化平板工业微机和汉化图形界面的通用智能人机交互系统,以及该系统在大型发电机组微机励磁调节器中的应用。

2　技术特点及难点

　　本文所介绍的智能化图形人机交互系统,是以人性化设计为基础,采用集成的单一小巧的平板工业微机并应用先进的图形语言处理技术实现的。它可以在一块彩色液晶触摸屏上集中实现仪表数据图形化数字化显示、按钮开关图形化显示触摸式操作,分页显示故障和报警信号的指示和列表、运行参数的显示和设定、设备内部工作状态的数据显示、循环记录存储所有输入数据,并可有选择地以曲线方式显示、打印以及实现多通道监测等。该交互系统全面采用汉化中文图形界面、触摸屏输入,方便直观;还采用独立的工业控制微机,功能强大、通用性强。用于交互系统的工控机配有丰富的各类标准通讯端口,可以通过各种方式和协议与控制设备进行通讯,以实现操作人员和设备间的交互;还可以与上位机监控系统进行通讯上传数据接受指令,以实现上位机和控制设备间的交互。由于交互系统与控制设备及上位机都是通过计算机通讯进行联系,所以可移植性、通用性强,便于软硬件系统升级。再者由于数据通讯都是由复杂的通讯协议及校验算法来保证,所以抗干扰性强,不易产生非人为因素的误动作。如果配备简单数据 I/O 子卡,该系统还可以不通过通讯直接进行数据采集和命令操作。

　　该系统研究的难点主要是在这个领域没有系统成熟的理论基础。过去人机交互都不被重视,只是依附于设备实现最简单的功能,没有人深入地专门研究过。另外,为了与各种设备和上位机系统相配合,就要实现多种通讯标准和协议的兼容;为了最大限度满足操作人员使用便捷的要求,就要考虑各种设备的特性及操作人员的使用特点习惯等。还有多通道监控时工作状态的确定、矛盾数据的处理、通讯的甄别等,都是必须要解决的关键性技术。

3 系统构成

3.1 硬件系统构成

    智能人机交互系统的硬件构成如图1所示,主要是以集成一体化平板工业控制计算机为基础的。它使用大尺寸彩色 LCD 显示,触摸屏输入。

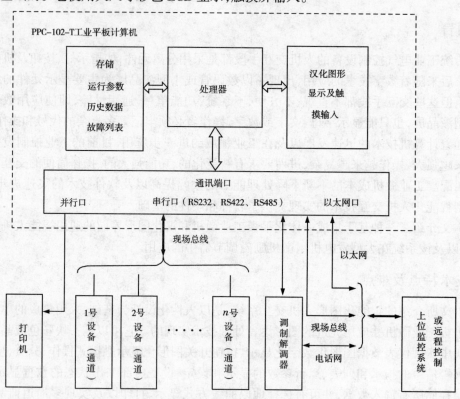

图1 智能人机交互系统硬件组成示意图

    其核心工业控制微机选用的是台湾研华公司的 PPC－102－T。它除了内置全部计算机标准配置和功能外,还提供了丰富的外部接口,可以连接音响设备、提供音响报警提示等服务。通讯端口主要包括 4 个可分别跳线设置成 RS232、RS422 和 RS485 的串行口和一个 10M/100M 自适应以太网接口。所以,交互系统与控制设备间的通讯可以通过串行口以自定义的协议或标准的现场总线方式进行,与监控系统或远程控制系统间的通讯可以应用现场总线或用串口经调制解调器或者通过网口以网络的形式实现。

3.2 软件系统构成

    软件系统的构成主要以模块化为基础,每个模块功能明确、结构清晰,模块间的联系通过事件处理控制单元来实现。每个通道的处理过程相同,既互相独立以实现通道的独立工作不受外界故障影响,又相互联系以实现通道间的资源共享,最大限度地实现整个系统的容错。

软件系统的结构如图 2 所示。图中简单列出了每个模块的基本功能,可以清晰看出软件系统的构造思路。

4 应用

智能化人机交互系统,已经在发电机微机励磁调节器、水轮机微机调速器、水轮机调速器仿真测试仪等智能控制设备上成功应用。本文将主要结合其在发电机微机励磁调节器中的应用阐述其具体实现过程。

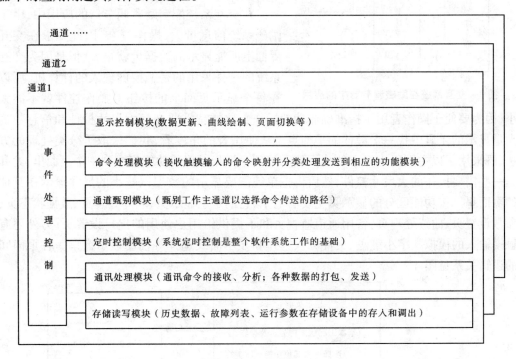

图 2 软件结构示意图

在励磁调节器中有两台工控机作为双控制通道互为备用。交互设备与两台控制计算机分别通讯,同时还要与上位系统进行通讯。这样交互系统就在励磁调节器与外界(操作者或上位监控系统)之间起到了中介的作用。调节器所有的工作情况(数据及状态)都通过交互系统反映给操作者或上位机,所有对调节器的操作命令(上位机通过通讯下达或操作者通过触摸屏输入的命令)都经由交互系统通过通讯发送给控制器(如图 3 所示)。在励磁调节器中,交互界面计算机与控制计算机是通过 RS232C 端口以自定义协议进行通讯的,与上位机系统是通过 RS485 端口以标准协议进行通讯的。交互界面计算机还可以连接彩色打印机打印试验或者故障时记录的数据曲线,各条曲线以不同颜色区分。

软件全部采用基于 Windows 操作系统的 Visual C++ 语言编写。Visual C++ 语言是一种面向对象的可视化编程语言,作为基于 Windows 系统的一种开发工具,使用 Visual C++ 编写 Windows 应用程序基本可以达到使用 SDK 的效率和处理能力,但它又比传统的 SDK 编程有着很大的优越性 。对程序员而言,无论从使用的难度还是工作量上,VC++ 都比 SDK 具有优势。另外,VC++ 对硬件的操作是通过 Windows 在用户和

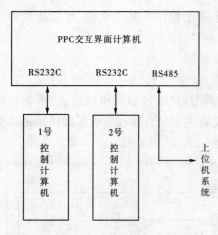

图3 交互系统在励磁调节器中的应用

硬件底层之间的标准图形设备接口（GDI）进行的，而不必像在 DOS 编程时要对每一个硬件设备的存储区或寄存器进行操作，从而提高了编程的简便性和程序的可移植性。在智能人机交互系统中，正是利用了 VC++ 强大而灵活的功能，使图形界面制作得美观大方、清晰直观、操作简便、功能丰富。

在交互系统配套励磁调节器的应用中，由于励磁系统信息量大、操作复杂，因此要求在交互界面上所能显示的数据量就很大，但是因为交互系统的硬件采用的是触摸屏输入的计算机，所以在每个显示页面上的按钮等操作控件就不能太小（因为要便于操作者用手指准确成功地操作），这样就需要在较大尺寸控件和信息数据大量显示的矛盾中找一个最佳的平衡点。从使用者的角度看，我们采取了分类处理的方法，既采用了以主页面为中心的分页显示处理。把相近似的功能集中到一个页面里，尤其是一些需要操作的大尺寸控件，然后再把单纯需要显示的数据以较小的尺寸显示在其他的页面里。按功能区分的显示页主要有七个，它们是主显示页、故障处理页、数据状态页、参数设置页、曲线处理页、备用通道监视页和不提供给用户使用的出厂设置页；另外还有触摸输入的模拟数字小键盘、文件调入选择和显示曲线选择等辅助显示窗口。各页面间的逻辑关系见图4。

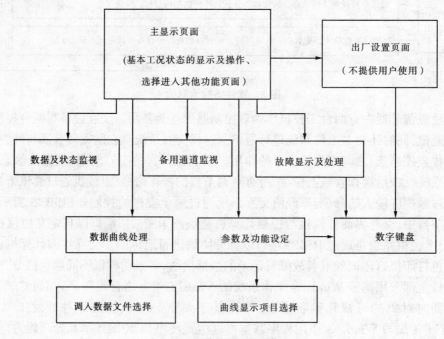

图4 交互界面显示页操作关系

主显示页的内容包括:励磁系统主要运行数据量的模拟表计和数字显示、主要状态量的显示、运行方式的显示及操作按钮、控制系统给定值的显示和操作按钮以及进入其他功能页面的选择按钮,还包括显示时间和操作提示等内容。本页面为主显示页面,即在缺省状态下系统的显示页面,其显示的内容都是励磁系统最重要的数据和状态,它所包含的操作内容也是最常用、最重要的系统操作。操作者在进入其他页面操作结束后应及时返回主页面,保证励磁系统正常运行。如果使用者由于疏忽而没有及时返回主页面,那么交互系统在最后一次触摸输入操作结束后 10~15min 自动返回主页面。

故障处理页主要是实时显示各故障项目和显示故障历史列表。其中故障列表可以显示 1 500~3 000 条记录,每条记录包括故障的名称和精确到毫秒的故障发生时间。如果记录的数量超出了列表的储存限制,那么最早发生的故障记录将被覆盖掉。故障列表也可以通过本页面内的操作按钮人为清空,这时系统将提示输入授权密码并弹出数字小键盘窗口,只有输入正确的密码才能成功清空故障列表。

参数设置页在一般情况下可以显示励磁系统运行时所有需要设置的参数及附加功能的运行情况,但不能更改任何设置。只有在按密码输入按钮并在数字小键盘上输入正确授权密码后,才能对参数进行更改或更改附加功能的投切。这样可以防止未经授权人员由于误操作而改变系统参数或功能设置,保证励磁系统安全稳定运行,运行参数的更改也是通过自动弹出的数字小键盘完成的。任何一操作结束后,画面显示的是当前设置的状态,在延时 3s 后画面更新为励磁系统运行的实际状态(或数据)。如果励磁控制系统已经正确接受了交互系统的操作指令并更新了运行参数,那么画面显示的数据或状态没有变化(和刚刚设置后的结果一致),否则画面将显示旧的、控制系统实际运行的参数或功能状态。这样可以保证交互系统的所有显示或指示都与控制系统的实际情况保持一致,以免给操作人员造成误解。

数据状态页的功能是详细显示励磁系统的各部分工作状态数据、限制功能的工作状态、各开关量的状态以及控制软件的内部工作数据等。这一页可以显示工作主通道的大量信息,但没有任何操作功能,所以这里使用的控件和字体都比较小。

曲线处理页可以对模拟量和数字量以曲线的形式显示和处理。人机交互系统可以自动循环记录励磁系统 10min 内的各个数据,在故障发生或限制器动作时可以把当前时刻前的这 10min 数据自动以文件形式保存在磁盘上,也可以在本页内通过保存按钮人为地把认为有价值的数据以文件形式保存在磁盘上。按调入按钮后弹出调入文件选择对话框窗口,可以在这里选择所要调入的数据文件。刚进入本页时处理的是当前时刻前 10min 的数据,调入数据文件后处理的就是文件里所保存的历史数据,数据在本页中的处理方式和过程都是一样的,当前处理的数据或文件在页面下方有文字提示。模拟量曲线以不同颜色最多可同时显示 8 条,数字量显示 1 条,可以通过曲线选择窗口选择和更改所要显示的曲线。交互系统所有能接收到的数据都可以在这里做成数据曲线。曲线可以横向或纵向拉伸放大、可以移动,还可以移动光标读取光标点的时间及各条曲线的数值。如果交互系统连接彩色打印机可以打印当前处理过的可见部分曲线、各曲线名称、光标时间、光标时刻各曲线数值、各曲线最大最小峰值、各曲线纵向坐标范围、时间坐标分辨率、打印时间、文件名称等内容。

备用通道状态监视页所显示的内容全部属于励磁系统备用调节通道,它综合了针对主通道的数据状态页和参数设置页的内容,但只有显示功能,没有参数设置页的设置功能。这也说明交互系统的所有操作命令都是对应于主通道进行的,没有对备用通道下达的命令。

出厂设置页主要提供一些系统工作的基本设置,比如设定操作密码、参数定标基准、表计量程等。这些都十分重要且无须经常更改,一般只要在出厂时一次性设置即可,因此本页不提供给用户使用。本页可以通过主页面的系统菜单进入。

长时间的运行实践表明,智能交互系统的应用整体提高了微机励磁调节器的运行安全性和稳定性,基本屏蔽了外界的误操作给设备带来的损害,同时其多样化智能化的附加功能和以人为本的界面设计,显著提高了操作人员、维护人员和调试人员的工作效率。通过交互系统的通讯管理、容错分析、数据录波、故障追忆等功能,增强了励磁系统的可靠性和智能性,整体提高了励磁系统的自动化水平。

5 结论

智能交互系统在微机励磁调节器中的成功应用表明了其相对于传统人机交互手段所具有的巨大优越性。依托现代计算机技术的智能人机交互技术可以实现多功能、人性化、高智能的人机对话,是工业控制产品人机交互技术的突破,也将是这个领域的发展方向。其在辅机控制设备中的应用也必将日益广泛。

参 考 文 献

[1] 曾洪涛,李朝晖,等.高可靠智能型工业微机励磁调节器的研制.水电能源科学,2000(2)

[2] 宗平. Visual C++ 6.0 应用与开发指南. 北京:人民邮电出版社,1999

[3] 丁茂顺.用户接口技术与交互系统构造方法.北京:科学出版社,1992

[4] 王坚.用户界面的工效学理论、应用及发展.计算机世界,1994(3)

[5] 董士海.用户界面管理系统的构造.计算机科学,1988(5)

[6] 刘志强,等.人机系统中研究人行为的基础理论.见:第一届人机系统分析、设计与评价学术会议论文集,1988

[7] 程景云,倪亦泉,等.人机界面设计与开发工具.北京:电子工业出版社,1994

发电机微机励磁系统发展趋势及选型参考

汪晓兵

（长沙华能自控集团长沙华能中电控制设备有限公司）

近年来,随着国民经济的迅速发展,电源短缺成为制约我国经济发展的瓶颈。当前各类资本,特别是民营资金大量投入电厂建设,微机励磁系统作为电站重要辅机设备,正确选型对于发电机组安全、稳定运行及提高性价比均非常重要。

1 我国发电厂励磁系统现状

我国发电机组可控硅励磁装置技术是从 20 世纪 60 年代末期起步,经过从小型到大、中型,从不可控到可控,从分立元件、集成电路到微机型(数字化),技术性能不断升级和完善,到 90 年代末,微机励磁技术已趋于成熟。

我国目前每年生产 2 500～3 000 台励磁装置,适用于各型水电站和火电厂,随着近年来微机可控硅静止励磁系统调节软件丰富、友好,调节保护和限制功能齐全,其可靠性和自动化程度已得到用户的普遍认可,因此在新建水电站(火电厂)和老站改造中,绝大部分用户选择微机励磁装置。

目前广泛被用户认可的微机励磁系统普遍存在以下特点:

(1)硬件结构简单,互换性好。微机调节器是由进口高速 PLC 或单片机(DSP)及必要的输入、输出电路构成,依据"简单就是可靠"的设计思想,省掉了大量的逻辑控制回路,并采用冗余设计和抗干扰措施,可靠性得到有力保证。

(2)人机界面友好,使用维护简单易行。目前,大部分微机励磁系统外设均选用彩色(或单彩)触摸屏显示终端或液晶屏显示,实时显示常规测量数据如 I、U、P、Q 等以及自诊断、自动检测等。

(3)通过 PID、PSS 及线性和非线性最优控制等不同软件,实现多种励磁调节模式的转换及励磁调节计算和逻辑控制。

(4)部分励磁调节装置具有较强的通讯功能,方便实现励磁系统与计算机监控系统的数据交换,便于远控和少人值班或无人值守。

总而言之,目前国内通常采用的微机励磁系统是依据机组容量、等级和所在的电力系统的重要性进行选择的,目前主要有单通道励磁、双通道励磁和多通道励磁几种,CPU 等级主要有 16 位和 32 位两大类型,控制器类型有单片机、DSP、嵌入式工控机、PLC 等。

2 发电厂微机励磁系统的发展趋势

发电厂励磁装置发展至今,功率元件已基本定型,发展的重点是微机调节器。随着新型 CPU 和 PLC 的推出和新技术的应用,国内外励磁系统向运行可靠、自控功能强大、操作简单等方向发展,具体为:

（1）励磁方式的选择,越来越多的机组采用自并励方式,因为此方式动态品质优良、反应速度快,有利于长距离输电,并能提高机组和电力系统的暂态和动态稳定性能。

（2）随着 CPU、PLC 等关键模块功能越来越强大,反应速度越来越快,硬件结构可做得越来越简单,减少运行维护量。

（3）逐步由电子开关取代机械灭磁开关,因为电子开关无机械触点,无火花和瞬时过压,动作速度快,易于维护,目前此项技术已开始在国外采用。

（4）功率单元、灭磁单元、保护单元等励磁系统基本组件趋向于模块化和通用化,每个组件具有独立的、智能化的数字式监控接口,进一步提高了励磁系统的可靠性和标准化。

3 励磁选择中应注重的几个方面

笔者从事多年励磁系统工作,通过工作实践和用户反馈,认为以下几个方面是用户在选择励磁系统中应注重的。

3.1 成套性

选择微机励磁系统的配置和等级一定要结合整个发电厂设备如微机调速器、微机监控保护系统等自动化设备的配置和等级,换言之,整个电站的自动化程度取决于等级最低设备的自动化水平。因此,一定要统筹考虑,以真正实现电厂综合自动化。同时微机励磁系统一定要与电站监控系统兼容和通讯,以方便在后台监控系统实现操作和监视,真正实现无人值班或少人值守的功能。

3.2 励磁方式的正确选择

在各种励磁方式中,我们推荐优先采用自并励微机励磁方式,因为它具备接线简单、造价低等优势,同时现在大型机组也纷纷采用自并励系统,可靠性也得到了充分证明。自并励励磁系统柜图如图 1 所示(以 PWL－2A 励磁系统来介绍系统构成)。

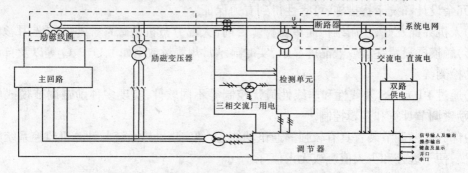

图 1　PWL－2A 励磁系统框图

该微机励磁系统采用双微机互为热备用,当其中一台出现故障或其他问题时,自动切换到备用机,保证系统的安全运行。该系统主要由双微机调节器屏、功率励磁屏、励磁变压器组成,能充分满足电站的各种运行工况要求。

3.3 微机励磁调节器类型的选择

微机励磁调节器的通道结构有单微机、双微机、多微机三种类型,在此重点推荐双微机励磁模式。

这是因为,单微机励磁无冗余通道,一组微机出故障则无备用微机自投,而多微机(一般为三微机)励磁系统可利用率低,由于增加环节反而降低了可靠性。

双微机励磁调节器是由双微机和各自完全独立的输入/输出通道构成双通道,互为热备用,当主通道出故障时,备用通道自动无扰动接替主通道工作。

长沙华能公司为提高运行可靠性,对于 PWL-2A 型励磁系统还增加了模拟通道,如双通道均出故障,还可以采用手动或自动的方式将模拟通道投上去。

3.4 故障自诊断功能

对于习惯于常规励磁设备或缺少微机知识的现场运行维护人员来说,故障自诊断功能非常重要,它可以方便提示运行维护人员故障的详细识别和避错,如 PT 断线是哪一相,脉冲丢失是哪一桥哪一臂,故障显示可以是屏显、语言和信号灯相结合的形式,并由通讯口传递到远方监控系统记录在事故报表或打印等。

3.5 起励和灭磁功能保证

由于这两项功能是发电机正常开机和灭磁停机的关键,我们建议起励方式宜选择他励方式和残压起励方式相结合的形式,这样可减少起励电流要求,又对厂用直接系统设备没有过高要求。灭磁宜选择三相全控桥逆变灭磁及非线性电阻灭磁,它具有简单、快速、经济等特点,故障时可联跳灭磁开关,实现快速灭磁,既减轻了灭磁开关的负担,又延长了使用寿命。

4 励磁系统的典型配置方案

针对不同发电厂类型、规模,现提出以下几种典型配置方案,供用户针对自身实际情况选型参考。

4.1 水轮发电机组

推荐采用静止式自并励励磁系统,这种励磁方式具有简单、经济、降低厂房造价、减少机组主轴长度、简化励磁系统接线等优点。自并励系统为固有高起始响应系统,具有快速响应的性能。其接线图如图 2 所示。

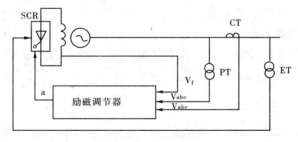

图 2　自并励系统

依据励磁电流和励磁电压的大小,每台发电机分别有 1~4 屏配置。一般来说,针对每台发电机:

(1)当 $I < 300A$ 时,励磁调节功率灭磁部分可合为 1 屏;

(2)当 $300A \leqslant I < 500A$ 时,励磁调节 1 屏,功率及灭磁 1 屏;

(3)当 $500A \leqslant I < 800A$ 时,励磁调节 1 屏,功率部分 1 屏,灭磁部分 1 屏;

(4)当 $I \geqslant 800A$ 时,励磁调节 1 屏,功率部分 2 屏及以上,灭磁部分 1 屏。

4.2 电动机及转速较高的水轮机组

无刷励磁取消了集电环、碳刷,特别适用高速电机和无火花的场所,中小型电机的无刷励磁系统具有比较简单的机械装置和较少的辅助电路,是一种发展方向,在转速较高的水轮机组上采用较多(如图3所示)。

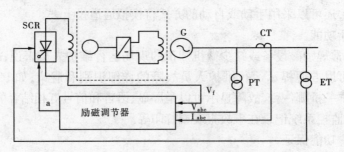

图3　无刷励磁系统

当微机励磁系统用于同步电动机时,应考虑以下几方面特点:

(1)同步电动机转子回路采用三相全控可控硅整流桥固接励磁电路,保持电动机的固有启动特性。

(2)全压启动的同步电动机当其转速达到亚同步转速时,按转子的滑差为5%～4%顺极性投入励磁,使同步电动机拖入同步,并有按电机接入电网延迟一定时间后投入励磁运行的后备投励功能,并能实现准角投励。上述过程全由程序固定,无需调整。

(3)降压启动的同步电动机当其转子的转速达同步转速的90%左右时,自动切除降压启动电抗或电阻,自动投入全压,使同步电动机加速启动至亚同步转速时,按转子滑差为5%～4%顺极性投入励磁,使同步电动机拖入运行。

(4)选用电流闭环和功率因数闭环相结合的双闭环模式,充分发挥同步电动机的自身特性,最大限度地避免了电机的失步。

(5)同步电动机正常停止开始至5s内不应该断开三相全桥整流桥交流电源和触发装置电源,以保证逆变灭磁的可靠完成。

4.3 火电厂或工矿汽轮机组

对于有主、副励磁机的他励静止二极管励磁系统,通常采用三机励磁系统。这是在我国火电机组中应用较为广泛的励磁方式,如图4所示。

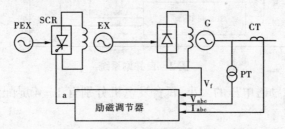

图4　三机励磁系统

对于汽轮微机励磁,励磁变压器通常采用环氧干式励磁变压器,因容量小、体积小,通常安装在功率屏中(当 $P<10kVA$ 时)。

4.4 老厂改造的励磁系统

目前,我国有一批20世纪80年代以前的复励励磁装置仍在运行。因为运行时间较长,这种晶体管式的复励磁调节屏基本已严重老化,而复励屏、励磁变还可以继续留用。因此,我们推荐用静止式自变励励磁系统来对旧有复励励磁系统改造,如图5所示。

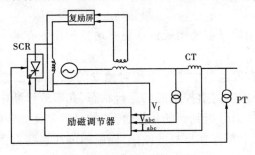

图5 静止式自变励励磁系统

这样,既可节约改造成本,又可最大限度提升其性能。

4.5 关于励磁变压器的选型

励磁变压器是励磁系统重要的组成部分,目前广泛被应用的是油浸式、普通干式、环氧干式三大类。油浸式变压器造价低(约为环氧干式的1/2~1/3),但体积较大,有油污渗漏的可能;环氧干式体积较小,无油污,综合性能高,但造价较高。以上两种方案用户可针对电站投资承受力作相应选择。而普通干式变压器价格介于两者之间,但通过对许多使用单位了解,该种变压器普通干变性能不够稳定,综合性价比较低,建议尽量少考虑。

5 结语

电厂微机励磁系统原理已日臻成熟,国内不同厂家竞争性主要体现在元器件选型、工艺、软件功能及界面的丰富性与电厂后台监控系统的通讯和配套性等方面。长沙华能中电控制设备公司依托长沙华能自控集团的研发力量,总结十多年来在我国水电系统运行的经验,推出的PWL-2A/3A型双微机励磁系统五年来已在全国百余座电厂(电站)成功运行,其可靠性、先进性及与综合自动化系统的配套性受到用户广泛好评。

触摸屏在微机励磁系统中的应用

刘 伟

(长沙华能自控集团长沙华能中电控制设备有限公司)

发电机的励磁系统在发电站中是一个相对独立的运行单元,没有后台 PC 机作为其监控界面,而电力系统要求实时监控励磁的运行状态,在事故诊断中甚至要求查看过去几个月来系统的运行数据作为分析判断的依据,传统的显示界面如数码管、液晶屏无论在显示、操作、调试、数据存储上都存在自身的缺陷,而触摸屏在这些方面就显示出了强大的优势。

触摸屏作为一种新型的人机界面,从一出现就备受关注,它的简单易用,强大的功能及优异的稳定性使它非常适合用于工业环境。触摸屏不但可以完全替代一般的显示仪表、信号指示灯、操作按钮、转换开关、数码输入,其独树一帜的三维动画、实时刷新的动态图表、丰富翔实的数据记录、图文并茂的制作画面使它具备了当前流行的 Windows 显示界面。下面结合长沙华能中电公司以 MT500 触摸屏为平台开发的 PWL - 3A 微机励磁触摸屏软件系统,说明触摸屏应用于励磁系统的鲜明特色和强大功能。

(1)针对电站的不同使用人员对励磁系统的操作,设置按优先级提供三级密码保护功能:操作人员级、管理人员级、站长级。

(2)自行创建适应于不同电站的图形库,仿 Windows 的多任务风格,随时弹出的对话框为用户提供操作向导,具备手写留言的中文录入功能。

(3)触摸屏自带的 32 位 RISC 处理器和带后备电池的 64KB 的 SRAM 存储单元使其不用占用励磁调节器资源。

(4)除实时显示系统故障信息外,在"历史记录"画面可查询到最近 10 000 条故障信息、操作信息的发生时间及恢复时间记录。

(5)用曲线图的形式实时监控系统的各种运行数据,如机端电压、励磁电流、无功功率、给定值等,并可调出近三天的曲线图查询;记录各工况下的瞬时曲线图,如投励上升曲线、空载(摆动)曲线、并网曲线、灭磁下降曲线、甩负荷曲线等。

(6)"系统原理图"画面实时显示励磁系统各回路的运行数据、参数及开关(如灭磁开关)的通断状态,整个系统的运行一目了然。

触摸屏典型应用是与 PLC 结合配套使用。PLC 最初的使用是作为传统继电接触控制装置的替代产品,尽管后来增加了模拟量控制、位置控制等功能,在算法运行上仍存在不足。以目前比较流行的 OMRON CQM1H - 51 和 Mitsubishi FX2N 两款机型为例,执行一条传送 MOV(字)指令,前者的时间是 $19.8\mu s$,后者是 $1.84\mu s$;执行一条乘法 MLB(MUL)(字)指令,前者是 $36.7\mu s$,后者是 $25.2\mu s$。而如果用 DSP(TMS320F541)执行同样两条指令,所用时间分别为 50ns 和 100ns。在算法运算上,DSP 的速度优势显而易见,而实时性正是励磁系统的一个基本要求。

当发电机端电压突然严重下降时,励磁系统能否及时迅速地实施强励,是衡量发电系统动态稳定和暂态稳定性能的一个重要指标。把单片机(DSP)应用在以 PID 算法为核心的励磁调节器上,是当前适应励磁调节性能的一个广泛选择。电子技术的发展,使单片机与触摸屏的的直接"对话"成为可能。根据触摸屏的访问格式和接口要求,在单片机中开辟一个存储空间,把单片机部分虚拟成"PLC"与触摸屏交换信息;在触摸屏侧,通过专用软件的开发,给触摸屏增加一种由单片机虚拟而来的 PLC 类型选项,这样对于触摸屏而言,只是增加了一种与之连接的 PLC 机型,并不会改变其固有的运行方式。这种模式在长沙华能中电公司研制开发的 PWL - 3A 微机励磁调节器中已经得到成功运用,也为触摸屏的应用开辟了一个新的领域。

当然,触摸屏作为一种新兴的工业产品,特别是把图像处理作为它的一项主要功能,仍存在自身的不足之处。例如在数据处理上与 PC 机的速度差异、并发多任务的数量限制、数据库的容量限制以及触控面板的保养维护,等等,都有待进一步的完善与提高。

随着微机技术和工业技术的飞速发展,我们有理由相信,触摸屏在电力系统乃至其他行业中必将得到越来越广泛的应用。

参 考 文 献

[1] 李基成.现代同步发电机励磁系统设计及应用.北京:中国电力出版社,2002
[2] 李刚.数字信号微处理器的原理及其开发应用.天津:天津大学出版社,2000
[3] 王卫兵,等.可编程序控制器原理及应用.北京:机械工业出版社,1998

基于热管技术的大功率整流装置的可靠性分析

罗祥栋　章　贤

（武汉洪山电工科技有限公司）

1　概述

在各种大中小型水轮和汽轮发电机的励磁系统中，除部分中小型发电机采用直流励磁机外，大多采用了交流励磁系统，如三机励磁、两机励磁、自并激静态励磁等。在这些系统中，都存在将交流电源转换为直流电源的过程，即采用二极管不控整流或可控硅可控整流电路。

这一过程也存在于其他需要进行交直流变换场合，如通讯、交通、冶金、化工等行业中。

随着电力电子技术及生产制造工艺日益成熟，单只大功率器件的出现，取代了多只功率管串并联的复杂的工作方式，打破了大功率整流柜装配极其复杂、维护困难的局限，提高了功率整流柜的安全、可靠及稳定性。

伴随功率器件单元通流能力的提高，其自身的功率热损耗也随之增大，故散热就成为其中一个关键的问题。早期的设备中，大多采用水冷散热。随着时间的推移，大气作为最终的冷源日益被人们所重视。但是，由于空气的热－流体力学性质很差，所以需要特殊的散热器结构；由于空气的密度小，必须有大量的空气运动才能满足热平衡的需要。而通常能够使大量空气运动的轴流风机，只有很小的升压（最大接近 $250N/m^2$），这就限制了空气的流速（最大 10m/s 左右），而且流程短。低流速加上密度及导热系数小，致使空气侧的传热系数低[$50\sim100W/(m^2\cdot K)$]。

传统的整流装置，通常采用铜质或铝质型材散热器，通过高速冷却风流过散热器表面来实现功率器件的散热。对于采用强迫风冷的方式，一般要求 $4\sim6m/s$ 风速，故将功率元件和散热器安装在密封的风道内，为克服风道内的流阻，冷却风要有较高的风压。

采用环境风冷却的方式，可以避免对冷却水的严格的密封要求，也因此消除了冷却水对设备电气绝缘的潜在危害。但是，强迫风冷方式也存在以下缺点：

（1）由于采用密封风道结构，功率器件的检测、维护和更换都十分不方便。

（2）由于采用密封风道结构，器件安装紧凑，风道内流阻较大，对风压的要求也就较高。

（3）由于采用密封风道结构，一旦风机或冷却风源出现故障，该功率柜基本无法再工作。而且，风压（或风速）的降低，也将大大地影响散热的效果，故必须要有一套可靠的风机或其他冷却风源。

（4）因为设备工作环境限制，无法保证提供洁净的冷却风源，粉尘被高速的风吸入风道，并在散热器上堆积，影响了散热器的散热性能，而且有些带电的粉尘还会降低设备的绝缘水平。

(5)虽然采用低噪音的轴流风机,并采取了减震措施,但风机的震动仍然会对功率单元的机械连接产生不良影响。

根据 ABB 等国外公司的实际运行统计,采用自然冷却的整流装置较常规强迫风冷的整流装置,其运行可靠性要高 60%。为此,通过无风机自然散热技术来提高功率柜的可靠性受到工程技术人员的重视,武汉洪山电工科技有限公司于 1996 年开始进行新型无风扇功率柜的研制。其核心是选择新型的自然环境下低热阻(0.05~0.2℃/W)的散热器,实现在自然条件下的高效散热,并保证功率器件在远低于其极限"结温"的状态下长期额定输出。在极端恶劣的运行环境下工作时,可以在整流桥下端加装微型高性能轴流风机辅助风冷。当在设计功率装置的 1/2~2/3 退出时,即可启动小风机辅助风冷(风速 0.5~2m/s)。

2 设计分析

电子器件对于温度都十分敏感,随着温度升高,电子元件的失效率将急剧增高,这是因为高温加速了内部的化学和物理变化的过程,促使元器件的性能退化,从而加速了元器件的失效。对于可控硅功率柜,过高的温度将会影响可控硅的可靠触发和关断,而且会降低可控硅的正反向转折导通电压,使可控硅出现硬开通。对于二极管整流柜,虽然其允许的结温较可控硅高,但其外围器件允许的工作温度都比较低,而且用户能够接受的温升值也较低。因此,可靠性设计的一个重要原则是尽量避免元器件在高温的热环境中工作。设备工作的热环境又可分为外部热环境和内部热环境,对外部热环境的控制只有在少数的情况下才能做到。因而控制设备的内部热环境,或者说控制设备的局部热环境,就成为设备可靠性设计中的一个十分重要的问题。

2.1 热设计的基本分析

热设计的基本问题可概括为"怎样才能降低元器件的工作温度"。为了解决这个问题,通常采用三种方法,即降温、隔热、散热。而对于功率柜"发热大户"大功率器件而言,散热是最关键的环节。

散热就是将功率柜内部元器件产生的热传递给设备周围相对温度较低的空气介质,从而降低设备内部的温度,热传递愈完善愈有效,设备的工作温度也愈低。

2.2 热交换方式分析

热传递一般有传导、对流、辐射等方式,对功率柜设计而言,主要起作用的是传导和对流。

2.2.1 热传导

热传导是指直接接触的物体的能量交换现象。在功率柜中,散热器、分流器、连接导线和铜排等金属连接物和功率元件的能量主要靠自由电子的运动,周围的空气则主要靠分子的不规则运动来实现热传导。

在稳定状态下的热传导,可用傅里叶－拉普拉斯关系式来表示:

$$Q = KA\frac{\mathrm{d}T}{\mathrm{d}X} \approx \frac{KA}{L}\Delta T$$

式中：Q 为单位时间内导热量，W；K 为材料的导热系数，W/（cm·℃），又称热导率；A 为沿传导方向的横切面积，cm²；L 为热流的路径长度，cm；ΔT 为介质两端表面的温差，℃。

从式中可见，增加热导率 K、增大导热切面积 A 和减小热路长度都有利于热传导如降低热源温度。因此，改善热传导的措施可归结为三点：①选用导热率高的材料作为导热体；②增加导体的截面积，保证导热体和热源器件表面的良好接触问题；③尽量缩短热传导路径。

2.2.2 热对流

在功率柜中，对流交换热量是指空气与散热器表面在直接接触时相互之间所进行的热能交换。一方面，沿着热源的壁面，依靠分子的运动进行换热；另一方面空气又进行着宏观的位移，形成对流传热。热的对流传导的关系可表述为

$$Q = h \cdot A \cdot \Delta T$$

式中：h 为对流系数，它表示单位面积温差为 1℃ 时对流所传递的热量，W/（cm²·℃）；A 为固体壁面换热面积，cm²；ΔT 为固体表面与流体的平均温差，℃。

工程中的对流散热又分为自由对流（自然冷却）和强制对流（强制冷却）两种类型。我们只分析自然对流情况，并且忽略连接导线和铜排的散热情况。

在采用自然冷却时，由于热源散热器表面与空气接触，使靠近界面的空气局部受热，密度下降，产生浮升力，形成空气的循环流动。经验表明，当设备总的功耗与总的外壳表面积之比小于（1/4~1/2）W/吋²（1 吋² = 6.45cm²）时，都可用自然冷却方式散热。

在自然冷却时，空气的流速很低，以致室内的空气流动和户外的微风都对空气的自由对流有影响。因此，设计中要合理利用柜体的天窗、开孔等方式给柜体提供较好的通风通道。

2.3 散热器的选型设计

功率器件的热传导的等效电路如图 1 所示。

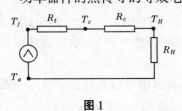

图 1

图 1 中，T_j 为晶体管的结温，T_c 为管壳温度，T_H 为散热器温度，T_a 为环境温度，R_t 为晶体管结到壳之间的热阻，R_c 为晶体管和散热器的接触热阻，R_H 为散热器的热阻。总热阻 $R_T = R_t + R_c + R_H$。

晶体管耗散功率 P_C 与 T_j、T_a、R_T 之间的关系如下：

$$P_C = \frac{T_j - T_a}{R_T}$$

从前面的分析可知，热传导和热对流都与散热器的表面积成正比，表面积越大，散热效果就越好，散热器的热阻就越小，即散热器热阻取决于散热器的材料、形式和总面积。

材料的选取不仅要考虑其导热性能还要综合考虑其价格等因数，故一般采用铝或铜而不用银。

散热器的形式主要是考虑单位质量的面积，同时还应考虑热量在散热器内部的传导性能，以及对流动空气的流阻。

由上述分析可知，要实现散热器较大的散热面积，同时又要使热量在功率器件导热接

触处到各散热点的导热性能良好,则沿热传导方向的横切面积也必须较大,满足此要求的铜或铝实芯结构的散热器的体积、质量都很大,安装困难,性价比不高。

如果仅仅是增大散热面积而采用薄片式结构的散热器,其质量轻、成本低,但要解决如何高效地将热量传递到各散热点、截面太大无法安装的问题。由此可以设想如下:将较大面积的薄片式结构的散热器裁切为很多小片,再将其串接起来,既实现热量到各小片散热器的良好传导及小片散热器上的均匀散热,又解决了安装问题。采用热管即可满足此种散热器的核心——"导热性能良好的柱型导体"的导热性能的要求。

2.3.1 热管及热管散热器简介

R.S. Gaugler 于 1942 年发表了第一个热管专利,并于 1945 年设计了较为理想的导热结构。1963 年在洛斯－阿拉莫斯从事飞行器换热工作的 G.M. Grover 重新发明了热管,并发现,在失重条件下,热管的性能会得到很大的改善。G.M. Grover 的专利中首先指明:"本发明论述了一个非常高的热导结构。更确切地讲,使用小温差传递大热负荷的设备。因此,它相当于比现在任何一种金属导热系数都高许多倍的一种材料。"又说,"冷凝液必须回输到蒸发段……这种作用是由具有适当毛细结构的管芯实现的。既然对设备的形状的考虑不是人们关心的主要问题,那么下面就把这类设备称之为热管"。即热管是一种靠流体在一端蒸发,而在另一端冷凝来传送热量的独立设备。冷凝液在毛细力的作用下,通过管芯结构回输到蒸发段,其独特之处就在于毛细作用(见图2)。

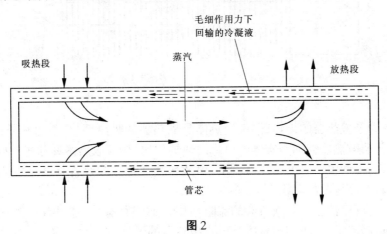

图 2

只要蒸汽内的压力梯度非常小,沿着热管轴相的温度梯度就可能是非常小的,进而导致它具有很高的导热系数。热管的有效导热系数比同直径的实心铜管高 1 000 倍以上。用锂作工质,在 15 000℃ 时测得的热流密度高达 15kW/cm²。用现有的管芯克服重力运行,可供使用的热管最大长度为 40cm。

热管除了有效导热系数高外,还具有以下特点:①可以弯曲;②可以控制;③可以作为热二极管;④可以作为变热器;⑤等温表面。

鉴于此特点,以低沸点的贵重液态金属为介质的热管最早在航空和航天工业中的应用,随着研究的深入,以普通液体为介质、普通金属为管材的热管在工业上得到广泛的应用。

国外,尤其是俄罗斯和日本在热管领域的应用处于世界领先地位。我国一些研究机构于 20 世纪 90 年代引进俄罗斯的技术,研制了"铜－水"热管。该热管以水为介质,以铜为管壁,采用铜粉烧结技术形成毛细结构,并借助重力作用,生产了"毛细作用＋重力"回流冷凝液的热管(称为重力热管)。由于"铜－水"具有极好的"相容性",即长期不产生不凝结气体。因此,如果在热管制造过程中能将不凝结气体排出并做到封口可靠,"铜－水"热管就将具有持久的寿命。有资料介绍"铜－水"热管连续工作 9 万小时未发现异常现象,仍继续工作。

正常的"铜－水"热管内部的压力与其所处的温度有关,温度低于 100℃ 时,管内对外是负压;大于 100℃ 时,管内对外是正压,且随着温度的升高压力急剧增大;到 180℃ 时,管内对外约有 9 个大气压,利用这一现象,可以检测热管在分子量级的泄漏。

由于热管内的纵向热传导是靠蒸汽来完成的,适当的内部结构可提供足够的蒸汽压力,加之水的蒸发比热很大,因此在传输很大的热流时,两端并不产生很大的温降,在传热原理上与金属的热传导有着本质的不同。在某些应用范围内热管可以看成是一种最佳组合的工程结构,它相当于导热率大大超过任何已知金属的一种物体。

热管散热器就是利用此种热管的高导热性能,将发热器件的热量通过热管传导到较大面积的片型散热器(翅片)上,达到大面积散热的作用,见图 3。

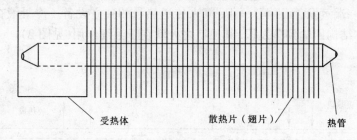

受热体　　　　散热片（翅片）　　热管

图 3

其中,热管是散热器的传热部分,受热体是散热器的吸热部分,散热片是散热器的散热部分。与普通散热器铸铝等实体的风冷散热器相比,热管散热器具有如下特点:

(1)热阻的可调整性。由图 3 可看出,串散热片那部分的热管长度是可调整的,可通过增减串片数来改变散热面积。

(2)流阻可调整性。热管散热器的流阻与串片的间距有关,通过改变散热片的间距,可以改变散热器流阻,从而实现自冷和风冷散热器的设计。

(3)热响应速度特性好。因热管的导热性能高,能够很快将受热体吸收的热量快速传递到散热片,使其瞬态热阻非常小,在工况瞬时变化很大的情况下(例如发电机励磁时的强励工况),显得很有优势。

(4)与器件接触面的温度比较均匀。实体散热器由于结构的限制,与器件接触面中间区域的温升比周边高,热管散热器改变了这一点,使热管在周边与中间区域均匀布置,因而各点的温升较一致,这实际上避免了半导体芯片结温不均匀的问题,提高了器件的可靠性。

2.3.2　热管散热器和普通型材散热器的性能比较

1)普通散热器

常用的普通散热器一般都是采用铸铝、铝或铜型材加工而成的叉指型散热器,它是在散热体的周围形成叉指结构,以增加其包络面积,实现较大散热面积的效果。由于其为实心结构,要增加表面积就必然会增加散热器的体积和质量(重量),给散热器的安装增加困难。且散热器是通过型材来实现散热体内部的热传导,增加了体积也就必然增加了热量从受热面到散热面的轴相距离,也就会增加型材自身的热阻。

目前在大功率功率柜中,较常用的型材散热器如图4、图5所示,两图中(1)为散热器的正视图、(2)为顶试图、(3)为侧试图、(4)为单边侧视的叉指结构图。

一般小于800A的可控硅和小于1 000A的二极管采用图4单管结构,大于则采用图5组件结构。

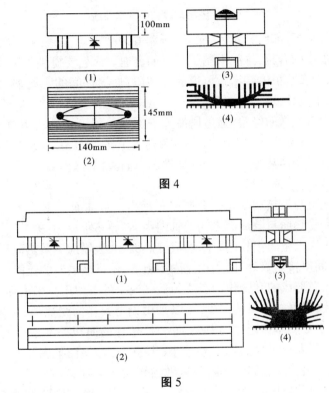

图4

图5

图6、图7为普通散热器的热阻与风速、风速与流阻的关系。

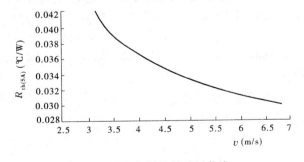

图6　热阻与风速的关系曲线

从图中可知,要达到较小的热阻就需要较高的风速,为克服空气流动的流阻就需要提

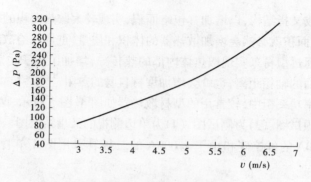

图 7　流阻与风速的关系曲线

供较大压强的冷却空气,前已介绍,从噪音、振动等因数考虑,一般采用轴流风机,而轴流风机只能够提供很小的升压,这就限制了空气的流速。而且要提供风压,需要将器件安装在密封的风道内,受安装柜体和密封风道的安装限制,器件间的距离都比较小,又增加了流阻,进一步降低了风速,增加了热阻。

在工程应用中有这样的经验,强迫风冷型普通散热器可控硅功率单元在风道内停风状态下,大约能够在额定输出的 15%～25% 负荷下工作 30min。长期运行将形成高温,使功率单元的隔离材料变形甚至烧坏、功率器件因高温失控并烧坏。

2)热管散热器

热管散热器也有与散热功率相配套的多种规格。从前面介绍的情况可知,散热器的性能与散热面积和受热面与散热面之间的轴向距离(导热距离)有关。

热管散热器采用大量的铝片(翅片)形成散热面,大大增加了散热面积,而且翅片之间的距离较大,除中间串接热管外,四周均无固型障碍,保证散热器的流阻较低,适合在低风速或仅由空气加热后形成的升腾作用产生的低气流条件下使用。采用热管来实现热量从受热体传导到翅片,根据发热量的多少,可以采用铜材料作为受热体,并采用多根热管来导热,由于热管处于受热体和翅片的中央,每一片翅片的面积都不是很大,实现热管受热端(受热体)和散热器末端翅片的温度差较小(小于 5℃),从而大大提高了散热器的每个散热面的散热效率,热管散热器的热阻可以做到 0.05～0.20℃/W。

下面简要介绍两种规格的热管散热器情况,图 8 为 500～800A 可控硅、500～1 000A 二极管功率柜所用热管散热器,该热管散热器的散热面积为普通散热器的 3 倍,就普通散热器在开放式安装中可以使用到额定输出的 25%～30% 来分析,热管散热器已经可以保证输出 60%～90%,而且采用热管还可以大大提高热量在散热器内的导热性能。图 9 为 1 650～2 500A 可控硅、1 800A～3 000A 二极管功率柜所用热管散热器,该热管散热器的散热面积为普通组件式散热器的近 4 倍。

同时,由于采用开放式安装,各桥臂之间的距离较宽,功率元件两极之间的距离也较宽,较大地改善了功率单元的电气绝缘性能。

功率器件电气设计在此不做介绍。

3　使用情况简介

1997 年,广西西津水电厂 1 500A 可控硅功率柜投入运行。该厂 1 号发电机自并激

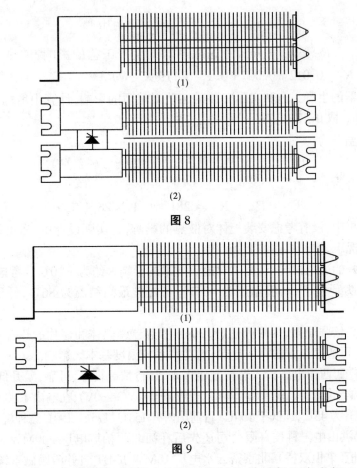

图 8

图 9

励磁系统采用两套自冷式可控硅功率柜,功率柜设计为单柜保证发电机 1.1 倍额定负荷运行,并满足 30S2 倍强励。

发电机参数如下:

额定功率为 71 500kVA/57 200kW;定子电压/电流为 13 800V/2 990A;

额定励磁电流为 1 485A;

额定励磁电压为 400V。

可控硅参数为 1 650A/3 800V;

允许工作结温 T_j 为 $-40 \sim 125℃$;结壳热阻 R_{jc} 为 $0.012℃/W$;接触热阻 R_{cs} 为 $0.007℃/W$

散热器热阻 R_H 为 $0.05 \sim 0.08℃/W$。

下面来分析元件的平均功耗 P_{av} 以及元件的结温升情况。

在一个周期内,元件内部的损耗有:①由通态电流引起的正向导通损耗 P_{TF};②由正向漏电流引起的正向阻断损耗 P_{DF};③由反向漏电流引起的反向阻断损耗 P_{DR};④开关损耗 P_K;⑤门极损耗 P_g。在工频条件下,P_{TF} 占全部损耗的 90% 以上,其他的损耗可忽略不计。则

$$P_{av} \approx P_{TF} = \frac{1}{T_S}\int_0^{T_S} V_T i_T \mathrm{d}t$$

由前分析知 $R_T = R_{jc} + R_{cs} + R_H$，考虑散热器的生产工艺的影响，散热器热阻 R_H 取 $0.10℃/W$，则 $R_T = 0.012 + 0.007 + 0.1 = 0.119(℃/W)$

考虑散热器的生产工艺和实际安装的工艺对热阻的影响，计算中增加 $0.01℃/W$ 的附加热阻，则 R_T 取 $0.129℃/W$。

可控硅结温升为：

$$T_j = P_{av} \times P_T = 281 \times 0.129 = 36.2(℃)$$

散热器温升为：

$$T_S = P_{av} \times R_H = 281 \times 0.1 = 28.1(℃)$$

在上述分析中，没有考虑安装柜体对散热的影响，在实际设计中，尽可能在保证设备安全工作的情况下，增加柜体的通风性能。

在外界良好的通风情况下，柜体对散热效果的影响大约为 $+10℃$。考虑此因素，设备工作在的最恶劣环境下（环境温度为 $40℃$），可控硅最高结温为 $86℃$，低于其允许温度 $125℃$。

在发电机 2 倍强励时，因时间短（$<30s$），散热器受热体和翅片的热容量即可吸收此短时间的功耗，再通过热管的高效导热，对功率系统温度基本无影响。

此设备在广西西津电厂投入运行五年多来，运行情况良好、可靠，温升低（$20\sim30℃$）。

采用此散热器设计的二极管功率柜（二极管：3 000A/3 200V），在输出 1 800A 时散热器温升为 35℃，结温升为 45℃，远低于 150℃（目前国内有 150℃、175℃、190℃ 三种规格）。

此外，武汉洪山电工科技有限公司还先后在河北西柏坡电厂 300MW 高起始励磁系统 500Hz 功率柜（单柜双桥）、北京密云水电厂 18MW IGBT 自并激励磁系统 1 000A 整流桥和 1 700A IGBT 功率柜、浙江镇海电厂 200MW 三机励磁 1 800A 整流柜、上海石洞口 200MW 三机励磁 1 800A 整流柜、秦岭二厂 300MW 备励 1 800A 功率柜、福建玉山 IGBT 自复励励磁系统 500A 整流桥和 1 000A IGBT 功率柜等十余个电厂投入使用。

采用热管式散热器是整流装置一个革命性的改进，虽然现在还处在起始阶段，需要积累更多的制造和运行经验，但可以相信，以其简单、可靠、噪声低的优点必将得到广泛的应用。

该设备于 2000 年 10 月在北京通过由湖北省科委组织的技术成果鉴定，鉴定委员会主任韩英铎院士，副主任郭灏、方思立，委员吕鸿达、郑邦梁、文伯瑜等教授级高工给予了高度评价："自然冷却大功率整流装置为国内首创。它技术先进、节省能源、可靠性高、噪声污染小，具有较高的实用价值。建议在发电机励磁系统及通信、交通、冶金等行业的大功率整流装置中进一步推广使用。"

大型水轮发电机引进灭磁装置存在问题的探讨

冯士芬　彭　辉　符仲恩　陈福山
（中国科学院等离子体物理研究所）

1　前言

近二十年中我国已经投运的大型水电站,如葛洲坝、白山、龙羊峡、潘家口、天生桥二级、广蓄、水口、岩滩、隔河岩、漫湾、五强溪、李家峡、天荒坪、十三陵和二滩等,当前正在建设中的大型水电站,如棉花滩和三峡等,这些电站大型水轮发电机组的灭磁装置多是全部或部分采用了引进设备,这些灭磁装置在上述电站已运行的机组上发挥了较好的保护作用。但是,在安装调试和运行过程中也暴露出一些在技术参数的选择、设备性能与质量等方面的问题,有些问题还是较为严重的,应该引起我们足够的重视。因此,加强试验研究,总结经验教训,是满足新世纪我国水电建设事业发展的一项重要工作。

由于受资料收集范围的限制(只有部分第一手资料),又考虑到一些制造厂、供货公司的产品声誉及用户管理上的要求,在本文所涉及到的问题,作者只对事实负责,不作一一对应性的指出。通过集思广益,共同把我国大型发电机组灭磁装置的设计、制造、引进和运行提高到一个新水平,进一步提高引进设备的可靠性,为世界上最大水电站三峡水电机组或即将建设的大型水电站的灭磁安全提供有益的经验。

2　灭磁装置的技术标准有进一步规范补充的必要

灭磁装置的设计依据是"标准",根据近年资料调研的结果,目前国内外有关水轮发电机组灭磁装置的技术标准,有以下几个:

(1)美国国家标准/国家电力厂商联合会,电力和电子工程师学会标准《用于旋转电机的封闭式磁场放电断路器》,即:ANSI/IEEE C37.18—1979(R1997)《enclosed field discharge circuit breakers for rotating electric machinery》(1979年编制,1997年重新确认)。

(2)加拿大电气协会编制的《励磁系统技术要求编制指南——规范、性能和硬件的要求》,其中译文见:水利电力部科学技术司1986年5月出版的《发电机励磁系统译文集》。

(3)中华人民共和国电力行业标准 DL/T583—1995《大中型水轮发电机静止整流励磁系统及装置技术条件》。

(4)中华人民共和国电力行业标准 DL490—92《大中型水轮发电机静止整流励磁系统及装置安装、验收规程》。

(5)中华人民共和国电力行业标准 DL489—92《大中型水轮发电机静止整流励磁系统及装置试验规程》。

(6)中华人民共和国电力行业标准 DL491—1999《大中型水轮发电机静止整流励磁系统及装置运行、检修规程》。

(7)中华人民共和国电力行业标准 DL/T 730—2000《进口水轮发电机(发电电动机)设备技术规范》。

(8)瑞典 ABB、瑞士 ABB、加拿大 GE 和德国西门子等外商有关磁场断路器,灭磁电阻等灭磁装置产品供货资料中有关参数设计选择的一些规定。

通过对上述标准的学习对比后认为,我国励磁标准中,对灭磁装置中各种重要参数的定义,灭磁电阻和磁场断路器主要参数的选择计算,缺少明确规定,尤其在发电机机端短路事故发生时,对转子绕组感应产生最大电流条件下灭磁和转子滑环短路保护的技术要求,没有给予足够重视和具体说明,而这些参数对于发电机的安全灭磁保护和设备选型也是很重要的。在 ANSI/IEEEC37.18 中对这些参数规定得比较详细明确的,建议我国励磁标准在今后修订中给予补充。

3 进口灭磁装置的供货产品装箱技术资料存在的问题及其主要参数复核的必要性

近年来,我国大中型水轮发电机组引进的灭磁装置逐年增多,在调研中发现:多项工程引进灭磁装置,其供货技术资料并不齐全,使业主和工程设计单位无法据此复核其供货灭磁装置的主要参数,无法确定该灭磁装置是否能够充分满足本工程水轮发电机组各种严重事故状态下安全灭磁的需要。

例如:国外引进外灭磁装置,吸能元件全部采用碳化硅电阻,由于其特性"软",它的 V～A 特性曲线表明,电阻的电压是随着通入电流的增加而迅速加大的,因此安全灭磁条件与 V～A 特性曲线密切有关。而有的大电站虽进口了碳化硅电阻,却没有获得该电阻的 V～A 特性曲线及其主要参数使用说明书和产品设计选择的计算依据(特别是设计采用的安全裕度系数),造成业主无法复核灭磁安全性。有的业主需向外商追索这些资料,才获得提供。笔者认为,对于发电机运行四个主要控制点(发电机空载灭磁,甩额定负荷灭磁,额定强励、失控误强励事故甩负荷灭磁和机端三相突然短路转子绕组感应最大磁场电流条件下灭磁的安全性)都应该进行复核。复核应该根据这四个控制点灭磁开始时的电流值和灭磁电阻的 V～A 特性曲线以及励磁整流电源输出电压;校核碳化硅灭磁电阻转移转子绕组电流和能量时,其最大工作电流、最大工作电压与最大承受能量各是多少;磁场断路器的断流弧压和最大遮断电压,是否满足灭磁时安全转移电流的需要等。

作为引进的灭磁装置,另一个主要设备是磁场断路器,通常外商不提供断路器主触头(含引弧触头)的断流弧压,只提供最大遮断电压。但是保证磁场电流全部转移注入灭磁电阻中去的决定因素,是磁场断路器断流弧压,而不是最大遮断电压。因此,在进口磁场断路器时,必须要求供货商提供磁场断路断流弧压的技术资料。

在取得上述技术资料的前提下,参照上述标准和有关资料对进口发电机组的灭磁装置,必须复核以下内容:

(1)灭磁电阻的总能容量。

(2)机端三相突然短路在转子绕组上感应产生最大电流在开始灭磁瞬间(即 0.1s 时)的直流分量 I_{fmaxde}(与校验灭磁时的电流和能量能否安全转移到灭磁电阻中去有关)和最大电流峰值 $I_{fmax.p}$(与校验灭磁时形成转子绕组反向最大电压值在灭磁过程中是否超过

励磁主电路绝缘最大安全允许值有关）。对于0.01s时最大冲击电流则是与校验磁场断路器主触头短时允许最大电流有关。

（3）灭磁电阻阻值及其V～A特性曲线的设计工作点，使其保证向灭磁电阻全部安全地转移各种状态下转子电流时，所需要的与上述电流相对应的转子绕组反向电压值。

（4）磁场断路器的断流弧压和最大遮断电压。

（5）遮断各种励磁电流时的灭磁时间。

应通过严格的复核计算，必要时需通过模拟试验对这些灭磁参数进行检验，看其是否能够充分满足相应工程发电机组配套灭磁系统在各种状态下安全灭磁的需要。

图1、图2为中国科学院等离子体物理研究所试验大厅对某一工程引进碳化硅阀片和组件进行模拟试验和检测时，发现严重隐患的录波图和照片，以此作为对引进灭磁装置复核必要性的一个例证。

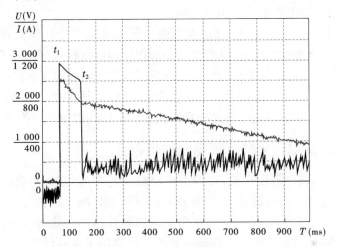

图1　碳化硅组件在模拟承受强励顶值电流瞬间发生闪络燃弧录波图

t_1—67ms时灭磁SiC转移电流开始；t_2—150ms时灭磁SiC组件闪络燃弧开始

图2　单个SiC阀片在作V-I曲线测试被击穿部位照片

必须指出，上述大部分事故灭磁参数因为属于各种异常故障条件下灭磁，在工程常规安装调试启动试运转试验中和一般试运行中是无法检验的,只有通过认真仔细的复核计算才能判断其能否满足合同和规程规定的需要。在进口灭磁装置保质期内也不一定会遇到这类考验。笔者通过对一些工程复核检查,发现以下问题:

(1)有的大工程进口灭磁装置,其灭磁电阻能容量太小,仅为安全灭磁所需值的一半。

(2)有的 SiC 电阻供货选型不当,允许承受的最大电流和最高电压太低,没有留出必要的安全裕度,在额定强励顶值时,事故灭磁 SiC 电阻组件就被转移过来的大电流所形成的高电压造成边缘闪络击穿燃弧烧损。

(3)有几个电厂的磁场断路器放电触头间隙太小,在发电机正常运行中,由于转子绕组出现瞬间过电压时,就可使放电触头间隙击穿使 SiC 电阻通流,导致 SiC 电阻长期带电烧毁。

(4)有的进口磁场断路器的引弧触头容易断裂,灭磁过程中不能形成弧压,使转子磁场电流不能转移到灭磁电阻中去而被事故烧毁。

(5)有的进口磁场断路器弧压太低,在灭磁过程中必须首先封锁励磁整流桥触发脉冲,使交流反向电压叠加在弧压上,才能使转子绕组反向电压提高到使转子电流全部转移到 SiC 灭磁电阻上去。对于这个"交流灭磁"方式,笔者认为,必须复核其在发电机出口三相突然短路事故交流电压为零的条件下,能否安全灭磁;并且在磁场断路器设在交流侧的条件下,必须考虑励磁整流桥同一相晶闸管短路事故造成励磁续流失控事故的后果。

4　需要更全面的认识碳化硅灭磁电阻的可靠性

有人认为,SiC 灭磁电阻很安全,在局部支路故障时多为开路,不会闪络、燃弧起火,危及其他设备安全。在近期试验研究中发现有的进口 SiC 阀片在被过电压击穿后,也出现击穿小洞(见图 2),用万能表实测时,击穿小洞的阀片是短路状态,与过去有的文献说"多为开路"状态是相反的,其机理尚待研究分析。上述图 1 试验证实:一个 2 串 12 并的 SiC 灭磁电阻组件,在试验注入模拟额定强励顶值电流发生事故灭磁时,马上闪络起弧燃起很大火焰;同时还证实:起弧燃火时,注入该组件的能容量还不到该组件额定能容量的一半。

由此可见,有的水电站进口 SiC 灭磁电阻组件,在一次空载灭磁试验时就突然闪络起火烧损,其原因也可能是灭磁过程中加在 SiC 灭磁电阻组件上电流电压能量超过其安全允许值。

有的外商在供货资料中强调指出:"每个 SiC 阀片可以通过 100A 电流,但设计时只允许按 50A 计算选择并联数",由此可见其电流安全裕度系数要求为 2 倍。这说明,设计选择 SiC 作为灭磁电阻时,在电流、电压和能量方面都必须留出足够大的安全裕度,否则可能在运行异常状态灭磁时被烧毁。现在已经有几个水电厂进口 SiC 电阻在运行中被烧毁,有人把烧毁原因全部归于发电机异步运行造成 SiC 通流能量过载,这可能是片面的。烧毁原因很可能是:供货设计上对 SiC 的电流电压安全裕度系数定得太小或没有考虑;有的则已查明是由于发电机定子电流突然变化(譬如说同期合闸瞬间)在转子绕组中感应产生瞬间高电压,把有的进口磁场断路器的放电触头(正常运行中是分开的,其间隙仅 2mm)的间隙击穿,通过 SiC 电阻放电,在瞬间过电压消失后,因其特性"软",在正常运行励磁电压下仍要流通电流,使放电触头间隙电弧维持不断,导致 SiC 灭磁电阻在运行中烧毁。

有人认为:只要选用 SiC 作为灭磁电阻,磁场断路器断流弧压低一些,不会影响安全灭磁,因为 SiC 的 V~A 特性"软",不像 ZnO 如稳压二极管那样有明显拐点,SiC 在磁场断路器断流弧压低条件下,也能转移电流安全灭磁,不会烧毁磁场断路器。他们认为没有必要对 SiC 灭磁参数进行复核。

例如 20 世纪 50 年代某一大水电站,在一次发电机事故中采用常值电阻和磁场断路器灭磁(常值电阻特性比 SiC 还"软"),结果由于磁场断路器断流弧压不够,很大的转子电流中只有小部分转移到常值灭磁电阻中去,大部分仍在磁场断路器断口燃弧,最终烧毁磁场断路器,发电机事故也因此扩大造成重大损失。由于磁场断路器断流弧压低,导致转子反向电压低,从而造成的后果是:对 ZnO 不能通流(严格说通流小,微安级);对 SiC 它虽能通流,但其通流的大小仍取决于转子反向电压的大小及其本身的 V~A 特性。只要仔细进行复核计算和查曲线工作,就可以发现:如果磁场断路器断流弧压过低,转子反向电压低,在转子磁场电流很大时,要全部转移到 SiC 中去需要很大的转子反向电压;实际转子反向电压小,有的只能分流 10 %、20 %、30 %…,大部分电流 90 %、80 %、70 %…仍在断路器断流燃弧,磁场断路器承担不了这么多的转子绕组能量,必将被烧毁。

实际上应该反过来说,"对于 SiC 灭磁电阻,其特性是:在电流小时要求转子反向电压小,转移电流容易,在电流大时要求转子反向电压大,要全部转移转子电流难度就大;不像 ZnO 电阻,只要过了 V~A 曲线拐点,电流小一点或大一点,要求转子反向电压水平变化很小。所以对 SiC 来说,灭磁安全性复核更有必要,它对磁场断路器断流弧压要求更加高一些"。

5 从灭磁时间选择看 SiC 与 ZnO 两种非线性灭磁电阻的比较

对于凸极水轮发电机组来说,由于阻尼绕组在灭磁过程发生无法控制的"续流"作用,它所形成的磁场不可能很快消失,所以没有必要把转子电流断流时间(灭磁时间)压缩得太短。但是把转子电流灭磁时间定得过长,对于保护设备安全是不利的。因为水轮发电机甩负荷过速度还是很大的(几秒钟内达到 150 %左右),如果断流灭磁过慢,有可能产生更大过电压。而且如果采用发电机变压器单元主接线,没有配置价格昂贵的发电机出口断路器,那么发电机灭磁时间的缩短对于减小变压器内部击穿事故范围和严重程度具有重要影响。

我国在 20 世纪 80 年代曾进口一批 SiC 灭磁装置,发电机额定空载灭磁电压仅为 400~500V(90 年代也有类似供货),因此其灭磁时间长达 3~4s。笔者认为,该设计参数,灭磁电压选择太低,灭磁时间过长。90 年代引进的 SiC 灭磁装置,又出现一批把发电机额定空载灭磁电压定为高达 1 700~1 900V,则按 SiC 的 V~A 曲线推查,强励灭磁电压将高达 3 000V 左右,由此,它把灭磁时间缩短到 1s 左右。可以认为,这种设计参数,为了把灭磁时间缩短,把灭磁电压选择得如此高,不仅对转子绕组和主励磁电路绝缘安全不利,是标准规程不允许的,而且又给磁场断路器选择造成很大困难。对于一般大型水轮发电机组励磁磁场电路绝缘水平和 SiC 灭磁电阻来说,最大灭磁电压也不宜超过 2 100V,

为此灭磁时间稍大一些也是可以的。

从上述分析可见,同时既要求灭磁时间短,又要求灭磁电压不要过高,只有我国 ZnO 灭磁电阻特性能实现,SiC 的固有特性是难以实现的。

其原理在于,灭磁电阻在灭磁过程的电压波形图,对 ZnO 来说是理想方波,而对 SiC 来说是个近似直角三角形。而且当灭磁电阻通过电流从小到大时,电阻两端电压变化,对 SiC 来说也是从低到高的,一般强励灭磁电压是额定空载灭磁电压的 1.7 倍;对 ZnO 来说则是基本稳定不变的,一般说,强励灭磁电压是额定空载灭磁电压的 1.01 倍。

根据国内外对 SiC 和 ZnO 灭磁电阻作仿真计算和仿真试验的结论,如果采用相同的最高灭磁电阻灭磁电压,则对以转子励磁电流为判据的灭磁时间来说,SiC 应为 ZnO 的 2~3 倍。在我国,葛洲坝、潘家口和白山等大型水电站在相同的水轮发电机组上同时分别配置 ZnO 和 SiC 灭磁电阻所测录到的灭磁波形图,也可以定性证明这一点。

ZnO 灭磁电阻已经在我国大型水轮发电机组上普遍推广应用了 16 年,总体上看,其运行表现是良好的,现在该是大家一起来总结肯定,作出进一步推广决策的时候了。

由电子式磁场断路器(DDL)组成的冗余灭磁系统在大中型水电站中的设计和应用

符仲恩　彭　辉　冯士芬

（中国科学院等离子体物理研究所）

郑光伟　杨光华　陈福山

（中水东北勘测设计研究院有限责任公司）

　　由晶闸管直流开关电子式磁场断路器(DDL)和有触头机械式磁场断路器(QFG)组成新型互为冗余的 ZnO 电阻灭磁装置(以下简称"装置")是由中科院等离子体物理研究所和东北勘测设计研究院联合自主设计、研制和生产的。"装置"于 1990 年 10 月 29 日在红石 50MW 机上投入试运行，1992 年 7 月 8 日由水利水电规划设计总院主持通过鉴定，正式投入运行；1996 年至 1998 年又先后在莲花 4 台 137.5MW 机、丰满 2 台 140MW 机和小山 2 台 80MW 机上投入运行。至今逾十五载，该型"装置"已在 9 台大中型水轮发电机上经受各种严峻考验，积累了五十多台年连续安全运行的记录。为了向迅猛发展的水力发电工程提供一种安全可靠、具有全面保障和依据的切实可行的新型灭磁系统，2002 年 10 月 9 日到 11 月 6 日由中科院等离子所科聚公司和东北勘测设计研究院的代表共同到上述四电厂与各电厂现场代表组成联合调查组，对这种新型灭磁系统运行情况进行全面调查，并写成运行总结报告。在此，将这套"装置"在大中型水轮发电机上设计和应用五十台年的情况简介如下。

1　主电路及其工作原理

　　该"装置"的主电路图如图 1 所示。

　　图中符号意义如下：

SCR1,2	流通主电路电流用的直线电子开关，一般可由 2 只或 3 只晶闸管组成；
SCRd-	关断主电路电流用的晶闸管；
C	关断主电路电流用的储能电容；
op	发电机开机起励时开通电子开关的触发电路板；
de	关断电子开关 SCRd 的触发电路板；
CHA	电容 C 的充电及其监控保护电路板；
LA	限流电抗器；
TOV	限制过电压的保护；
KA	监测电流的直流电流变换器；
AV	调整主晶闸管均流的部件；
DDL	晶闸管电子开关组成的磁场断路器；

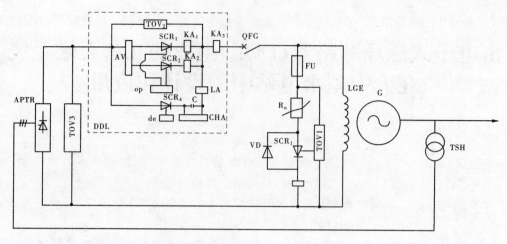

图1

QFG 有触头机械式磁场断路器。

"装置"主要工作原理简述如下：

在发电机开机升速和其他各种必要的运行过程中，由两个厂用电源保障的CHA向C充电到足以充分满足关断主电路最大电流的电量。当发电机起励升压时，op接受机组监控单元LCU的指令自动触发SCR_1、SCR_2使主电路导通电流。

当发电机由于事故或者其他原因发出灭磁令时，de接到灭磁令立即触通SCRd，具有充分电量的C向SCR_1、SCR_2反向放电一直到SCR_1、SCR_2断流，接着由转子电流通过整流装置APTR和SCRd向C反向充电一直到C上反向电压与环路反向充电电压相等时，SCRd断流关断。C仍通过CHA放电和按LCU指令正向充电做下次灭磁准备。

"装置"控制逻辑电路确保接受灭磁指令后，在0.1s内监视到KA_3仍有转子电流通过时，就会立即启动备用QFG使它跳闸完成灭磁。这种磁场断路器双冗余的配置大幅度提高灭磁的安全可靠性。如果监视到KA_3已经断流，逻辑电路就不会启动QFG跳闸。

"装置"逻辑电路确保充分满足发电机各种运行方式包括机组电制动停机方式对电子开关的通断要求，它是五十多台年运行已经证实的事实。

2 "装置"配置的发电机励磁参数及其运行记录

其励磁参数和运行记录见表1。

3 "装置"运行工况及其维护经验

根据上述调查统计，"装置"从正式投运以来，它所配置的大中型发电机组已有9台，总装机容量已达1 040MW，已经创造了连续安全运行18 162台天。也就是49.8台年约五十台年的安全运行记录。

上述九套"装置"中的发电机励磁主电路通流用的24只高电压大电流国产主晶闸管和断流用的18只高电压国产晶闸管、66只高电压大容量国产电容器、9只冷却风扇都经受住了长时期(最长为10.4年，最短为4.2年)连续运行、停、通断甚至多次各种电气故障事故灭磁操作的严重考验,包括在发电机带电运行中因转子风扇脱落导致定子扫膛短路事故灭磁和在工业试验中做过的在强励顶值电流下灭磁的考验,整套冗余灭磁系统始终表现出确保安全灭磁的性能。上述 108 只主要元件在机组带电实际运行中没有发生损坏事故停运过,可用率为 100%。

表 1

水电站名称	单位	红石	莲花				丰满		小山	
发电机额定功率	MW	50	137.5				140		80	
发电机额定转速	r/min	107.1	93.8				107.1		214.3	
励磁变额定容量	kVA	1 250	2 000				1 600		1 250	
励磁变二次电压	V	520	650				710		530	
额定励磁电压	V	255	327				396		260	
额定励磁电流	A	1 174	1 493				1 329		1 150	
强励倍数		2	2				2		2	
强励顶值电压	V	638	818				990		671.85	
强励顶值电流	A	2 348	2 968				2 658		2 300	
T_{do}	s	5.0	6.84				6.057 3		6.14	
灭磁电阻 ZnO 串×并数		3×32	前期 3×56		后期 4×52		3×70		2×56	
灭磁转子电压	V	1 300	前期 1 483		后期 1 420		1 200		1 000	
DDL 晶闸管并联数		2	3				3		2	
磁场断路器型号		DM2	DM4				DMX		DM4	
发电机组编号		1	1	2	3	4	11	12	1	2
DDL 正式投运时间	年	1992	1998	1997	1997	1996	1998	1997	1997	1997
时间	月 日	7 8	9 23	12 23	12 6	12 26	6 28	12 18	12 28	12 15
DDL 运行天数	日		1 809				1 615	1 807	1 801	1 814
DDL 运行天数统计日		2002.11.1	2002.11.5				2002.10.31		2002.11.4	

DDL 在运行中并联晶闸管的均流性,最大通流差值:红石为 10A,小山为 10~40A,莲花为 100A 左右,丰满为 50~100A。因为在直流回路中直接并联运行的晶闸管的通流值差值的减少主要取决于其对应晶闸管通流压降差值的减少,今后设计选择 DDL 并联工作的晶闸管时,应该选用通流管压降尽量一致的晶闸管,同时改进 DDL 盘内调整并联晶闸管均流性的硬件结构,以求进一步提高均流性,减少并联运行主晶闸管的通流差值。

"装置"投运前期开机触发通流过程中都能保证发电机组正常起励通流,但是并联运行的晶闸管中或多或少地出现过有 1 只晶闸管还没有触通时,触通电路板已经停止输出触发脉冲了,各电厂发现这种情况时前期多是由运行人员再次手动触发一次,把没有触通的那只晶闸管触通,后来则都采用把发电机组现控制单元 LCU 输出触发 DDL 主晶闸管的脉冲时间程序适当延长(例如从 5s、8s 加长到 10s、15s),就能保证并联运行的晶闸管全部自动触发通流了。"系统"在正式投运时期停机自动断流,以及在"电制动"停机过程中自动通流断流的功能上均能可靠工作,没有发生故障停运过。

莲花水电站的 DDL 在随同主机检修过程中，曾出现 3 号机有 1 只关断电容，2 号机有 2 只关断电容，在电容器箱箱盖与接线柱连接处漏油。现场查明其原因是电容器接线柱上并联连接线采用硬铜线焊接，当相连电容器在安装不正、高矮稍有不同时，其连接处就长期受焊接硬铜线的拉力导致裂缝漏油。现场确认它不是由电气原因造成的，在检修中已把这 3 只电容器用备品更换，恢复正常。丰满水电站 11 号机也有 2 只电容器在两年前发现电容器箱上与接线柱接口周边出现一个渗出油迹圈，其宽度约为 5mm，其原因与莲花相同，只是表现轻微。以后（包括这次联合调查）观察监视。未见其工作性能有变化，所以至今没有更换。今后 DDL 组装时，对关断电容器的并联接线，不要采用硬铜线焊接，宜改用能适当移动的软铜线焊接，以防止在组装和运输过程中电容器箱盖受到机械损伤而渗油。

晶闸管电子开关具有常规有触头式磁场断路器没有的对其内部主要部件工作状况进行监视的故障自诊断功能，例如：关断电容器充电电压的监视、每只并联运行主晶闸管的通流值的监视和过流自动报警、晶闸管冷却风扇风速消失报警，灭磁令下达后监视 DDL 断流功能是否完成、是否需要再自动启动有触头磁场断路器跳闸断流的自动监视功能等。鉴于水电厂已经普遍采用 PLC 监控的成功经验，今后对 DDL 内部主要部位工况的监控，决定采用可编程控制器（PLC），这样可以进一步提高其工作的可靠性和便于与机组的 LCU 通信联网。而且对冷却风速监视和主电路电流是否已经断流监视的发信元件作进一步改进。

此次联合调查中证实，小山水电站 2 套 DDL 冗余灭磁系统自投入运行以来确实保证了 2 台 80MW 发电机组在各种事故中可靠地安全灭磁，但是同时也发现现场存在两个隐患：一个是 1 号机"系统"的逻辑硬件接线有错误，导致在灭磁过程中 DDL 断流后又自动触通导流，以致自动启动 QFG 断流灭磁，当时在现场把逻辑硬件接线错误纠正后，就恢复正常了；一个是 2 号机触发 SCRd 脉冲变压器接线焊点有一处脱焊断开，当时在现场将它重新可靠地焊接上，就恢复正常了。

莲花 3 号机 DDL 在运行中工作一直正常，但是在 2002 年 11 月随同机组大修检验测试时，却发现主晶闸管触发板和关断电容充电监控板已损坏。因为检修前 DDL 工作表现都正常，这种损坏显然是由于测试方式不当导致串电击伤板上元件。因此，今后编写 DDL 使用说明书中要对 DDL 的运行维护检修的规定和测试方式方法叙述得更加详细具体一些，以利用户使用，DDL 晶闸管的布置结构设计也要进一步优化，以求提高检修维护拆卸的方便性。

4 结论

"装置"经过 50 台年安全运行实践证实，它与单套磁场断路器比较，其安全可靠性更高，维护工作更少，更能适应按"无人值班，少人值守"监控方式运行水电站的需要。之所以有这种优越性能，其原因是：

（1）DDL 主要采用大容量高参数的晶闸管、电容和电子器具等静止元件组成，设计安全裕度大。与有大触头的机械断路器比较，它不需要制造维护都很复杂的大功率机械传动机构和故障率很高的灭弧栅，切断电流过程不产生电弧烧损和机械磨损以及震耳的响声,因而具有更高的可靠性、更长的使用寿命(半永久性)、更少的维护工作量(属免维护性),因而它特别适用于无人值班和少人值守的水电站。

(2)作为 DDL 主件晶闸管通流后切断时间是 1ms 左右,比有触头断路器切断时间 20ms 左右快得多。根据公式:转子绕组在 DDL 断流过程中产生的反向电压 $e = -L \times d_i/d_t$,晶闸管电子开关断流要比有触头断路器断流产生的反向电压高得多,从而可以更安全地保证转子电流向灭磁电阻转移。所以 DDL 特别适用于采用氧化锌非线性电阻灭磁系统。

(3)DDL 具有比较完善的自诊断系统,其重要工作状态正常机组运行中都有自检自动报警功能。而有触头断路器其部件有缺陷,只能在操作过程或拆卸开后由有经验的人检查才能发现。因而 DDL 特别适用采用计算机监控的电厂。

(4)晶闸管元件的串并联技术已经成熟,它的产品规格多样化为 DDL 制造生产的系列化、模块化、主件(晶闸管)冗余化,创造了十分有利的条件,元件供货国内外渠道畅通。

(5)根据我国自主研制、生产和运行 DDL 十多年经验,DDL 既可以取代有触头磁场断路器,安全可靠地独立工作,又可以与有触头磁场断路器组成双重互为备用的冗余灭磁系统,大幅度提高灭磁可靠性,确保发电机在灭磁方面万无一失,具有较高的功能价比。

(6)十多年前,我们研制的 DDL 投运时,有人提出用晶闸管代替断路器触头是否降低工作可靠性的问题,如今 DDL 在四个大中型水电厂 9 台大中型机组上安全投运五十台年的事实说明,DDL 的主晶闸管元件正常运行是在转子主回路直流电流下运行的,与励磁整流柜晶闸管工作条件对比,后者电流变化很大,每周波要通断,晶闸管频繁通断,损耗大、发热多;而 DDL 主晶闸管在长时间运行中流通直流电流,通断损耗要小得多,发热少,安全性要高得多。现场实测温度也已经证明 DDL 主晶闸管运行温度比励磁整流柜晶闸管运行温度低得多。这与理论上作数量计算证明的结果是一致的。

(7)从 IEEE1983 年发表的文献中查到,日本东京东芝公司和大阪压敏电子元件公司在几年中已经联合研究用晶闸管、电容和氧化锌阀片组成直流 1 500～3 000V 晶闸管电子断路器样机,在直流电气化铁路、工厂及其他设备上试验和使用。其主电路原理与本系统是基本类似的。

综上所见,DDL 型晶闸管电子式直流磁场断路器和有触头机械式磁场断路器(FMK)组成双冗余 ZnO 灭磁系统,用于发电机励磁回路的灭磁是完全可行的,可以大幅度提高灭磁安全可靠性。它具有开断快速、无弧光、无声响、温升小的特点,基本达到无故障、免维护的目标,特别适用于无人值班和少人值守、采用计算机监控的电厂。随着电力电子器件和其他电器元件制造水平的 断提高和电站自动化需要,"装置"的优越性将更加明显。

自动化控制系统及装置篇

水轮机振动数据处理与分析

罗予如

（中国水利水电科学研究院自动化所）

魏宇欣

（黄河水电工程公司）

1 前言

由于水轮发电机组会出现脱流、旋涡区,气蚀的影响以及机械磨损,不可避免地会引起水轮机振动,当振动超过一定范围时,将破坏水轮发电机组的正常工作,降低水轮发电机组的使用寿命,甚至导致水轮发电机组损坏,造成事故。同时振动会产生噪音,影响操作人员的心理和生理健康。

不同的原因,引起水轮发电机组振动也不同。例如压力脉动会引起水轮发电机组顶盖和上机架的垂直振动,而且可能会呈现出不规则的摆动。尾水管中压力脉动是一种高频脉动,机械磨损往往引起低频振动。

因此,有必要测量水轮发电机组的振动数据,通过数据处理,分析引起振动的主要原因,以采取合适的办法降低振动危害(例如对尾水管补气可以降低尾水管压力脉动)。

最初,用一套模拟信号系统测量水轮发电机组振动,模拟信号系统分析频谱只能靠滤波器完成,滤波器性能不能满足要求,尤其是低频应用时,滤波器的电感、电容体积庞大。

随着测量技术的发展,人们越来越多地利用通用计算机来采集和处理测量信号,通过 A/D 转换器把模拟信号转换为一系列数字信号,通过数字信号处理来分析信号特性。数字信号处理具有精度高,可靠性高,处理方法简便、灵活、快速,应用范围广,设备体积小等优点,而且多路不同信号可以共用一套 A/D 转换器、计算机硬件和软件来处理。

2 数据处理与分析

把连续的模拟信号 $X(t)$ 转换为离散的数字信号,相当于在原有信号 $X(t)$ 乘上一个采样函数 $S(t)$,其中 $S(t)$ 是高度为 1、间隔 T_s 的一系列单位脉冲函数。

$$Y(t) = X(t)S(t) = \begin{cases} X(kT_s) & \text{当 } t = kT_s \text{ 时} \\ 0 & \text{当 } t \neq kT_s \text{ 时} \end{cases}$$

式中:N 为采样总点数;$k = 0, 1, \cdots, N-1$。

为了清晰看出 $Y(t)$ 是离散函数,以下用 $Y(k)$ 代替 $Y(t)$。

当信号中最高频率较高时,采样会引起失真和误差(混叠现象),为了减少误差,就应减小采样周期 T_s,即提高采样频率 $f_s = \dfrac{1}{T_s}$。

提高采样频率 f_s（减小采样周期），会有两种可能：①当采样持续时间 T 一定时，自然增多数据总点数 N，从而增加数据处理的工作量；②当数据总点数 N 一定时，自然缩短了采样持续时间，从而降低频率分辨率 $\left(\dfrac{1}{T}\right)$。因此，必须权衡频率上限、数据处理工作量和频率分辨率三者得失，妥善选择采样频率。根据奈奎斯特采样定理[1]，采样频率应大于两倍的信号中最高频率。我们通常取 3 倍信号中最高频率。

2.1 最大值、最小值、平均值、峰-峰值

振动最大值、最小值、平均值是振动强度最基础的一组数据。

振动的平均值描述着振动的常值分量，计算式为

$$\mu_y = \frac{1}{N} \sum_{k=0}^{N-1} Y(k)$$

峰-峰值 X_{p-p} 是在一个周期中最大瞬时值与最小瞬时值的差。

2.2 振动的有效值

振动的有效值又称为均方根值，计算式为

$$\Psi_x = \sqrt{\lim_{T \to \infty} \frac{1}{T} \int_0^T X^2(t)\,\mathrm{d}t}$$

经过采样离散化后，我们采集到一系列 $Y(k)$ 的值（其中 $k = 0, 1, \cdots, N-1$），由于 $Y(k)$ 是等间距的，我们可以利用辛普生法来近似计算以上定积分，辛普生公式要求 N 为奇数，由于后面介绍的 FFT 法要求 N 为偶数，因此将之修正如下：

$$\Psi_x^2 = \frac{1}{N-1} \left\{ \frac{2}{3} \left[\frac{Y^2(0) + Y^2(N-2)}{2} + \sum_{k=1}^{N-3} Y^2(k) + \sum_{k=0}^{M} Y^2(2k+1) \right] + Y^2(N-1) \right\}$$

其中：$M = \dfrac{N-4}{2}$。

2.3 频谱分析

以上分析仅给出振动的强度概念，只有通过频谱分析才可能估计出振动的根源。换句话讲，频谱分析是将信号中各频率的成本找出来，并分析各频率的幅值。频谱 $Z(i)$ 就是信号 $X(t)$ 的离散傅里叶变换（DFT），即

$$Z(i) = \sum_{k=0}^{N-1} Y(k) \mathrm{e}^{-j\frac{2\pi}{N}ki} \qquad (i = 0, 1, \cdots, N-1)$$

写成实部、虚部形式为

$$a(0) = \sum_{k=0}^{N-1} Y(k)$$

$$a(i) = \sum_{k=0}^{N-1} Y(k) \cos\left(\frac{2\pi}{N}ki\right)$$

$$b(i) = -\sum_{k=0}^{N-1} Y(k) \sin\left(\frac{2\pi}{N}ki\right) \qquad (i = 1, 2, \cdots, N-1)$$

$$幅值\ A(i) = \sqrt{a^2(i) + b^2(i)}$$

离散傅里叶变换（DFT）法计算，要进行 N^2 次复数相乘，$N(N-1)$ 次复数相加，当 N 很大时，需耗费大量计算时间。人们为了加快计算，对 DFT 法进行了改进，现常用快速傅

里叶变换(FFT)法[1]。采用FFT法仅要进行$N\log_2 N$次复数乘法和复数加法,大大提高了速度。

FFT法要求N为2的整数次幂。

2.4 自功率谱密度函数

在采样过程中,不可避免会受到各种各样的干扰,例如电压波动,致使采集的样本中包含一些噪声信号。如何从噪声信号中提取我们有用的信号呢?

自相关分析是一种有效的工具,它能从噪声背景下提取有用的信号。

自相关函数定义为

$$R_x(\tau) = \lim_{T \to \infty} \frac{1}{T} \int_0^T X(t) X(t + \tau) dt$$

只要信号中含有周期成分,自相关函数$R_x(\tau)$在τ很大时都不衰减,而不含周期成分的随机信号(如干扰信号),当τ稍大时,就将趋近于零。

自功率谱密度函数又称自功率谱,也称为自谱。自功率谱是自相关函数的傅里叶变换。它的含义是信号的功率密度沿频率轴的分布。

自功率谱具有自相关函数相同的功能,即它也是从噪声背景下提取有用信息的有效办法。

前面已用FFT法计算了频谱,能很简单计算自功率谱,不需用复杂积分法计算自相关函数。

我们也可以通过求出的自功率谱用反快速傅里叶变换(IFFT)法进行反变换求出自相关函数。

利用卷积原理,自功率谱为

$$S_x(f) = \lim_{T \to \infty} \frac{1}{T} | Z(f) |^2$$

写成离散形式为

$$S_x(k) = \frac{1}{N} | Z(k) |^2$$

3 应用情况

我们和北京工业大学伍良生教授、卢庆华硕士研究生合作,在中国水利水电科学研究院自动化所振动摆度监测装置上开发了振动数据处理与分析软件,该仪器成功应用于多个水电厂,例如紧水滩水电厂、乌溪江水电厂等。

4 进一步改进

为了寻找振动的原因,人们往往先设想某种原因,然后做各种试验来验证它们的关系。而互相关函数是一种有效的分析工具。计划在振动摆度监测装置上增加互相关分析功能。

其原理如下:如果采集了振动信号$X(t)$,同时也采集到怀疑的原因信号$G(t)$(例如压力脉动信号),则可以用互相关函数$R_{XG}(\tau)$

$$R_{XG}(\tau) = \lim_{T \to \infty} \frac{1}{T} \int_0^T X(t) G(t + \tau) \mathrm{d}t$$

如果 $X(t)$ 与 $G(t)$ 互不相关,则当 τ 很大或 $\tau \to \infty$ 时,$R_{XG}(\tau) \to \mu_X \mu_G$;若 $X(t)$ 与 $G(t)$ 互相关,则 $R_{XG}(\tau)$ 不收敛。其中 μ_X、μ_G 是 $X(t)$、$G(t)$ 的均值。不收敛说明这两个信号中有相同频率的周期信号,即同频相关,不同频不相关。

与自相关函数一样,往往不直接求解以上积分,而是通过互谱密度函数 $S_{XG}(f)$ 分析,$S_{XG}(f)$ 是 $R_{XG}(\tau)$ 的傅里叶变换,互谱密度函数(简称互谱)保留了互相关函数全部信息,可以通过相干函数 $b_{XG}(f)$ 来分析:

$$b_{XG}(f) = \frac{|S_{XG}(f)|^2}{S_X(f) S_G(f)}$$

其中:$S_X(f)$、$S_G(f)$ 是 $X(t)$、$G(t)$ 的自谱。

相干函数 $b_{XG}(f)$ 等于零表示两个信号不相干,$b_{XG}(f)$ 等于 1 表示两个信号完全相干,$b_{XG}(f)$ 在 0 和 1 之间变化。

参 考 文 献

[1] 黄长艺,严普强.机械工程测试技术基础.北京:机械工业出版社,1984

PLC 直接上网 LCU 通讯问题探讨

刘晓波　张玉平

（中国水利水电科学研究院自动化所）

1　计算机监控系统及其 LCU 结构的发展

随着计算机技术的快速发展,特别是从 2000 年以来,新的计算机硬件、软件产品的不断推出,引起工业控制领域产品在结构上有很大变化,在性能上有较大的提高。水电厂计算机监控系统,作为工控领域的一个典型应用,其结构也发生了很大变化。由于可编程控制器(PLC)是完全工业化的产品,具有很好的实时性,同时还具有极高的可靠性和稳定性,因而从 20 世纪 90 年代初期开始,逐渐成为水电厂计算机监控系统现地控制单元(LCU)的数据主要采集者和控制核心。水电厂计算机监控系统的结构是基于网络的,监控系统内部各智能节点,如操作员工作站、通讯工作站、工程师工作站、网络打印机及各LCU 都是作为网络的接点由光纤或双绞线连接成以太网网络的。当时由于 PLC 没有网络接口,不能直接接入监控系统,PLC 需要接入具有网络接口的智能设备(如工控机),才能接入监控系统的网络。由于 PLC 技术的发展,现在可以采用 PLC 直接上网的 LCU 结构,这样可以减少 PLC 与网络间的环节,简化了结构,从而提高了 LCU 的可靠性。

采用这样一种 PLC 直接上网的 LCU 结构的优点是不言而喻的,但同时也带来一些问题。主要的问题是智能设备,如调速器、励磁系统等与 LCU 的通讯问题。当采用 PLC 经过具有网络接口的智能设备(如工控机)接入网络时,智能设备与 LCU 的通讯可以通过工控机来实现,是比较容易的。但在 PLC 直接上网的 LCU 结构下,PLC 特点、智能设备接入的方式方法等,都出现了新的问题。下面作者结合工作实践,进行一些探讨。

2　PLC 特点概论

PLC 是完全工业化的产品,实时性好,可靠性高。作为完全工业化的计算机,有输入输出、内存、处理器、通讯接口。它擅长处理布尔逻辑解算,薄弱环节是通讯功能。它的串口少,最多为两个,一般为一个。它的串口可供选择的种类少,一般多为 RS232 口,距离短,且只能点对点方式。要想接入较多设备进行通信(如 RS485),还需要加入转换器。PLC 串口的薄弱之处是它的工作方式,串口的工作方式多为"主从"(Master - Slave)方式。作为"主"(Master)的一方采集"从"(Slave)的数据,对"从"设备进行控制。绝大多数的 PLC 串口的工作方式都为"从方式",它不能对其他设备进行数据采集与控制。即使有些 PLC 的串口可以"主"的方式工作,它一般仅支持它自己专有的、不开放的规约,支持它的第三方的产品非常少且费用也较高。另外,串口的速率也比较低。由于 PLC 串口的特点,不同的 PLC 厂家又推出各自的现场总线 FCS(Field Control Bus),比如,GE PLC 的Genius Net,Quantum PLC 的 Modbus 及 Modbus Plus,AB PLC 的 Control Net Device Net,

Simens PLC 的 Profibus – DP 等。下面根据串口及现场总线的不同特点讨论智能设备的接入问题。

3 智能设备与 LCU 连接的原则与方式概论

　　LCU 采用 PLC 直接上网的结构,大部分的输入量由 PLC 直接采集,包括输入开关量、输入模拟量、输入温度量(有些情况输入温度量不是通过 PLC 直接采集的);几乎 100％的输出控制是由 PLC 的硬接点 I/O 方式实现的。但是,通常情况下,都要求 LCU 与众多的智能设备进行通讯,主要是采集数据,也有一些调速器、励磁装置设备宣称具有数字控制功能,即接受 LCU 的数字控制信号(通信方式)来进行控制,这种方式不具有闭环控制的特点,不被普遍接受,因此很少得到应用。

　　智能设备接入 LCU 的方式也多种途径,但遵守目前普遍认可、普遍采用的计算机监控系统原则,即分层、分布、开放。在有工控机结构的 LCU 结构中,通讯实现是比较容易的(因为工控机的通讯能力强),但在采用 PLC 直接上网的结构后,就必须考虑各种 PLC 产品特性对接入 LCU 智能设备的影响。PLC 与工控机相比,通讯接口少,支持的协议少且固定。从总的来看,LCU 智能设备接入有两种方式,一种是接入(直接或经转换)PLC,另一种是不经过 PLC 而直接接入以太网(见图 1)。由于各种 PLC 产品的特性不尽相同,因此实现智能设备接入 PLC 的方法也多种多样。通过比较国外主要 PLC 产品特性,在满足分层分布(单元)式的结构原则前提条件下,对智能设备接入 LCU 的方法进行分析对比,从它们的特性中找出共性的方法,侧重于通讯速率、实现方式、是否需要编程、接入智能设备的数量、是否易于维护等方面进行比较分析。

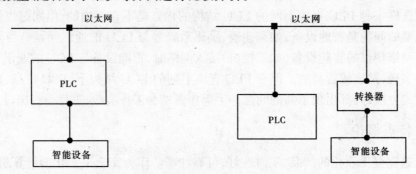

图 1 智能设备接入两种类型

4 智能设备接入 PLC 的方式

　　智能设备接入 PLC 的接口有串口和现场总线两种。

　　一般 PLC 的 CPU 模块上都具有 1～2 个串口,也普遍具有串口扩展模块,提供较多的串口,一般不超过 2 个。相对来说,还是数量较少。从方式来说,PLC 的串口所支持的普遍方式是"从"(Slave)方式。很少支持"主"(Master)方式,即使有,其相应通讯协议也是专有协议,或是限定的某一种协议。

　　一般 PLC 通过其 CPU 模块或专用通讯模块,提供现场总线接口,Genius Net(GE

PLC)、Modbus 及 Modbus Plus(Quantum PLC)、Control Net 及 Device Net(AB PLC)、Profibus－DP(Simens PLC)等。

4.1 通过现场总线直接接入 PLC(方法一)

对于部分 PLC,一些智能设备可以通过现场总线直接接入 PLC。这种方式的特点是:速率高,可靠性高,可靠性、实时性与直接 PLC 机箱的模块是相同的,而且接入的地点比较灵活,距离可以比较远,可以长达几百米甚至几十千米。这种方式不需要编程,可以接入较多设备,非常方便,是一种很好的方法。其结构示意图如图 2 所示。

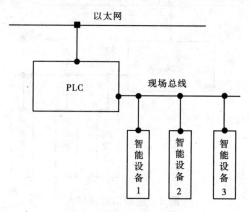

图2 直接接入现场总线

4.2 通过转换经现场总线接入 PLC (方法二)

当有些设备不具所需的现场总线接口时,可以采用智能设备通过转换装置经现场总线接入 PLC 的方法。即:将智能设备接入某种装置,该装置具有所需现场总线,经过该装置接入 PLC。这种方法一般是以串口方式接入转换装置,另一侧以 MB＋或 PROFIBUS－DP 等方式接入 PLC。一般需要编制程序,因此可维护性、方便性不如方法一,对研制单位和维护人员要求比较高。其结构示意图如图 3 所示。

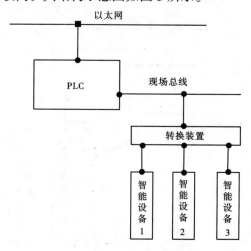

图3 经转换接入现场总线

4.3 经串口接入 PLC(方法三)

对于少数的 PLC 具有以"主"方式工作,可以对智能设备进行监控。这种方式的特点是:速率较低,接入的智能设备比较少,对于硬件的特性及规约的选择范围都比较少。这种方法需要在 PLC 上使用高级语言如 BASIC 或 C 语言进行编程,因此可维护性、方便性不如方法一,对研制单位和维护人员要求比较高。不是每一种 PLC 都可以采用这种方法,要看 PLC 类型、设备多少等条件决定。其结构示意图如图 4 所示。

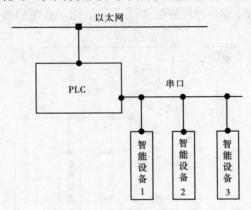

图 4　经串口直接接入

4.4 经串口转换接入 PLC (方法四)

PLC 一般有丰富的通讯模块可供选择,多数 PLC 的 CPU 模块具有 1~2 串口。由于这些串口多支持"从"(Slave)方式通用协议,智能设备也多为"从"方式,两者通讯不能实现。因此,解决方法之一是采用一种装置,它一侧经过 4~8 个串口接入智能设备,另一侧经过接入串口将数据写入 PLC 串口。该装置起协议转换作用,而且它对两侧都可以是"主"或"从"方式。这种方式可以接入较多串口设备,是一种很有前途、比较经济的方式,可以适用于每一种 PLC 产品。其结构图见图 5。

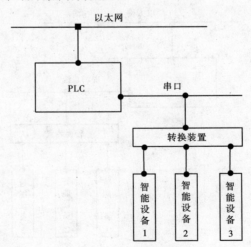

图 5　经串口转换接入

5 智能设备不接入 PLC

5.1 经转换接入以太网(方法五)

前面几种方法都直接或间接地通过 PLC 接入智能设备。

根据技术的发展,现在已具有这样一种装置,它的一侧接入串口设备,另一侧接入局域以太网。串口设备侧不需任何改变,上位机系统直接采集串口设备的信号。转换装置的以太网侧可以直接接入主交换机(这样一个 LCU 需要有几个 IP 地址),也可以接入 LCU 现地的小交换机或小集线器。这种方式可以接入大量的智能设备。因为采用这种方式,智能设备的接入不受 PLC 的类型限制,PLC 可以发挥它的长处:逻辑处理。因此说,这是一种很有前途的方法。其结构图见图 6。

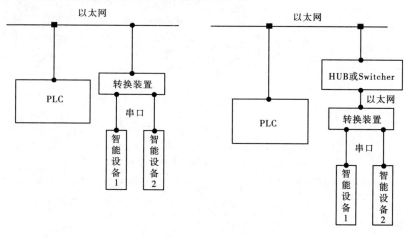

图 6 经转换接入以太网

5.2 智能设备直接接入以太网(方法六)

随着时间的推移,越来越多的设备将可以直接上网,因此可以采取智能设备直接上网的方式,速率可达到 10Mbps 或 100Mbps,可以在 LCU 现地采用一个小的交换机或集线器,也可以直接接入主交换机(但一个 LCU 需要有几个 IP 地址)。其结构图见图 7。

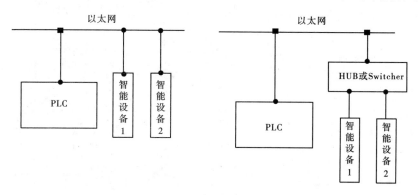

图 7 智能设备直接接入以太网

6 结语

上面介绍了六种接入智能设备的方法,因此本文作者认为:

(1)LCU结构采用PLC直接上网的结构有利于提高LCU的整体可靠性。

(2)智能设备以直接接入PLC现地总线方式比较好,因为应用简单、速率快,在可以选择直接接入现场总线的设备时,应尽量采用这种方式。

(3)智能设备经串口转换接入PLC的方式,是一种较优的方法,可以在每种PLC产品上使用,接入智能设备数量较多,经济性能也较好,但对编程人员和维护人员要求较高。

(4)智能设备经串口转换上网方式和智能设备直接上网方式都与具体的PLC产品无关,因此是很有应用前景的两种方式。

四川华能明台水力发电厂计算机监控系统改造

姚维达　毛　崎

（中国水利水电科学研究院自动化所）

云晓科

（四川华能明台电力有限公司）

1　概述

四川华能明台水电站位于嘉陵江支流涪江中游四川省绵阳市三台县，距绵阳市60km。电站于1998年全部建成投产。电站内安装3台轴流转桨式水轮发电机组，总装机容量3×15MW。具有不完全日调节能力，承担电网调峰任务，电站以一回110kV电压接入国家电网三台变电站。3台发电机均接在发电机10.5kV母线上，出口均装设有断路器，通过一台主变压器升压至110kV送入佳桥变电站，110kV电压系统采用单母线接线。电站原计算机监控系统投运时间为1997年，为国内早期产品，其硬件及软件已经越来越不能适应电站正常发电运行自动化控制的要求。为了适应当今电力系统发展以及华能集团公司"四高"的要求，保障电站安全、可靠、稳定运行，四川华能明台电力有限公司对电站原有计算机监控系统进行改造。2003年通过招标，中国水利水电科学研究院自动化所的H9000计算机监控系统成为华能明台电力有限公司新的计算机监控系统。

2　系统设计

考虑华能明台水电站在电网中的位置及未来的发展要求，电站按"无人值班"的原则进行高标准设计，既可实现站内监控，又能实现中调计算机监控系统远程监控。电站运行初期中控室设"少人值守"，对电站进行监视和控制。当外部条件具备时，电站实行"无人值班"的运行方式。

整个系统采取总体设计一次到位的方法，根据现场进度分期施工的办法，可分步实施。设计原则主要考虑：①系统的可靠性；②系统的开放性与可扩性；③功能的完善性；④系统的安全性；⑤抗干扰能力；⑥系统的友善性与可维护性；⑦充分利用PLC的高可靠性及逻辑控制方面的优点；⑧现地手动操作与控制。

实施本工程后，将形成一个完整的开放网络型分层分布的电站实时闭环过程控制系统，由电站的主控中心独立完成电站的闭环自动控制功能，通过上级调度中心实现对电站的集中远方监控，实现上级调度自动化系统对电站的遥测、遥信、遥控、遥调功能。最终实现电站现地"无人值班"。

本系统的主要目标是：接受上级调度中心的调度指令，实现厂内经济运行，实现远方调度中心及站内闭环运行、自动监测和控制，提高电厂运行经济效益，提高电站安全运行水平，改善职工运行条件及提高电能生产的质量。

2.1　系统结构

华能明台水电站计算机监控系统的网络结构采用双以太网络星形结构,共分主控级中心层、现地控制单元层两层。两层之间采用双 100MB 快速以太网总线,构成高可靠冗余的网络结构。主控制层承担电站所有的机电设备的集中控制、全面监视及与省调中心进行远程通信,设备包括各个工作站、计算机及网络交换机等。现地控制单元层包括 3 个机组 LCU、1 个开关站及厂用设备 LCU 和 1 个闸门 LCU。

华能明台水电站计算机监控系统建成之后,电站主控层与中调中心之间的通信通过通信服务器及调制解调器与中调中心电力数据网进行远方数据通信。通信通道为载波通道或微波,通过通信工作站完成与厂内水情测报系统、电站 MIS 系统、工业电视系统、消防系统等的通信。

2.2　主控级设备配置

系统主机兼操作员工作站两套,采用 HP XW4100 高级工作站。两台主机/操作员工作站以互为热备方式工作。

工程师/培训工作站主机与操作员工作站相同。工程师站用于系统开发、编辑和修改应用软件、建立数据库、系统初始化和管理、检索历史记录、系统故障诊断等工作。工程师/培训工作站安装在计算机室,也可作为操作员工作站的备用。

通讯服务器采用 HP TC2120 工作站,完成与远方中调、地调、厂内水情测报系统、MIS 系统、工业电视系统及消防系统等的通信。

ON - CALL 服务器采用 HP TC2120 服务器,完成电话语音查询、报警自动传呼、语音报警输出等功能。当事故或故障发生时,立即实现多媒体语音报警,并具有网络浏览功能。

系统共设两台 A3 幅面黑白激光式 HP LJ 5100 打印机,两台激光打印机通过以太网接口直接连到网络交换机上。系统配置了 GPS 时钟同步系统一套,作为监控系统的标准时钟,时钟精度 $1\mu s$,对时精度 1ms,脉冲编码输出可满足 PLC SOE 模板的要求。

系统配有两套 STK 3kVA 的互为热备冗余的 UPS 电源。备用电池维持时间为 1 小时。两台 UPS 同时工作,在一台故障时,另一台能保证系统正常工作,满足现场"无人值班"的要求。

系统配置两套主交换机 Cisco 2950 - 24,可满足与主控级各个服务器、工作站以及现地控制单元 PLC 的网络连接。

2.3　现地设备配置

全系统共设有 5 套现地控制单元,包括 3 套机组 LCU1～3、开关站厂用 LCU4 及闸门 LCU5。LCU 完成对监控对象的数据采集,负责向网络传送数据信息,并自动服从上位机的命令和管理。同时各 LCU 也具有控制、调节操作和监视功能,配有抗干扰性能高的工业级液晶显示触摸屏监视设备,当与上位机系统脱机时,仍具有必要的监视和控制功能。本系统采用 PLC 直接上以太网的方案。所有交流电气模拟量均通过交流采样实现。现地控制单元 PLC,采用美国施耐德公司的 Quantum 系列 PLC。CPU 为 140CPU43412 CPU(486/66MHz),每个 PLC 通过两个独立的工业以太网通讯接口模块与电站双以太网络相连接,并通过 MB+ 总线完成与各辅助设备的通信。各 LCU 实际 I/O 配置如表 1 所示。

表1

项目	机组 LCU1～3	开关站厂用 LCU4	闸门 LCU5
AI	32	32	32
DI	160	192	192
SOE	32	32	
DO	96	128	64
RTD	64	8	

各 LCU 均配有一台日本 Digital 公司 10.4″工业液晶触摸屏,作为现地人机联系接口,可显示开停机流程、数据库一览表等画面。系统对各机组及线路电量测量均采用交流采样方式。选用美国 Bitronics、瑞士 ACUVIM 公司多功能交流采样仪表,通过通信适配器接到 PLC 上。每台机组 LCU 配置一台双微机单对象自动准同期装置 WX-98G,每台开关站 LCU 配置一台多对象的微机同期装置 WX-98A,LCU 内所有设备均采用 24V 直流供电。

3　系统特点

系统采用开放系统结构和成熟、可靠、标准化的硬件、软件和网络结构,各计算机均采用开放的中文操作系统 Windows 2000,网络软件为 TCP/IP,图形符合 Windows。监控系统的全部计算机都直接接入网络,可获得高速通讯能力和资源共享能力。LCU 的 PLC 直接接入网络,可获得高速通讯能力和资源共享能力。PLC 直接联以太网,速率为100 Mbps,可靠性指标非常高。

主要关键设备选用国际上著名品牌产品,如美国 HP 公司的 32 位工作站,美国施耐德公司的 Quantum 系列 PLC、交流采样设备、触摸屏等,以确保系统的可靠性。为了满足系统"无人值班、少人值守"对系统可靠性的要求,整个系统的重要设备采用冗余技术,如操作员工作站、数据库冗余技术、UPS 电源等。

网络上接入的每一个设备都具有自己特定的功能,实现功能的分布。既提供了某个设备故障只影响局部功能的优点,又利于今后的功能扩充;具有丰富的开发工具软件和通讯规约,使系统维护扩充和联网通讯非常方便;实现监控系统与上级调度中心、电厂 MIS 系统的通信。

本系统为标准的 H9000 系统,是一套完整的实时控制系统,配备了完善的系统监控功能,同时配备了完善的系统监控软件。

4　系统运行

目前该系统的主要部分(包括主控级设备、2 号机组 LCU),已于 2004 年 4 月完成调试并投入使用,完全达到了设计要求,运行良好。其余设备将于 2004 年内全部投运。

参 考 文 献

[1] 周民,姚维达,张毅,等.H9000 计算机监控系统的新版本.水电自动化与大坝监测,2002(4)

鲁布革电厂闸门监控的设计与改造

蒋克文　朱　祥　蔡晓峰

（江苏省南京市国电电力自动化研究院）

1 引言

鲁布革水电厂位于云南省罗平县，其坝上共有闸门12扇，于坝上左侧设有集中控制室，坝顶离厂房二十多公里，设有微波通道。右泄工作门为一弧形泄洪门，开度为10.5m，双电机式单缸液压启闭机，两台电机功率均为55kW，互为备用，闸门启闭机离集中控制室约800m。

右泄工作门的原有控制方式分为现地级和集控级两级，现地级控制由主令控制器返回的硬接点实现定点自动控制和下滑自动提升；集控级控制只是用硬线将控制按钮移至集控室而已。这种控制方式主要存在以下问题：控制方式简单、原始，二次接线异常复杂；自动化组件老化，主令控制器的返回接点位置不准或触头氧化、中间继电器损坏都会导致可靠性难以保证；集控级的控制引线过长，难以维护且易遭雷击；闸门控制系统智能化程度低，无法与其他系统进行通信，成为信息的孤岛。

这些问题给电厂闸门的运行和维护带来极大的不便。随着"无人值班、少人值守"和"创一流电厂"要求的提出，用户对闸门控制和管理的自动化水平提出了更高的要求。

2 设计思想及原则

鲁布革电厂闸门监控的设计综合考虑了闸门的实际运行情况，本着技术先进、安全可靠、经济实用的原则，将计算机监控系统与闸门的集散式控制方式结合起来，针对电厂现有的条件，提出了符合电厂闸门实际运行、维护要求的设计方案，其设计方案如下：

（1）闸门集控中心、闸门开度的采集以及现地电气执行机构采用现场总线网络形式进行连接。为避免雷击，闸门启闭机至集中控制室的通信线路采用光纤。

（2）闸门开度传感器采用 P+F 公司带有 PROFIBUS 接口的总线式绝对值编码器，它的传输距离较远，单圈分辨率达12位，圈数可达13位，通过总线通讯还可设定它的计数方向、分辨率、圈数、预设定值、参考点偏移等，选用这种传感器减少了中间环节，增加了系统的可靠性。

（3）远程访问与控制采用现有的微波通道，应用方式为电话线连接。

（4）保留现有的主令开关，作为手动开度指示和自动控制的备用反馈。

（5）为确保液压启闭机的安全，在更换原升降压力指示及接点输出的基础上，增加一个压力传感器用于后备保护，并在上位机实时显示压力值。

（6）为保证闸门动作的安全性，软件作多重保护措施，并安装极限行程保护开关。

（7）系统配置和设备选型符合标准化的要求，既便于功能和硬件设备扩展，又能保护用户投资,监控软件在满足开放化、智能化、网络化、人性化的同时,进一步加强了实时诊断、故障记录、报表输出等方面的功能,闸控系统还为其他系统的接入留有标准的接口。

3 系统结构及配置

根据电厂管理、生产过程的要求,系统采用分层分布式结构,包含远控级、集控级、现控级三层。远控级与集控级采用现有的微波串行网络互相连接,两端均配置高性能的工业计算机,远控级接入电厂中心局域网,可以方便地与监控系统、水情系统进行通信;集控级采用 MPI 接口连接各控制子站;现控级的 PLC 与闸门开度传感采用总线 PROFIBUS 总线连接。

3.1 远控级

远控部分由一台美国 ICS 高性能的工业计算机及相关网络设备构成,远控级实时采集现场数据,对闸门运行的各个参数进行巡回检测、数据处理、逻辑判断、报表输出、控制计算及报警处理等,在获得集控级授权后,远控可发出闸门升降、急停等控制命令。远控级有自己独立的历史数据库,包含有参数、数据、状态、报警等信息。同时,由于远控级接入了电厂中心局域网,可以将闸门监控与机组监控、水情测报、MIS 系统连为一体,为电厂实现水库经济运行创造了条件。

3.2 集控级

集控级由一台美国 ICS 高性能的工业计算机、在线式 UPS、打印机、网络设备等组成。集控级作为系统采集、控制及数据服务器,所有的控制信息与数据信息都由其统一管理、分配,提供各种应用服务,响应远控客户端的请求,执行相应的任务,并对相应的数据进行处理,同时与现控级的 PLC 实时交换信息。

3.3 现控级

现控级采用 SWK2000 闸控系统现地控制单元。该现地控制单元体系吸收了可编程控制器、智能 I/O、现场总线、电气控制等诸多最新技术,成为新一代智能 LCU,它主要由可编程控制器、智能控制设备、闸门开度显示设备、微电脑综合保护器、传感元件以及相关网络通信设备组成。本套系统具体配置大致如下:空气开关、真空接触器、热继电器、西门子 S7 - 300 型 PLC（CPU:S7 - 315 - 2DP,DI:16×2,D0;16×1,AI:4×1,AO:2×1）、光电收发器(ADAM4511)、微电脑综合保护器、闸门开度传感器、升降压力传感器等。

现地控制单元是直接的控制和数据采集单元。作为控制子站完成对闸门的开度、升降油压的压力、油压过高、电机的过流过载缺相、手自动以及各个主回路电气元件的动作返回信号等的采集工作,其采集周期小于10ms,同时控制两台电机的启停及三位四通阀、溢流阀的接通与关闭;现地控制单元能够实时显示闸门位置信号、电机电流以及有关设备状态;将采集的电气量进行工程值变换(闸门开度的非线性校正)和预处理(采样滤波)后上送现地监控主机;同时对采集的数据进行越限比较、速率比较,及时将越限情况及闸门的失速和卡滞状态送往监控主机并直接进行控制。最后,现地控制单元是一个独立的智能单元,在上位机出现故障时,能够保证闸门的正常运行。

4 软件功能

作为系统核心,控制中心监控软件承担闸门控制系统网络管理、安全管理、控制与监测、查询服务、数据处理及信息传输等多项任务。

4.1 数据采集和处理

接收各现地监控单元发送的检测、操作和事件数据,存入实时数据库,用于画面更新、控制调节、趋势分析、记录打印、操作指导及事故的记录和分析。数据采集可以周期性进行,亦可由操作员或应用程序发命令采集当前任何一个现地监控单元的过程输入信息。

数据处理功能包括:计算各闸门泄洪流量并进行统计;水位→流量→开度的相关计算;进行数据编码,校验传输误差及数据传输差错控制;生成各种数据库如日常报表、报警报表、趋势曲线等,供显示、对话、打印、检索等使用;对重要监视量如上下游水位、闸门开启高度等进行曲线显示。

4.2 监视和控制

监控主机通过界面和菜单的选择,对闸门的主要运行参数、检测量、统计量、故障、状态以数字、文字、图形、表格、曲线等形式进行动态显示;对操作过程进行监视,监视过程中的主要参数变化及状态变化。监视的主要内容有:闸门运行状况,空气开关、真空接触器热继电器及其他重要运行参数如水位、闸位、流量以及升降油压等。在出现越限、故障、事故时,报警并自动推出相关画面,并通过颜色的变化、信号灯的闪烁等形式来报警。

运行人员通过 CRT、键盘、鼠标等,对被控对象进行调节和控制。任一控制设备在界面上的图形均为控件,操作员通过鼠标点击、键盘操作即可弹出控制模拟图和操作单。控制的主要内容有闸门启动和停机。当发生过程阻滞或开度反馈异常时,可给出阻滞、异常的原因及事故处理指导性画面供运行人员确认,并将闸门等设备切换到安全运行状况。

4.3 记录和打印

系统具有记录和打印功能。定时打印记录:分别按时、日、月时间段要求,打印运行记录报表。操作记录:将所有操作自动按其操作顺序记录下来,包括操作对象、操作指令、操作开始时间、执行过程、执行结果及操作完成的时间、操作员的姓名等。报警记录:将各种报警事件按时间顺序记录,包括发生的时间、内容和项目、恢复时间,生成报警事件汇总表。

4.4 通信控制

系统具有以下通信功能:闸门监控远程主机或集控主机通过网桥或其他网络通道,与上级通信;闸站监控系统与机组监控、水情测报互相交换数据,采用标准的数据接口以及开放的通信协议;预留与其他闸控子站的通信接口。Web 服务功能,被授权的使用者可以进入 Web 服务器查询各种资料。

4.5 闸门运行管理

闸站现地监控主机具有以下运行管理功能:累计闸门开停次数、本次开机运行时数、累计开机运行时数、闸组停机时数、闸组检修退出时数;运行操作指导和事故处理指导,根据主设备状态和控制要求,显示运行操作和调整的指导性画面,供运行人员确认执行;在闸站主设备出现异常和事故时,提出对策和事故处理的指导性意见供运行人员确认执行或参考。

4.6 系统诊断

系统设备硬件故障诊断包括对主计算机外围设备、通信接口、通道等进行在线和离线诊断,故障点的诊断到模板级。当进行系统在线诊断时,不影响计算机监控系统对闸站设备的监控功能。

5 结语

2003 年 4 月,SWK-2000 闸门控制系统在鲁布革电厂投入运行,通过了厂方的验收,并经过一个汛期的考验,动作正确率达 100%。厂方认为,该控制系统的改造,有效提高了闸门控制的自动化水平,为电厂实现水库经济运行创造了条件。

农村小水电站新型配套设备

徐锦才

（水利部农村电气化研究所）

1 前言

我国小水电资源非常丰富,小水电具有分散开发、就地供电、发供电成本低的优势,全国近1/2的地域、1/3的县和1/4的人口主要靠中小水电供电。但多数小水电站沿袭几十年来的一贯模式,采用常规设备与技术,自动化程度低下;辅助设备元器件繁多、体积庞大、操作复杂、维护困难,发挥不了应有的生产效益。特别是农村小型水电站(AC400V 630kW及以下低压机组)为降低造价,水轮机操作器和发电机励磁设备十分简易,自动化程度相当低,运行成本高。

随着新技术、新材料、新工艺在传统小水电站中的应用,特别是自动化技术在小水电站的推广应用,发现原有的水轮发电机组配套的操作器、励磁设备存在与自动控制不匹配的问题,如果采用微机型的调速器和励磁系统,往往价格很高,不适合在农村小水电站推广。为此,水利部农村电气化研究所以"经济实用、安全可靠"的原则,研制了小水电站新型配套设备,包括TC型(弹簧蓄能型)水轮机操作器、HPU液压控制柜(氮气罐储能)和新型防雷与抗干扰装置。这些新型设备与电站自动化系统配套使用,可以降低系统造价,更好地发挥自动控制性能,特别适用于经济与技术相对落后的广大农村小水电站。

2 TC型水轮机操作器

2.1 TC型水轮机操作器工作原理

TC型操作器由电机(或手摇)驱动,经传动机构和蓄能弹簧推动接力器活塞,使机组开机停机、整步并网、增减负荷、稳定运行。开机时,接力器内蓄能弹簧增大压缩,蓄能待发。当远方按紧停按钮时,电磁控制机构失压,滚轮传动脱扣机构迅即动作,蓄能弹簧推动活塞按"调保计算"要求先快后慢自动关机;如在机旁按紧停操纵杆,就同YT型调速器手动操作紧停杆一样,导水机构迅即按"调保计算"要求关闭;当接到各类事故信号(包括定子三相短路)时均能失压脱扣,自动关机。关机时间可根据不同电站"调保计算"要求,在2～28s内整定。在无电源的情况下,同小型调速器失去油压一样,可手动开机升压后即改电动操作(失去油压的小型自动调速器只能靠大手轮操作),而紧急关机则不必手扳,仍可同有油压时的小型自动调速器一样,能自动紧急关机。显然,TC型水轮机操作器除自身无自动调节功能之外,所有功能与小水电站普遍采用的YT型自动调速器完全一样,而相对于油压突然消失时的自动调速器来说,TC型操作器更为安全可靠。该设备与农村小水电站自动控制系统配用后,即具备自动整步并网及自动调频的功能,非常适合于以并网带基荷为主偶尔要单机调频或参与调频运行的机组。

由于 TC 型操作器结构简单,安装、检修、调试均十分方便,一般的电站机修工均可胜任;无油泵;耗电省,节能效益非常显著;相对配用自动调速器而言,可省去飞摆电源及微电机控制保护等设施,简化了机电设计,减少了厂房面积,降低了电站造价。

2.2 TC 型水轮机操作器与 TT 型自动调速器和电手动"调速器"的比较

三种调整器的比较见表1。

表 1

项目	TC 型水轮机操作器	TT 型自动调速器	电手动"调速器"
自动化程度	有自动紧停机构,也可在机旁手控紧停	无自动紧停机构,只能在机旁手控紧停	无自动紧停机构,只能在机旁手控紧停,失电时只能手动停机
安全可靠性	当强行手动关至空载开度后,利用滚动脱扣机构的结构特点,可确保强力再加不到受阻导叶上,可避免或大大减少导水机构的损坏	强行手动关机易造成导水机构损坏及水轮机效率下降的损失严重	强行手动关机易造成导水机构损坏及水轮机效率下降的损失严重
接力器关闭规律和调保关机时间	由蓄能弹簧关机时的衰减特性所决定,呈先快后慢近似两段关闭规律;调保关机时间可按实调整	直线关闭,调保关机时间可按实调整	直线关闭,调保关机时间恒定,不能按实调整
检修调试	方便	须专人检修调试,不方便	方便
运行人员配置	有可靠的机械储能机构,可自动紧停,不需一机一人值班	自身无自动紧急关机功能,只能一机一人配置	自身无蓄能装置及自动关机功能,只能一机一人配置
价格	中	高	低

可见,利用滚动脱扣机构这一接触传动的特点,TC 型操作器还可解决农村水电站运行管理工作中一个带普遍性的难题,那就是水轮机导水机构易变形损坏,水轮机效率下降损失严重的问题。由于农村电站水轮发电机组容量往往较小,一般在 500kW 以下,导叶连杆机构多不设剪断销。当采用全手动关机遇木石卡阻时,运行人员多采用强力(用加力杆、脚踩、两人扳等)关闭办法,机组虽然停下来了,导叶却已变形,或者导叶拐臂断裂而被迫停机检修,这类故障次数越多(在农村水电站中常见),导水机构损坏越严重,水轮机不对称入流现象也越严重,机组效率下降就越大,而 TC 型水轮机操作器当强力关至空载开度后,上述接触传动的结构特点,可确保强力再加不到受阻导叶上,可避免或大大减少导水机构的损坏,这是其他水轮机控制设备所不具备的。

3 HPU 液压控制柜

3.1 工作原理

HPU 液压控制柜部分,在功能上相当于常规设计中的电液调速器。液压控制柜采用工作于脉冲状态的直流电磁阀，通过控制高压油路的通断，直接推动导叶接力器。装置内无任何机械传动机构，避免了机械杠杆的死区及卡死现象，可靠性和稳定性高。气囊式蓄能器的采用，省却了电站的高压气系统，既节省了投资，又方便了维护。在结构上，整个装置布置紧凑，体积小，重量轻，维护方便。装置与接力器之间采用软管连接的方式，使得柜体可布置在机旁任意位置，并方便于移动。

正常开停机时，控制系统发出控制信号控制液压控制柜上的开停机电磁阀，接通系统中的开/停机回路，高压油推动接力器，打开或关闭导叶。当机组系统发生事故时，由发电机/水轮机保护模块发出信号，动作于紧急停机电磁阀，使机组紧急停机。

3.2 结构组成

装置主要由以下几部分组成：紧急停机电磁阀、控制电磁叠加阀、油泵、电机、气囊式蓄能器、过滤器、压力传感器、油箱、电气控制等。

HPU液压柜采用分布式结构，油箱与控制阀组等集中于一个封闭的柜体内，柜门上可以用钥匙锁住。避免了一些非运行人员的不当操作，使内部设置改变，而导致液压柜的电磁阀等误动作的事故。

在布置上，箱体采用上中下三层的结构，下层为整体的油箱，油箱面上的液位计可以直观地看到油箱的油位，液位发讯器在低油位时可发出报警信号，卧式油泵置于箱体上，与油箱上的电机连成一体，提供系统的高压油。中层的阀块组和滤油器等形成控制回路，高压油通过软管对接力器进行控制。蓄能器里储存高压油为接力器的操作电源，可根据需要与减少尺寸的要求布置在箱体的侧面或正面。上层为油泵控制系统电气设备，完成油泵的自动启动和停止。

3.3 调试及维护

液压控制柜的调试按以下步骤进行：

(1)对蓄能器进行预充气。使用专用的充气装置把高压氮气罐和蓄能器连接，对蓄能器进行充气，使得蓄能器内的压力达到设计值。

(2)工作压力的整定分为正常工作压力和事故停机压力。

(3)开停机时间的整定。蓄能器充油完毕后，调节正常开停机节流阀，使得正常开停机时间在规定的范围内，一般在40～60s。

(4)紧急停机时间的整定。充油完毕后，调节紧急停机节流阀，使得紧急关机时间在调保计算规定的范围内，一般在4～7s。

在调试之前，进行开停机操作，排空管道内的空气。为使液压柜可靠地运行，液压柜内部的节流阀、液控单向阀、压力继电器、溢流阀等一旦整定之后，就不要任意地进行调节，特别是回油截止阀在正常情况下，不得打开，以免蓄能器内的高压油流回油箱，造成系统失压。在使用过程中，如发现过滤器报警，则应更换滤芯。液压柜内使用30号透平油。

4 新型防雷与抗干扰装置

随着计算机技术的发展，水电站已越来越多地采用计算机控制系统，典型的应用有水电站计算机监控、微机调速器、微机励磁装置、微机保护等，而水电站现场雷击与干扰都比较严重，一旦现场干扰进入微机将严重影响微机运行，甚至产生误动作，引起事故。所以，计算机控制系统应特别注意抗干扰问题。

通过多级能量泄放模块将雷击或操作过电压引起的暂态干扰中的大部分能量吸收泄放入地,而快速限压模块主要是及时削减干扰电压,以免高电压冲击造成计算机和通信系统内集成块永久性损坏。合理选用气体放电管、压敏电阻、抑制二极管和半导体放电管等避雷器件,并进行有效组合,可以有效地保护计算机与电信设备。特别是抑制二极管(简称 TVS)的两极受到反向瞬态高能量冲击时,它能以 $10\sim12s$ 量级的速度,将其两极间的高阻抗变为低阻抗,吸收高达数千瓦的浪涌功率,使两极间的电压箝位于一个预定值,有效地保护电子线路中的精密元器件,免受各种浪涌脉冲的损坏。它比使用压敏电阻进行浪涌保护优越得多,具有响应时间快、瞬态功率大、漏电流低、击穿电压偏差小、箝位电压较易控制、体积小等特点。

5 结论

随着小水电代燃料生态保护工程的实施,农村小水电站将越来越多地采用无人值班技术和小水电站新型配套设备,从而减少农村小水电站的运行成本,提高电站运行的可靠性。

参 考 文 献

[1] 王国海.水轮机增容改造与新技术的应用.大电机技术,2001(7)
[2] 魏守平.现代水轮机调节技术.武汉:华中科技大学出版社,2002

小水电站经济实用型自动化模式

徐锦才　张　巍　徐国君　俞　锋　熊　杰
（水利部农村电气化研究所）

1　前言

随着农村小水电的发展及农村电气化县的建设,当前有一大批中小水电站进入技术更新换代的改造期。我国多数小水电站沿袭几十年来的一贯模式,采用常规设备与技术,自动化程度低下,发挥不了应有的生产效益。特别是农村小型水电站(AC400V 630kW及以下低压机组)为降低造价,设备十分简易,自动化程度相当低,运行成本高。如果引进国外水电站自动控制设备,一方面价格太高,另一方面技术上存在与国产机械设备不匹配,影响性能发挥并有软件不自主问题,难以满足农村电力低价、可靠的要求。近几年,国内不少厂家开发了小水电站的自动控制系统,但多采用基于PLC的系统集成方式,对经济欠发达的西部地区来说,感觉价格偏高,推广有一定的难度。为此,有必要对小水电站的自动化模式进行研究。

2　国内外概况和发展趋势

发达国家小水电站技术和设备先进可靠,自动化程度高,实现无人值班。发展中国家(除中国等少数国家外)由于经济等原因,小水电站很少采用自动控制技术,即使有也大多从美国或欧洲国家进口。国外小水电站自动控制系统主要有两种模式:一种是"集成型",基于可编程控制器(PLC)的功能分布,通用开放型模式(Off-the-shelf);另一种是"专用型",功能集中专用模式。"集成型"小水电站自动控制系统在发达国家早已普遍采用,技术成熟,但由于价格比较高,在发展中国家推广有一定的难度。近几年来,为了开拓发展中国家市场,不少外国公司开始研究开发适合发展中国家小水电站经济和技术水平的"专用型"自动控制系统,而且各国政府也积极扶持,给予政策和经费上的大力支持。例如加拿大POWERBASE公司,从1996年开始就争取到加拿大政府两期CIDA项目100多万加元的支持,专门用来开发适用于中国小水电的自动控制设备,目前该公司的产品已在我国十多个电站推广使用。中国小水电市场巨大,对发达国家有很大吸引力,中国加入WTO后外国产品的进入,给国内厂家提出了严峻的挑战。从技术角度看,"专用型"产品是专门针对经济欠发达地区开发的,虽然处于起步阶段,技术还不够成熟,但发展的势头很好,市场潜力比较大。

我国小水电站自动控制系统目前基本上沿用大中型水电站模式,即采用"集成型"模式;电站二次设备包括以可编程控制器(PLC)为核心的现地控制单元、同期装置、调速器、励磁装置、保护等设备都是按功能划分的微机型产品,再加上油、气、水、厂用电等辅助设备的自动控制,要实现多种设备的接口与通讯,缺乏标准化规约,系统复杂程度与大型电站相差无几,既增加了用户的投资,也给电站运行和维护增加了复杂性。

3 "专用型"自动控制模式

为解决"集成型"模式存在的投资大、结构复杂、运行维护不方便问题,结合我国小水电的实际情况,采用"专用型"自动控制模式(如图1所示)。

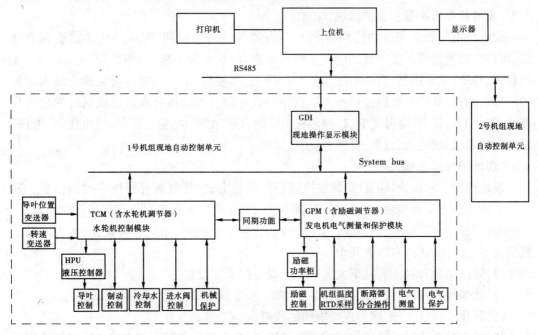

图1 小水电站"专用型"自动控制框图

上位机主要完成全厂运行自动化及其管理,历史数据存档、归档、检索、报表生成,运行操作记录,故障报警,各种画面显示,与调度自动化系统联网等功能。当地控制单元包括机组自动测量、控制、调节、保护和主变、线路微机保护测量、控制等。

机组控制保护单元由三个模块组成,每个模块包括一个高速的微处理机和容错安全回路,带必要的操作软件以控制某一操作功能,每台水轮机/发电机的控制模块都固定在一个标准的控制柜内。每个模块都有接线端子,接线简单,便于维护。一个显示模块固定在控制柜面板上并与柜内的每个模块通讯,提供操作、保护和测量数据显示。一旦所有模块内部连接好并选择了设定参数,系统便可运行。

3.1 水轮机控制模块(TCM)

水轮机控制模块(TCM)具有自动调频功能,完成机组自动开停机、同期并网、运行工况转换、事故停机等逻辑操作功能,故障、事故信号报警功能,完成对导叶开度、转速、前池水位的测量并在现地显示,完成机组调频及负荷调整功能。

采用液压装置代替自动调速器,而将原调速器的电子控制部分放在水轮机控制模块(TCM)内,这样就可以大大降低设备造价,液压装置(HPU)由电磁阀、蓄能器、油泵及回油箱等组成,内部无任何机械传动和反馈机构参与调节控制,避免了机械死区及卡涩问题,可靠性和稳定性高;采用氮气蓄能器储能,省却了电站的高压气系统,既节省了投资,又方便了维护,对并网运行电站可选用方向阀,独立运行电站选用比例阀实现 PID 调节。采用液压装置代替自动调速器,可以节省设备的投资,比如一台 1 000kgm 操作功的机组,如选用电液调速器或微机调速器价格在 8 万元左右,而采用液压装置只需 5 万元左右,对机组台数比较多的电站,节约费用也是比较可观的。

3.2 发电机电气测量和保护模块(GPM)

发电机电气测量和保护模块(GPM)具有测量、保护、同期、温度巡检和励磁调节功能,可以实时测量显示发电机的电气参数和状态,包括三相电压、三相电流、有功功率、无功功率、频率、功率因数、有功电度、无功电度等电气参数,还可实时测量反映出输入信号的故障状态;当某些参数超过运行人员选择的设定值,GPM 按要求快速或延时发出信号或跳闸。GPM 带 20 路温度 RTD 检测;GPM 的保护动能包括差动保护、过电压/低电压、低电压过电流、过电流、过频/低频、定子接地等。

3.3 现地操作显示模块

现地操作显示模块(GDI)安装在控制柜的面板上,它接收所有模块实时的信息。通过一个简单的菜单和模块对应的号码,就可实时显示数据并实现对机组的控制功能。

采用"专用型"自动控制模式,由于硬件和软件平台统一,系统结构优化,大大降低了投资成本,其主要优点有以下几个:

(1)通过信息和功能的共享大大减少了设备的重复设置。

(2)预编程软件,模块化结构,备品备件统一,安装维护方便,工程费用低。

(3)简化了设计工作,减少现场电缆的投资和施工量。

(4)强大的自诊断功能使故障处理快速简便,避免了设备厂家繁多造成的责任不清现象。

4 电站实例

安地一级水电站位于浙江省金华地区,于 1965 年 12 月建成投产,是一座以灌溉为主,结合发电、防洪等综合利用的中型水利工程,集雨面积 162km²,年平均径流 1.57 亿 m³,正常库容 6 250 万 m³。电站系坝后式电站,设计水头 42m,年平均发电量 1 086 万 kW·h。原电站装机容量 4×1 250kW。2000 年 11 月电站进行技术改造,装机增至 4× 1 500kW,实现了自动化少人值守的要求。该电站自动化系统采用"专用型"自动控制模式,由下列设备组成:上位中央控制系统选用工控机 1 套,1 号、2 号、3 号、4 号机组测量控制保护屏各 1 面,线路及主变测量控制保护及公用设备控制屏 1 面。上位机和 5 块控制屏均集中布置在中控室。

电站采用自动化系统与采用常规设备相比增加:原常规控制屏由 15 块减少到 5 块,副厂房中控室面积减少 1/3,节省土建改造费用约 5 万元。采用液压操作柜代替调速器方案,4 台机组减少投资 12 万元。电站采用自动化系统后运行人员从原来 24 人减少 12 人,减员后运行费用每年可减少 24 万元。因此,采用自动控制系统在设备整体投资上增加不多,但年运行费用却可以大大减少。

5 结论

随着人们生活水平不断提高,劳动力结构将发生变化,中国劳动力便宜的概念也会成为过去,加上投资主体的改变,越来越多的电站成为股份制或私人企业,为了减少成本,采用自动化达到减人增效也是必然趋势。小水电站自动控制"专用型"模式可以彻底改变我国小水电自动化落后的面貌,为我国即将启动的"小水电站代燃料生态保护工程"提供技术支撑,进一步推动小水电站的持续发展,具有明显的社会效益和经济效益。

参 考 文 献

[1] 程夏蕾.经济实用的小水电自动化技术.小水电,2003(4)
[2] 丁毓山.微机保护与综合自动化系统.北京:中国水利水电出版社,2002

PLC 型转速信号装置的研制

刘时贵

（东方电机控制设备有限公司）

1 概述

转速信号装置属水轮发电机组自动控制系统中不可缺少的关键自动化装置之一，直接参与机组工况转换流程的控制和机组过速保护。随着电力工业的不断发展，机组控制系统对转速信号装置提出了越来越高的要求，推动转速监测技术不断更新换代，从最初分立器件的电子管、晶体管装置发展到集成电路装置和单片机装置，再进一步发展到现在的基于 PLC 技术的装置，功能不断增强，可靠性不断提高，安装使用越来越方便。

可编程序控制器（Programable Logic Controller，简称 PLC）是一种通用型工业控制计算机，以其性能的高可靠性和使用的方便性在工业控制领域得到广泛应用。将 PLC 技术应用于机组转速监测，使得传统转速监测技术存在的若干缺陷从根本上得到了克服，达到这一领域技术的先进水平。

东方电机控制设备有限公司是国内较早开发 PLC 型转速信号装置并获得成功应用的厂家之一，并已将该产品系列化，以满足不同机型、不同用户的的需要。本文简要介绍 PLC 型转速信号装置的有关内容，并对几年来的产品开发成果作一总结。

2 测量原理

机组转速信号源有两种，一种为齿盘信号，另一种为机端 PT 信号。传统的转速信号装置通常只使用其中一种信号源。PLC 型转速信号装置以高性能可编程序控制器为核心，采用双信号源（机端 PT 信号和齿盘脉冲信号）并行输入互为主备用方式，以提高转速监测的可靠性。两路信号源中任意一路信号中断都不会对接点输出信号产生影响，同时发出信号源故障报警信号。该装置可输出多种类型的信号供用户使用，如转速接点信号、爬行报警接点信号、齿盘脉冲输出信号、模拟量输出信号、信号源监视信号等。

PLC 型转速信号装置由 1 套可编程序控制器（PLC）、1 块测频模块、1 块继电器接口电路板以及显示设定屏组成，全部电路集中安装在一个小箱体内。通过 PLC 编程实现对机组转速的监测。测频模块实现对 PT 通道频率信号和齿盘通道频率信号的高精度测量，并将测量结果通过串行口传送给 PLC，PLC 高速计数模块实现对齿盘信号源的脉冲计数。16 点集电极开路输出模块发出各种开关量信号，在该模块上有 8 个指示灯，分 A、B 两挡，选择 A 挡时这 8 个灯对应 1 号~8 号输出接点，选择 B 挡时这 8 个灯对应 9 号~16 号输出接点，当输出接点动作时相应的指示灯亮。模拟量输出模块输出双路 4~20mA 电流信号。CPU 模块实现整个 PLC 的控制与管理功能，用户程序固化在 CPU 模块内。在 CPU 模块上有四个指示灯，装置上电后 PWR 灯亮，装置处于运行状态时，RUN 灯亮，当模块内电池电压偏低时 BATT 灯亮(此时需更换电池,为稳妥起见,更换后请查看各设定值是否发生变化),当 CPU 程序运行出现故障时,CPU 灯亮(此时装置退出运行,所有输出接点处于断开状态)。

继电器接口电路板实现信号的转换,在接口电路板上装有 16 只 PCB 继电器,将 PLC 的晶体管输出信号转换为继电器接点信号。供用户接线的电气端子也集中装在接口电路板上,机端 PT 输入信号接线端子在测频模块上。

双路信号源中的主用信号和备用信号由用户设定,例如,若设定齿盘信号为主用信号,则机端 PT 信号由自动变为备用,反之亦然。所有参数设定均通过显示设定单元来完成。

3 PLC 型转速信号装置的特点

PLC 型转速信号装置是在总结传统装置的应用经验和近年来用户对转速监测提出更高要求的背景下开发的产品,该产品具有以下特点。

(1)装置供电电源:220VAC 或 220VDC,两者择一。传统装置只接受一种电源规格。

(2)转速信号源:双路配置,一路为机端 PT 信号(0.2～220V),另一路为齿盘脉冲信号(方波,幅值 24V),两路信号源可同时输入,也可单路输入。传统装置只接受一种信号源。

(3)转速输出接点:13 路大容量继电器 SPST 常开接点输出,每路输出信号可独立整定,整定项目包括使能选择(使能/禁止)、动作方式选择(升速动作/降速动作)和动作值设定。传统装置一般只有 6 路输出接点,且动作方式是固定的,用户不能改变。

(4)机组爬行报警接点:1 路继电器 SPST 常开接点输出。传统装置不具备此功能。

(5)转速信号源故障报警输出接点:2 路继电器 SPST 常开接点输出,其中一路对应机端 PT 信号源,另一路对应齿盘脉冲信号源。传统装置不具备此功能。

(6)转速模拟量输出:2 路共阴型 4～20mA 电流输出,每路皆线性对应 0～200% Nr,负载电阻不大于 600Ω。传统装置最多只提供 1 路模拟量输出信号。

(7)脉冲量信号输出:1 路齿盘脉冲信号输出(方波),输出形式为集电极开路型,允许用户施加的电压范围为 5～30VDC,输出的脉冲频率与对应的转速传感器信号源频率一致。传统装置不具备此功能。

(8)显示设定:通过显示设定屏实现现地显示和设定功能(中文界面),显示内容包括机组转速(RPM)、机组频率(Hz)、机组最大频率上升值、机组过速发生时间(日时分秒)、机组开停机次数、转速输出接点动作、机组爬行报警信息、PT 信号源中断报警信息和齿盘信号源中断报警信息。设定内容包括转速接点使能设定(使能/禁止)、转速接点动作方式设定(升速动作/降速动作)、转速接点动作值设定(设定范围 0～200% Nr,采用百分比值,Nr 为机组额定转速)、机组爬行报警使能设定(使能/禁止)、爬行上限值设定(0～5% Nr)、测速齿盘齿数输入、机组额定转速输入(RPM)、发电机极对数输入、机组齿盘额定频率输入、齿盘信号源/PT 信号源主备用设定。传统装置显示设定功能单一,一般为数码管加指示灯和按钮,使用不直观,信息量十分有限。

(9)高可靠性:PLC 型转速信号装置有多种措施保证其可靠性,首先,采用双信号源,任意一路信号源中断,装置均能正常运行;其次,是主辅功能分开,即使测频模块和显示设定屏均故障,装置仍能正确发出转速接点信号;第三,装置设有口令保护,避免非授权修改设定参数。

(10)测量精度高:PLC 型转速信号装置能达到 0.05% 的测量精度,远高于国家标准规定的 1% 的测量精度。

4　操作示例

操作显示屏的应用使得 PLC 型转速信号装置的设定直观方便,现以转速接点设定值为例说明。

(1)欲使用 2 号转速接点,要求当转速小于或等于 25% 额定转速时接点动作(闭合)。设定方法如下:

按[SET]进入参数设定画面,使用[↓]、[↑]找到画面:

```
        2#接点使能/禁止          01
   MAX        1   MIN         0
```

使用[→]、[+]输入 01,选择 2 号接点使能,设定完成后按[ENT]确认,自动进入下一画面:

```
        2#接点开速/降速          00
   MAX        1   MIN         0
```

使用[→]、[+]输入 00,选择 2 号接点降速动作,设定完成后按[ENT]确认,自动进入下一画面:

```
        2#接点动作整定值          025
   MAX       200   MIN         0
```

使用[→]、[+]输入 025,表示当转速≤25% Nr 时接点动作,设定完成后按[ENT]确认,自动进入 3 号接点设定画面。至此,2 号接点的设定全部完成。

(2)欲不用转速接点 3 号,设定方法如下:

按[SET]进入参数设定画面,使用[↓]、[↑]找到画面:

```
        3#接点使能/禁止          01
   MAX        1   MIN         0
```

使用[→]、[+]输入 00,选择 3 号接点禁止使用,设定完成后按[ENT]确认,自动进入下一画面。只要选择了禁止使用,则 3 号接点升速/降速动作选择和动作整定值设定均无效。

5　参数监视

PLC 型转速信号装置具有完善的参数监视功能,简介如下。

按[MON]进入参数监视画面：

机组转速(RPM)	0.0
机组频率(Hz)	0.0

该画面显示机组转速和频率的实时值，按[↓]，显示监视画面：

最大频率上升值	58.6
机组过速发生时间	11091523
机组开停机次数	15

该画面显示出装置自动记录的机组最大频率上升值(58.6Hz)和机组过速发生的时间(11日9时15分23秒)，该参数一直保持，直至新的过速事件发生。机组过速发生时间记录格式为日时分秒各占2位数字。装置自动记录机组开停机次数，最大累加次数为9 999次。

按[ALM]亦进入参数监视画面，显示转速信号装置各接点的动作情况，例如，在停机状态下显示：

1♯接点动作	f=	0.0
2♯接点动作	f=	0.0

该画面显示出装置的1号、2号接点已经动作，机组当前频率为0Hz。按[↓]，可查看其他接点的动作情况。如果接点未动作，则画面上无显示。

6　结语

PLC型转速信号装置研制成功以来，已先后应用于数十台大型水轮发电机组的转速监测，取得了良好的效果。当今水电行业正蓬勃发展，迄今为止，该装置仍能满足不同用户的要求。但技术进步是无止境的，该产品仍将随着技术的发展而不断完善。

内蒙古绰勒水电站电视监视系统设计

郭 江

（天津水利电力机电研究所）

汪 慧

（湖北省黄冈市水利局）

1 概述

随着社会经济和科学技术的飞速发展,特别是计算机网络的发展,各行各业对安全技术防范的要求也越来越高,并建立了各自独立的闭路电视监视系统或联网报警系统。在银行、通讯、电力、水利等国家重点部门,联网报警网络已基本形成,对预防和制止犯罪、维护社会经济的稳定起到了重要作用。计算机系统的应用、普及,网络通讯技术、图像压缩处理技术以及传输技术的快速发展,使得安全技术防范行业能够采用最新的计算机、通讯和图像处理技术,通过计算机网络传输数字图像,可为实现远程图像监视及联网报警系统提供高效可行而且价格低廉的解决方案。根据"实用性、可靠性、先进性和经济性"相结合的设计原则,以及工程实际对电视监视系统的要求,对内蒙古绰勒水利工程水电站、溢洪道、大坝、GIS站等各个重要环节和区域进行 24 小时全方位监视,通过实施电视监视系统,对水利工程实现数字化、智能化的内部管理,有效保障了该工程的安全运行。

2 设计原则

(1)实用性和可靠性的原则。在电视监视系统设计和实施工程中,首先考虑的是实用性和可靠性,遵循面向应用、注重实效、急用先上、逐步完善的原则,以确保使用的技术及设备成熟可靠,在整体设计时关键部位还必须有充足的备份措施,对于重要的网络部位应当采取先进可靠的容错技术。

(2)先进性原则。系统建设要适应行业发展,充分考虑水电工程的特点,在整体设计、设备配置、通信方式、管理方式、维护方式等方面具有一定的先进性,在采用国际标准的同时又是成熟的技术。系统具有良好的可扩展性,充分保证今后增加的新设备和新功能可以方便地与原有系统相结合。在满足实用性原则的基础上,结合水利工程的实际情况,选用先进的设备、优化的结构、综合布线方式及多媒体控制技术,力争将系统的技术水平定位在一个高层次上,以适应新世纪现代水利发展的需要。

(3)经济性原则。在完成系统建设目标的基础上,力争用最少的投资,取得最大的效益。在网络设计、设备选型上,采用高性能价格比的方案和设备,不仅使资金的投入、产出比达到最大值,而且要降低整个系统的运行成本,以较低的人员与资金投入来维持系统的正常运行。在网络的建设中,应在总体方案设计、结构化布线、设备安装过程中,尽量利用已有设备,并保证对已有系统不加改进即可顺利入网。如必须对已有系统更新、升级等,应尽可能在不影响业务的前提下减少改动内容,保护原有投资。

(4)标准化原则。电视监视系统设计应遵循"功能齐全,技术先进,实用可靠,扩展性好,有利管理,投资合理"的原则,完全符合中华人民共和国公安部有关条例和规范,即GA/T75—94《安全防范工程程序与要求》,GA/70—94《安全防范工程费用概预算编制办法》,HYD41—01—1999《电子设备安装工程费用定额》,GA/T38—92《风险等级和防护级别的规定》。系统中所采用的布线设计、通信协议、系统设备及布线材料都符合国际标准、国家标准、工业标准和各类标准及相关行业标准;符合 ISO/IEC11801 综合布线标准及CECS:72/97《国家建筑与建筑群综合布线系统设计规范》;网络系统硬件设备选型、施工、安装符合 ISO9002 标准及 GB50198—94《民用建筑闭路监视电视系统工程技术规范》,JGJ/T16—92《民用建筑电气设计规范》,GBJ232—82《中国电气装置安装工程施工及验收规范》,CECS 72.95《建筑与建筑群综合布线系统工程设计规范》等。

3 系统组成和功能

3.1 系统组成

本监视系统为闭路电视监视系统,主要由前端设备、传输设备、主控设备和显示设备四大部分组成。前端设备由安装在各监视区域的摄像机、镜头、防护罩、支架、云台等组成,负责图像和数据的采集及信号处理;传输设备包括同轴电缆和信号线缆,负责将音、视频信号传输到机房的主控设备;主控设备负责完成对前端音、视频信号进行压缩处理、图像切换、云镜操作等所有功能项的控制;显示设备主要是显示器,用以实时显示系统操作界面、监视区域图像和回放存储资料。

3.2 系统功能

3.2.1 主控室

主控室具有以下功能:

(1)可实时显示任意一路或多路监视点的影音信息,进行实时监测。

(2)可对任一路摄像机的显示效果、录像速度进行设置,以达到最佳效果。

(3)可对某一路或某几路重要监视点进行多种模式的存储录像。

(4)重要录像资料可以转为 AVI 格式备份和播放。

(5)可对录像资料进行多种智能检索和回放。

(6)可任意控制前端云台和摄像机镜头,选取最佳角度和距离监测现场情况。

(7)具备强大的联网功能,可将分厂各路监视信号远传到集团总部的主控中心。

(8)还具有报警侦测功能,实现报警联动录像功能和电子地图功能(该项目中暂无报警功能要求,可作为今后系统功能扩充用)。

(9)详细功能请参见设备选型中数字硬盘录像主机的功能介绍。

3.2.2 分控端

分控端具有以下功能:

(1)通过网络和分控软件可以调看各个监视点一路或几路监视点的影音信息。

(2)通过网络和分控软件可远程控制各监视点的云台和镜头,摆脱地域限制。

(3)可登陆到分厂的监视主机,任意查看以前录像资料。

(4)可对分厂前端摄像机的色彩、对比度、饱和度等进行调整。

3.2.3 监视系统的超值附加功能

该监视系统不仅可以实现普通监视系统具备的实时监看、云镜控制、数字录像、网络传输等功能,还可以利用系统提供的其他功能进一步加强集团管理,使建成的整体监视系统最大限度地发挥其重要作用。该监视系统的附加功能如下:

(1)在总裁办公室或总经理办公室的计算机上也可安装分控软件,使总裁或总经理无需到主控中心便可直接在各自办公室实时查看各分厂监视信号,节省了时间,提高了管理效率。通过授权和密码设置,可使不同管理层享有不同权限,从而杜绝非法用户的登陆访问,保障系统安全。

(2)总裁或高级管理人员如异地差旅,只需通过笔记本电脑或普通计算机上网,直接通过 IE 进行浏览,而无需分控软件,增加了网络访问的灵活性。

(3)在各分厂主控室选用的数字硬盘录像主机本身还具有报警输入、输出功能,通过该功能,可在各重要周边区域安装报警探测器进行夜间防盗入侵探测,若夜间有人闯入,触发报警探测器,报警信号随即传到分厂主控室的录像主机上,主机发出指令可开启前端摄像机灯光照明,并启动录像联动录像,同时数字硬盘主机还将报警信号以警号、闪灯等声光形式输出,向保安人员告警,保安人员可通过主机上的电子地图迅速查明报警区域,以及时采取行动,避免财务损失。

(4)对重要的监视点,除了监测、存储视频信号,还可采集、同步存储音频信号,更加便利以后的资料查证(但该功能的使用受环境限制较大,如室外空旷环境或声响较嘈杂的地区,监听效果不理想)。

(5)多种备份方式,如硬盘、光盘刻录等,还可将重要图片通过喷墨打印便于直接取证。

3.3 系统技术要求

系统技术要求包括以下几方面:

(1)设备平均无故障时间 $MTBF$ 大于或等于 20 000 小时。

(2)计算机平均无故障时间 $MTBF$ 大于 20 000 小时。

(3)监视器符合 UL 认证标准和 FCC 的 A 等级限制规定。

(4)摄像机符合 UL1409 安全标准和 FCC 的 A 等级辐射标准。

(5)探测器符合 UL 认证标准并通过中国公安部标准检测。

(6)监视图像质量按"五级损伤标准"评定不低于 4 级。

(7)复合视频信号幅度 $lv_{p-p} \pm 3dB$。

(8)彩色电视水平清晰度 >380TVL。

(9)信噪比 ≥37dB。

(10)灰度 ≥8 级。

4 系统设计

4.1 监视点设计

系统共设置 12 个监视点,其中电站上下游的两台摄像机和溢洪道及大坝的四台摄像机均采用彩色转黑白日夜两用型摄像机和室外全方位云台、全天候防护罩;在 GIS 站、电站室内使用摄像机 6 台,采用固定安装方式,全部为室内安装。

所有摄像点设置均按照系统框图所标示的要求,符合系统安装标准。6 个云台安装摄像机分别安装在电站上下游(两个点)、溢洪道(两个点)、大坝(两个点),采用昼夜型一体化,可根据环境光线变化将彩色模式自动转化为黑白模式,以取得更好的采集效果,摄像机内置十八倍二可变电动镜头可随意放大或缩小范围,以取得最佳的监视距离;室外全方位云台可上下 0~90°,水平 0~355°全方位旋转,保证最佳的监视角度;室外全天候防护罩具有风扇和自动恒温控制,可保护摄像机的正常运行,延长摄像机寿命;室外 30m 红外光源,即使在漆黑的夜里也能监视到所发生的情况;其余 6 路室内监视点采用固定安装方式,分别安装在 GIS 室(1 个)、电站安装间层(2 台)、电站高低压室(1 台)、电站水轮机层(1 台)、液压站(1 台),用于监测整个电站的工作状态。选用高解析彩色枪式摄像机配以自动光圈镜头,可适用于室内各种环境下的监视要求。

4.2　产品选型

为了满足水电工程安全防范系统的需要,达到设备性能优良、质量可靠、价格合理的要求,通过对目前国内技术先进的主流保安监视产品的调研,综合其性能价格比、返修率,结合安全防范工程的要求等诸多因素的对比,择优组成优化系统。

(1)前端设备摄像机是指以公开方式安装在现场的摄像系统,包括 CCD 摄像机、镜头、防护罩、支架等,是整个系统的"眼睛",它把监视的内容变为图像信号,传送到控制中心的显示器上。摄像机的好坏以及它产生的图像信号将影响整个系统的质量。因此,摄像机的指标应高于整个系统的指标,该部分的选择是直接决定系统图像清晰稳定的关键,同时又是系统中使用最易损的设备,对该类器材选择必须满足:①器材技术指标要求,能适应多种环境要求;②器材价格相对低廉,性能价格比高。在器材正常磨损(如录像机磁鼓、马达)、失效(如监视器显像管)时,其备件供应充分、更换简便。

(2)传输设备。传输系统承担视频图像信号、报警信号和控制信号的传送。根据设计要求,监视系统中距离较近的 10 路信号采用先进的单一视频线传输视频信号和控制信号的传输方式,每个监视点与控制室之间通过一根视频线、一根电源线、一根控制线连接。距离超过 800m 的 2 个监视点需用光纤传输,这样可保证监视点的图像传送清晰,色彩纯正。长距离视频收发装置之间的线缆选用 2 芯光纤,光线传输视频信号需通过两端的光端收发器进行转换。由于光纤传输的不仅是视频信号,还要传输控制信号,因此光端机的选用应选择兼带视频和反向数据的光端机,才能实现监视和控制要求。系统结构图见图 1。

(3)主控设备。网络设计和设备选型应具备实施安装方便、配置方便等特点,尽可能采用先进的、直观的管理手段,能够合理配置、均衡和调整网络资源,监视网络运行状态,控制网络运行。网络分控计算机(可利用原有办公计算机),网络分控计算机通过宽带网络和 IDRS‐3316S 数字硬盘录像机联网,通过执行 IDRS‐3316S 数字硬盘录像机客户端程序,可以实时监视被授权监视区域摄像机图像,控制云台和镜头,并能检索主机硬盘记录的图像资料。

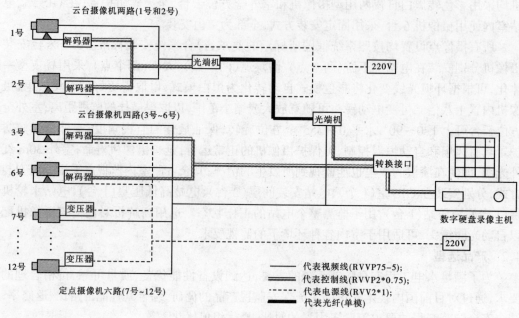

云台摄像机两路(1号和2号)

1号 解码器
2号 解码器
光端机
220V

云台摄像机四路(3号~6号)

3号 解码器
6号 解码器
光端机

7号 变压器
12号 变压器

定点摄像机六路(7号~12号)

转换接口

数字硬盘录像主机

220V

—— 代表视频线(RVVP75-5);
══ 代表控制线(RVVP2*0.75);
---- 代表电源线(RVV2*1);
▬▬ 代表光纤(单模)

图 1　传输系统结构图

5　建成后应达到的效果

监视系统是依据国家有关条例、规范、标准,结合实际情况,听取了各有关方面的意见,跟踪目前安全防范高科技水平,经过研究、论证后设计制定的。系统建成后,应达到防范有效、性能先进、实用、可靠、操作简单、维修方便、故障率低、寿命长、性能价格比较合理,各项技术指标都达到国家标准。

监视系统具有较强的灵活性,由于采用了标准化的布线方式及设备,便于系统扩容和设备的更新,如可方便地将数字摄像、录像、监视设备接入本系统。

电视监视系统的实施可以大大减少生产调度管理的劳动强度,能及时、准确、直观地对水电站内各主辅运行设备直接进行实时监视,以便及早发现设备运行过程中可能发生的各种隐患,并可解决值守人员在正常巡视中难以观察的部位和目标,确保发电设备的安全运行。

电视监视系统作为水电站全厂计算机监控系统重要的配套设施,在实现电站"无人值班,少人值守"中起着重要的作用。

水电站小型控制系统的 InTouch 数据库解决方案

雷志宏　张文剑

（西安航天自动化股份有限公司）

1 概述

历史数据的查询、报表是上位监控系统的一项非常重要的功能,尽管在上位软件 InTouch 中可以进行历史数据的查询,但操作员使用不够简单方便,而且报表的欠缺一直是令人头疼的问题。其原因是,虽然 InTouch 本身包含的组件 InSQL 能解决历史数据的报表与查询,但是 InSQL 组件需要另外购买,对小型控制系统来讲,这无疑会大大提高工程项目的成本。能不能有一个既能解决历史数据库查询和生成报表的问题,又能节约成本的两全其美的办法呢? 如果我们能结合 InTouch 本身的附带组件 SQL Sever 自己编程,那么就能实现这个想法了。

2 InTouch 配置

以 InTouch 7.11 版本和 VB6.0 在 Windows 2000 运行环境中使用 SQL Server 数据库进行举例。

首先进入 InTouch WindowMaker 界面,双击导航栏中应用程序下的 Alarm DB Logger Manager,单击设置选项,在 SQL Server/MSDE 选择栏中选择对应的服务器名称,单击创建按钮,InTouch 就会自动创建一个数据库,为了保证数据库的可用性,我们在创建数据库之后点击测试连接,测试成功后点击下一步直至完成,这样就在 InTouch 中创建好了一个名为 WWALMDB 数据库(注:此数据库的名称为 InTouch 自身创建的,所以不能进行更改)。其次点击 SPC 下的数据库,在数据库设置的数据库类型中选择 Microsoft SQL Sever,ODBC 数据源中点击修改可以看到 Microsoft ODBC SQL Server DSN 的设置界面,在数据源中设定自己数据源的名称,SQL 服务器选择本地的服务器名,测试数据源,测试成功后,在 InTouch 中的配置就完成了。

3 ODBC 的验证

为了能将 InTouch 和 VB 联系起来必须在 Windows 2000 中对数据源进行验证,打开 Windows 2000 的控制面板,双击管理工具选项, 双击数据源(ODBC)选项,对 ODBC 的系统 DNS 进行设置;因在 InTouch 中已创建了 SQL2000 数据源,对系统数据源进行测试就可以了,如果看不到在 InTouch 中的创建的数据源名称,也可在 ODBC 数据源管理窗口上进行添加,然后再进行数据源测试。

4 VB 编程

以上配置做完之后,就可以对数据库进行编程了,对数据库进行编程的工具很多,在这里使用较容易上手的 VB 来完成这项工作,一般在 VB 中对数据库的操作有两种:一种是通过编写代码完成,另一种是通过 VB 中自带的控件完成。为了能快速地完成任务,使用 VB 控件进行编程。

在非编程方式下,窗体上的约束数据控件如果没有通过 Data 控件或等价的数据源控件(比如 RemoteData 控件)是不能自动访问数据库中的数据的。我们可以通过 VB 提供的 Data 控件来执行大部分数据访问操作,而且不用编写代码。Data 控件在打开数据库时自动创建一个动态记录集,通过对记录集的操作来对表进行记录的增加、修改和删除。与 Data 控件相连接的约束数据控件,自动显示来自记录集当前记录的一个或多个字段的数据。如果 Data 控件被指示移动到另一个记录,则所有被连接的约束数据控件自动把当前记录的任何改变传递给 Data 控件,以保存在数据库中。

对 Data 控件的引用控制可以通过属性窗方便地进行各属性的设置,也可以在过程代码窗中进行属性和方法的设置与引用。

4.1 Data 控件的方法:数据库的简单操作及查询

"方法"可以完成直接利用 Data 控件四个按钮无法完成的功能。Data 控件的方法主要是移动、查找和修改三大类。这些操作是通过 Data 控件初始时所创建的记录集(Recordset)来完成的。

移动类方法类似 Foxbase 中移动记录指针,把所指记录变为当前记录。例如,按 CmdPrevious、CmdNext 命令按钮后对应向前或向后移动记录指针:

Private Sub CmdPrevious—Click( )

Data 1. Recordset. Previous ′把当前记录指向前一个

If Data 1. Recordset. BOF then ′如果已经指向到首记录的前一位置

Data 1. Recordset. MoveFirst ′则要指向到首记录,以防超出记录集

End If

End Sub

Private Sub CmdNext—Click( )

Data 1. Recordset. Next ′把当前记录指向后一个

If Data 1. Recordset. EOF then ′如果已经指向到末记录的后一位置

Data 1. Recordset. MoveLast ′则要指向到末记录,以防超出记录集

End If

End Sub

BOF 和 EOF 也是记录集的两个属性,标识当前记录位置是否在第一条记录之前或在最后一条记录之后。

Find 方法是用来查找记录集中的特定记录,格式为:Recordset. FindFirst 表达式。表达式中可用普通的运算符,也可用 Like 运算符查找匹配某个模式的记录。比如想查询记录集 EVENT 字段中是否包含"EVENT1"代码:

Data 1. Recordset. FindFirst "EVENT LIKE ´EVENT1"

If data 1. Recordset. NoMatch then

MsgBox "无法找到匹配的记录"

Else

MsgBox "已经找到匹配的记录"

End If

NoMatch 是记录集的另一个属性,用来标志是否找到指定的记录,如果指定的记录未找到则值为 True,否则为 False。

4.2 VB 实现 SQL Server 数据库备份/恢复,数据的备份是数据库中重要的一环

编程实例如下:

模块名:fBackupDatabase _ a

描 述:备份数据库,返回出错信息,正常恢复,返回""

调 用:fBackupDatabase _ a "备份文件名","数据库名"

参数说明:

sBackUpfileName 恢复后的数据库存放目录

sDataBaseName 备份的数据名

sIsAddBackup 是否追加到备份文件中

说 明:引用 Microsoft ActiveX Data Objects 2. x Library

日 期:2004 年 05 月 20 日

```
Public Function fBackupDatabase _ a(ByVal sBackUpfileName $ _
                    , ByVal sDataBaseName $ _
                    , Optional ByVal sIsAddBackup As Boolean = False _
                    ) As String


    Dim iDb As ADODB. Connection
    Dim iConcStr $ , iSql $ , iReturn $


    On Error GoTo lbErr


    ´创建对象
    Set iDb = New ADODB. Connection


    ´连接数据库服务器,根据你的情况修改连接字符串
    iConcStr = "Provider = SQLOLEDB. 1; Integrated Security = SSPI; Persist Security
Info = False; Data Source = zj"
    iDb. Open iConcStr
```

```vb
            ′生成数据库备份语句
            iSql = "backup database [" & sDataBaseName & "]" & vbCrLf & _
                  "to disk = '" & sBackUpfileName & "'" & vbCrLf & _
                  "with description = '" & "zj - backup at:" & Date & "(" & Time & ")'" & vbCrLf & _
                  IIf(sIsAddBackup, "", ",init")

            iDb.Execute iSql
            GoTo lbExit


lbErr:
            iReturn = Error
lbExit:
            fBackupDatabase _ a = iReturn
End Function


        模  块  名:frestoredatabase _ a
        描      述:恢复数据库,返回出错信息,正常恢复,返回""
        调      用:frestoredatabase _ a"备份文件名","数据库名"
        参数说明:
                   sDataBasePath    恢复后的数据库存放目录
                   sBackupNumber    是从那个备份号恢复
                   sReplaceExist    指定是否覆盖已经存在的数据
        说      明:引用 Microsoft ActiveX Data Objects 2. x Library
        日      期:2004 年 05 月 20 日


Public Function fRestoreDatabase _ a(ByVal sBackUpfileName $ _
                   , ByVal sDataBaseName $ _
                   , Optional ByVal sDataBasePath $  = "" _
                   , Optional ByVal sBackupNumber& = 1 _
                   , Optional ByVal sReplaceExist As Boolean = False _
                   ) As String

        Dim iDb As ADODB. Connection, iRe As ADODB. Recordset
        Dim iConcStr $ , iSql $ , iReturn $ , iI&

        On Error GoTo lbErr
```

```
'创建对象
Set iDb = New ADODB. Connection
Set iRe = New ADODB. Recordset

'连接数据库服务器,根据你的情况修改连接字符串
iConcStr = "Provider = SQLOLEDB. 1; Integrated Security = SSPI; Persist Security
Info = False; Data Source = zj"
iDb. Open iConcStr

'得到还原后的数据库存放目录,如果没有指定,存放到 SQL SERVER 的 DATA 目
录
If sDataBasePath = "" Then
    iSql = "select filename from master. . sysfiles"
    iRe. Open iSql, iDb, adOpenKeyset, adLockReadOnly
    iSql = iRe(0)
    iRe. Close
    sDataBasePath = Left(iSql, InStrRev(iSql, "\"))
End If

'检查数据库是否存在
If sReplaceExist = False Then
    iSql = "select 1 from master. . sysdatabases where name = '" & sDataBaseName & "'"
    iRe. Open iSql, iDb, adOpenKeyset, adLockReadOnly
    If iRe. EOF = False Then
        iReturn = "数据库已经存在!"
        iRe. Close
        GoTo lbExit
    End If
    iRe. Close
End If

'关闭用户进程,防止其他用户正在使用数据库,导致数据恢复失败
iSql = "select spid from master. . sysprocesses where dbid = db _ id ('" & sData-
BaseName & "')"
iRe. Open iSql, iDb, adOpenKeyset, adLockReadOnly
While iRe. EOF = False
    iSql = "kill " & iRe(0)
    iDb. Execute iSql
```

```
        iRe. MoveNext
    Wend
    iRe. Close


    '获取数据库恢复信息
    iSql = "restore filelistonly from disk='" & sBackUpfileName & "'" & vbCrLf & _
       "with file=" & sBackupNumber
    iRe. Open iSql, iDb, adOpenKeyset, adLockReadOnly


    '生成数据库恢复语句
    iSql = "restore database [" & sDataBaseName & "]" & vbCrLf & _
        "from disk='" & sBackUpfileName & "'" & vbCrLf & _
        "with file=" & sBackupNumber & vbCrLf
    With iRe
      While Not .EOF
        iReturn = iRe("PhysicalName")
        iI = InStrRev(iReturn, ".")
        iReturn = IIf(iI = 0, "", Mid(iReturn, iI)) & ""
        iSql = iSql & ",move '" & iRe("LogicalName") & _
            "' to '" & sDataBasePath & sDataBaseName & iReturn & vbCrLf
        . MoveNext
      Wend
      . Close
    End With
    iSql = iSql & IIf(sReplaceExist, ",replace", "")


    iDb. Execute iSql
    iReturn = ""
    GoTo lbExit


lbErr:
    iReturn = Error
lbExit:
    fRestoreDatabase _ a = iReturn
End Function
```

5 结语

针对水电站中小控制系统的数据库,使用通过 VB 编程并打包成一个可执行的文件,操作员只需输入需要查询的条目、日期,即可自动生成美观简单的报表并进行打印;而且维护非常简单,在文件被损坏时只需点击 SETUP 把打包好的文件自动安装即可,并不需修复或重新编程,特别适合在水电站小控制系统数据库中进行应用。

磁致伸缩位移测量系统在水电站闸门中的应用

雷志宏　黄建平

（西安航天自动化股份有限公司）

1　概述

　　沙坡头水电站位于宁夏中卫，共设六孔泄洪洞，每个泄洪洞设置一扇弧形工作闸门，每套弧形闸门采用 1 套 2×2 000kN 双吊点液压启闭机进行启闭。液压油缸最大行程 8m，工作行程 7.5m。另外南干电站设一扇快速闸门，采用一套 1×250kN 液压启闭机，最大行程 4.3m，工作行程 4m。

　　上述闸门液压启闭机采用了内置磁致伸缩位移传感器，通过位移传感器记录辅助（测量）油缸行程变化并送到 PLC，经 PLC 采集和处理转换成闸门开度、液压油缸位移信号，用于闸门的程序控制。

　　无论弧形闸门还是快速闸门，实现闸门的自动控制，特别是双吊点需要同步纠偏的保护要求，通过辅助油缸测量到的位移是否准确是最重要的一个条件。

2　磁致伸缩位移传感器的工作原理

　　磁致伸缩位移传感器的工作原理如图 1、图 2 所示。它主要由测杆、电子仓和套在测杆上的非接触的磁环或浮球组成。工作时，由电子仓内电子电路产生一起始脉冲，此起始脉冲在波导丝中传输时，同时产生了一沿波导丝方向前进的旋转磁场，当这个磁场与磁环或浮球中的永久磁场相遇时，产生磁致伸缩效应，使波导丝发生扭动，这一扭动被安装在电子仓内的拾能机构所感知并转换成相应的电流脉冲，通过电子电路计算出两个脉冲之间的时间差，即可精确测出被测的位移。

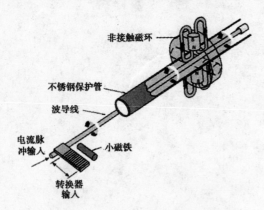

图 1　磁致伸缩位移传感器结构图

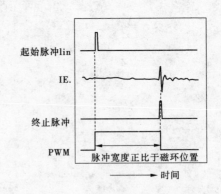

图 2　磁致伸缩位移传感器工作波形图

磁致伸缩位移传感器的特点有以下几个：

(1)非接触式测量；

(2)高精度、高稳定性、高可靠性；

(3)性能价格比高；

(4)使用寿命长；

(5)多种输出方式可供选择；

(6)具有反向极性保护功能；

(7)防雷击、防射频干扰；

(8)结构精巧、环境适应性强；

(9)不需定期标定和维护、安装方便。

3　磁致伸缩传感器在闸门上的应用

沙坡头水电站的泄洪洞液压启闭机由于油缸行程比较大,如果采用等长的传感器进行油缸位移的检测,设备造价高且维护困难。因此,在满足系统要求的前提下,采用辅助油缸的形式对油缸的行程进行检测。

图 3、图 4 为弧形闸门示意图、辅助油缸在液压油缸上的(布置)示意图。

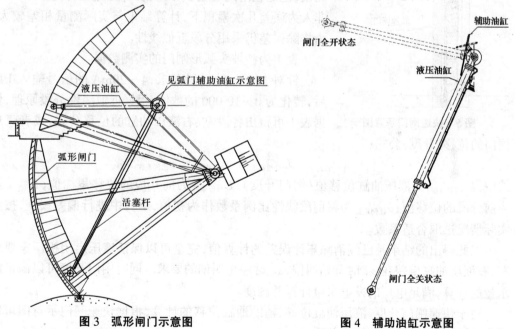

图 3　弧形闸门示意图　　　　图 4　辅助油缸示意图

辅助油缸顾名思义不是主油缸,它将磁致伸缩位移传感器置于缸体内部,它的作用是进行油缸行程的测量。

从图 4 我们可看出,随着弧形闸门的启闭,辅助油缸随液压油缸做非线性运动,位移传感器的数值也做相应的变化。

图 5 为快速闸门示意图。它是将磁致伸缩位移传感器直接置于油缸缸体和活塞杆内,位移传感器随液压油缸的活塞杆做线性运动。

4 沙坡头水电站弧形闸门与快速闸门电控系统设计

现地控制单元主要由法国施耐德 Modicon Mirco 自动化平台的可编程控制器（PLC）和智能仪表组成，设有接收磁致伸缩位移传感器给出的 4～20mA 信号的模拟量输入模块 AEY 802，根据传感器接线要求，严格屏蔽接地。

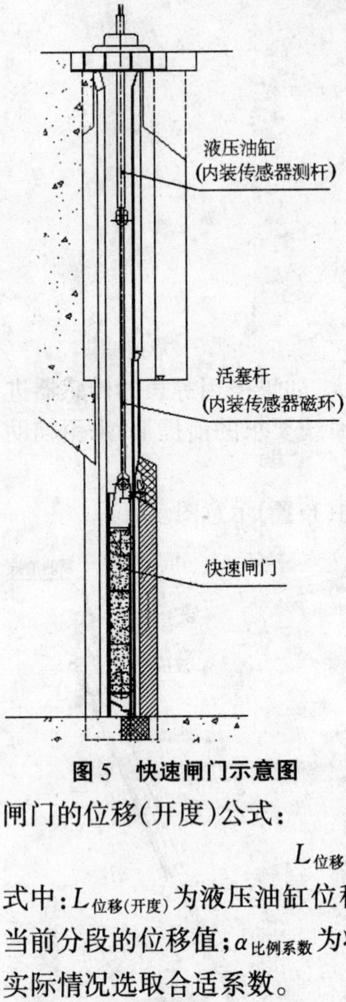

根据弧形闸门示意图可知，在闸门启闭过程中，位移传感器给出的电流信号与闸门开度、液压油缸位移之间是非线性关系。

弧形闸门开度与液压油缸位移之间存在函数关系，由多次现场经验看出，无论计算公式是如何精确，也会存在累计误差，计算结果与现场实测比较，分段近似线性最为可靠、准确，并可消除累计误差，保证闸门开度的准确性。

液压油缸位移与辅助油缸位移之间也存在复杂的函数关系，经现场实测数据与运行验证，虽然计算公式准确无误，但是在闸门安装、水封安装、辅助油缸安装支架加工非人为误差几次累积下，计算结果与实际测量相差较大，为排除误差仍采用分段近似线性。

表 1 为沙坡头弧形闸门的实测数据。

针对 Miicro 的设置要求，4～20mA 的信号输入 PIC 后，转化为 0～10 000 的数值，根据近似线性分段原理，依据表 1 可得出各段左、右液压油缸的位移公式，或者弧形闸门的位移（开度）公式：

$$L_{位移(开度)} = L_{分段基准} + L_{位移差} \times \alpha_{比例系数}$$

式中：$L_{位移(开度)}$ 为液压油缸位移值（闸门开度）；$L_{分段基准}$ 为前几段的位移累加值；$L_{位移差}$ 为当前分段的位移值；$\alpha_{比例系数}$ 为将前段线性比例系数作为初值，运行中进行偏差校正，按照实际情况选取合适系数。

以此得出的结果是已经消除累计误差的计算值，完全可以保证液压启闭机厂家要求左、右液压油缸偏差在 α_1 时开始纠偏，α_2 时停止纠偏的要求。同时闸门开度可以满足蓄水量的计算，满足电厂的发电水量计算并调度。

对于快速闸门开度、液压油缸位移、辅助油缸位移的计算，根据快速闸门示意图可以推出，这三者是 1:1:1 的线性关系：

$$L_{液压油缸位移} = L_{辅助油缸位移} = L_{闸门开度}$$

式中：$L_{液压油缸位移}$、$L_{辅助油缸位移}$、$L_{闸门开度}$ 分别为液压油缸位移值、辅助油缸位移值、闸门开度。

因为快速闸门是单吊点，不需同步纠偏，计算结果仅用在启闭闸门开度的监视中。

5 沙坡头水电站弧形闸门与快速闸门电控系统特点

比较以往闸门控制应用过的开度仪表测量装置、陶瓷液压缸位移测量系统，辅助油缸

液压油缸
（内装传感器测杆）

活塞杆
（内装传感器磁环）

快速闸门

图 5 快速闸门示意图

表 1 沙坡头弧形闸门实测数据 （单位:mm）

分段	弧门开度	左辅助油缸	右辅助油缸	左油缸	右油缸	左辅助油缸位移	右辅助油缸位移
9 652~9 959	全闭 0	9 959	9 858	19 047	16 975	2 583	2 563
9 504~9 652	586	9 652	9 575	18 690	16 634	2 543	2 533
9 193~9 504	884	9 504	9 423	18 515	16 460	2 525	2 513
8 937~9 193	1 510	9 193	9 109	18 153	16 099	2 488	2 475
8 630~8 937	2 021	8 937	8 853	17 863	15 808	2 456	2 442
8 434~8 630	2 633	8 630	8 539	17 524	15 469	2 416	2 403
8 174~8 434	3 013	8 434	8 340	17 314	15 261	2 392	2 380
7 908~8 174	3 507	8 174	8 080	17 045	14 998	2 358	2 347
7 641~7 908	4 010	7 908	7 813	16 777	14 724	2 326	2 314
7 378~7 641	4 508	7 641	7 540	16 520	14 461	2 292	2 280
7 135~7 378	4 982	7 378	7 277	16 268	14 212	2 259	2 246
6 797~7 135	5 423	7 135	7 034	16 041	13 988	2 229	2 215
6 500~6 797	6 004	6 797	6 693	15 739	13 684	2 187	2 174
6 200~6 500	6 510	6 500	6 392	15 480	13 428	2 148	2 135
5 883~6 200	7 032	6 200	6 089	15 228	13 179	2 112	2 100
5 562~5 883	7 525	5 883	5 768	14 975	12 921	2 072	2 056
5 245~5 562	8 033	5 562	5 444	14 724	12 672	2 032	2 017
4 911~5 245	8 519	5 245	5 124	14 485	12 436	1 993	1 978
4 557~4 911	9 022	4 911	4 789	14 245	12 195	1 952	1 935
4 192~4 557	9 535	4 557	4 432	13 995	11 952	1 907	1 893
3 831~4 192	10 047	4 192	4 067	13 760	11 707	1 862	1 845
3 463~3 831	10 536	3 831	3 706	13 528	11 478	1 817	1 800
3 048~3 463	11 024	3 463	3 332	13 300	11 253	1 771	1 757
2 630~3 048	11 552	3 048	2 916	13 060	11 012	1 718	1 703
2 336~2 630	12 063	2 630	2 498	12 827	10 785	1 667	1 650
0~2 336	12 414	2 336	2 204	12 675	10 630	1 631	1 614

有以下特点:

(1)安装简单、维护方便;

(2)数据比较稳定、准确,信号接收方式简单;

(3)方便闸门的上、下限位安装;

(4)应用简单方便,特别在快速闸门应用上。

但是辅助油缸对环境有一定要求,对信号的干扰要做到较好的排除,对闸门、油缸、辅助油缸的加工、安装较严格,目的是减少累计误差。

6 结语

从目前沙坡头水电站弧形闸门运行情况来看,电控系统设计合理,运行安全可靠,完全达到了设计要求,同时验证辅助油缸位移测量系统应用在弧形闸门和快速闸门上是可行的。

水轮发电机组振因分析

贾彦博

(天津水利电力机电研究所)

马得莲　滕玉楠

(珊溪水力发电厂)

1　前言

水电厂机组设备维修体制可分为 3 种形式,即故障维修(或称事后维修)、定期维修(或称预防维修)和预测维修,但事实已证明预测维修应是最佳的选择。预测维修是对测试结果进行分析处理后,证明有必要时才安排检修的一种方法,它的实质是将定期维修改为定期监测及诊断。本文要讲述的水电机组振因分析就是要达到如下目的:

(1)确定主要振动成分;

(2)分析引起振动的主要原因;

(3)尽可能提出减小振动的调修方向和技术数据。

2　故障诊断

2.1　频谱分析

根据振动原理,强迫振动和自激振动是常见的两种振源。水轮机组某一系统在多种原因作用下,其振动结果的波形相当于各个振因单独作用时波形的叠加。目前,通常采用的电涡流传感器和低频振动传感器测得的是多种振因同时作用下的复合波形。随着频谱分析技术的不断发展,尤其是快速富氏分析技术(FFT)的不断完善,特别是专用记录及分析仪器的出现,我们可以将复杂的振动分解,找到引起振动的各个直接原因,以确定机组检修和调整的方向。级联图和瀑布图是可以一次展现多个记录的频谱分析方法,它以三维图形的方式全息地表现了各频率成分随转速、时间、功率等参数的变化规律。首先利用级联图搜索过渡过程数据,利用瀑布图搜索稳态过程数据、快速定位异常的振动现象,之后再有针对性地进行振因分析。考虑到实用性,对非常微弱的振动成分没有必要进行振因分析。

2.2　基本的频率－振因对应关系

在水轮机组的实际运行中,经常是一个振因产生几个不同频率的振动成分,或一个振动频率对应多个振因。因此判断振因不是一个简单的事情,必须结合历史状况和环境条件及运行状态进行综合分析,方可得出比较准确的判断。一倍频也称转频,是水轮机振动的最主要成分。质量不平衡、水力不平衡、轴弯曲等因素都会产生一倍频成分,因此其振因的分析显得非常复杂。然而,不同的振动原因在不同的工况下对一倍频的影响是不一样的,通过过程分析方法可以初步确定引起转频率振动的因素是水力因素、机械因素还是电磁因素。利用 PSTA2000 的空间轴线工具,可以直观地计算大轴弯曲量、弯曲相位、配重角等参数,在不同的机组运行工况下观察着这些参数的变化,可以直接定位上述振因。

2.3 水轮机三大振动因素及过程分析

水轮机组的振因可分为机械因素、水力因素和电磁因素三大类。不同的因素引起的某一时刻的振动现象很可能是一样的,为此振动分析首先要区分这三大因素。区分三大振动因素主要依靠过程分析,即利用机组启、停和运行中不同工况下的数据进行分析,通过排除和比较的方法,确定真正的振动因素。

机组从启机到停机的全过程中,对振因分析有价值的运行记录可以划分为如下几个阶段:

(1)机组从启动到投入励磁之前。此阶段的振动现象与电磁因素无关。

(2)投入励磁后至并网之前。这一阶段的振动变化主要由电磁因素引起。

(3)并网之后的运行。此阶段的振因一般是综合的,可进一步利用振动随有功变化关系、振动随无功变化关系、振动随水头变化关系确定振动原因。

(4)机组停机且导叶全部关闭之后的滑行阶段。这个阶段的振动现象都与机械因素有关。

3 振因分析的过程

振因分析的过程分如下几个步骤:

(1)做各振动、摆度通道的启、停机过程级联图。

(2)挑选稳态过程中不同负荷下的数据记录,做各振动、摆度通道的振动值随负荷变化的瀑布图。

(3)检查上述级联图和瀑布图,确定最明显的几个振动成分。

(4)利用前述振因分析方法,进行振动原因分析。

(5)在对转频进行分析时,给出轴弯曲和质量不平衡的定量描述。

(6)结论和建议。

3.1 停机过程级联图和稳态过程瀑布图

本次选用的图形及数据是国内某一水电站的实测结果。电站的基本情况如下:机组转速 500r/min,额定水头 430m,额定出力 200MW。本次选用的是上导摆度、下导摆度、水导摆度、上机架水平振动、下机架水平振动、顶盖水平振动、定子机架水平振动、顶盖垂直振动、上机架垂直振动和推力支架垂直振动等 10 项参考数据。由于篇幅限制,仅列举水导摆度和上机架水平振动。

水导摆度随转速变化的级联图见图 1,水导摆度随有功变化的瀑布图见图 2。

上机架水平振动转速变化的级联图见图 3,上机架水平振动随有功变化的瀑布图见图 4。

3.2 主要振动现象描述

(1)机组各部位都存在一频率的模态频率共振,即是固有频率。

(2)机架振动及水导摆度存在明显的 14X 转轮叶片成分,且负荷越大,该成分越大,且上导、水导摆度中的 1X 成分随负荷的增加而变大,说明机组转轮位置不对称或叶形不

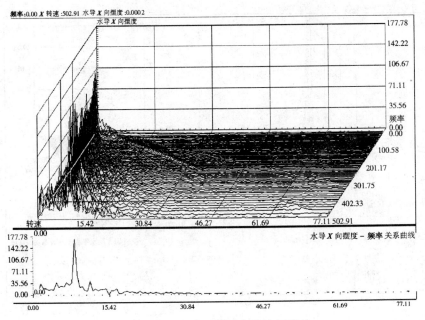

图1　水导摆度随转速变化的级联图

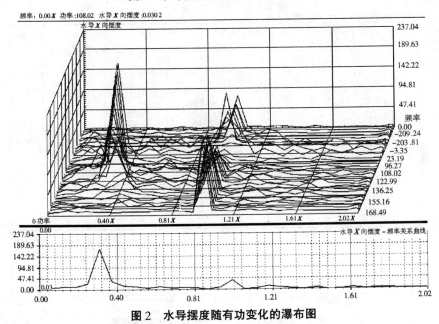

图2　水导摆度随有功变化的瀑布图

一致,从而引起机组较大的水力不平衡。

（3）水导 X、Y 方向的刚度相差较大或推力瓦存在 X、Y 方向的不对称,造成水导摆度在 X、Y 方向相差较大。

（4）在一定负荷区内,机组的摆度振动较高。

3.3　转频分析

利用 PSTA2000 的空间轴线图分析和计算启、停机和变负荷过程中的大轴弯曲量、弯

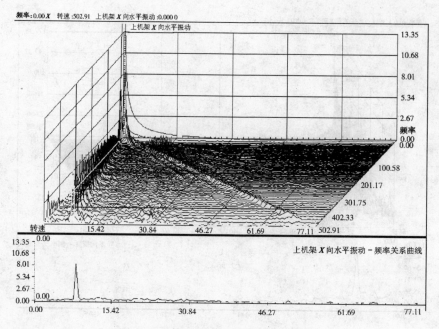

图3 上机架水平振动转速变化的级联图

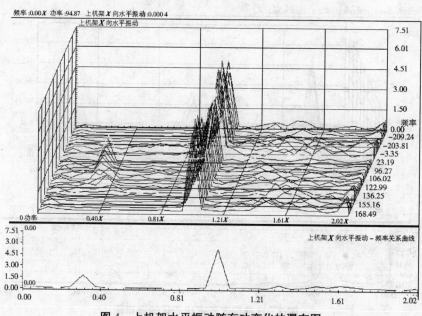

图4 上机架水平振动随有功变化的瀑布图

曲相位和不平衡质量的配重角(超重角),分析转频振动的引发原因,确定大轴静态弯曲、不垂直度、质量不平衡及磁拉力不平衡。

3.4 主轴弯曲状态

利用PSTA2000的空间轴线图分析和停机过程的数据,可以定量地给出主轴的弯曲状态。停机过程的主轴弯曲量和弯曲角数据见表1。

表1

转速 (r/min)	上导处		下导处		水导处	
	弯曲量 (°)	弯曲角 (°)	弯曲量 (°)	弯曲角 (°)	弯曲量 (°)	弯曲角 (°)
54.5	87	26.2	52	206.2	131	26.2
154.6	52	21.4	31	201.4	77	21.4
240.9	22	358.3	13	178.3	33	358.3
305.1	25	322.2	15	142.2	38	322.2
386.6	27	275.8	16	95.8	41	275.8
439.1	53	303.9	32	123.9	80	303.9
502.6	41	265	24	85	61	265

为了确定机组的静态弯曲量,我们只对停机过程中速度很低时的转动情况进行分析,此时,导叶完全关闭,由水力不平衡引起的弯曲量极小;励磁电流为零,不存在电磁不平衡;转速很低,质量不平衡作用很小。这种情况下测得的大轴弯曲量和弯曲相位可以认为就是主轴的静态弯曲量和弯曲相位。从表1中转速为54.5r/min时的监测数据可知,主轴的静态弯曲不大。

3.5 主轴摆线状态

摆线状态是对大轴中心线回转形态的立体描述。摆线状态受镜板不垂直度、主轴弯曲、轴瓦间隙等状态的影响。本台机组发电工况的高转速和低转速下的摆线状态如图5所示。

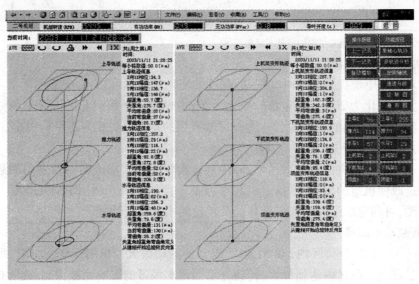

低转速(54.45r/min)   高转速(508r/min)

图5 机组发电工况的低转速和高转速下的摆线状态

3.5.1 盘车检查

从摆线状态中,可以近似推算机组的盘车数据。当抱紧下导瓦盘车时,上导处盘车量应大于280μm,水导处盘车量应大于190μm。

3.5.2 镜板与主轴不垂直度

停机过程中,摆线的倾斜和弯曲可认为是由镜板不垂直度与主轴弯曲共同造成的。从轴线状态中不难看出,假设调整镜板与推力瓦完全水平,镜板与主轴不垂直度为零,且不考虑质量不平衡与电磁不平衡的影响时,上导摆度可以减小 $200\mu m$ 以上,水导摆度可以减小 $100\mu m$ 以上。由此可推知,机组镜板与主轴的不垂直度较大。若机组安装了主轴电涡流传感器,可进一步验证与分析不垂直度对机组摆度的影响。

3.6 质量不平衡状况

机组在停机过程中,导叶完全关闭、励磁开关断开且转速还没有明显下降时摆度的转频分量,可认为主要由质量不平衡和静态弯曲综合引起。静态弯曲的大小在整个停机过程中是恒定的,而质量不平衡是随着转速的升高而加大的,可以通过矢量合成的方法确定不平衡质量的位置(见表2)。

表2

转速 (r/min)	励磁	上导 X 向 1X 幅值 (μm)	上机架 X 向1X 幅值 (μm)	上导处 超重角 (°)	下导 X 向 1X 幅值 (μm)	下机架 X 向1X 幅值 (μm)	下导处 超重角 (°)	水导 X 向 1X 幅值 (μm)
54.5	1	147	0	55.7	29	1	92.8	62
154.6	1	118	2	61.1	23	0	84.6	60
240.9	0	103	3	61	23	0	79.6	69
305.1	0	93	3	64.2	25	1	75.5	69
386.6	0	93	5	64.8	30	1	70.5	98
439.1	1	80	5	66.2	28	2	60.7	118
502.6	1	81	6	54.8	24	4	51.4	116

注:经过计算可确定,由此可知机组的质量不平衡很小。

3.7 电磁不平衡力影响

通过对励磁电流投入前后时刻振动、摆度的变化的计算可知:由电磁不平衡可引起上导处摆度大致变化为 $20\mu m$,超重角的变化为 $3°$;由电磁不平衡引起的下导轴承处摆度变化大致为 $2\mu m$,超重角的变化为 $2°$。由此可知机组的动态电磁拉力不平衡很小。

3.8 水力不平衡分析

水力不平衡主要由低频尾水涡带、转轮及导水机构的结构因素以及卡门涡列等因素引起。通过改变机组的负荷,可找出引起水力不平衡的原因。利用 PSTA2000 系统的变负荷瀑布图,可确定机组的不稳定负荷区及转轮的水力稳定性能。

3.8.1 低频尾水涡带

在 90～140MW 负荷区内,0.31 倍频成分的振动很大为机组振动主分量,低频尾水涡带的能量在此负荷区内达到最大,转频分量因尾水涡带的影响而被抑制,此时机组的摆度和振动均达到最大(见图6)。

3.8.2 转轮的水力稳定性能

在 10～30MW 负荷区内,机组的摆度及振动也很大,转频成分为机组振动的主分量,低频尾水涡带分量较小;在 140～200MW 负荷区内,低频尾水涡带分量基本消失;在 140～200MW 及 0～ -200MW 负荷区内,转频分量随负荷的增加而增大(见图7)。

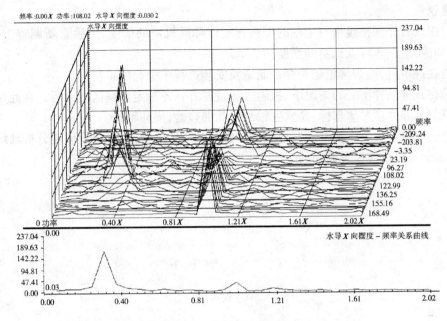

图6 低频尾水涡带

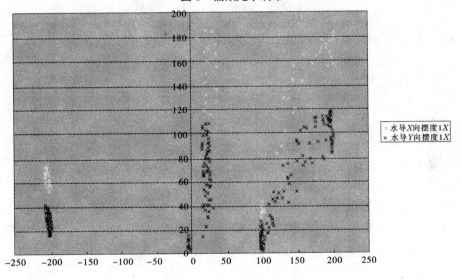

图7 转轮的水力稳定性能

4 结论和建议

4.1 结论

(1)机组镜板与主轴的不垂直度较大,导致机组上导和水导的摆度很大。厂方可能为降低导瓦的负荷及避免轴颈与导瓦碰磨,将瓦间隙调大,这样进一步加大了机组的摆度。

(2)转轮结构的水力稳定性不佳,存在转轮水力特性不对称现象。

(3)利用PSTA2000系统作为水力机组振动故障诊断的可行性是非常必要的。

4.2 建议

(1)建议首先调整镜板与主轴的不垂直度以降低机组的摆度,然后重新调整上导、水导的瓦间隙,进一步降低机组的摆度。

(2)在许可时,检查转轮是否存在制造及安装过程中引起的不对称。

(3)在其他条件不变的情况下,机组应尽量避开在不稳定负荷区内运行。在此负荷区内,机组的水导摆度严重超标,易发生轴与导瓦的碰磨,损坏轴瓦。

(4)建议机组加装主轴电涡流传感器和低频振动传感器,以更加全面地分析轴线状况及垂直振动对机组摆度及振动的影响。

万家寨引黄入晋工程
水力控制方式及计算机监控系统简介

骆恩蓉　况光彦　刘保华

（国家电力公司成都勘测设计研究院）

1　工程概述

山西省万家寨引黄入晋工程为一项大型引水工程,位于山西省西北部,从黄河万家寨水库取水,分别向太原、大同和朔州 3 个能源基地供水以解决其缺水危机。该工程引水线路总长约 452km,其中包括总干线、南干线、联接段和北干线四个部分。工程分为两期建设,第一期工程完成总干线、南干线和联接段,把水引到太原;第二期工程将完成北干线土建工程及所有余下机电设备的安装。

1.1　总干线(GM)

总干线从万家寨水库取水,主要通过隧道引至位于下土寨村的分水点,长约 44km。它包括 3 个泵站(GM1,GM2,GM3)以及申同嘴水库,引水流量为 48m³/s,规划每年引水量为 12 亿 m³。

总干一级泵站(GM1)为地下厂房,第一期工程将安装 3 台定速机组,第二期将增至 10 台定速机组,其中 8 台运行、2 台备用。GM1 设计扬程 140m 时,单机流量约 6.45 m³/s,单机容量 12MW。

总干二级泵站(GM2)也为地下厂房,其装机台数、机型和设计扬程同一级泵站。总干二级泵站出水调压井直接入申同嘴日调节水库,水库运行水位 1 240.5～1 248m,水库调蓄库容 15 万 m³。申同嘴水库的出口设有三个弧形闸门和两个流量调节阀。

总干三级泵站(GM3)为地面厂房,第一期工程安装 3 台变速机组,到第二期将装机 10 台,其中 4 台变速机组、6 台定速机组;8 台运行、2 台备用。4 台变频器用于变速机组的转速调节,变速运行频率为 45～50Hz。设计扬程 76m 时,单机流量 6.45m³/s,单机容量 6.5MW。

1.2　南干线(SM)

南干线自分水点向南,经偏关、平鲁、朔州、神池到头马营进入位于宁武县的汾河,长约 102km。本干线包括 2 个泵站(SM1,SM2),引水流量为 25.8m³/s,规划每年引水量为 6.4 亿 m³。引水经头马营流出后,将进入汾河天然河段。

南干线一级泵站(SM1)为地面厂房,第一期工程安装 1 台定速机组,2 台变速机组,其中 1 台备用;到第二期工程,水泵将增至 6 台,其中 4 台定速机组、2 台变速机组;4 台运行、2 台备用。2 台变频器用于机组启动和变速机组的转速调节,变速运行频率为 45～50Hz。设计扬程 140m 时,单机流量 6.45m³/s,单机容量 12MW。

南干二级泵站(SM2)为地面厂房,其装机台数、机型和扬程同一级泵站。

1.3 联接段(CW)

联接段始于南干线 7 号隧洞出口,下接太原呼延水厂,线路全长约 139km。它包括汾河天然河段和水库以及约 58km 的无压混凝土管线路,该混凝土管设计流量为 $20.5m^3/s$,每年向太原市供水 6.4 亿 m^3。

联接段的主要输水建筑物包括:35km 明挖沟槽安装 PCCP 管,1 个进水塔,3 个流量调节阀室,9 个检修阀室,67 个排气阀井,6 段隧洞内安装 PCCP 管和 1 段无压隧洞,1 段明渠,1 个消力池,1 个贮水池和 1 座专用变电站。

1.4 北干线(NM)

北干线始于下土寨分水点,经平朔到大同市赵家小村水库,长约 167km。该段包括大梁泵站(DPS)、大梁水库、魏家窑电站(WPP),以及朔州、山阴、怀仁几个中间分水点。北干线设计流量为 $22.2m^3/s$,年引水量为 5.6 亿 m^3。

2 水力控制方式

2.1 水力学控制原则及影响流量平衡的主要因素

引黄一期工程,从万家寨水库取水口至联接段出口,包含 5 座泵站,一座日调节水库(申同嘴水库),一座年调节水库(汾河水库),3 个进水池和各类输水流道组成一个串联系统,由于中间无分水设施,故要求整个系统"水量平衡",两个调节水库之间应按"流量平衡"的原则运行。

影响"水量平衡"和"流量平衡"的因素很多,主要有:

(1)万家寨、申同嘴、汾河水库 3 座水库的水位变化引起水泵工作点和闸门放水流量的变化。

(2)申同嘴水库(弧形闸门加流量调节阀)放水流量的控制精度。

(3)各泵站水泵流量的差异。

(4)联接段各个流量调节阀放水流量的差异。

(5)正常启/停泵、事故启/停泵引起流量变化过程。

(6)输水系统渗漏量的变化,水库天然水量的变化等。

由此可见,影响"水量平衡"和"流量平衡"的因素是十分复杂的,必须通过有效的水力控制方式来达到水量和流量平衡,力求系统安全、可靠、经济运行。引黄工程中有以下主要水力控制手段:

(1)改变各个泵站的水泵运行台数。

(2)调节放水闸门和流量调节阀的开度。

(3)调节变速泵的转速。

(4)合理制定申同嘴水库,总干三级泵站进水池(有效调节库容 2 万 m^3)和汾河水库的水位调节方式。

(5)总干一、二级泵站采用有压串联布置方式,两座泵站抽水流量自动匹配。

(6)有效的防水锤措施:总干一、二级泵站设进、出水调压井;各个水泵出口设分段关闭液控蝶阀;连接段流量调节阀采用缓慢开启、关闭方式。

2.2 大型地下串联泵站流量平衡设计

引黄工程首部总干一、二级地下泵站设计流量 48m³/s,提水总扬程 280m,每级泵站安装 10 台大型立式水泵,单泵设计流量 6.46m³/s。由于引水期万家寨水库水位变幅达 23m,如果在两座泵站之间设出水池,会使两泵站之间流量不平衡矛盾十分突出。现采用有压串联布置方式,两座泵站提水流量将自动匹配。在水锤防护上,采用调压井、溢流井和两阶段关闭的液控蝶阀,有效地降低了泵站事故停泵时的水击压力和机组的倒转转速,确保了输水系统稳定和安全运行。这种布置方式在国内高扬程、大流量、长管道输水工程中是首次应用,是一项创新性的工程实践。

2.3 弧形闸门加流量调节阀组成等流量放水系统

尽管总干一、二级泵站之间的流量是自动匹配的,但总干二级出水隧洞流入申同嘴水库的流量会随申同嘴水库和万家寨水库的水位差变化而变化,该流量与总干三级泵站的抽水流量并不相等。因此,必须通过申同嘴水库的弧形闸门加流量调节阀组成等流量放水设施,使下泄流量尽可能等于总干三级泵站的抽水流量。

弧形闸门放水流量为

$$Q = \sigma \mu be \sqrt{zgT}$$

$$\sigma = f(\frac{e}{T}, \frac{z}{T})$$

式中:T 为闸前水深;b 为闸孔宽度;e 为闸门开启高度;μ 为流量系数;σ 为淹没系数;z 为上、下游水面落差;系数 σ、μ 可通过水工模型试验获取,并经运行实测校核。

由于弧形闸门很难连续无级调节开度,只能间隙、分档调节,故随着日调节申同嘴水库水位周期性变化,通过闸门的流量将呈锯齿形变化。流量调节阀可以连续、无级调节,通过流量调节阀与闸门配合调节,使申同嘴水库的下放流量基本成等流量放流。当然,这一切都通过预先设定的程序由计算机监控系统完成。

2.4 变速泵及进水前池水位控制

总干三级泵站进水池具有 2 万 m³ 的较大调节容积,水位允许变幅 1.0m。由于流量测量和闸门开度控制的误差,很难使进入总干三级泵站进水池的流量完全等于总干三级泵站的抽水流量。为此,将进水池水位分为水量控制带和流量控制带,前者靠近最高、最低极限水位,后者以设计水位为中心。当水位处于流量控制带时,变速泵按 PI 调节规律由调节器控制转速,使进水池水位稳定在设计水位附近;当水位处于水量控制带时,变速泵将在极限转速(93% 或 100% 额定转速)下运行,直至水位拉回流量控制带;水位超出水量控制带,将停泵或启动备用泵。

南干一、二级泵站,进水池容积小,变幅窄,水位控制较总干三级条件要差,特别是在水泵启动和停泵过程中,由于调节库容小、频率范围又有限,可能会产生溢流弃水现象。如何尽可能减少溢流弃水量,还有待于今后运行实践中积累经验。

2.5 长距离有压自流放水系统

汾河水库至太原市呼延水厂 58.15km 输水线路,共分为 4 个输水区间。第一区间为汾河水库至 1 号流量调节阀室,长 10.6km;第二区间为 1 号流量调节阀室至 2 号流量调节阀室,长 21.26km;第三区间为 2 号流量调节阀室至 3 号流量调节阀室,长 11.8km;第四区间为 3 号流量调节阀室至太原呼延水厂,长 14.55km。其中,前三区间为有压自流输水,第四区间为无压自流输水。

流量调节阀为淹没式多喷孔套筒阀,前 3 个有压自流输水区间的调度运行仍按"等流量"原则控制,各阀室按进水池的水位进行调节。为了避免产生较大的正、负水锤,关闭或开启的速度都极为缓慢,该淹没式多喷孔套筒阀具有较好的线性"流量-开度"关系。

3 计算机监控系统

3.1 概述

引黄工程计算机监控系统采用开放式的分层分布系统结构,全系统由 12 个计算机监控子系统组成,通过这些计算机监控子系统实现对整个输水系统所有机电设备和水工建筑物的自动监控功能。它们分别是:

(1)太原调度控制中心计算机监控系统。该系统用于完成总干、南干、联接段和北干全系统所有机电设备和水工建筑物的监视和控制。

(2)总干三级泵站和备用调度控制中心计算机监控系统。该系统用于完成总干三级泵站所有机电设备和水工建筑物的监视和控制,同时还兼作为备用调度中心,当 TCS 失去控制功能时,该系统代替 TCS 的功能,完成总干、南干、北干的所有机电设备和水工建筑物的监视和控制。

(3)总干一、二级泵站计算机监控系统。该系统用于完成总干一、二级泵站所有机电设备和水工建筑物的监视和控制,并包括万家寨取水口和申同嘴闸门和阀门的监控功能。

(4)南干一级泵站计算机监控系统。该系统用于完成南干一泵站所有机电设备和水工建筑物的监视和控制。

(5)南干二级泵站计算机监控系统。该系统用于完成南干二泵站所有机电设备和水工建筑物的监视和控制。

(6)联接段计算机监控系统。该系统用于完成联接段所有机电设备和水工建筑物的监视和控制。

(7)大梁泵站计算机监控系统。该系统用于完成大梁泵站所有机电设备和水工建筑物的监视和控制。

(8)魏家窑水电站计算机监控系统。该系统用于完成魏家窑水电站所有机电设备和水工建筑物的监视和控制。

(9)朔州分水口 RTU。该系统用于完成朔州分水口所有机电设备和水工建筑物的监视和控制。

(10)山阴分水口 RTU。该系统用于完成山阴分水口所有机电设备和水工建筑物的监视和控制。

(11)怀仁分水口 RTU。该系统用于完成怀仁分水口所有机电设备和水工建筑物的监视和控制。

(12)赵家小村水库 RTU。该系统用于完成赵家小村水库所有机电设备和水工建筑物的监视和控制。

引黄工程计算机监控系统也同主体工程相似分二期建成,第一期工程完成太原调度控制中心计算机监控系统(TCS)、总干三级泵站和备用调度控制中心计算机监控系统(GM3CS)、总干一二级泵站计算机监控系统(GM1/GM2CS)、南干一级泵站计算机监控系统(SM1CS)、南干二级泵站计算机监控系统(SM2CS)和联接段计算机监控系统(CWCS)的建设,余下的其他北干线上的6个子计算机监控系统将在二期建成。

引黄一期工程的计算机监控系统采用世行贷款,通过两阶段国际公开招标的方式采购,由澳大利亚FOXBORO公司中标,但其中泵组LCU随水泵电动机一起采购安装,由日本东芝公司供货。

以下就一期工程的计算机监控系统的设计做一介绍。

3.2 系统结构和配置

引黄工程计算机监控系统的每个子系统均为开放式分布系统,各子系统的计算机设备采用局域网将各节点联结成网,各子系统之间采用广域网相连,其中总干一二级泵站计算机监控系统、总干三级泵站和备用调度控制中心计算机监控系统、南干一级泵站计算机监控系统、南干二级泵站计算机监控系统经路由器通过SDH光纤核心环网相连;太原调度中心计算机监控系统经路由器通过微波通道与光纤核心环网相连;上述五个子系统各提供8个E1口与SDH相连,每个E1口的通信速率为2Mbp/s;联接段计算机监控系统通过局域网直接与太原调度中心计算机监控系统相连,通信速率为10/100Mbp/s。

各子系统的局域网按IEEE802.3设计,支持全开放的分布式结构,网络介质采用光纤电缆,通信规约采用TCP/IP,网络的传输速率为10/100Mbp/s。

广域网按IEEE802.3或IEEE802.4设计,支持全开放的分布式结构,通信规约采用TCP/IP,通信速率为2Mbp/s。

3.2.1 太原调度中心计算机监控系统

该系统由如下设备组成双总线网络连接:两台BLADE 2000调度管理主计算机,两台BLADE 100调度员工作站,两台Optiplex GX150工程师/编程员站,一套培训仿真系统(包括一台BLADE 1000培训台,一台Optiplex GX260 DIMS计算机和一台Optiplex GX260 MOUSE计算机用于水力学仿真,一台试验LCU),一套大屏幕投影系统(包括7×2块67″的大屏幕以及一台投影仪控制器),一台Optiplex GX150直接拨号告警前置处理计算机,一台Optiplex GX260通信服务器,4台水力学应用计算机(两台Optiplex GX260 DIMS计算机和两台Optiplex GX260 MOUSE计算机),两台Optiplex GX150 PC终端,两台Cisco 2950-12以太网交换机,两台Cisco 2621路由器以及DNT-2MG Modem等设备。此外,还包括一套TEKRON TCG01 GPS装置,两套互为冗余的60kVA UPS电源,一台彩色硬拷贝机,两台激光打印机及两台喷墨打印机。

3.2.2 总干一、二级泵站的计算机监控系统

由于总干一、二级泵站采用串联运行方式,并在地理上相距1.7km,因而对两座泵站进行集中监控,泵站级计算机监控系统设在总干一级泵站内,对两个泵站的各个水泵电动机、开关站、公用设备进行集中监控。但为了总干二级泵站在现场监视方便,在总干二级泵站的中控室也设有一台监视终端,供总干二级泵站现场监控用。

该系统由如下设备组成双总线网络连接:两台BLADE 1000主计算机,两台BLADE 100操作员工作站,4台Optiplex GX260通信服务器(总干一级和总干二级各两台),一台

位于总干二级的 BLADE 100 监视终端,24 台现地控制单元 LCU(其中 6 台泵组 LCU 由日本东芝公司提供,另外 14 台泵组 LCU 二期安装;FOXBORO 提供两台公用 LCU 和两台开关站 LCU,均采用罗克韦尔公司的 Controllogix PLC 控制器,主控制器和 CONTROLNET 网络采用冗余配置,同时配有一台 PⅢ 800MHz 工业 PC 计算机,带有 15″的 TFT),两台 Cisco 2950 - 12 以太网交换机,两台 Cisco 2621 路由器以及 DNT - 2MG Modem 等设备。此外还包括 4 套 TEKRON TCG01 GPS 装置(GM1 和 GM2 的公用 LCU 和开关站 LCU 各一套),4 台 UPS 电源(GM1 UPS 电源容量为 40kVA,GM2 UPS 电源容量为 30kVA),两台激光打印机以及两台喷墨打印机。

3.2.3 总干三级泵站计算机监控系统

该系统由如下设备组成双总线网络连接:两台 BLADE 2000 主计算机,两台 BLADE 100 调度/操作员工作站,一台 Optiplex GX150 工程师/编程员站,一套大屏幕投影系统(包括 4×2 块 67″的大屏幕以及一台投影仪控制器),一台 Optiplex GX150 直接拨号告警前置处理计算机,两台 Optiplex GX260 通信服务器,四台水力学应用计算机(两台 Optiplex GX260 DIMS 计算机和两台 Optiplex GX260 MOUSE 计算机),12 台现地控制单元 LCU(其中 3 台泵组 LCU 由日本东芝公司提供,另外 7 台泵组 LCU 二期安装;FOXBORO 提供一台公用 LCU 和一台开关站 LCU,均采用罗克韦尔公司的 Controllogix PLC 控制器,主控制器和 CONTROLNET 网络采用冗余配置,同时配有一台 PⅢ 800MHz 工业 PC 计算机,带有 15″的 TFT),两台 Cisco 2950 - 12 以太网交换机,两台 Cisco 2621 路由器以及 DNT - 2MG Modem 等设备。此外还包括两套 TEKRON TCG01 GPS 装置(公用 LCU 和开关站 LCU 各一套),两套互为冗余 60kVA UPS 电源,一台彩色硬拷贝机,两台激光打印机,两台喷墨打印机以及 4 台便携式 PC。

3.2.4 南干一级泵站计算机监控系统

该系统由如下设备组成双总线网络连接:两台 BLADE 1000 主计算机,一台 BLADE 100 操作员工作站,两台 Optiplex GX260 通信服务器,8 台现地控制单元 LCU(其中 3 台泵组 LCU 由日本东芝公司提供,另外 3 台泵组 LCU 二期安装;FOXBORO 提供一台公用 LCU 和一台开关站 LCU,均采用罗克韦尔公司的 Controllogix PLC 控制器,主控制器和 CONTROLNET 网络采用冗余配置,同时配有一台 PⅢ 800MHz 工业 PC 计算机,带有 15″的 TFT),两台 Cisco 2950 - 12 以太网交换机,两台 Cisco 2621 路由器以及 DNT - 2MG Modem 等设备。此外还包括两套 TEKRON TCG01 GPS 装置,两套互为冗余 40kVA UPS 电源,两台激光打印机以及两台喷墨打印机。

3.2.5 南干二级泵站计算机监控系统

南干二级泵站计算机监控系统与南干一级泵站计算机监控系统的配置相同。

3.2.6 联接段计算机监控系统

该系统由两台 BLADE 2000 主计算机,一台 BLADE 150 操作员工作站,两台 Optiplex GX260 通信服务器,3 台现地控制单元 LCU 和 12 台远方终端 RTU(LCU 和 RTU 全由 FOXBORO 提供,均采用罗克韦尔公司的 Controllogix PLC 控制器,主控制器和 CONTROLNET 网络采用冗余配置,同时配有一台 PⅢ 800MHz 工业 PC 计算机,带有 15″的 TFT)。此外,还包括一套 TEKRON TCG01 GPS 装置,一台激光打印机,一台喷墨打印机。

3 个 LCU 通过微波与两台通信服务器相连,通信速率为 64kbps;12 个 RTU 通过一点多址微波与两台通信服务器相连,通信速率为 64kbps;其他各节点通过光纤电缆连接到 TCS 的 LAN 网上。

3.3 计算机监控系统主要功能

3.3.1 太原调度中心和备用调度中心计算机监控系统主要功能

正常运行时,由太原调度中心计算机监控系统对 5 座泵站以及联接段的机电设备和沿线各水工建筑物(如调压井、进/出水池、沿线各隧洞)的运行情况进行远方实时监控,完成输水调度和运行管理。

当太原调度中心计算机监控系统由于通信通道中断或设备故障而失去功能后,备用调度控制中心——总干三级计算机监控系统将执行对总干一、二、三级泵站和南干一、二级泵站的所有设备和水工建筑物的自动监控,但不包括联接段设备。

当太原调度中心计算机监控系统在正常工作状况时,总干三级泵站计算机监控系统主要完成总干三级泵站的监控任务,同时采集各监控站的信息,进行数据处理,与太原调度中心计算机监控系统进行数据通信,并进行数据通信通道的监视,当太原调度中心计算机监控系统故障时自动将调度权切换到备用调度控制中心,当太原调度中心计算机监控系统排除故障、恢复正常运行时,手动将调度权切换到太原调度中心。

调度中心计算机监控系统主要完成如下几项功能。

1)数据采集与监控

采集全线各监控站上送来的所有机电设备和水力学的模拟量、开关量、脉冲量等数据,对全线所有机电设备和水力学的运行情况进行全面监视,包括沿线输水隧洞的水位、流量和泄漏情况的监视以及输水系统的实时仿真;对全线主要机电设备的运行进行控制和调节(包括各水泵电机的开/停机操作,变速机组的转速调节,各断路器、隔离开关和接地刀的跳/合操作,万家寨水库取水闸门的开/关操作,申同嘴水库弧形闸门的开/关操作和开度调节,申同嘴水库流量调节阀的开/关操作和流量调节,联接段进水塔放水闸门的开/关操作,联接段各流量调节阀的开/关操作和流量调节,联接段各检修阀、输水阀、旁通阀的开/关操作等)。

2)水量和流量平衡控制

计算机监控系统根据输水调度计划要求的输水量,在维持整个输水线路的输水量和前池水位基本不变的情况下,考虑沿线水工建筑物的水位和净空等相关限制条件,自动确定各泵站开/停机的台数以及变速机组的转速。

3)无功功率控制

通过控制各泵站变压器的抽头位置、调节水泵电动机的功率因素或无功功率来满足系统对各泵站的无功要求,并维持 10kV 母线电压的稳定,确保泵站的供电质量和电力系统的稳定运行。

4)优化调度

TCS 计算机监控系统根据终端用水量、汾河水库近期和远期天然来水量,并结合当前汾河水库蓄水状况以及汾河水库的调节能力,制定出总干和南干的输水调度计划表,通过自动、半自动或手动方式执行该计划表。

5)经济运行

在满足输水量的前提下,保证整个输水系统安全稳定运行,在此情况下,使整个系统弃水最少、能耗最小。

6)事故分析与处理

当输水线路中任何一处(或多处)发生事故时,如机组变压器设备本身或因输电线路出现事故而被迫停机、输水线路事故等,太原调度中心计算机系统将根据可能出现的故障情况制定处理措施,自动实现相应的启/停程序,以保证水工建筑物的安全。

7)安全分析

调度员可通过安全分析功能来分析与整个输水系统有关的流量、水位、闸门、阀门、泵、电力设备等是否存在故障隐患。对于存在安全隐患的设备,提前告警调度员,以便采取措施使其处于较好的状态。计算机系统包括静态安全分析和动态安全分析功能。

8)与其他系统的通信

通过太原调度中心通信服务器完成与忻州电力调度系统、水资源调度系统、水情测报系统、呼延水厂计算机监控系统、全线水工建筑物监测系统、MIS 系统以及 TCS 的 UPS 电源的通信。

通过总干三级泵站通信服务器完成与水力量测系统各独立测站的通信,采集沿线输水隧洞的水位、流量、流速等信号。

9)远方告警功能

当系统产生报警时,直接拨号告警前置处理计算机以文本形式将报警信息发送给程控交换机(PABX)和无线寻呼系统,通过电话和手机将报警信息传给有关人员。

10)培训仿真器功能

培训台和试验 LCU 作为离线培训用,用于培训运行操作人员和系统维护人员;DIMS 和 MOUSE 计算机用于水力学仿真和水力学计算,模拟整个输水线路及其设备运行的能力,仿真预想的某种状态和运行工况。

3.3.2 各泵站和联接段计算机监控系统主要功能

各泵站和联接段计算机监控系统主要完成其监控范围内主要机电设备的运行控制和调节,对监控范围内所有机电设备和水工建筑物的运行情况进行全面监视,并接收站内通风空调系统、消防系统、水工建筑物监测系统传来的信息,同时与调度中心计算机监控系统进行通信,发送调度中心需要的信息,接收调度中心下达的调控命令。

各站级计算机监控系统的主要功能包括:数据采集和监视,人机联系及操作,自动流量和水位控制,无功功率控制,事故分析处理,统计和制表打印,与通风空调系统、消防系统、水工建筑物监测系统和 UPS 电源的通信,与调度中心的通信,GPS 时钟同步,语音报警系统,系统自诊断和自恢复等。

LCU 在脱离站级计算机系统的情况下能独立运行,完成其监控范围内设备的实时监控,并具有容错和纠错能力,同时还装有其监控范围内较完整的数据库。LCU 主要功能包括:数据采集和处理,控制与操作,人机联系,与保护装置、220V 直流系统、流量测量系统、清水系统和冷却水系统的通信,时钟同步,自诊断等。

3.4 计算机监控系统软件配置

计算机监控系统配有丰富、完整的系统软件、支持软件及满足功能要求的成套应用软件包。

调度中心和站控级计算机基于 IA SCADA 主站,该主站使用的操作系统为 SUN Solaris UNIX 操作系统,采用 Sammi 软件。

水力学应用软件运行在 PC 计算机上,采用 Microsoft Windows 2000 操作系统,利用丹麦水力和环境公司(DHI)开发的标准软件模块 DIMS 和 MOUSE。

每个 LCU 和 RTU 的人机接口都通过运行在工业 PC,Microsoft Windows NT 操作系统下的 Wonderware 来实施,采用 InTouch 软件。

参 考 文 献

[1] 仇德彪,等.山西省万家寨引黄工程勘测设计论文集.郑州:黄河水利出版社,2003

水电站油压装置、调速器的油泵及压力罐容量的探讨

郭中枪

(天发美联水电设备制造有限公司)

新中国成立以来,我国的水力发电事业获得了巨大的发展。大、中、小型各类机组均能独立地设计与制造,水电站的辅助设备——调速器、操作器及油压装置等更是发展神速,品种、规格繁多,基本上满足了水电站自动控制及安全生产的需要。在肯定业绩的同时,也应清醒地看到本行业技术基础工作存在着许多急需解决的问题,由于一直没有制定有关水电站的油压装置的选型计算标准及方法,各个专业制造厂、设计院在具体工作中遇到一系列的困难和不便,给电站造成了许多没有必要的损失,因此有必要组织力量加以解决。现提出我们的看法,供同行商讨。

1 国内外基本情况

1.1 国内方面

在许多已建成的大、中、小型水电站中,普遍存在着泵大罐小的现象,泵大表现在启动时间太短,通常油泵只工作 15~40s;罐小则表现在调节过程出现大波动时,两台油泵均启动,油压仍然快速下降,甚至必须紧急停机,以致不得不重新更换大一级的压力罐或将压力罐改造加大,否则会严重影响电站的安全生产。

(1)XT 型小型调速器是 20 世纪 60 年代我国首次自己联合设计的产品(之前,中小型水电站中使用的调速器全部靠进口),该产品解决了众多中小型水电站的自动运行的控制问题。总体上讲,性能是好的,但却存在着严重的压力罐偏小、油泵容量太大的问题。80 年代经各有关单位商议后,将压力罐容量加大了,但泵未变动。详见表 1。

表 1

项目	型号	配用油泵(L/s)	配用压力罐(L)
修改前	XT－300	0.7	50
	XT－600		80
	XT－1000		120
修改后	XT－300	0.7	180
	XT－600		180
	XT－1000		200

应当指出的是:20 世纪 60 年代,国内刚刚试制出几种螺杆泵,规格和品种极少,螺杆泵的最小容量只有 0.7L/s。现在的规格和品种均增加许多,完全可以满足合理配置之需。

(2)中型调速器(以 YDT－3000 为例),其压力罐为 600L,螺杆泵容量为 1.4L/s。对

$25kg/cm^2$ 等级而言,在 $\Delta P = 2kg/cm^2$ 时,泵油时间为 $15 \sim 19s$,显然油泵容量太大了。

(3)大型油压装置(以 HYZ – 4.0 为例),其压力罐容积为 4 000L,泵的容积为 6.3 L/s。对 $25kg/cm^2$ 等级而言,在 $\Delta P = 2kg/cm^2$ 时,泵油时间为 $25 \sim 28s$,同样油泵容量也太大了。

1.2 国外方面

现将日、欧、美各国油压装置选择计算法,对同一台机组进行计算并将其结果列于表2(摘自《中小型水轮机调速器的使用与维护》143 页,水利电力出版社 1983 年出版,郭中枢)。

表2 几个国家的油压装置选择计算结果比较

项目	日本 (A 级)	瑞士 Echer Wyss	奥地利 Voith	美国 Wood Ward
压力罐总容积(L)	8 600	2 300	5 200	7 150
空气容积(L)	5 800	1 500	3 400	4 300
油的容积(L)	2 800	800	1 800	2 850
油泵容量(L/min)	415	290	240	185
备注			不包括进口主阀	不包括进口主阀

注:表中为一立轴混流式水轮机,有蝴蝶阀和空放阀。$V_g = 60L$,$V_r = 360L$,$V_v = 330L$。工作油压上限为 21 kgf/cm^2;工作油压下限为 19kgf/cm^2。(V_g 为导叶接力器容积;V_r 为空放阀接力器容积;V_v 为蝴蝶阀接力器容积)

综上所述,可以明显看出,国内外油压装置的选择计算标准与方法差异是很大的。如何结合我国实际情况,制定出一种既合理又方便的计算标准与方法,应当提到日程上了。本文就油泵及压力罐的容量选择计算提出建议。

2 油泵容量的确定原则

若将油泵的启动、停止视为一个周期的话,则每个周期的长短($T_1 + T_2$)是不一样的。在电力系统稳定,即接力器不摆动时,T_1 短则说明油泵的容量大,否则,相反。为了讨论方便,先请看图1,现就图说明如下。

(1)低油压油压装置国内目前有 3 种压力等级,即 2.5MPa、4.0MPa 和 6.3MPa。而 ΔP 是这样选定的:

当 $P_0 = 2.5$MPa 时,$\Delta P = (8\% \sim 15\%)P_0 = (0.2 \sim 0.4)$MPa;

当 $P_0 = 4.0$MPa 时,$\Delta P = (8\% \sim 15\%)P_0 = (0.4 \sim 0.6)$MPa;

当 $P_0 = 6.3$MPa 时,$\Delta P = (8\% \sim 15\%)P_0 = (0.6 \sim 0.9)$MPa。

水电设备制造厂、水电勘测设计院及水电站三方面对这一数值通常均无疑义。当电站实际所需调速功偏小,则 ΔP 取较大值时,油泵启动次数可以减少。

(2)T_1:油压由 P_1 增加到 P_0,即在增加 ΔP 时,油泵工作时间即 T_1,此值争议甚大。

对同一台机组,在电力系统频率波动较大时,调节系统耗油量大,则 T_1 长,由 P_0 下降到 P_1 的时间 T_2 则短;当电力系统稳定时,T_1 短,T_2 长。

2.1 T_1 值的提出

T_1 值的提出依据以下几方面:

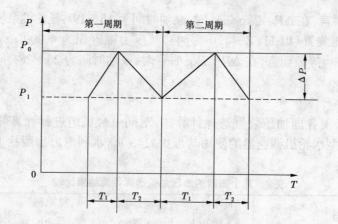

图1 油泵启动、停止示意图

(1)我国多台大、中、小型水电站运行的实测记录;

(2)国外有关计算选型公式与方法;

(3)我国电力系统容量业已很大,而且必将越来越大的实际情况;

(4)水电站运行的需要、方便与经济性能;

(5)大型油压装置多泵方案(配置3台或3台以上)出现。

大、中、小型油压装置油泵启动时间 T_1 值见表3。

表3 大、中、小型油压装置油泵启动时间 T_1 值

型号	T_1 值(s)	ΔP(MPa)		
		2.5	4.0	6.3
小型调速 YT-300、600、1000	60~90	0.2~0.4	0.4~0.6	0.6~0.9
中型调速 YT-1800、3000	90~120	0.2~0.4	0.4~0.6	0.6-0.9
HYZ型油压装置 1.0、1.6、2.5、4.0、6.0、8.0MPa	120~180	0.2~0.4	0.4~0.6	0.6~0.9
YS型油压装置 1.0、1.6、2.5、4.0、6.0、8.0、10、15、20MPa	120~180	0.2~0.4	0.4~0.6	0.6~0.9

2.2 油泵容量的确定

现依据表3规定,分别对小、中、大型油压装置的油泵容量计算如下:

(1)YT-1000 型调速器:$P_0 = 2.5$MPa,$\Delta P = 0.2$MPa,压力罐总容积为 200L,额定时,其空气容积 $V_1 = 133$L,依据波依耳定律,$V_2 = V_1(P_1/P_2)^{1/k}$,$P_2 = 2.3$MPa,$k = 1.41$,$V_2 = V_1(P_1/P_2)^{1/1.41} = V_1(2.5/2.3)^{0.709} = 133 \times 1.061 = 141$L,所以 $\Delta V = 8$L;取 $T_1 = 60$s,则 $Q = \Delta V/T_1 = 8/60 = 0.14$(L/s),这样,可以选用 3GR20×4 螺杆泵,其容量为:$Q = 0.22$L/s(原为 0.7 L/s),电机型号为:$Y90s - 2B_5$,1.5kW。

(2)YT-3000 调速器:$P_0 = 2.5$MPa,$\Delta P = 0.2$MPa,压力罐总容积为 600L,$V_1 = 600 \times 2/3 = 400$L,$V_2 = V_1(2.5/2.3)^{1/1.41} = 424$L,所以 $\Delta V = 24$L;取 $T_1 = 90$s,则 $Q =$

$\Delta V/T_1 = 24/90 = 0.26(\text{L/s})$，选用 $3GR25 \times 4$ 螺杆泵，其 $Q = 0.44\text{L/s}$（原为 $1.4\ \text{L/s}$），电机型号为：$Y100L-2B_5$，3.0kW。

(3)HYZ-4.0 油压装置：$P_0 = 2.5\text{MPa}$，$\Delta P = 0.2\text{MPa}$，压力罐容积为 $4\ 000\text{L}$，$V_1 = 2\ 666.7\text{L}$，$V_2 = 2\ 829\text{L}$，所以 $\Delta V = 162\text{L}$；取 $T_1 = 120\text{s}$，则 $Q = 162/120 = 1.35(\text{L/s})$，选用 $3GR36 \times 4$，其 $Q = 1.6\text{L/s}$（原为 $6.0\ \text{L/s}$），电机型号为：$Y132S-2B_5$，7.5kW。

2.3 多泵方案

2.3.1 概述

目前油压装置选用多台油泵的方案越来越多，尤其对于 HYZ-2.5 以上型号者，意义更为重要。通常大泵两台，型号一样，小油泵的容量尽量接近小波动的调节系统的耗油量为准。本人于 1994 年与武汉长江控制研究所合作，为福建省尤溪水东电站提供了 6 台 HYZ-4.0-40 油压装置就选用了 3 台油泵，小泵容量为 0.22L/s，平日大泵基本不启动，小泵每天连续工作超过 23 个小时，如图 2 所示。只有启动和停机时，大泵才投入运行，反映效果甚佳。对某些超大型油压装置，完全可以考虑选用四台甚至四台以上多泵方案，其结果是运行方式灵活、方便，启动、停机无任何困难可言，还可降低设备造价及运行维护成本。

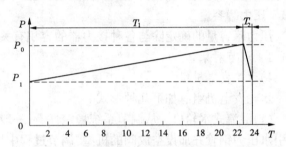

图 2　多台油泵方案时，小油泵工作方式示意图

2.3.2 多台油泵方案的优点

多台油泵方案的优点表现在以下几个方面。

(1)众所周知，螺杆泵寿命长，其原因在于三螺杆啮合相互运动时全无金属接触，这是其他任何泵类像齿轮泵、叶片泵、柱塞泵等所无法比拟的，比较适合长期连续地工作。实践表明，其故障多发于启动和停泵瞬间（目前，国产螺杆泵质量已过关，不像 20 世纪很多非专业厂小批量制造，由于螺杆精度不够，运行中出现卡死现象）。

(2)大型螺杆泵需求量少，生产成本高，售价昂贵，选购困难，而且质量不如中小型泵质量可靠，国内外情况一样，带有规律性的现象，值得同行关注。世界万物均按量变到质变的规律行事，当螺杆泵大到一定程度后就会出现使用小泵时绝不存在的现象。诸如启动困难、安全阀振动严重、工作时噪音过大、价格昂贵、供货不及时等，如可以回避，则何乐而不为之。

(3)近年来，各地均用组合阀取代安全阀、单向阀、卸载阀等，部分地解决了原有大型安全阀振动等弊端。但应当指出：由于组合阀属于二级液压放大式结构，其第一级引导阀体积很小，间隙过小对油的清洁度要求极高。到目前为止，还想不出通过增加滤油器或用别的什么方式加以解决，故不管哪家提供的组合阀，均不能完全令用户满意。但是，用小型泵则可以回避之。

(4)随着油压装置容量的增加，油泵容量也应增加，这好象是顺理成章的事情，难道真的没有第二条路可走吗？综观国内外的化工、冶金、石油行业(包括目前水电站在内)已普遍采用高油压装置,其压力罐——蓄能器受制造模具和经济的制约其总容量需要加大时,不像水电站压力罐那样一味地加大,它是用数量的加大来解决问题的,用几台甚至十几台组合在一起达到目的。为什么不用多台小油泵组合到一块取代大油泵呢？这完全是一种设计理念的转变或叫做换位思考问题,本人不仅设计过3台方案的油压装置,而且也已完成了巨大型的油压装置的多台油泵(4～6台)的施工设计,希望得到用户和设计单位的支持。

3 压力罐容量的确定原则

压力罐容量的确定和油泵一样,在国内并没有一种明确的方法供大家选用。根据国内外的有关计算公式及我国电站实例调查,提出下列主张供业内讨论与使用。

3.1 压力罐容量

压力罐容量的确定除与各种接力器的容积有关外,尚与以下诸因素有关。

3.1.1 调节对象

1)水轮发电机组

水轮发电机组有如下几种形式。

(1)混流式水轮机。从调节系统稳定性看,一般机型对压力罐容量的要求偏小。但对长引水压力钢管并加设空放阀的机型,调节过程中极易出现接力器长期摆动工况,则压力罐应选取上限值,甚至更大一些为宜。

(2)定桨及转桨式水轮机。由于轴流定桨及转桨式水轮发电机组的水头比混流式的低,水流加速度时间常数 T_ω 偏大,接力器会出现长时间的小幅度摆动,因此其耗油量比混流式大,故其压力罐容积应选取较大值。

(3)斜流式水轮机。由于其工作水头居中,导叶接力器工作条件较好,但其桨叶接力器容积大,开启、关闭时间快,故耗油量大。因此,这种机型压力罐的选择决不能按斜流转桨式水轮机组对待,这种失败工程已经出现过。

(4)贯流式水轮机。由于机组本身的 GD^2 很小,水头比轴流式机组更低,水流加速度时间常数 T_ω 大,调节系统的稳定性很差,导叶接力器长期处于摆动之中,故耗油量大。过去,皆按一般规律选用压力罐,故普遍出现了贯流式水轮机压力罐偏小的现象。

(5)冲击式水轮机。冲击式水轮机流量小、水头高、压力钢管长,由喷针和折向器共同调节。喷针调频动作很慢,折向器动作快。调节状态相对稳定,因此其压力罐容量的选择类似于混流式水轮机。

2) 引水系统

水流时间常数 T_ω 反映了引水系统水流惯性的大小,是恶化水轮机调节过程的主要因素。调节过程的振幅、振荡次数和调节时间,都会随着 T_ω 的增加而加大。当 $T_\omega \leqslant$ 2.5s时,调节过程的工作品质容易保证;当 $T_\omega \geqslant 2.5$ s时,振幅、振荡次数和调节时间就会加大,耗油量随之加大。此类电站选用压力罐容量时,必须予以适当加大。

3)电力系统

大型电网的频率波动小,中、小型电网的频率波动大,单机供电时,频率波动范围最大,因此应根据频率波动大小选用压力罐容量。

3.1.2 调速器的内部结构元器件的种类与配置

低油压系统中,调速器内部结构元器件包括主配压阀、引导阀、电-液转换器等,差异很大,耗油量各异,压力罐的选型应充分地加以考虑。高油压系统中液压元件基本上分为两类:第一类为伺服喷嘴挡板式、滑阀或引导阀类的连续变化元器件,由于其连续的工作,耗油量大;第二类为电磁阀类的开关式的断续式工作元器件,此类耗油量少。

3.1.3 调速器与操作器

调速器具有调频的作用,频率波动大,耗油量多。操作器只用于控制接力器的开、关,则其操作简单耗油量少。故在调速功相同的情况下,调速器的耗油量比操作器相对大得多。因此,相同容量的调速器和操作器,其压力罐容量绝不应当一样。

3.1.4 工作油压及温度的影响

调速器内部元器件制造精度相同时,其系统的漏油量与工作油压成正比,即压力越高、调节系统内部的耗油量越多。如果调速器制造精度差或年久失修,其系统的耗油量自然会增多,油泵的启动次数增加。

相同的装置、相同牌号的透平油,南方与北方的耗油量也会有所不同。南方温度高,耗油量多。

3.2 压力罐容量确定方法

将用于各种水轮机及进口主阀的压力罐容量的确定方法列于表4。

表4

水轮机形式	压力罐总容积(含进口阀)		压力罐总容积 进口阀、蝶阀、球阀单独配置	
	2.5、4.0、6.3MPa	16～20MPa	2.5、4.0、6.3MPa	16～20MPa
混流式	$(20\sim25)V_g+(5\sim8)V_r+(5\sim6)V_v$	$(25\sim30)V_g+(6\sim10)V_r+(6\sim8)V_v$	$(8\sim12)V_v$	$(8\sim12)V_v$
轴流式	$(25\sim30)V_g+(5\sim8)V_m+(5\sim6)V_v$	$(30\sim35)V_g+(6\sim10)V_m+(6\sim8)V_v$	$(8\sim12)V_v$	$(8\sim12)V_v$
斜流式	$(25\sim30)(V_g+V_m)+(5\sim6)V_v$	$(30\sim35)(V_g+V_m)+(6\sim8)V_v$	$(8\sim12)V_v$	$(8\sim12)V_v$
贯流式	$(40\sim50)V_g+(8\sim10)V_m$	$(45\sim55)V_g+(10\sim12)V_m$		
冲击式	$(20\sim25)V_d+(5\sim6)V_n+(5\sim6)V_v$ 注:进口阀加设关闭重锤时可减少至$(1\sim2)V_v$	$(25\sim30)V_d+(6\sim8)V_n+(6\sim8)V_v$ 注:进口阀加设关闭重锤时可减少至$(1\sim2)V_v$	$(8\sim12)V_v$	$(8\sim12)V_v$

注:本表所列数据根据国内外计算公式及国内运行电站的实例统计而列出。表中符号说明,V_g为导叶接力器的容积;V_r为空放阀接力器的容积;V_v为蝶阀、球阀接力器的容积;V_m为桨叶接力器的容积;V_n为喷针接力器的容积;V_d为折向器接力器的容积。

3.3 本公司大型、巨型油压装置的设计特点

(1)多台不同容量小型油泵组合在一起,又分批次启动与停止,巧妙地将油压装置的油压连续地维持在$(8\%\sim15\%)P_0$范围内。在大波动时,多台油泵可以分批次地启动与停止,避免大型油泵的诸多缺点。

(2)不主张采用组合阀,我们也无需考虑卸载阀和旁通阀(这些阀我们均能独立制造)而是采用无振动的小型安全阀。

(3)采用压力传感器代替多个电接点压力表,控制油泵启动与停止。

3.4 多罐多泵油压装置

目前低油压油压装置中，国内外均按一罐二泵式设计制造，巨型的有二罐式的。尤其是大型油压装置，单体罐的体积很大，制造、运输皆不方便。

如像高油压油压装置那样，采用多罐并联组合式，其优点很多：第一，便于标准化；第二，只要改变一下高粗比(由 $K = \dfrac{H}{D} = 2 \sim 3$ 增加到 $K = 5 \sim 6$，其中 H 为罐的总高度，D 为罐的内径)，即可用无缝钢管来制造罐体；第三，如果罐体选小了，再并上 $1 \sim 2$ 个标准罐就解决问题了(见图3)。

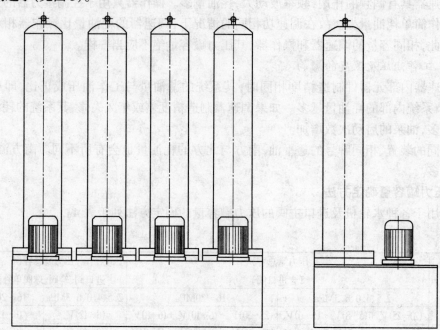

图3　多罐多泵式油压装置示意图

多油泵组的设想已有先例，但最多仅增到 3 台油泵，其实对巨大型油压装置更可增加到 4、6、8、10 台，回避使用大型螺杆泵。

总之，我们不仅主张大罐小泵，而且主张多罐多泵式方案。

新型机械补气装置

郭中枢　刘立梅　栗新艳　祝玲玲

（天发美联水电设备制造有限公司）

　　油压装置除了首次建立油压时需补充压缩空气外,在其运行中,油同压缩空气直接接触,从而使一部分空气被油带走。因此,需定期地补充压缩空气。补气需专用装置,但现已有的补气装置运行并不理想,因此对中、小型和大型油压装置的补气装置,我们进行了改进和创新。

1　小型油压装置使用的新型机械补气装置

　　对于小型水电站来讲,通常采用补气阀加中间罐的补气方式。它省略了高压空气压缩机或高压储气罐,降低了电站的设备投资。由于补气阀布置在回油箱上面,必须通过管路、接头等与回油箱相连,从而使接头的漏气现象无法避免。因此,补气过量,则每班需人工从压力罐中排气3～4次。

　　由于没有加置气、水分离装置,补进的大气中含有水蒸气、杂质等。在纯净的气体排放时,水及杂质却溶于油中,加速其乳化过程。为了改善以上所说的严重缺陷,我们采取了两项变革(如图1所示):

　　其一,将补气阀由回油箱上面移到主回油箱内某一适当位置。

　　其二,将中间罐变成细长型结构,并与补气阀连成一个整体,取消了管路、接头等,从根本上革除了漏气的可能。

　　其工作原理:此种补气方案工作时,其原理与原方案一样,即调速系统的总用油量为一定值的条件下,压力罐中的压力油多(压缩空气少)时,回油箱中的油面一定会相应地减少,其油面则会低于某一高度。此时,即可进行补气。反之,则应停止补气。为了清楚起见,现分4步对其工作过程加以说明。

　　第一步,如图1(a)所示,当压力罐中的油压上升到工作油压的上限时,压力继电器将油泵停掉。压力油中断,补气阀的活塞在下面弹簧的作用下,上升到图1(a)所示之位置,此时:①中间罐上面的单向阀自动封闭,于是,中间罐与压力罐彼此隔绝;②由于补气阀活塞的上抬,使中间罐与大气沟通(由于需要补气,回油箱的油位下降),中间罐里的油在自重的作用下,通过活塞下部开口,全部排至回油箱并随即置换成一罐空气。

　　第二步,当压力罐中的油压下降到工作油压下限时,压力继电器动作,油泵启动,压力油进入中间罐,活塞被压至图1(b)所示位置。此时,活塞封闭了中间罐里空气的出路,于是一罐空气在压力油的推动下全部进入压力罐。这样,就补进一罐1个大气压下的空气。

　　第三步,当压力罐中的油为正常时,回油箱中的油位也是正常的,补气阀的补气口一定会埋在油中,如图1(c)所示。假定油泵停止工作,补气阀的活塞处于上部位置。由于补气口未能与大气沟通,尽管活塞已将中间罐和补气阀补气口沟通,但大气仍不能进入中

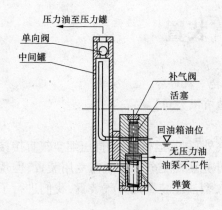

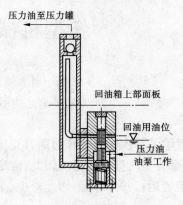

(a)补气,中间罐排油工况
中间罐内充满空气

(b)补气,油泵泵油工况将中间罐的
空气压入压力缸

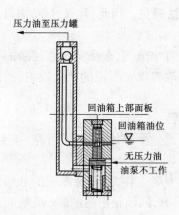

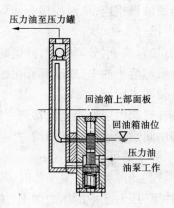

(c)不补气,中间罐不排油工况
中间罐中存满油

(d)不补气,油泵泵油工况将中间
罐内的油一并压入压力缸中

图1

间罐,故此时中间罐里的油在其下面大气压力的作用下,保持在罐内。

第四步,当油泵再次启动时,活塞又被压下,如图1(d)所示。中间罐和补气口再次被活塞隔开。中间罐里的油和油泵刚抽上来的压力油,一起顶开单向阀进入压力罐。显然,此时是一点空气也补不进去的。

2 大型油压装置使用的全机械液压式自动补气装置

目前,水电站使用的油压装置的自动补气装置存在一定的问题:其一,压力罐内油位的检测全部采用位－电式变换装置,该装置不仅价格昂贵而且安装困难;其二,油压的检测也是采用压－电式变换装置,同样成本高、可靠性差;其三,压缩空气的补给与停止采用高压空气电磁阀来控制,受电磁阀的功率限制,其操作力偏小并且密封性很差。因此,在实际操作中容易出故障,可靠性不高,难以满足电站油压装置自动补气自动化的需要。

　　本装置是一种应用于水轮机中控制导叶、桨叶和蝴蝶阀等机构的油压装置中的全机械液压式自动补气装置(见图2)。当油压高到额定值以上时,重锤及测油压差动活塞一起上升(从额定油压相对应的重锤位置达到补气油压相对应的重锤位置),压力油进入到油路A处。当压力罐油位升高时,回油箱油位下降,浮筒连同测油位差动活塞也随之下浮(达到补气油位),从而导通B油路通道,A油路通道的压力油则通过B油路通道进入差动接力器活塞腔,使其活塞下移推动球阀的手柄打开,高压储气罐自动地向压力罐补给压缩空气。

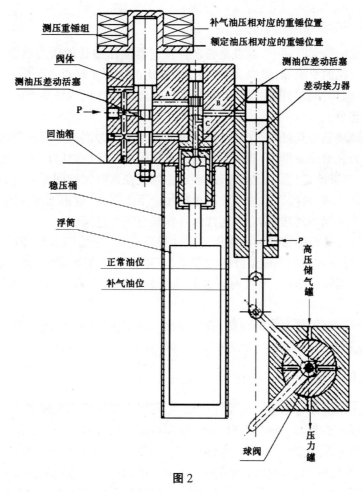

图2

　　当压力罐内油位、油压正常时,浮筒连同测油位差动活塞则自动上升(达到正常油位),回油口C则与差动接力器活塞腔接通排油,这时该活塞回程,球阀关闭,储气罐停止向压力罐内部补给压缩空气。

水轮机桨叶的电－机操作机构

周泰经

（长沙星特自控设备实业有限公司）

魏守平

（华中科技大学）

吴应文　饶培棠

（武汉星联控制系统工程有限公司）

1　问题的提出

　　转桨式水轮机的桨叶调节,通常是将来自调速器操作油管的压力油引至立式转桨式水轮发电机组上端的受油器,经内、外油管沿着机组的空心主轴进入下端水轮机转轮体内的桨叶接力器(操作油缸),再由操作油缸带动转轮体的操作机构使所有叶片同时正、反转以调节桨叶的转角。

　　桨叶的根部转轴与其衬套,在叶片长期承受巨大水压力而又不断转动的情况下,是极容易产生磨损的。磨损变形后,其密封材料都无法阻止转轮体内的压力油涌入尾水管中,众多具有转桨式(贯流式)机组的电站,或多或少均存在桨叶漏油问题。例如,湖南省遥田水电站一年漏油达80余吨。漏油常常严重地污染下游河道,危害下游人民身体健康。如能从根本上解决此漏油问题,则对我国江河环保具有重要意义。

　　另外,这种国内、外的常规油压操作的桨叶操作机构,受结构限制(内、外油管一方面要随主轴旋转,另一方面还要随桨叶接力器上、下动作),使受油器和内、外油管接口处密封非常困难,常常漏油、串油,导致调速器的油压装置中油泵启动频繁,不仅油泵磨损严重,而且浪费电。

　　为了彻底根除这种普遍漏油现象,我们提出一种水轮机的桨叶电－机操作机构。(受理发明专利申请号:03118452.9 受理实用新型专利申请号:03235174.7)

2　转桨式水轮机桨叶电－机调节装置简介

　　本装置即水轮机桨叶的电－机操作机构,它可以实现转桨式水轮机的无油桨叶调节。它采用交流伺服电机驱动,经过谐波传动减速器减速和增大转矩,带动梯形螺杆正、反转,梯形螺母(套)则连同操作轴上、下动作(取代内、外油管),直接操作水轮机转轮体内的操作机构,使所有桨叶同时正、反转,调节桨叶角度。本机构还设置有双向推力轴承,安装在机组主轴上,使巨大的上、下操作力(桨叶角度<50°)在机组主轴内部即相互抵消。因此,本装置随同机组主轴一起旋转。在梯形螺套上装有电气反馈装置,可直接反映桨叶转角的变化,电气信号则通过集电环引出。此位移传感器和交流伺服电机的控制部分构成位置闭环伺服系统,它可按微机的指令信号调整桨叶转角,实现数字协联,保证机组运行于

高效区,控制精度高。这些控制功能均可附在调速器的电器控制柜中实现,故采用本装置后就可取消受油器、内外油管及桨叶接力器等常规部件。因此,不再采用双调调速器,而是单调调速器。

本装置全部安装在机组主轴上,并随主轴一起转动,见图1。交流伺服电机 10 通过大传动比的谐波传动减速器 9 增大输出转矩后,带动梯形螺杆 5 正、反转,则梯形螺套 4 连同操作轴 1 以大于 50~100t 的力上、下动作操作水轮机转轮体内的操作机构,使所有

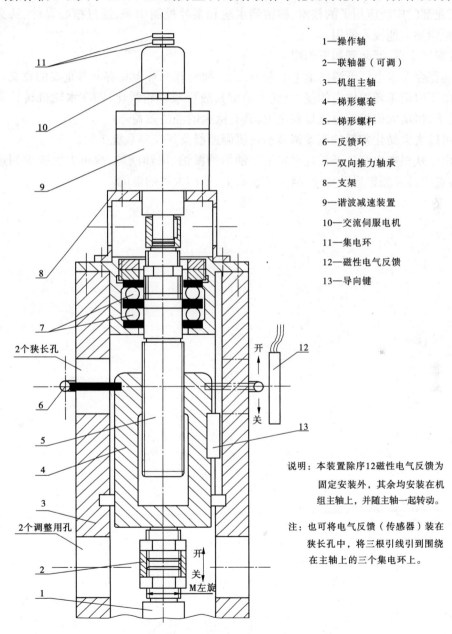

1—操作轴

2—联轴器(可调)

3—机组主轴

4—梯形螺套

5—梯形螺杆

6—反馈环

7—双向推力轴承

8—支架

9—谐波减速装置

10—交流伺服电机

11—集电环

12—磁性电气反馈

13—导向键

说明:本装置除序12磁性电气反馈为固定安装外,其余均安装在机组主轴上,并随主轴一起转动。

注:也可将电气反馈(传感器)装在狭长孔中,将三根引线引到围绕在主轴上的三个集电环上。

图1 水轮机桨叶的电/机操作机构

桨叶同时正或反转动桨叶转角,调节桨叶角度。操作轴1布置在水轮发电机组空心主轴的中心部位,以取代原内、外油管。桨叶的全开、全关时间可以通过交流伺服电机的驱动电源速度控制功能进行整定。

3 结语

本装置中使用的核心技术:交流伺服驱动,谐波减速及其组成的交流位置伺服系统均是其他工业部门广泛应用了的技术,移植到水轮和桨叶控制中来,通过精心设计、认真实践,本装置能顺利地投入使用。

本装置实施后,能起到如下作用:

(1)确保今后水电厂下游河道不受漏油污染,故对江河环保具有非常重要的意义。

(2)由于取消了转轮体内的接力器(大油缸),故可减小轮毂比,即在水轮机转轮直径不变情况下,可增大机组的过流量和出力,具有巨大的经济效益。

(3)可以大大简化常规的双重调节水轮机调速器及其控制系统工程。

(4)由于从根本上解决了常规水轮机受油器的漏油、串油问题,故可大大减少调速器的油压装置中油泵频繁启动现象,减少油泵磨损,节约大量的电能。

机械过速保护装置的研制与应用

姚宏钢

(宜昌葛洲坝电厂能达公司调速部)

1 概述

机械过速保护装置是当机组发生事故时,为抑制其转速上升的一套保护装置,是对电气过速保护的一种冗余处理方法。

水电厂要实现"无人值班,少人值守",对机组的安全可靠有新的要求,其中"失电保护"及"保机组"是无人值班水电厂的重要设计原则。这就提出了在失电状态时如何更好地保护机组的要求。在失电状态下,调速器无任何控制信号。当电网出现故障,机组突然甩负荷时调速器及电气过速保护无法快速关闭导叶,将造成严重的事故,而机械过速保护就是为了保护机组飞逸而采取的重要技术措施。

2 问题的提出

宜昌葛洲坝电厂能达公司在天生桥5号、6号机组投标时,电厂要求供货方提供机械过速保护装置。机械过速保护较少在国内机组上使用,而从国外引进的机组采用的这种类型装置又存在抗干扰差、易误动作等不足之处。天生桥电厂对机械过速保护装置提出如下技术要求:

(1)装置能稳定、可靠运行。

(2)转速达到额定转速115%时,装置提供一对常开和一对常闭电气节点。

(3)转速达到额定转速150%时,装置提供一对常开和一对常闭电气节点,且能通过事故配压阀将导叶关闭到零位。保护机组安全。

针对以上的电厂要求,我们设计了这套机械过速保护装置。

3 机械过速保护装置的组成及原理

机械过速保护装置主要由飞摆装置、转速发信装置及控制阀组件等组成。飞摆装置主要将机组转速信号转换为相应的位移量,其结构见图1。

整个装置固定在水轮机主轴上,并随主轴运动而一起运动,采用夹箍限紧方式。不破坏主轴本身的结构,不在大轴上作任何处理。飞摆装置结构上的飞锤1是信号发生的主要部件。其一端以一轴心转动,另一端由板弹簧压紧以控制大小飞锤力量的大小。当大轴转动时,飞摆产生离心力 $F = mv^2/r$,此力量随着转速的升高而增加。飞摆的另一头采用板弹簧控制共飞摆力量的大小,板弹簧的力量可通过螺钉进行调整,以控制飞摆在弹出的位移量,飞摆上有限位控制槽,通过限位销使飞摆只能在一定范围内运动,增加其安全性,为保证整个机构的动平衡将飞摆装置设计为两套,呈对称分布使其不影响大轴的摆

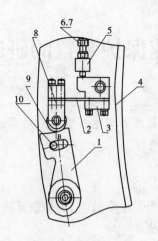

图1 飞摆装置

1—飞锤；2—板弹簧；3—转动块；4—夹箍；5—固定块；
6—锁紧螺钉；7—锁紧螺母；8—压块；9—轴承；10—限位销

动。在信号处理中，一个飞摆发过速115％信号，另一个发150％过速信号及机械液压信号。当试验完成后，此装置上的调节螺钉应锁紧固定。为防止机组振动造成设备紧螺母松动，其转动部件中的所有螺母全部采用槽形螺母以防止松动。

转速信号转为飞摆的位移信号后，由信号接受装置将信号接收，并发出电气信号或机械液压信号。此装置固定在大轴旁。结构如图2所示。

摆杆距飞锤距离为一定值，此值可由试验得到。转速到达时，飞摆装置的飞锤随转速的升高而伸长。当到达所需转速时，飞锤打动摆杆，摆杆脱离中间位置，通过触头使得电气信号或机械信号得以发出；当转速达到额定转速的115％时，上摆杆被飞锤打掉后触点脱离后面的行程开关，使其动作。将电气接点信号发出，发出的信号可根据行程开关类型选择，我们使用OMRON进口行程开关，其可靠性较强。在水电厂中使用较多，提供的接点为一对常开接点和一对常闭接点。当转速达到150％时，也就是超过事故停机的保护时，下摆杆被打动，同上摆杆一样，通过触头使电气触点动作；并且其下面的两位四通阀在弹簧的作用下复位，使压力控制油接通，发出机械液压信号控制事故配压阀，将接力器关为零。

发信装置一般装在水车室与油箱相连。为保证其有较好的抗干扰性，对发信装置中的活动摆杆增加了定位器，并进行了定位处理，使其位置变化时，需要一定的操作力才能脱离，这样即使有干扰信号也不会轻易动作，从而保证其信号的可靠性。为使摆杆脱离后能方便快捷复位，设计了复位器。

4 装置工艺性

整个装置因为始终是与大轴相连并随大轴转动而运动的，因此对装置的安全性、可靠性、精确性有较高的要求。对于整个关键部件如板弹簧、摆杆、飞锤等零件，都提出了较高的加工及热处理要求，由于在动作时飞锤与飞摆之间的相撞是很小的点接触，并要求动作干净、利索，这样才能达到较好的一致性及重复性。并且要保证多次动作后，其碰撞点无

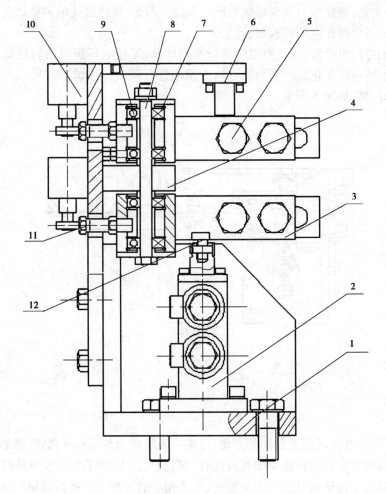

图2 信号发信装置

1—支架;2—两位四通阀;3—摆杆;4—轴承座;5—锁紧螺母;6—垫圈;
7—定位器;8—拉杆;9—轴承;10—行程开关;11—触头;12—复位器

磨损、塌陷等现象。摆杆在强冲击下,不得有断裂,因此采用局部淬火方式,这样既保证其硬度要求,又保证其韧性要求。板弹簧是调节的关键,需要其有良好的韧性及稳定的弹性系数,对其热处理时增加了时效处理,以消除其内应力。这样在工作中,才能保持长时间的稳定可靠。

5 试验

机械过速保护只有在机组转速发生过速或飞逸时才动作。过速或飞逸往往是由于机组发生事故时,机组突然与系统解列,机组甩负荷且调速器反应不及时或发生故障才有可能出现。它不仅影响到机组的强度寿命及引起机组振动,并且过速动作后,通过事故配压阀迅速关闭导叶,水轮机的过流量会急剧变化。在水轮机压力过水系统内产生水击,此时产生的最大压力上升和最大的压力下降,对压力系统的强度是有影响的。实践中曾发生过压力的上升太高,而使压力钢管爆破的严重事故。因此,机械过速的调整试验只能在实验室完成,在现场只做相应的校验试验。

　　为此,我们专门设计实验台,对机组进行模拟试验,即按电厂提供的转速要求及大轴直径进行试验,转速的变化通过变频器可以方便地进行调整。在试验时可以先确定飞锤与摆杆之间的距离,如图 3 所示。

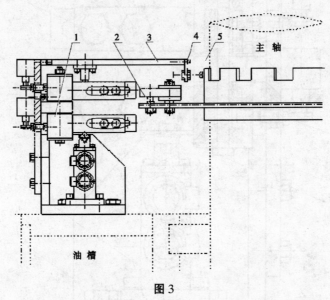

图 3

1—发信装置;2—飞摆装置;3—支架;4—调整块;5—接近开关

　　通常为了保证在现场的安装调整方便,可按一般距离为 5~7mm 选定,然后调整板弹簧的预压力,这使其在要求转速时能打开摆杆,将信号发出。实际中,板弹簧的厚度是不同的,这主要是为了保证信号的发出灵敏性,作了相应的处理。试验后将试验数据与每套装置的资料一并存档,以备调试及验收使用。

6　机械过速装置与系统的组成及应用

　　机械过速装置是与电气过速装置并列运行在水轮机组的。对于机械过速装置所发出的电气接点信号,可与电气过速信号并行处理。当转速到 150% 时,需要发出事故停机信号。机械过速信号装置中的两位四通阀与事故电磁阀通过切换阀对事故配压阀进行作用。任何一路信号发出均能使事故配压阀动作,保证了机组在事故处理中双重冗余,使机组更加安全。对于水电厂,无事故配压阀可将此信号与调速器紧急停机并行处理,增加机组运行的安全性。

7　结语

　　该机械过速保护装置在原理及可靠性上都有独特的技术,并且将机械、液压、电气功能集为一体,进行了合理的结合,是典型的机电液一体产品。

　　机械过速装置的主要特点有:

(1)采用板弹簧作为测控元件,充分利用了板弹簧的稳定性,使整个装置结构紧凑,可靠性高。

(2)使用夹箍夹紧的安装方式,不破坏任何设备的原有结构,并采用槽形螺母,提高其安全性。

(3)采用独特定位方式,使得装置抗干扰能力增强,不会产生误动作。

(4)考虑了复位装置,在摆杆动作时能方便快捷地复位。

(5)摆杆具有可调节性,方便在试验中调整。

(6)采用 OMROM 行程开关,替代所需要的电气接点信号。

(7)采用二位四通阀作为液压控制元件,能够方便与其他液压元件接口。

(8)可在夹箍上加工等距齿,发信装置上安装接近开关,进行齿盘测速。

该机械过速保护装置已在天生桥电厂 5 号、6 号机组安装调试完成,并于 2000 年 8 月投运至今,一直稳定运行无任何故障。

水电厂技术供水的过滤器

林昌杰　陈育平　喻　红
(武汉三联水电控制设备有限公司)

1　引言

　　水电厂技术供水的任务主要是向发电机定子、发电机导轴承、水轮机导轴承等部位提供清洁的有压冷却水,以保证这些部位的正常工作温度。不同的电厂、不同的机组、不同的运行方式,对供水的参数(压力、流量、精度)有不同的要求;而不同的取水方式、不同的水质,对滤水器的过滤、清污能力亦有不同的要求。

2　技术供水滤水器的任务和要求

　　水电厂技术供水一般与发电用水同源。取水方式有蜗壳取水、压力钢管取水和水库直接取水等几种方式。大多数电站采取蜗壳取水的方式,一般不要加压泵,通过滤水器以后直接供应冷却系统。

　　虽然在取水口设置了拦污栅,可以清除一些粗大的浮渣,但在供水过程中还会有大量的悬浮污杂物进入供水系统中。在不影响供水能力的前提下,有效地清除这类污杂物,保证供水系统长期正常工作,这是技术供水滤水器的主要任务。

　　通常对滤水器有如下几项要求。

　　(1)足够的过流能力。在工作过程中,应能保证在任何工作状况下都有不小于管道额定流量的过流能力,不允许有断流的现象出现。

　　(2)足够的水压。应确保在任何工作状况下,不致因为系统的沿程损失和局部的压力损失而造成冷却器内的流速低于额定值。

　　(3)足够的水质精度。应保证在任何工作状况下,不致因为水流中的杂质造成管道系统的堵塞而影响设备的工作。

　　(4)不同的供水精度。有的水电站还要求同一滤水器同时向不同的设备供水,这就要求同一滤水器应向系统输出不同压力、不同精度的压力水。

　　(5)不致造成管道堵塞。有些水电站还要求能清除非水流中携带的蟹、螺、蚌等水生物在冷却器中寄生而造成的管道堵塞,以及因水流中杂质的沉积和结垢而造成的管道堵塞。

　　(6)清污在线进行。滤水器的清污必须在线进行,即保证在清污状况下,供水的各项指标不发生变化。

　　(7)多种操作功能。为完全实现水电厂的"无人值班,少人值守"要求,滤水器必须是全自动、免除人工清洗,保证能在长期无维修、无检查的条件下正常工作,而且还应具有定时运行、差压运行、远程控制、人工操作、手动运行、故障报警和手/自动切换等多种功能,以满足不同工况下对供水的要求。

3　滤水器内的水流流态分析

水流在滤水器内的流态是十分复杂的。通过滤水器的水流压降可以用下式计算：

$$\Delta h = (\lambda \frac{L_0}{d} + \xi_1 + \xi_2) \frac{v^2}{2g}$$

式中：λ 为进出水管的沿程阻力系数；L_0 为进出水管的有效长度；d 为进出水管的内径；ξ_1 为网面的局部阻力系数；ξ_2 为其他部位的局部阻力系数。

从有关资料中可知,考虑网面部分堵塞时的总阻力系数为 $7.5\sim9.0$。而网面的局部阻力系数 ξ_1 为

$$\xi_1 = 1.3(1-f) + (\frac{1}{f}-1)^2$$

式中：f 为网面的总面积与实际通流面积之比,一般取 $0.3\sim0.4$。

由上式可知,ξ_1 的取值范围为 $3.0\sim6.2$。可见,滤水器内的压力损失主要产生在网面部分,见图1。

滤水器某一结构,其过流量越大,则体内的流速越大,其产生的压降越大,而产生的压降与流速的平方成正比。

一般地说,过机平均流速为 $1\sim2$ m/s(管道系统中的流速为 $3\sim4$ m/s)。水流中所含杂质成分极其复杂,有杂草、庄稼秆、树枝叶、生活垃圾、塑料瓶、尼龙绳、鱼虾或其他小动物的尸体及泥沙。不同的流域、不同的季节,水中含污染物的成分不同。这些污物在水流中呈悬浮状,其表现密度约为 $960kg/m^3$,含水率 $70\%\sim85\%$,其中纤维状物质较多,有机质高达 85%,易腐烂变质。

大多数的滤水器采用冲压孔钢板网作为过滤部件。水流通过网板的流态如图2所示,由于通过小孔将过流面积突然减少,流速会突然加大,在小孔的进口有明显的局部流动阻力和局部压力损失。由于有网孔的存在,水流中夹挟的污物在进入孔之前被截留,其过程较为复杂。如图2所示。

网面的污物附着主要有以下几种形式：

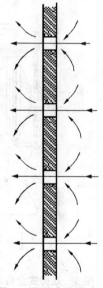

图1　网面水流流态

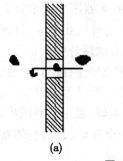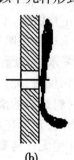

　　　　(a)　　　　　　　　　(b)　　　　　　　　　(c)　　　　　　　　　(d)

图2　网面杂物附着状态(左边为出水边,右边为进水边)

(1)尺寸小于网板孔的细小杂物被水流夹裹,而通过网板(见图2(a))。

(2)尺寸明显大于网板孔的固体浮粒被截留在网板前,由于水流的作用力而紧贴板面(见图2(b))。

(3)横断面尺寸略大于或等于网板孔的条状杂物(如树枝、草秆等)由水流的作用而穿插于网板孔中,由于水流的作用力会呈越压越紧的趋势(见图2(c))。

(4)横断面尺寸小于网板孔的纤维状杂物在水流的作用下进入网板孔,但由于其质软有一定的长度,所以不能全部通过网孔,呈现挂附在网板两面的形态(见图2(d))。

以上几种形式对网板的堵塞情况相互作用,相互影响,会迅速增加过流的阻力,增加堵塞,形成阻—堵—阻—堵的恶性循环,在网板前形成阻碍过水的污物层。

迅速、及时、在线、完全地清除这些附着在网板上的污染物,确保滤水器畅通过水是滤水器的主要功能之一。

4 双刃式全自动免清洗滤水器的原理与结构

双刃式全自动免清洗滤水器是武汉三联水电控制设备有限公司为解决上述问题而专门研制的新产品(专利号为ZL 00229843.0),它的结构如图3所示。由减速器与滤网直联,装在筒壁的清洁压力水冲洗口隔着滤网与喇叭状的接口对应。在圆周方向上,还布置了刮污刀,这个刮污刀刀口与滤网外圆有较小的距离。在正常过滤状态时,电动排污阀关闭,减速机不启动;当在设定的清污、排污工况时,排污阀打开,滤水器减速机启动,带动滤网筒转动,附着在滤网上的纤维状的悬挂物先由装在外壁的刮污刀刮除,然后,滤网行至高压冲洗口与接口之间,进水口电动阀打开,清洁的高压水反向冲洗滤网,使剩余的附在滤网上的污物彻底清除干净。如此,循环一周或数周,可将滤网上的杂物完全清除,保证长期正常供水。这种滤水器

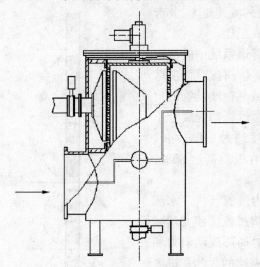

图3 双刃式全自动免清洗滤水器结构图

可以在机组不停机状态下除污而不影响机组的正常供水。因为本滤水器压力供水口设在筒外壁,滤网在清污工况缓慢旋转、而压力水进入口和喇叭状清污接口相互对应,且相对筒体固定,所以结构特别简单,不存在旋转部位漏水的问题。由于在滤网外壁处布置了条状刮污刀,采用了先刮后冲的除污方法,所以清污彻底,能使该设备能长期自动、完全、正常运行;由于在滤网结构上装有二圈由自润滑材料组成的滑动轴瓦,所以运动阻力小、机械磨损小;由于在压力进口和排污口装有电动阀门,并带有差压显示器,采用了差压控制、定时控制,使无人值班运行得以实现。对使用环境无任何要求,为全自动、免清洗的新型滤水器。它的自动控制系统流程见图4。

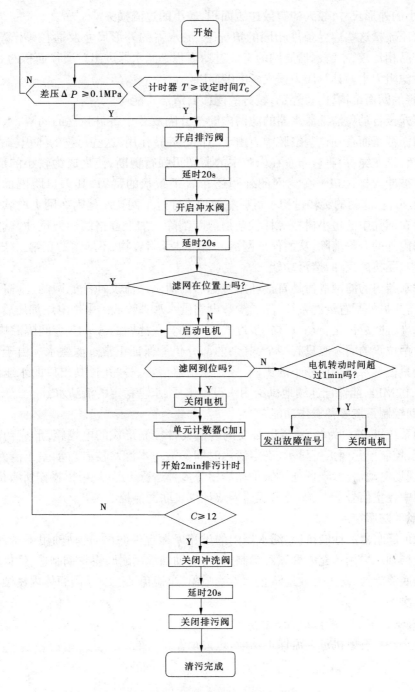

图 4　滤水器自动控制系统流程图

5　双刃式全自动免清洗滤水器的特点

双刃式多精度全自动清污滤水器具有以下特点。

5.1 较小的外形尺寸,较大的有效过流面积,较小的过流损失

在水压流量这些边界条件相同的情况下,滤水器的外形尺寸及通径等已基本确定。与同类产品相比较,本滤水器滤网的有效过滤面积是滤水器进出口通径面积的 8～10 倍,其固有过滤阻力小。计算压力损失≤0.02MPa。

5.2 独特的网面结构,内剪外刮,较好的网面自清洁功能

双刃式全自动免清洗滤水器的滤网内腔被分隔成若干各自独立的间隔,水流带入的污物被网面截留而存在这些空腔中。由于滤网的旋转作用,这些污物的体积较大者(如树枝、塑料瓶、尼龙绳等)将被布置在内腔中的剪切刀强行剪断,使之成为较小的部分,便于在反冲时被冲入排污口。在滤网的外圆还布置了条状的刮刀,其刃口距网面只有 1～2mm 的距离,在滤网的旋转过程中可以有效地将穿过了网孔而挂附在网上的软性纤维状杂物和穿在网孔中的短小树枝等杆状杂物剪断刮除。加上逐格的网面反冲,就能比较彻底地将网内外的杂物清除,从而保证网面的自清洁无附着物、不堵塞的正常工作能力。

5.3 分步、逐格的反冲、清污功能

本滤水器内的滤网清污是直接利用过滤后的清水回流反冲洗滤网的,不需要借助外力,也不需要另外配置清洗系统(除了少数电站供水水头较低而采用电站加压后的水源的情况外)。反冲、清污是自动、逐格、步进式进行的。在滤网的 8～12 个间隔腔中,每次处于反冲清污位置的间隔腔只有一个,其余的部分仍能保证正常过滤供水。由于反冲滤网的耗水量只占总水量的比较小的比例,故在滤水器清污、排污时,其出口的水压波动幅度不超过 0.02MPa,能保证连续地供给用水设备水压、水量稳定的清洁水。

5.4 自动控制系统多种操作功能

控制系统以 PLC 为核心,辅以必要的控制元件控制形成的电控箱,形成功能齐全的控制系统,控制单元面板可显示、设定清污时间参数。本滤水器有自动差压清污、自动定时清污、现场电动清污、现场纯机械手动清污等多种运行工况,还可以操作所有机械、电气信号引到中控室信号屏上,实现远程监控或计算机联网监控。

5.5 可靠的防腐措施

为保证滤水器的性能指标,滤水器内的过流摩擦部件滤网、传动轴用不锈钢制造,机体内的止推轴承采用填充的聚氟乙烯制造,传动轴轴承用耐磨锡青铜制造,壳体内壁采用特殊的船底漆涂层,既可有效地防止水生物吸附,也避免了过滤后因壳体内锈蚀所造成的水质的二次污染。

5.6 多种安全保护设施,运行安全可靠

本滤水器具有电机过电流保护功能,过力矩保护功能。

6 结论

双刃式多精度全自动化清污滤水器 2000 年研制成功,现已在全国十几个大中型电站投入使用,获得较好的效果。首台 LS－PLC 型全自动滤水器于 2000 年 5 月 9 日在广西大化电厂正式投入运行,经过 5～9 月洪水期泥沙多、渣多的恶劣条件的运行检验,滤水器工作正常,未发生堵塞现象;滤水器的机械、电器、控制方面均无任何异常状况。

黄河上游梯级水库防凌调度问题浅析

段肖华　郑永恒

（西北电网有限公司）

1　黄河宁蒙河段冰情概况

1.1　宁蒙河段冰情特点

宁蒙河段处于黄河流域的最北部,纬度最低,冬季严寒而漫长,基本上年年封河,属稳定封河河段。该段从头道拐至兰州一般在12月中旬到1月中旬开始封河,最早在11月中旬封河,至来年2月下旬到3月下旬开河,封河期40~100天,封河长度一般在700km左右,年最大槽蓄变量十多亿立方米,最大达20余亿立方米;黄河下游段相对宁蒙河段纬度稍高,并非年年封河,遇到"暖冬"年份或河道流量适中时可能不封河,有时也可能在一年内随气温和流量的变化,河道"几封几开",因此属不稳定封河河段。黄河下游段一般在12月中旬至来年1月上旬开始封河,2月上旬~下旬开河,封河期一般为10~40天,封河河段一般长310km,最长达700余公里,槽蓄水量约10亿 m^3。

在凌汛期,能对黄河产生较大威胁的凌汛主要发生在上游宁蒙河段和下游河段。由于受河势走向的影响,这两段河流都是由高纬度地区流向低纬度地区。在冬季结冰期,河水首先由低纬度开始结冰,并随气温的降低结冰段逆源而上逐步向高纬度河段延伸,而在春季开河期,河流解冻首先由上段开始,从而形成黄河"自下而上流凌封冻"和"自上而下解冻开河"的特点。开河时,大量冰块蜂拥而下,而此时下游段仍处于封河状态,水流不畅,极易形成冰坝堵塞河道,导致河段壅水,槽蓄水量增加,水位上升,威胁堤防安全。加之这两段河道多属宽浅型,河道比降小,水流速度慢,在冬季更容易结冰,并形成低水位封河状态。

黄河凌期开河有"文开河"和"武开河"两种形式。所谓"文开河"就是黄河冰冻在没有外加动力的条件下自然解冻开河,河水平稳下泄;所谓"武开河"就是在下游冰冻还没有消融的情况下,由于上游来水加大或冰块下泄,下游水流动力增加,使下游冰冻来不及自然消融就在水流作用下破裂,河水夹冰块猛然下泄,威胁大堤安全。为了使封河段以"文开河"形式开河,消除凌汛威胁,需要利用干流水库进行凌期水量调节,为"文开河"创造动力条件。一般调节原则为:在封河前适当加大上游水库出库流量,增大河道径流量,尽可能使河道以高冰盖形式封河,以增加冰下过流能力;封河期要流量均匀,流量过大容易形成"水鼓冰开",流量过小将可能出现冰盖坍塌,因此应避免流量波动过大;开河期为减小凌峰流量,应限制上游出库流量。

1.2　宁夏冬灌退水的特点

宁夏引黄灌区常年干旱少雨,灌区农作物生长完全依赖于引黄水量。灌区土质大多为沙质土壤,持水性差,透水性强,引进灌区水量的2/3通过渠道渗透、田间入渗汇入排水沟直排黄河或土壤渗漏直接回归于黄河。经过统计计算,全灌区年均引水量 85 亿 m³ 左右,而净用水量为 32 亿 m³,其余 50 亿 m³ 退水水量直接排入黄河。这也形成宁夏引黄灌区用水的"大引、大排、低消耗"的特点。灌区冬灌时间为 10 月中旬~11 月中下旬。由于灌区冬灌的大量引水,也造成退水水量的相对集中。每年 11 月 10 日左右退水明显增加,11 月 15~30 日退水高峰,退水最大流量超过 300m³/s,一般情况下也在 150~300m³/s 之间。这些退水经过内蒙古境内时正是内蒙古河段流凌或封河时期,如果正巧遇到强冷空气入侵,封河流量太大,随后退水尾端小流量入境就会造成冰体塌陷,容易形成冰坝冰塞;如果强冷空气在退水高峰流量入境前入侵,河段率先封河,退水量就促使河段水位上升或槽蓄水量的增加,易造成水鼓冰开的被动局面。这两种情况对防凌都极为不利。

2 凌情对西北电网运行的影响

西北电网是一个水火互济的电网,水电占全网容量近 40%,主要集中在黄河流域。水电是西北电网的调峰、调频和事故备用的重要电源支撑点,对系统的电力电量平衡和电网安全稳定经济运行起重要作用。由于宁蒙河段凌情时间长达约 5 个月,此时正逢西北电网的用电高峰期,势必会对系统的电力电量平衡造成影响。

2.1 削弱了西北电网的调峰能力

在凌汛期间,刘家峡日均出库流量一般从 11 月中旬的 750m³/s 逐步过渡到开河期三月上中旬的 300m³/s。黄委会逐旬有调度命令,要求日变幅控制在 ±10% 范围内,由于盐锅峡、八盘峡、大峡、青铜峡水库没有调节能力,只有通过控制刘家峡出库流量平稳下泄,仅开河期刘—青(刘家峡—青龙峡)五电站调峰能力(较过去开河期控制兰州断面 500m³/s)减少 30 万~50 万 kW,增加了火电站的调峰负担。

2.2 减少梯级水电站发电量

在宁蒙河段开河期间,刘家峡日均出库流量从 1990 年以前的 450m³/s 减少到如今的 300m³/s,仅此一项刘—青五梯级日发电量减少 600 万 kWh。在系统严重缺电的情况下,系统运行负担将是不可想像的;若黄河来水连续偏丰、龙羊峡水库水位较高,凌汛期减少的发电水量将在汛期可能被白白弃掉。

2.3 龙刘梯级水库联合调度困难加剧

宁蒙凌汛期长达 5 个月之久(11 月~翌年 3 月),正值西北电网用电负荷最高峰。随着宁蒙河段封河的进一步推进,刘家峡出库流量逐步减少到最小方式,刘—青梯级电量大幅减少,由于系统安全稳定要求,迫使龙羊峡发电流量加大,最终将导致刘家峡库水位很快达到允许最高蓄水位,从而不得不限制龙羊峡发电流量。如果过于限制龙羊峡出库水量,在凌汛期末刘家峡水库水位太低,将影响春灌用水要求,两种情况都将使系统和梯级水库运行陷入极端的被动局面。

综上所述,内蒙古河段凌汛中后期刘家峡水库出库流量要受到一定限制,为保证水库运行安全,在此之前刘家峡水库应事先腾空部分库容,以承接凌汛期上游多余来水,即需要预留部分防凌库容。另外,在凌汛期,考虑到黄河上游梯级的发电要求,在刘库出库流量受到限制的条件下,刘家峡、盐锅峡、八盘峡、大峡、青铜峡等电站出力受阻,此时若要满足电力系统电力电量需求,就需加大龙羊峡水库出库流量,增加龙羊峡、李家峡电站出力,以这两座电站的出力增加来弥补刘家峡及下游4座电站的出力受阻。所以,腾空刘家峡水库部分库容所承接的多余来水不仅包括凌汛期龙—刘区间多余来水,而且包括龙羊峡、李家峡电站增加出力的发电水量。

3 凌汛期水库运用原则

3.1 封河期河道流量控制分析

龙羊峡、刘家峡两水库联合调度运用10年来,不同程度地提高了宁蒙河段防凌期河道的水量。据1989~1995年实测资料统计表明,兰州断面防凌期的调节水量比刘家峡单库运行提高了13%,其中流凌封河期提高了15%,稳定封河期提高了14%,而开河期仅提高了6%。由于黄河上游遇到连续枯水年,龙羊峡、刘家峡两水库存水量不足,凌汛期出库水量锐减,截至1999年,龙羊峡、刘家峡两库联调与刘家峡单库运行时出库基本相当。

龙羊峡蓄水运用后,兰州至三湖河口河段11月份的平均水温比刘家峡单库运用时提高约1℃,使石嘴山、巴颜高勒站的封河日期推迟近半个月,除头道拐站外,三湖河口、昭君坟也推迟10天左右。

随着龙—青梯级水库的正常运行,河道水温对宁蒙河道冰情影响范围在扩大,使元月份兰州至青铜峡河段水温提高1℃左右,青铜峡出库水温的变化,使零水温断面及其不稳定封冻段下延,石嘴山断面平均水温也变为0.1℃。在河段水温等因素的综合作用下,石嘴山至巴颜高勒断面的封冻天数比龙羊峡、刘家峡水库投运前平均缩短一个半月左右,三湖河口至头道拐断面也缩短了10~20天。虽然宁蒙河段封河推迟和封冻天数的减少,致使河段结冰量减少,冰凌水量提前有所释放,表现出对防凌的一些有利条件,但是防凌期河段基流有较大的增加,加上宁夏冬灌大量引水又在11月中旬~12月上旬大量排水的实际情况,防凌河段封冻期槽蓄量增加,河道水位升高,给防凌安全造成重大隐患。因此,合理控制封河流量是防凌期安全的第一道防线。目前,影响内蒙古河段封河形势的因素中,除强冷空气入侵外,起主要作用的还是宁夏灌区多引多排特性和刘家峡出库流量过程。

依据内蒙古河段封冻期一般在12月上旬和宁夏冬灌退水高峰过程,由此时段向上反推,对应刘家峡水库出库时段在11月下旬。11月16日开始刘家峡出库将按防凌要求控制,刘家峡水库出库流量从750m³/s逐步减少到11月下旬的500m³/s,11月下旬~12月上旬刘家峡的较小流量出库于12月上中旬到达内蒙古,正好可以抵消一部分因宁夏退水增加的流量,可实现较大流量封河。因此,11月下旬~12月上旬刘家峡水库出库流量过程的控制应依据对宁夏退水过程的分析计算和封河预报结合进行。经过统计和多年经验分析,封河流量一般控制在650m³/s为宜。

3.2 开河期河道流量控制分析

据30年资料统计表明,有灾情记载的冰塞冰坝达288次之多,开河期出现的次数占80%以上,封河期出现的次数相对较少,多出现在宁夏河段。刘家峡水库和龙羊峡水库相继投入运用以后,由于上游水库对下游河道水温的调节作用很大,使河道的冰情有了较大的变化,最显著的变化是:①宁夏河段封冻长度缩短,大部分河段成为不稳定封河;②封河时间推迟;③首封断面转移到头道拐的概率加大;④开河水位偏高。

开河期刘家峡水库出库流量控制应依据河道冰凌的消融以及附加槽蓄水量的释放情况决定。综合分析认为,开河期刘家峡水库出库流量控制在 $300 \sim 450 \text{m}^3/\text{s}$ 为宜。

4 解决防凌期水电调度效益的主要途径

4.1 合理预测 11 月~翌年 6 月系统负荷

在电网中长期运行方式中,准确预测系统所需电力电量是提高中长期运行方式合理性和可靠性的关键。水调部门从水库综合利用和水库优化调度领域提出黄河梯级水电站可能提供时段的电力和电量,将其输入到电网电力电量平衡程序进行综合计算,必要时返回水调部门协调,如此反复直到产生满意的电力电量平衡方案。系统运行将一步一步地滚动修正,实现电网安全稳定经济运行的目的。由此可见,正确预测 11 月~翌年 6 月系统负荷将对长达 5 个月的防凌期和 3 个月的春灌期非常重要,它对电网运行和龙羊峡、刘家峡梯级水库正常灵活运用的影响是长期的。

4.2 合理预留刘家峡水库防凌库容

宁蒙凌汛期间要求刘家峡出库流量逐步减小且严加控制,为了适应凌汛期电网用电需求,避免防凌未结束而刘家峡水库过早达到最高允许蓄水位,造成龙羊峡出库水量也受到限制给水电调度带来的麻烦。同样道理,若凌汛期刘家峡水库库水位太低,在春灌用水期间,刘家峡水库库补水有限,必将导致龙羊峡水库给刘家峡水库大量补水,造成梯级大发水电局面,电网将承受巨大压力。因此,研究合理预留刘家峡水库防凌库容非常必要。例如 1992 年 10 月末刘家峡水库水位 1 729.32m,至凌汛后期刘家峡水库水位已接近 1 735m,龙羊峡水电厂无法正常发电运用,减少了一季度的发电量,这在当时系统严重缺电情况下损失是相当惨重的。

4.2.1 影响刘家峡水库防凌预留库容的因素

决定刘家峡水库防凌预留库容的因素很多,其函数关系可表示为:

$$Z_刘 = f(E_系, E_火, E_水, W_{刘出库}, Z_龙, Z_{刘3}, W_{龙入库}, W_{龙刘区间}, \cdots)$$

式中:$Z_刘$ 为刘家峡水库 10 月末水位;$E_系$ 为系统需电量;$E_火$ 为系统火电可发电量;$E_水$ 为其他水电可发电量;$W_{刘出库}$ 为防凌期刘家峡出库水量;$Z_龙$ 为龙羊峡水库 10 月末水位;$Z_{刘3}$ 为刘家峡 3 月末水位;$W_{龙入库}$ 为防凌期龙羊峡入库水量;$W_{龙刘区间}$ 为龙刘区间汇入水量。

4.2.2 刘家峡水库 10 月末水库水位计算程序

计算程序框图见图 1。

4.2.3 3 月末刘家峡水库水位控制

首先确定 6 月末刘家峡水库水位;其次结合春灌综合用水和系统负荷特征情况确定 4~6 月份黄河梯级可向系统提供电量。从防汛和梯级联合调度运用等角度综合考虑,6 月末刘家峡水库水位控制在 1 718~1 720m 范围是合理的(刘库年最低运行水位一般出现在 6 月中旬),由此反推到刘家峡水库 3 月末水位。因此,刘家峡水库 3 月末水位不低于 1 730m。

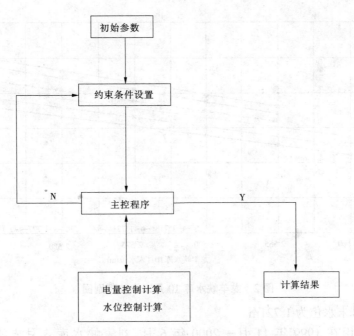

图1　刘家峡水库10月末水库水位计算程序框图

4.2.4　刘家峡水库10月末水位和梯级可发电量研究

(1)假设一组凌汛期11月～翌年6月刘家峡逐月平均出库流量见表1。

表1　刘家峡水库11月～翌年6月的平均出库流量　（单位:m³/s)

月份	11	12	1	2	3	4	5	6
流量	750	550	550	500	400	780	950	780

(2)初始条件。11月至翌年6月龙羊峡水库及龙羊峡、刘家峡水库两库间来水按平水年考虑;6月末刘家峡水库水位按1 718m控制;3月末刘家峡水库水位按1 733.5m控制。

(3)计算成果。当10月末龙羊峡库水位在2 565m以上,10月末刘家峡水库水位可控制在1 718～1 733m。具体控制水位将依据系统负荷情况来定。系统需电量多时选下限,否则取上限,其余水量全部存放在龙羊峡水库。

当10月末龙羊峡库水位在2 565m以下,10月末刘家峡水库水位可控制在1 727～1 730m。如果10月末龙羊峡水库水位在2 550m以下,刘家峡11月～翌年6月出库总水量将要减少,否则龙羊峡、刘家峡梯级水库联合调节比较被动,春灌用水将出现不足问题。龙羊峡水库10月末水位判别图如图2所示。

4.3　刘家峡水库预留库容方案的应用

1999年为丰水年,以1999年11月～2000年6月为例,预计系统需要黄河梯级发电量127亿kWh。10月末龙羊峡库水位按2 581m控制,3月末刘家峡水库水位按1 733.5m控制,刘家峡水库逐月出库流量按表1假设的数据进行操作计算,结果显示,刘

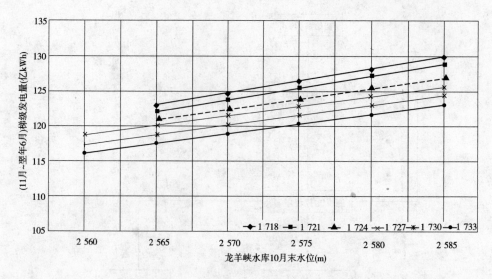

图2 龙羊峡水库10月末水位判别图

家峡水库10月末水位为1 721m。

　　该成果应用在1999年11月～2000年6月,刘家峡水库3月末实际水位达到1 734m,电网运行非常灵活,方案是可靠的。实践证明,刘家峡10月末库水位的确定对黄河梯级水库的长期运用十分关键。它涉及到凌汛期刘家峡水库最高水位、梯级发电量的完成、春灌刘家峡水库补水问题、春灌期梯级发电量与系统承受能力的协调、龙羊峡与刘家峡水库汛前水位控制问题等环节。

5　结论

　　(1)封河流量的控制应着重参考宁夏退水流量过程和封河预报。

　　(2)准确预测凌汛期电网负荷和合理预留刘家峡水库防凌库容是防凌调度成败的关键。

　　(3)黄河上游龙羊峡、刘家峡水库投运后,由于水温的提高,致使下河沿以上河段成为常年畅流河段,结束了冬季封河的历史。下河沿至石嘴山河段也成为不稳定封河河段。可见,在防凌河段上游修建有调节能力水库对调节下游河道水温、减轻防凌压力具有重要意义。由此可见,黑山峡河段和小浪底水库的建成投运也将在很大程度上减轻宁蒙和河南、山东防凌河段的防凌压力。

冗余型船闸监控系统的实现

吕在生　周伟民

（武汉四创自动控制技术有限责任公司）

1　引言

随着船闸控制系统"无人值班,少人值守"工作的不断开展,对船闸监控系统自动化技术的可靠性提出了更高的要求,冗余设备、信息技术以及光纤以太网技术的飞速发展,给自动化系统无论在结构上还是在功能上都提供了一个广阔发展空间,本文简要介绍了冗余设备在船闸监控系统的应用、船闸监控系统实现的原理和功能。

2　系统的构成

整个船闸监控系统是由1个闸门控制中心、1个视频监控中心和2个船闸现地监控单元(LCU)组成的分层分布式控制系统。其中闸门监控中心及现地监控单元硬件上均采用冗余配置,现场通信网络采用光纤以太网结构,在硬件上确保整个系统简单、可靠、安全。

2.1　监控系统构成

船闸监控系统的结构框图如图1所示,主控级采用两台美国 DELL Precision 340 作为工作站,两台与现地 LCU 通信,互为主/备用,能够实现无间隔切换。现地 LCU 采用法国施耐德公司 MODICON 昆腾 CPU 为控制核心,每套 LCU 采用两套相同的 CPU、电源和通信模块,互为主/备用,I/O 模块通过通讯总线共用,现地 LCU 采用台湾台达 5.7in 触摸屏作为人机界面。两台冗余工作站与现地 LCU 都分别连到网络服务器,通过网络服务器进行交换数据。

2.1.1　船闸监控系统主控级配置

美国 DELL Precision 340 工作站配置要求：

Intel Pentium IV 1.8GHz CPU

512MB 内存

80GB 硬盘

3.5″,1.44MB 软驱

52XCD－ROM

声卡、显卡、通讯卡

21″纯平高密度彩显

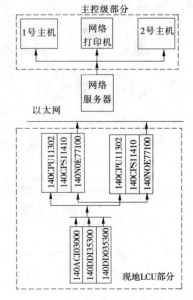

图1

标准键盘及光电鼠标

两台主控级工作站通过以太网互相通信并通过组态王软件实现数据互换,使两台主控级工作站实现无间隔切换。

2.1.2 现地 LCU 配置

中央处理单元(CPU)——QUANTUM 140CPU11302 是一种数字化的电子操作系统,它使用用户保存在可编程存储器中的指令进行操作。QUANTUM CPU 还作为通讯总线的主控,控制 QUANTUM 系统的本地、远程和分布式 I/O,其中 140DDI35300、140DDO35300 信号模块(DDI/O)——用于数字量输入/输出,140ACI03000 模拟量模块(ACI)——用于模拟量输入,140CPS11410 负载电源模块(CPS)——用于将 QUANTUM 140CPU11302 连接到 120/230 伏交流电源,该 CPU 中有两个 MODBUSRS232 口选其中一个与触摸屏通信。

140NOE77100 网络适配器(NOE)——用于与上位机通信和读写数据,提供标准的网络接口,支持 TCP/IP 以太网协议,可与上位机通信,以便上位机对现地单元监控。现地 LCU 与上位机通信采用光缆作为通信介质,这样能提高系统的抗干扰能力,同时提高了数据传输速度。同时该模块还负责现地控制单元两个 CPU 实时通信,如当前主用CPU 发生故障,备用 CPU 顶上成为主用 CPU ,主用 CPU 变成备用 CPU。该通信介质为光缆,实现现地控制单元冗余 CPU 无间隔切换,也可手动切换现地控制单元 CPU 主备用。

2.2 视频系统的原理和实现

视频监控系统的摄像机根据现场需要放置,根据摄像机摆放位置不同选用不同的摄像机,并通过光纤通信将摄像机解码器的图像数据传到视频主站,实现中控室远方实时监视(见图 2)。

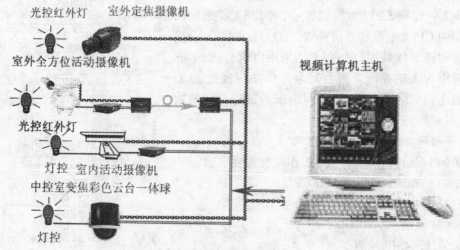

图 2 视频监控系统

视频监控系统主要以现场的实时图像作为信息内容,在控制中心通过对实时图像的处理,完成对现场的监视,以直观的视频图像信号及时了解现场环境、人员工作、设备运行情况,还可以将图像信息作为历史资料加以保存,供以后使用。特别是对一些无人监守的设备、水闸区域、设置监视点提供24h不间断的监视,对环境恶劣的工作区域设置监控点,对人员操作和设备运转的监视,也可为故障分析等提供参考。通过多媒体技术使管理人员及时获取信息,发挥一定的安全保卫作用。

2.2.1 视频主控级配置

美国 DELL Precision 340 工作站配置要求:

Intel Pentium IV 1.8GHz CPU

256MB 内存

80GB 硬盘

3.5″,1.44MB 软驱

8 倍速 DVD - ROM

声卡、显卡、通讯卡

21″纯平高密度彩显

标准键盘及光电鼠标

视频切换、处理卡

解码器

以太网网络卡

2.2.2 前端摄像机组件

对小场景固定监控对象采用固定摄像机,对大场景监控对象为表针或显示屏的监视采用全方位云台及可变镜头,彩色摄像机与黑白摄像机的选用视现场具体情况而定;对在一个大场景内有多个需要迅速监视的对象采用带预置位的镜头及云台;对控制室、计算机房等要求美观场所采用吸顶安装的球型摄像机。设备组成配置叙述如下。

(1)固定摄像机由摄像机、定焦镜头、室内防护罩、支架组成。

摄像机:彩色摄像机,用于将场景活动图像转换为视频信号。

定焦镜头:根据场景大小选择适当焦距镜头,用于调整图像清晰度。

防护罩:保护、固定摄像机。

支架:承载摄像机、防护罩。

(2)活动摄像机由摄像机、变焦镜头、云台、解码器、防护罩、支架组成。

摄像机:彩色摄像机,用于将场景活动图像转换为视频信号。

变焦镜头:可调节光圈、焦距、倍数。根据场景大小选择适当焦距倍数的镜头,用于拉近、拉远,增强光圈、减弱光圈,调整图像清晰度。

解码器:接收矩阵发来的控制命令,向云台、变焦镜头发出控制信号,实现摄像机的上、下、左、右运动,图像的拉近、拉远,增强光圈、减弱光圈,增强图像清晰度。

防护罩:保护、固定摄像机。

支架:承载摄像机、防护罩。

(3)一体化球型摄像机由一体化摄像机(带变焦镜头)、云台、解码器、防护球罩组成。

摄像机:该摄像机将摄像机、变焦镜头集成一体,减小空间、除光学变焦外还增加了数字变焦的功能,增加了可靠性、方便安装、增加美感。

解码器:接收矩阵发来的控制命令,向云台、变焦镜头发出控制信号,实现摄像机的上、下、左、右运动,图像的拉近、拉远,增强光圈、减弱光圈,增强图像清晰度。

防护球罩:保护、固定摄像机。

支架:承载摄像机、防护罩(吸顶无支架)。

室内、外摄像机的差别主要在于防护罩、云台、解码器对环境条件的防护等级,室外的防护等级要高于室内,要经受住雷、雨、风、高低温的冲击。为保证系统的稳定运行,配置视频、信号、电源防雷设备;为保证夜晚的图像质量,室外配置红外灯、室内配置灯控器。

3 系统的功能

3.1 监控中心

监控中心计算机显示画面采用 Windows 2000 风格画面,全中文操作、直观明了的图形按钮、清晰明确的提示,使用简单方便,用户只需点击鼠标即可轻松完成绝大部分工作。

通过计算机可自动完成整个船上行和下行的过程及通航灯的操作,上游和闸室及下游水位的测量、显示,控制各种数据报表打印、事故登录等。

(1)集中显示:上位机直接显示现地 LCU 状态量、故障量、模拟量及动态显示现地设备运行。

(2)集中操作:现地 LCU 在远方操作状态下,集中操作现地油泵、闸门的开启与关闭及通航指示灯的变化。

(3)语音报警:当现地 LCU 判断故障上送到上位机后,上位机实时反应并进行语音提示,提醒运行人员及时处理故障,保障设备正常运行。

(4)冗余切换:当某一台上位故障时主用机自动退出并将当前现地 LCU 数据传送给备用机,使备用机获得当前现地 LCU 状态量、模拟量及故障量,备用机切换为主用机,保证始终有一台上位机正常工作。

(5)事件顺序记录:当电机动力电源断路器跳闸时,电机过负荷、机械过负荷等故障发生时,进行顺序记录、显示、打印和存档。每个记录包括故障的名称和故障发生的时间。

(6)管理:管理包括打印报表、显示、人机对话等。

打印船只上行和下行情况表、过往船只的型号、故障记录表及其他报表。

主控画面包括整个船闸全貌、数字化和图形化显示监测数据以及其他水位数据。查阅历史数据画面,可查询事故报警、上游和闸室及下游水位、操作记录等历史数据。

- CRT 显示还以数字、文字、图形、表格的形式组织画面进行动态显示:
- 上、下游及闸室水位显示;
- 各闸门开度模拟显示;
- 动力电源监视图及电机状态监视;
- 各液压站的油温、油位及各阀的状态监视;
- 计算机系统框图;
- 船只上行及下行操作流程图;
- 各种事故及故障统计表;
- 各闸门动作统计表;

- 各种监视量上、下限值整定表。

闸门监控中心设运行人员操作台,通过主控级计算机可输入各种数据,发更新修改各种文件,人工置入各种缺漏的数据,输入各种控制命令等,监视和控制各种闸门的运行。

3.2 现地 LCU

(1)数据量的采集及处理:现地 LCU 的数据量采集按物理特性可分为模拟量(包括闸门开度、液压站接力器行程、上下游及闸室水位)、开关量等在此基础上产生统计量。同时,现地 LCU 还应对这些数据量及开关量进行处理功能。

(2)控制操作:负责切换远方还是现地操作,现地 LCU 在程序自动状态下只要在上位机或现地发一个下行或上行命令,整个下行或下行过程(包括每个闸门的开启和关闭、水位平压判断及通航灯控制)自动完成,现地 LCU 在程序单步状态下则由上位机及现地单步操作上行或下行过程。

(3)人机界面:现地 LCU 人机界面采用台湾台达 5.7in 触摸屏,通过该人机界面可直接修改整定值,集中显示各重要输入点测量值及状态信息。

(4)冗余切换:现地 LCU 可编程控制器采用冗余配置(包括电源、CPU、通信模块),当主用 CPU 出现故障时,备用 CPU 将会自动顶上,也可通过手动切换主/备用 CPU。

3.3 视频监控系统

(1)单机集成单屏 1~32 幅画面分割组合监视,尺寸任意放缩视频切换。

(2)定点/轮换监视,转换时间设置。

(3)字符实时年月日时分秒地名报警输入和视频叠加。

(4)能根据报警系统及预置的程序进行录像,或由手动实现即时录像,录像回放速度应可自由设置。

(5)具有防盗功能,实现警视联动,在所选定各摄像机定格的画面上进行所需形状边界的布防,在界内区域图像的任意变化都能引起报警,自动跟踪目标,并立即进行硬盘报警录像,启动报警音响。

(6)具有摄像机观察点预置,摄像机云台、镜头的方位和光学参数自动控制,随环境光线变化的灯光自动遥控。采用画面图像分割技术,在同一监视器上能同时接受 9 幅图像信息,画面可以任意组合、放大或缩小。

(7)具有图像抓拍,设置录像保留在硬盘上的时间、录像存储模式、定时录像等功能,每次录像都自动形成一个文件,并标定时间,可在画面上叠加字符、显示摄像机编号、地址,具有重放、定格、快速检索等。

(8)通过键盘可对摄像机、摄像机电源、电动云台、摄像机防护罩进行遥控操作,包括摄像机电源的开/关、镜头的变焦/聚焦、云台的旋转等。

(9)图像为真彩色,分辨率为 VCD 效果,清晰度高,实时效果好,25~30 帧/秒。

(10)具有视频丢失报警功能。

(11)系统具有很强的扩展性,视频输入最多可达 1 024 路。

3.4 通信功能

(1)通信网络采用光纤通信,每个连接的用户数据最大量为 240bytes(发送和接收),通过网络适配器来实现。现场控制站及上位机通过此网络互相通讯。

（2）整个控制系统采用透明通讯的方式，在中控室 DELL 工作站中对网络中的任一现场 PLC 站可以下载程序及访问数据、编程。

（3）现地 LCU 冗余切换采用光纤通信，实现无间隔切换。

（4）视频部分每台摄像机与视频上位机通信采用光纤通信，主要是实现远方实时对各个进船口的状态进行监视，并对各个摄像机的操作（如云台、电动镜头、雨刷、恒温器和报警的伺服系统）。

3.5 系统诊断

系统可在线和离线自检计算机和外围设备的故障。故障诊断能定位到模块，同时可在线和离线自检各种应用软件和基本软件的故障。

4 系统的性能指标

船闸微机监控系统的设计参照美国国家 ANSI/IEEE C37.1—1987"监控、数据采集和自动控制系统所采用的定义、规范和系统分析"，满足水利和电力工业有关行业标准。

4.1 实时性

整个系统的实时性反映在系统的响应时间上，它包括了 PLC 及 IPC 主机处理、存储器存取、I/O 接口响应，通道传送和软件执行等速度或效率。

（1）数字、开关量采集周期<0.2s。

（2）实时数据库更新周期<0.5s。

（3）控制命令响应时间：控制命令回答响应时间<0.4s；接收执行命令到执行控制的响应时间<0.4s。

（4）人机通信响应时间。调用新画面的响应时间：从操作人员到一个新的图像调用命令开始至图像完全显示在 CRT 上为止的 CRT 响应时间<1.5s；在已显示画面上动态数据更新周期<1.5s。

4.2 可靠性

本系统及其设备能够适用本工程的工作环境，具有足够高的抗干扰性能，能够长期可靠地稳定运行。

（1）IPC、多媒体主机 MTBF>10 000h。

（2）接口 MTBF>18 000h。

（3）MTTR(有备件)>0.5h。

4.3 可维护性

（1）设备具有自诊断和寻找故障的程序，按照现场可更换部件，确定故障点。

（2）软件故障检测可准确到任务级。

（3）具有便于试验和隔离故障的断开点。

（4）提高硬件的代换能力。

4.4 系统的安全性

系统的安全性和容错性主要由系统的控制结构保证，因为系统各个节点、子系统独立，每个节点、子系统的退出不影响或者最小影响系统的其他部分。本系统的用户可以在线修改和设置参数，这种修改要求修改者有一定用户级别并知道该级别的口令。

系统有判断不合适或者不希望的动作和状态的能力,其结果将产生报警或拒绝执行或两者兼有。安全性包括以下两方面。

4.4.1 操作安全性

(1)为系统每一功能和操作提供检查和校核。

(2)当操作有误时能自动闭锁并报警;任何自动及手动操作都可记录、存储并做出提示。

4.4.2 通信安全性

系统的设计可保证信息中的一个错误不会导致系统关键性的故障。集中控制 IPC、现地之间的通信及控制信息时,能够对响应有效信息或没有响应有效信息有明确肯定的指示,当通信失败时,考虑 2~5 次重复通信并发出报警信息。

5 结语

该方案已在几个船闸监控系统中投用,从系统运行状况来看,系统可靠性高,采用光纤作为通信介质,数据的采集与通信正常,上位机下达命令现地 LCU 响应较快,视频部分画面清晰并对事故画面进行录制,有利于船闸运行人员操作,整个监控系统运行稳定,各项性能指标均满足船闸自动化系统的要求,大大减少了对整个系统的维护工作量,同时减少了船闸在通航中的事故发生。

流媒体实时图像传输方法

武 炜

（西安航天自动化股份有限公司）

1 概述

Helix Server 是 REAL 公司在续 Real Server 8.0 之后又推出的新一款流媒体软件。它是架设流媒体服务器不可缺少的工具，在架设成功后，计算机将自动加载流媒体服务，可以帮助您实现网上视频点播、实况直播、视频会议等多种功能。本文通过原理、软件安装、软件使用介绍了流媒体实时图像传输的方法。

2 工作原理

2.1 流媒体概述

流媒体又称实媒体，它将声音和图像分开传输。在流媒体技术产生之前，人们只能等待在文件下载完成以后才能观看其内容，但是有了流媒体后，人们就可以不必等待而是实时地观看其内容了。媒体流是由一帧一帧的片段组成的，这些片段组成了数据流在网路上传输，一直到接受方的计算机中，这个过程类似于电影放映机，虽然放映的是独立的图像，但是只要放映速度足够快，人眼看到的画面依旧是连续的。

2.2 流媒体的产生于传输

Step 1：Helix Producer 接受媒体源（文件或声音/图像）。

Step 2：Helix Producer 用一套编码算法将源文件压缩，转变成数据包。

Step 3：数据包通过网络传输给用户。

Step 4：用户通过播放软件播放网路上传输的数据包。

传输原理如图 1 所示。

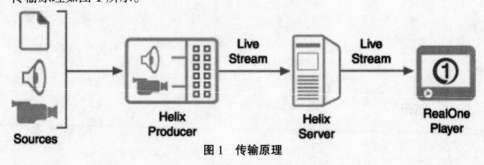

图 1 传输原理

3 软件安装

Helix Server 是通过 license 来确认用户授权的。安装步骤如下：双击 rs901-win32.

exe→点击 Next 继续→输入许可证即安装目录中的 RNKey-Helix-Server-90. lic 文件→点击 Next→点击 Accept 接受协议→选择安装路径并点击 Next→在新画面中 username 处输入自行设定的用户名,Password 处输入自行设定的密码并重复一次→其后出现一些端口的设定画面,可采用默认设置,但建议用户将 http 端口由默认的 80 更改为 8080,否则可能会侵占本机的 80 端口,造成不必要的麻烦。一直点击 Next 直至 Finish 完成安装。这时安装程序会在桌面上创建两个快捷方式:一个是 Helix Server;另一个是 Helix Server 管理的 Web 页面。双击 Helix Server 的图标,启动服务,再双击 Helix Server 管理的 Web 页面将出现图 2 所示画面。

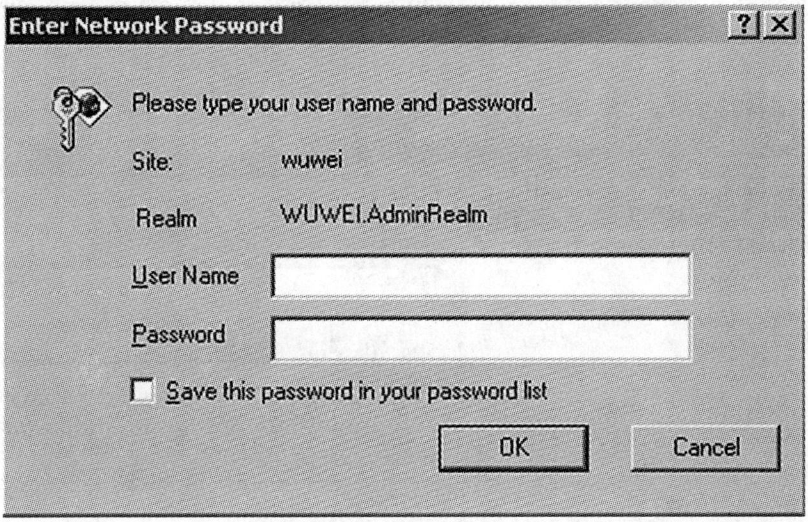

图 2

在 User Name 和 Password 处分别填入您安装时填入的用户名和密码,单击 OK 按钮进入服务器设置页面,至此 Helix Server 的安装已经全部完成。

4 软件使用

4.1 Helix Server 的初期设置

Helix Server 的设置主要在其 Web 页面中,如果您已经架好了局域网,想在局域网内广播,那么 Web 页面中的默认设置就可以了。对公网上固定用户进行广播设置步骤如下:

第一步,进入 Helix Server Web 页面,点击服务器设置子菜单中的 IP 绑定,在编辑窗口中输入 0.0.0.0,如图 3 所示。

第二步,点击子菜单中的访问控制,点击 + ,将客户端 IP 地址或主机名处输入 localhost 或本机 IP,在端口处填上自己的管理端口,这个端口是安装时自动生成的,在 Web 页面地址栏中就可以看到例如:http://duomeiti:12756/admin/index. html 这个地址中的 12756 就是管理端口,再将 rule 1 的位置移动到第二位,点击应用重新启动服务器。如图 4 所示。

第三步,点击 + 增加一条规则 Rule 2,右方访问类型为"允许",客户端 IP 地址或主机处输入客户端允许访问的 IP 地址。端口改为"554,7070,1755"即规定了客户端的访问

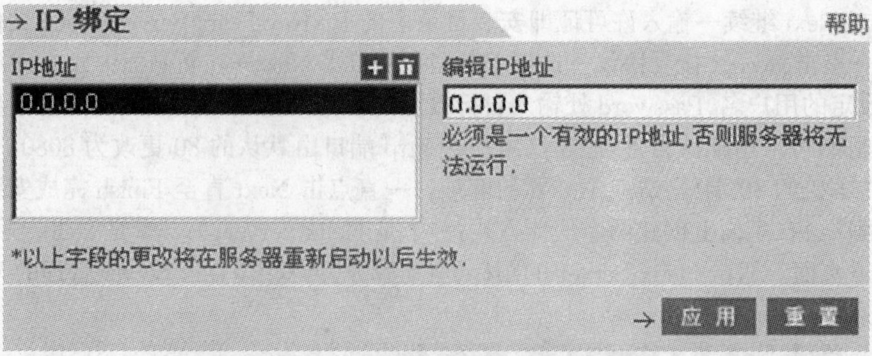

→ IP 绑定

帮助

IP地址 + ⊓

0.0.0.0

编辑IP地址

0.0.0.0

必须是一个有效的IP地址,否则服务器将无法运行.

*以上字段的更改将在服务器重新启动以后生效.

→ 应用 重置

图 3

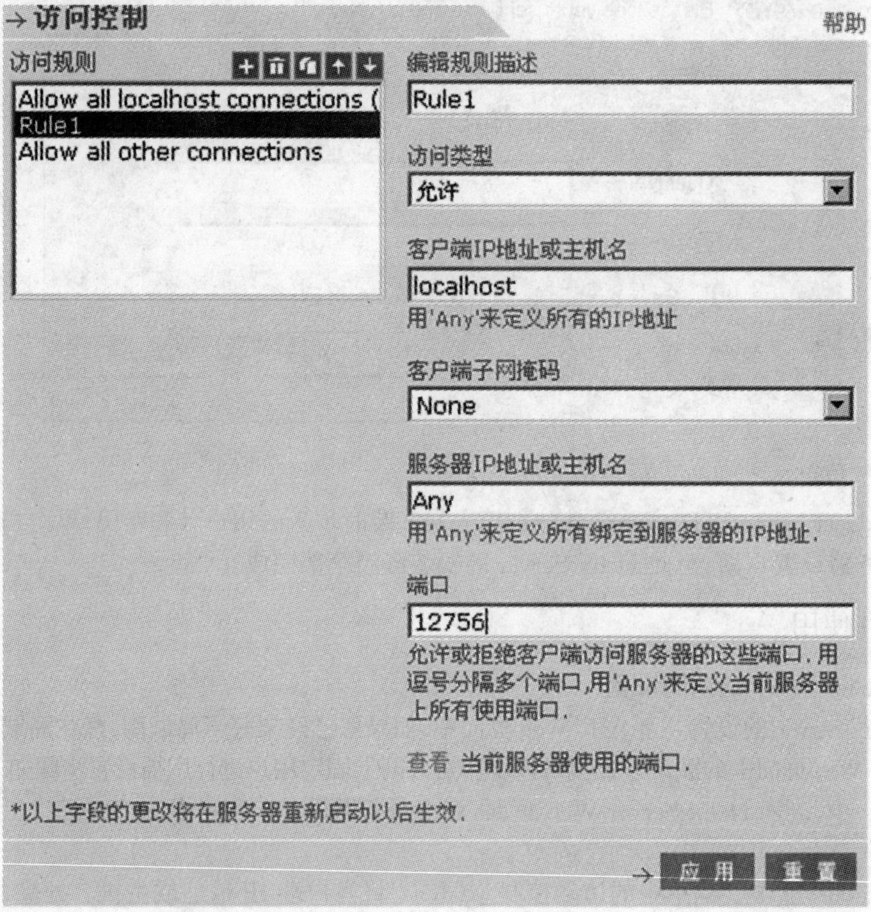

→ 访问控制

帮助

访问规则 + ⊓ ✎ ↑ ↓

Allow all localhost connections (
Rule1
Allow all other connections

编辑规则描述

Rule1

访问类型

允许 ▼

客户端IP地址或主机名

localhost

用'Any'来定义所有的IP地址

客户端子网掩码

None ▼

服务器IP地址或主机名

Any

用'Any'来定义所有绑定到服务器的IP地址.

端口

12756

允许或拒绝客户端访问服务器的这些端口.用逗号分隔多个端口.用'Any'来定义当前服务器上所有使用端口.

查看 当前服务器使用的端口.

*以上字段的更改将在服务器重新启动以后生效.

→ 应用 重置

图 4

端口。如图 5 所示。

重复第三步可以增加更多 IP。

第四步,将 Allow all other connections 中访问类型设为拒绝如图 6 所示。

以上设置好后,点击应用,重新启动服务器,使服务器的修改生效。这样规则中的

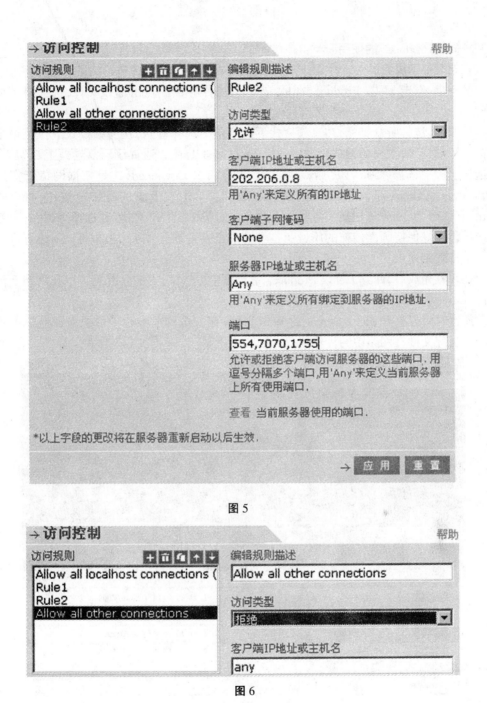

图 5

图 6

IP202.206.0.8就可以通过网络访问您的主机了。通过修改规则可以使公网和局域网的
用户访问主机。

如果您是在局域网内作广播,那么通过 RTSP(Real Time Stream Protoco)实时流传输
协议就可以了。对默认的 Web 页面不需作任何改动。

4.2 Helix Producer 的使用

在架设好了服务器后,我们需要安装 Helix Producer 对数据流进行编码压缩,过程如下:

第一步,双击 Helix Producer 图标,进入主操作界面。点击输入文件,选择要压缩的文件。

第二步,选择听众带宽,在音频模式下拉菜单中选择音乐,在视频模式下拉菜单中选择标准运动视频,在视频编解码器中选择 Realvideo 9,在 2 通视编码复选框上打勾,在听众选择模板中选择 450kVBR Download 或 700kVBR Download,这是依据网络带宽选择的,如果带宽较小,建议选 450kVBR Download。单击右下脚的写字笔按钮,将 Target frame rate 改为 30FPS,根据实际情况选择 Voice/Music 的带宽,带宽选择得越大,声音传输的质量越好但使画面传输的质量变差。设置完成后单击另存为模板可以对设置进行保存。单击确定退出。

在设置完成后,回到 Hellix Producer 主页面中单击编码按钮,您就可以在网路上传输文件了。

您这时可以打开 Helix Server 的 Web 页面,在安全和监控栏中的服务器监控中您可以查看当前文件在网路中的传输情况。如图 7 所示。

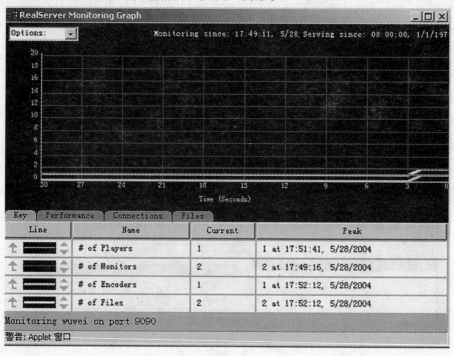

图 7

Key 选项卡中"of Players"表示此时连接到服务器上的用户数量,默认用红线表示。"of Monitors"表示监控文件的数量,默认用蓝线表示。"of Encoders"表示此时编码文件的数量,默认用绿线表示。"of Files"表示文件数量。当您的服务器既在传输文件又在对文件进行编码时,这 4 条线将会分用不同的数值表示。按下 Key 按钮可以查看每条线的含义,按下 Performance 按钮可以对 CPU、内存、带宽、用户连接数以及文件使用数进行查看。点击 Connections 按钮,可以查看连接到服务器上的 IP 地址。

对于观众可以用 Real Player 接受来自服务器的流文件。在接受文件时,首先要输入流文件的地址。例如服务器地址是 192.192.0.7,传输的流文件名叫 live,您就可以在 Real Player的 File→Open 菜单中输入 rtsp://192.192.0.7/broadcast/live,再单击 OK 按钮。再点击 Real Player 的 Tool→Preference,在弹出的 Preference 页面中单击左面选择框中的 Connection,将 Bandwidth 下的 Normal 和 Maximum 中的带宽选为 10Mbps。

以上设置完成后,单击 OK。

现在打开 Real Player 输入以上地址,再点击播放按钮就可以接受到从服务器传来的数据流了。

5 结语

本方法经过实际验证,可以通过局域网实现图像的实时传输,可用于水电站工业电视监控信号实时图像远传。

资深专家及重要著述简介

叶鲁卿　1954年毕业于杭州水力发电学校(现浙江工业大学),1958年毕业于华中工学院(现华中科技大学)水能动力装置专业,1958年至今在华中科技大学任教,教授,博士生导师。1979年3月至1981年7月,在法国国立格勒诺伯尔理工学院及法国电力科研院留学;1987年9月至1988年1月及1989年3月至7月,在加拿大卡尔加里大学任客座教授;2002年10月至2003年2月及2003年9月至12月,在法国国立梅茨工程师学院任特邀教授;在欧、美举行的17次国际学术会议上担任国际程序委员会委员及分会主席。曾任华中理工大学研究生院副院长,校学位委员会副主席。长期从事水电机组及水电厂控制的理论及应用研究,近年来开展了水电厂及电力系统的智能控制—维护—管理集成系统的研究。兼任中国CMMS-IAMS网管委员会主任,中国水力发电工程学会自动化专委会委员,水轮机调节分专委会副主任委员,湖北省水力发电工程学会电气及自动化专委会副主任委员等职。

主要成果

(1)水轮发电机组高性能高可靠控制的理论研究,获中国高校自然科学一等奖(第一完成人),2000年。

(2)水电机组先进控制策略及高可靠控制的理论研究,获湖北省自然科学二等奖(第一完成人),2000年。

(3)主持了我国第一座以调压阀代替调压井水电站的稳定与动态品质研究,获1978年全国科学大会奖。

(4)主持和承担了国家自然科学基金2项,主持和承担了4项国际合作项目(含国家自然科学基金委与加拿大自然科学和工程委员会合作项目1项,中国-欧盟合作项目的第四个框架计划、第五个框架计划项目共2项,与ALSTOM关于三峡机组控制策略的项目1项),主持和承担了"六五"、"七五"、"八五"、"九五"国家攻关任务中关于水轮机调速器的研制项目。成功地主持研究了我国第一台水电机组微机调速器,并相继研制了容错式双微机调速器,智能高、可靠性强的微机调速器、抽水蓄能机组微机调速器等。曾获湖北省人民政府二等奖(第一完成人,1987)、机电部科技进步二等奖(第三完成人,1989)、天津市人民政府二等奖(第三完成人,1990)、国家教委科技进步二等奖(第三完成人,1997),此外,还获得其他部、省级三等奖5项。

主要论著

在国内外发表了百余篇论文(其中在 IEEE Trans on Energy Conversion, IEEE Trans on Power System, Canadian Journal of Electrical & Computer Engineering, La Houille Blanche, Revue Générale de l'Electricité, International Journal of Electrical Power & Energy System, Electric Power Systems Research,等国际著名刊物36篇),被国际著名索引引录130余次(其中 SCI 10篇,EI 32篇)。在 SCI 中被其他论文引用22次。在国际权威刊物 IEEE Trans on Energy Conversion 1989~1998年十年间有关水电机组控制的论文中,与他人合作的论文占1/3。

代表性的论文

(1)Commande Adaptative Multivariable Numérique et Sa Réalisation par Microprocesseur Application & La Régulation de Vitesse d'Un Groupe Hydroélectrique, La Houille

Blanche, No. 1, 1982

(2)Model Reference Multivariable Optimal and Its Realization with a Microprocessor, Proceedings of Mini and Microcomputers and Their Applications, Bari, Italy, June 1984

(3)Microprocessor-Based Adaptive Governor with Variable PID Parameters for Hydro-electric Generating Unit, Proceedings of Mini and Microcomputers and Their Applications, Bari, Italy, June 1984

(4)Variable Structure and Time-Varying Parameter Control for Hydroelectric Generating Unit. IEEE Trans. On Energy Conversion, Vol. 4, No. 3, 1989

(5)An Intelligent Self-Improving Control Strategy with a Variable Structure and Time-Varying Parameters for Water Turbine @ Revue Generale de l'Electricité, Paris, No. 4, 1989, @ La Houille Blanche, No. 6, 1989

(6)An Intelligent Self-Improving Control Strategy and Its Microprocessor-Based Implementation for Application to a Hydro-Turbine Governing system. Canadian Journal of Electrical & Computer Engineering, Vol. 15, No. 4, 1990

(7) Field Tests with a Prototype of Duplicate Microprocessor-Based Governor for a Hydro Turbine, IEEE Trans. on Energy Conversion, Vol. 6, No. 3, 1991

(8) An Integral Criterion for Appraising the Overall Quality of a Computer-Based Hydroturbine Generating System. IEEE Trans. On E. C., Vol. 10 No. 2, 1995

(9)An Intelligent Discontinuous Control Strategy for Hydroelectric Generating Unit. IEEE Trans. On E. C., No. 1, 1998

(10)Field Tests and Operation of a Duplicate Multiprocessor-Based Governor for Water Turbine and Its Further Development. IEEE Trans. On E. C., Vol. 5, No. 2, June 1990

(11)Control/maintenance strategy fault tolerant mode and reliability analysis for hydro power stations, IEEE Transactions on Power Systems, Volume: 16 Issue: 3 , Aug 2001

(12) Intelligent networked (N + M) fault tolerant systems for hydropower station, Electric Power Systems Research, v 59 n 1 Aug 31 2001

(13)Design and implementation of a microcontroller-based governor for hydro turbine and its intelligent control strategy. International Journal of Power and Energy Systems. 2002, (3)

(14)An Economic Performance Evaluation Method for Hydroelectric Generating Unit, Energy Conversion and Management, Volume: 44, Issue: 6, April 2003

(15) Predictive Maintenance in Intelligent-Control-Maintenance-Management System for Hydroelectric Generating Unit, IEEE Transactions on Energy Conversion, No. 1, 2004

专著

(1)水力发电过程控制——理论、应用及发展,华中科技大学出版社,2002 年 5 月。

(2)"九五"国家重点图书"中国水力发电工程机电卷"之第一章第五节"调节保证计算"及第四章"调速器"的作者,中国电力出版社,2000 年 8 月。

陈仲华　1932 年 4 月 19 日(农历)出生于浙江省嵊县(现为嵊州市)。1953 年毕业于清华大学水电专业,同年在丰满水电站参加重点工程项目。1958 年后曾工作于水电部机电安装局、水电建设局及北京水电勘测设计院。1969 年集体到水电站青铜峡五七干校。1970 年到水电部青铜峡工程局。1979 年调水电部南京自动化研究所(现为国电自动化研究院),直到退休。

教授级高级工程师,主任工程师,硕士研究生导师。曾兼职:全国水轮机标准化技术委员会控制设计分技术委员会副主任;电力部水轮机标准化技术委员会调速器分技术委员会副主任;电力部水电站自动化设备标准化委员会委员;中国电机工程学会水电设备专业委员会、中国水力发电工程学会水电站电气及自动化专业委员会水轮机调速器分专业委员会委员;1993 年开始享受国务院颁发的政府特殊津贴。

获奖成果

(1)"WSST-2 型微机型双调节水轮机调速器"获 1988 年水电部科技进步二等奖。

(2)"能源部标准(SD295—88)水轮机电液调节系统及装置技术规程"获 1991 年能源部科技进步三等奖。

(3)"水轮机调节系统原理、试验与故障处理"获 1998 年电力部科技进步三等奖。

专著与译著

(1)1960 年水电出版社的"机电安装丛书"之一《机电设备的试验与调整》作者之一。

(2)1995 年中国电力出版社出版的《水轮机调节系统原理、试验与故障处理》三作者之一。

(3)2004 年 3 月中国电力出版社出版的"电力试验技术丛书"《现代水电厂计算机监控技术与试验》的第八章"水轮机调速器"作者。

发表的主要论文

(1)微机型双调节水轮机调速器研制与电站试验结果,水电厂自动化,1985 年第 4 期。

(2)试论水轮机调速系统结构模式对性能指标的影响,水电厂自动化,1986 年第 3 期。

(3)水电机组自动控制设备十年科研成就及技术发展方向,水电厂自动化,1989 年第 4 期。

(4)发电机控制信号交叉联结可提高电力系统稳定性(译文),水电厂自动化,1990 年 7 月第 3 期。

(5)水轮机电液调节装置的控制规律,水电厂自动化,1991 年第 2 期。

(6)大水电机组的稳定控制对远距离送电电网稳定性的作用,第 10 次中国水电设备学术讨论会论文集,1991 年 5 月。

(7)谈谈微机调速器甩满负荷动态特性试验的必要性,水电厂自动化,1995 年第 3 期。

(8)水轮机调速器发展情况述评,第 12 次中国水电设备学术讨论会论文集,1995 年 5 月重庆。

(9)国产电液调速器性能浅析,电力系统自动化,1997 年第 4 期。

(10)论 PLC——步进式水轮机调速器适用性,电力系统自动化,1997 年第 5 期。

(11)论水轮机调速器模式选择,电力系统自动化,1999 年第 4 期。

刘炳文 教授,1935 年 12 月出生于湖北省天门市,1960 年毕业于华中工学院水能动力装置专业,同年分配到武汉市水利电力学院任教,一直从事水电站动力设备方面的教学和科研工作,并担任教研室主任和系主任 20 多年,主讲"水轮机调节"等四门课程,出版教材和著作 3 部,其中参编的《水轮机调节》教材第二版获能源部 1993 年优秀教材一等奖,电教片"《水电厂生产过程》在辅助教学中的尝试"获湖北省 1993 年教学成果三等奖,培养研究生 20 多名,1989 年被评为能源部电力系统优秀教师,主持科研项目十多项,其中电网调频技术"水电机组承担轧钢冲击负荷的研究"获 1978 年全国科技大会奖;"新型水轮机调速器的研制"获水电部 1984 年科技成果四等奖;"水轮发电机组承担轧钢冲击负荷的分析计算"论文获 1986 年水电站科技进步三等奖。享受政府特殊津贴。

著作和论文

(1)水轮机调节,1981 年为第 1 版,由水电工业出版社出版(参编 10 多万字);1988 年为第 2 版,由水电工业出版社出版(参编 10 多万字);1988 年为第 3 版,由中国水电工业出版社出版(参编 10 多万字)。

(2)简明水利水电词典,水电分册(参编有关调速器词目 1 万多字),1982 年由科学出版社出版。

(3)《水电生产过程》教材(主编并编写 8 万多字),1991 年由北京科学技术出版社出版。

(4)水轮发电机组承担轧钢冲击负荷的分析计算,武汉水利电力学院学报,1981 年第 2 期。

(5)一种新型的水轮机调速器——DST－S 型电液调速器,大电机技术,1983 年第 3 期。

(6)转桨式水轮机的数字协联,武汉水利电力学院学报,1987 年第 5 期。

(7)具有复杂引水系统的龙滩水电站调节系统小波动分析,武汉水利电力大学学报,1993 年第 3 期。

(8)基于测试系统频率特性的自适应水轮机调速器,水力发电学报,1993 年第 2 期。

(9)基于可编程序控制器的水轮机调速器,武汉水利电力大学学报,1995 年第 1 期。

(10)水轮机调速器的极点配置法设计及自适应控制,大电机技术,1995 年第 6 期。

周泰经 1935 年 12 月出生,大学毕业,研究员,1986 年被国家人事部授予"国家级有突出贡献的专家"。

获奖成果

(1)水电站调压阀的液压联锁控制装置,1979 年国家发明三等奖。

(2)环喷式电液伺服阀,1988 年国家发明三等奖。

(3)块式直型电液随动系统,1996 年国家发明四等奖。

(4)新型电液随动系统,1988 年湖南省科学技术进步二等奖。

(5)WT－S微机调速器,1989年机械电子工业部科学技术进步二等奖。

(6)直九直升机旋翼动平衡试验台控制系统和应用,1989年机械电子工业部科学技术进步一等奖。

(7)过程控制大功率电液执行机构,1991年四家七·五科技攻关重大成果奖。

(8)WW(S)T"四无"型微机调速器,2003年湖南省科学技术进步一等奖。

论文和著作

(1)环喷式电液伺服阀的研究与试验,大电机技术,1990年第5期。

(2)DYJ(Z)电液执行机构,自动化仪表,1990年第4期。

(3)具有浮动铰刚性反馈的电液执行机构,自动化仪表,1994年第3期。

(4)块式直连型电液随动系统,中国水力发电工程学会交流论文,1993年。

(5)水轮机电液调速器的高油压机械液压系统,水轮机调速器最新研究成果选编论文集,1986年。

(6)编著《中小型水电站调速器故障处理》,湖南科技出版社,1984年。

沈祖诒 教授、博士生导师,1936年9月出生,1961年3月毕业于莫斯科动力学院水力发电工程专业,同时分配到华东水利学院(现为河海大学)工作。1981年任副教授,1986年任教授,1995年任博士生导师;1983年任河川系副主任,1984年任水电系主任,1994年任研究生部主任,2000年聘为校长咨询。同时任江苏省水力发电工程学会副理事长、秘书长,中国水力发电工程学会理事、水力机械专委会委员、电站液压装置专委会委员、调速专委会副主任委员,全国水力机械标准化委员会委员,调速分标准化委员会委员,云南工业大学兼职教授等职。1992年获国务院特殊津贴。

长期从事水力发电和水动专业教学和科研工作,其中主持建设的水力机械动态模拟试验台和斜流式水泵水轮机动态模拟实验研究获电力部重大科技成果二等奖;葛洲坝轴流转桨式水轮机动态模拟实验研究获水利部科技进步三等奖,主持研究开发的水轮机微机调速器获安徽省科技进步三等奖;主编的《水轮机调节》获电力部优秀教材一等奖;参加编制的《水轮机电液调节装置技术条件》获电力部科技进步三等奖;主编的《潮汐电站》获全国优秀科技图书奖暨科技进步奖(科技著作)三等奖。

出版著作

(1)水轮机调节,水利水电出版社,第一版1981,第二版1988,第三版1998。

(2)水轮机电液调节系统及装置,水利电力出版社,1989.1。

(3)水轮机调节系统分析,水利电力出版社,1991.11。

(4)抽水蓄能电站,水利电力出版社,1992.2。

(5)水力机械及辅助设备的优化设计和计算机辅助分析,河海大学出版社,1996.11。

(6)潮汐电站,电力出版社,1998.3。

发表的主要论文

(1)水轮机调节系统非线性扰动解耦控制,中国电机工程学报,2004年第3期。

(2)水轮机调节系统控制策略综述,人民长江,2004年1月。

(3)一个基于内容图像检索系统的设计与实现,水电能源科学,2003年第3期。

(4)信息融合在水利环境检测中的应用,水文水利自动化,2003年6月第2期。

(5)过渡过程计算中轴流式机组计算模型的优化,水电能源科学,2003年6月第2期。

(6)分布式多媒体系统中对象表示模型及变换方法研究,小型微型计算机系统,2002年8月。

(7)分布式多媒体系统的关键问题探讨与研究,小型微型计算机系统,2001年第3期。

(8)液压系统维护中的逻辑诊断技术及应用,机械工程师,2001年第1期。

(9)水电机组线性最优调节器加权矩阵的确定方法,河海大学学报,2000年第4期。

(10)贯流式机组综合型模糊神经网络智能控制研究,电力系统自动化,2000年8月第15期。

(11)WINDOWS界面下水力-机械过渡过程仿真计算通用软件,水力发电,2000年第7期。

(12)基于模糊神经网络的水力机组模型辨识,河海大学学报,2000年第3期。

(13)智能控制—维护—管理集成系统,水利水电科技进展,1999年第3期。

(14)分解协调模拟进化方法研究,河海大学学报,1998年第3期。

(15)转动惯量对水电机组动态性能的影响,水电能源科学,1998年第3期。

(16)神经网络预测模型的AVFFRPE算法,水电能源科学,1998年第2期。

(17)贯流式水力机组调速控制策略研究,河海大学学报,1998年第2期。

(18)贯流式机组线性调速控制策略的改造,水电能源科学,1997年第2期。

(19)贯流式水轮机线性调速器研究,大电机技术,1997年第4期。

(20)Real-time Simulator for Pump-turblne,'94 International Symposium on Pumped Storage Development,1994.9。

(21)水轮机组微机调速器的研制和应用,华东电力(ISSN 1001-9529)1994.7。

(22)A Microcomputer Based Governor of Water Turbines,'93 International Exposition+Workshop on Medium-Small Hydropower Equipment,1993.5。

(23)水轮机调节系统对象实时仿真系统,大电机技术,1992年第4期。

(24)水轮机调速器调节参数优化计算-拟牛顿法,河海大学学报,1990年第4期。

(25)水轮机甩负荷后导叶最佳关闭规律的确定,河海大学学报,1990年第1期。

(26)导叶关闭规律对最大负轴向力影响的试验研究,河海大学学报,1990年第1期。

(27)水电工程数据库系统,河海大学学报,1990年第1期。

(28)抽水蓄能技术研究,河海大学科技情报,1990年第3期。

(29)非线性水轮机调节系统研究,河海大学学报,1989年第6期。

(30)通过长输电线与电网并列运行水轮机的控制,水力发电学报,1989年第3期。

(31)调速器参数整定对调压井稳定断面的影响,水利学报,1986年第5期。

(32)水轮机调速器最佳参数整定——根轨迹法,华东水科学院学报,1984年第4期。

(33)水轮机调速器最佳参数整定——频率特性法,华东水科学院学报,1984年第1期。

(34)斜流式水轮机流道内动态特性,水力机械,1983 年第 3 期。

(35)水轮机甩负荷过渡过程最优控制的研究,华东水利学报,1980 年第 3 期。

魏守平 1939 年 2 月出生,湖北省武汉市人,华中科技大学教授、博士生导师,享受国务院特殊津贴。1962 年毕业于原华中工学院工业自动化专业,1981 年在该校获工学硕士学位。长期从事水轮机调节系统的研究、开发、设计、生产、教学和标准化工作,曾在天津电气传动设备研究所和广西南宁发电设备总厂各工作了 8 年。参加了水轮机调速器相关的国家标准、部标准和企业标准的制定工作;主持并完成了集成电路电液调速器、双微机调速器和 PLC 微机调速器的研究与开发工作,在国内外水电站得到广泛应用,曾获机械电子工业部科技进步二等奖(1989 年)和湖南省科技进步一等奖(2003 年)。在国内外发表论文 40 多篇。

著作

现代水轮机调节技术,华中科技大学出版社,2002 年 1 月。

发表的论文

(1)水轮机调节系统的适应式变参数控制,水电能源科学,2003 年第 1 期 64~67。

(2)数字式电液调速器的微机调节器,水电自动化与大坝监测,2003 年第 3 期 35~38。

(3)数字式电液调速器的功率调节,水电自动化与大坝监测,2003 年第 4 期 20~22。

(4)我国水轮机数字式电液调速器评述,水电自动化与大坝监测,2003 年第 4 期 1~7。

(5)水轮机调速器的 PID 调节规律,水力发电学报,2003 年第 4 期 112~118。

(6)水轮机调速器的 PLC 测频方法,水电能源科学,2000 年第 4 期 31~33。

(7)水轮机调速系统试验数据的回归分析,大电机技术,1986 年第 1 期 61~64。

(8)调速器专用信号发生器的研究,大电机技术,1987 年第 3 期 58~63。

(9)水轮机调速器的一种新型频率测量电路,水电设备,1978 年第 1 期 64~69。

(10)电液调速器的频率测量回路,大电机技术,1983 年第 4 期 55~62。

(11)水轮机调节系统的适应式变参数调节,大电机技术,1985 年第 5 期 48~54。

(12)可编程控制器调速器,武汉钢铁学院学报,1994 年第 17 期 323~330。

(13)调速器的加速度环节及加速度时间常数,大电机技术,1981 年第 1 期 57~62。

(14)关于调速器自激振荡问题的探讨,大电机技术,1980 年第 1 期 59~64。

(15)水轮机调速系统的状态方程,大电机技术,1979 年第 4 期 80~87。

(16)刚性水锤下水轮机调节系统的状态方程,水电设备,1981 年第 3 期 41~51。

(17)水轮机调速系统的描述函数分析,大电机技术,1981 年第 4 期 43~48。

(18)综合主导极点配置及其在水轮机调速系统中的应用,电力系统自动化,1982 年第 3 期 40~54。

(19)水轮机调速系统的相对稳定性分析,动力工程,1983 年第 2 期 23~29。

(20)正交试验方法与最优参数选择,水电设备,1984 年第 3 期 17~23。

吴应文 1939 年 6 月出生,湖北黄陂人,1962 年毕业于华中科技大学自动控制系。教授级高级工程师,享受国务院政府津贴,湖北省劳动模范。武汉长江控制设备研究所创始人,1984 年任该所所长,直到 1999 年 12 月退休。现任武汉星联控制系统工程公司总工程师、国家水轮机标准化技术委员会委员、中国水力发电工程学会水电控制设备专委会调速器学组副主任、中国电工技术学会高级委员。主要从事水轮机调节技术研究和新型电液调速器产品开发。

研制的 JST - 100 型集成电路双调电液调速器曾获 1978 年全国科学大奖;参加研究的成果"四无"型微机调速器获湖南省 2003 年科技进步一等奖;基于电液比例技术和 PLC 功能扩展技术的水轮机调速系统获教育部 2000 年科学技术进步二等奖;主持研制的 CJT4 - 100W 型冲击式水轮机微机调速器和 DKT 型电机控制的微机调速器获水利部 2000 年科学技术进步三等奖;DYS - I 型双锥式电液伺服阀和 WDT - G 型 PID 微机调速器分别获得水利部 1992 年及 1990 年科学技术进步四等奖。

积极参与行业标准编写和贯彻工作,曾是 GB/T9652.1—1997 水轮机调速器与油压装置技术条件、GB/T9852.2—1997 水轮机调速器与油压装置试验验收规程、DL/T563—1995 水轮机电液调节系统及装置技术规程、DL/T496—2001 水轮机电液调节系统及装置调整试验导则、DL/T792—2001 水轮机调速器及油压装置运行规程的主要起草人。

发表的论文和著作

(1)JST - 100 型集成电路双调电液调速器,水利水电科技情报,1977 年第 4 期 1~20。

(2)一种新型的水轮发电设备机组调速设备——集成电路双调电液调速器,水利水电技术,1978 年(创刊号)第 1 期;

(3)新型电液调速器研究与试验,水力发电,1982 年第 2 期 41~48。

(4)水轮机电微调速器电气协联,电力系统自动化,1981 年第 6 期 51~60。

(5)水轮机组空载情况下调速系统参数的计算,电力系统自动化,1984 年第 6 期。

(6)用水后补偿装置改善水轮机调速系统调节品质的研究与实践,水电能源科学,1987 年第 3 期 259~270。

(7)水轮机调速系统过渡过程时间 t_p 与水流惯性时间 T_w 关系的研究,水电机技术,1989 年第 1 期 56~62。

(8)具有水压反馈的水轮机调节系统动态分析,水力发电学报,1989 年第 2 期 72~77。

(9)以礼河冲击水轮机微机调速器研制,长江科学院院报,1998 年 12 月第 6 期。

(10)水轮机相角测量与控制,华东电力,1994 年第 1 期 24~26。

(11)交流伺服控制式 PLC 水轮机调速器的研究与实践,水力发电,2001 年第 4 期 35~38。

(12)小型水轮机机械油压调速器的技术改造,中国农村水利水电,2003 年第 7 期 61~63。

(13)水轮机调速器发展及技术改造若干问题的探讨,浙江电力,1994 年第 11 期 35~38。

(14)三峡电站水轮机调速器的关键技术及国产化问题初探,长江科学学院院报,2003年6月第3期3;

(15)水力电站机电设计手册调速系统篇,水利水电出版社,1983年。

1995年以来,申请实用新型专利和发明专利近十项,已获得授权的专利有"采用伺服电机控制的水轮机电液调速器"(ZL95 237196.0)、"力平衡式电/机转换器"(ZL01 239984.1)、"中小型水轮机调速器的电液伺服装置"(ZL02 278659.7)和"水轮机调速器的电动阀控缸式电液伺服装置"(ZL96 239747.4)等六项。

李晃 1940年生,福建长汀人。1962年毕业于浙江大学机械系水力机械专业。天津电气传动设计研究所教授级高级工程师,1985~1993年任室副主任。全国水轮机标准化技术委员会委员,全国水轮机标准化技术委员会控制设备分技术委员会主任委员,国际电工委员会中国委员会水轮机技术委员会专家组成员,中国动力工程学会水轮机专业委员会第四届、第五届委员,曾任中国水力发电工程学会水轮机调速器分专业委员会副主任委员。从事水轮机调速器研究设计、标准制修订及行业技术归口工作,其中负责的JB627—79和GB9652—88"水轮机调速器与油压装置技术条件"两项标准和参加的"YTT水轮机调速器研制"分别获得1982、1984、1990年机械部科技进步三等奖。发表"甩额定负荷后水轮机调速器调节时间"等论文20多篇,其中"冲击式水轮机调速系统分析"一文获1991年中国动力工程学会水轮机专业委员会等三个专业委员会联合召开的第十届学术讨论会优秀论文奖,并被评为中国电机工程学会1989~1993年度优秀学术论文;"小型水轮机调速器"一文在1982年美国机械工程师协会冬季年会上宣读并收入在1982年美国小水电流体机械论文集中。作为主要起草人,制定有GB/T9652—1997等五项最新国家标准和行业标准。

刘保华 教授级高级工程师。1940年12月出生,湖南祁阳县人,1965年北京清华大学毕业,1982~1984年在日本京都大学工学部从事流体力学研修。在国家电力公司成都勘测设计院做水机专业设计和水力过渡过程计算工作,所编"水电站过渡过程通用程序(GTPP)"曾获水电设计系统软件一等奖。发表论文20多篇,主要有:

(1)回转式人工心脏泵的设计及性能试验,1984年,日本第3届人工脏器学术讨论会(大阪)。

(2)四川省雅砻江二滩水电站尾水洞明满交替流计算,水电站设计,1987年增刊。

(3)The optimum dosing law of hydranlic turbines with a unit diversion system at hydroelectric power stations,1988年 IAHR AIRH 论文集(挪威)。

(4)羊湖三机式抽水蓄水站的运行方式和过渡工况计算,1992年第2期,水力发电学报(北京)。

(5)Changsha No.5 water works Hammer Accident Analysis,1997年10月第5届亚洲流体机械国际会议论文集(汉城大学)。

(6)天生桥二级水电站"93.5.5"闸门井倒塌事故水力过渡过程仿真计算,1998年4月全国第4届压力水道学术讨论会论文集(郑州)。

(7)长引水隧洞电站调压室的水力计算及工况选择,水力发电工程学报,1995 年第 4 期。

郭建业 1940 年 11 月生。1964 年 9 月毕业于原武汉水电学院(现武汉大学)电力工程系水动专业。自 1969 年起一直从事水轮机电液调速器研制工作。教授级高工,长江控制设备研究所原副所长、总工程师。现任武汉市汉诺优电控有限责任公司董事长,电力行业水电站水轮机标准化技术委员会控制设备分委员会委员、中国水力发电工程学会暨中国电机工程学会调速器分专业委员会委员、长江控制设备研究所及上饶开元电站控制设备公司高级顾问。

参与起草与修订的部标准及行业标准:JB 627—79;水轮机调速器及油压装置技术条件;SD 295—88 DL/T 563—95;水轮机调节系统及装置技术规程;DL 496—92 DL/T 496—2001 水轮机调节系统及装置调整试验导则;DL/T 792—2001 水轮机调速器及油压装置运行规程。

省部级科技进步奖

(1)JST-100 型集成电路调速器,1978 年获全国科学大会成果奖。

(2)DTT-75 型水轮机电子调速器,获 1983 年水电部优秀科技成果四等奖。

(3)水轮机调节系统及装置技术规程 SD 295-88,获 1991 年能源部电力科学技术进步三等奖。

(4)DYS-1 型双锥式电液伺服阀,获 1991 年水利部科技进步四等奖。

(5)GYT 系列高油压中型水轮机调速器,获 2000 年水利部科技进步三等奖。

(6)基于电液比例技术和 PLC 功能扩张技术的水轮机调速系统,获 2000 年教育部科技进步二等奖。

国家专利

(1)1996 年 6 月,双球式电液伺服阀,专利号:ZL 95 2 37821.3。

(2)1997 年 2 月,水轮机调速器的电液比例随动装置,专利号:ZL 95 2 38033.1。

(3)1998 年 2 月,水轮机调速器的电动集成随动装置,专利号:ZL 95 2 37821.3。

主要著作及论文

(1)水电站机电设计手册(参加编写),水利电力出版社,1983 年 11 月。

(2)水轮机调速器与油压装置标准汇编(主编),中国标准出版社,2001 年。

(3)JST-100 型集成电路双调电液调速器,水利水电科技情报,1977 年第 4 期。

(4)一种新型的水轮发电机组调速设备——集成电路双调电液调速器,水利水电技术,1978 年创刊号。

(5)水轮机电液调速器的电气协联,电力系统自动化,1981 年第 6 期。

(6)新型水轮机电液调速器的研究与实验,水力发电,1982 年第 2 期。

(7)提高水轮机电液调节系统工作油压和取消油压装置的探讨,水力机械,1983 年 3 月。

(8)高可靠性电液伺服阀的研制,水轮机调速器最新研究成果汇编,1986 年 5 月。

(9)水轮机调速器动态参数的一种实测方法,水轮机调速器最新研究成果汇编,1986

年5月。

(10)主配压阀流量特性与大型调速器容量选择的探讨,大电机技术,1996年第4期。

(11)巨型水轮机调速器比例集成式电液随动装置,长江科学院院报,2000年第2期。

(12)水轮机调速器的高油压电液比例随动装置,长江科学院院报,2000年第4期。

(13)关于高油压调速器技术的研究与应用,水力发电,2003年第9期。

(14)高油压调速器的结构与布置,人民长江,2003年第10期。

孔昭年 1941年8月出生,硕士学位,教授级高工。1965年毕业于清华大学水电站动力装置专业,1978~1981年在中国科学院研究生院学习;1965~1981年在天津电气传动设计研究所从事水轮机调速器的设计研究工作,1981~1997年历任中国水利水电科学院调节室主任,自动化副所长、所长、院长助理,1997年任中国水利水电科学院副院长,并兼院北京中水科工程总公司副总经理、总经理;2003年9月任中国水利水电科学院院咨询委员。1991年起获国务院特殊津贴;1995年9月被评为全国水利系统先进工作者。兼任全国水轮机调速器标准化委员会副主任、能源部水电部水轮机调速器质检中心主任、中国水力发电工程学会水电自动控制设备专委会常务副主任、中国水力发电工程学会理事、中国水力发电工程学会专家委员会委员。

主要科技成果

(1)主持开发"水轮机调速器动态特性测试系统"获1989年国家科技进步二等奖;

(2)国家标准"水轮机调速器油压装置技术条件"(GB952—88)主要完成人之一,获机械电子部1990年科技进步三等奖。

(3)主持编制"水轮机电液调节系统及装置技术规程"(SD295—88),获1991年度能源部科技进步三等奖。

(4)"在水轮机调节系统动力分析中描述水轮机特性的一种新方法"获能源部1992年科技进步二等奖。

(5)"微机型水轮机调速器实时仿真系统"获国务院重大装备办公室科技进步三等奖。

发表的论文

发表论文20余篇,主要有:

(1)水轮机调速器离心飞摆的分析,水电设备,1974年第3、4期。

(2)水轮机发电机GD^2及水电站调压井的设计准则,水力机械,1982年第2期。

(3)孤立运行条件下水轮机调速器的最优整定,中国电机工程学报,1983年第2期。

(4)带有调压井的水轮机调节系统稳定性的研究,水力发电工程学报,1983年第4期。

(5)PID调速器加速度环节的设计与计算,大电机技术,1984年第4期。

(6)水轮机调节系统调节方案的比较,水电设备,1984年第4期。

(7)水轮机调节系统仿真步长对精度的影响,大电机技术,1985年第1期

(8)水轮机调节系统极点分布域及参数整定,大电机技术,1985年第2期。

(9)水轮机调速器试验仿真系统的研究,水力发电,1989年第4期。

(10)在水轮机调节系统动力学分析中描述水轮机特性的一种新方法,水利水电技术,

1990 年第 7 期。

（11）中国大陆水轮机调节技术的巨大进步，台湾中兴工程顾问社，2001 年 2 月。

黄秉铨　广东南海人，中共党员，高级工程师。1942 年 12 月 26 日生。1966 年北京工业大学电机系本科毕业。1968～1994 年在天津市水电控制设备厂工作，从事水轮机调速器与自动化元件的开发、设计、研制与生产共 27 年。期间历任技术员、副科长、科长、副总工程师、副厂长兼副总工程师。1994 年调广东省肇庆市贺江电力发展有限公司工作至今，任副总经理，总工程师，从事流域梯级水力发电厂开发、建设及水电企业技术管理。

1987～1994 年期间曾任中国电机工程学会水电设备专委会、中国水力发电工程学会水电站电气及自动化专委会水轮机调速器分专委会委员；机械工业部科技进步奖 DJ2 评审委员会委员；国家技术监督局水轮机标准化技术委员会控制设备分委会委员；天津市水力发电工程学会水电成套设备专委会委员；天津市水力发电工程学会机电专委会副主任委员。

1994 年至今任国家技术监督局水轮机标准化技术委员会控制设备分委会委员；广东省水力发电工程学会理事。

2002 年至今任中国水力发电工程学会水电控制设备专委会委员。

1987～1996 年期间曾获国家级科技进步二等奖（1978）、机械电子工业部部级科技进步二等奖（1989）、机械工业部部级科技进步三等奖（1994）、天津市机械科学技术奖励基金三等奖（1993）、天津市优秀新产品二等奖（1994）、天津市科学技术成果（1996）等各一次。

陈叔霖　1942 年 3 月出生，浙江瑞安人。1964 年毕业于天津大学。毕业后分配在天津电气传动设计研究所，一直从事水电及火电机械的可控硅励磁系统的研究设计工作，直至退休。1993 年起享受政府特殊津贴。曾任天津电传所研究室副主任、主任；中国电机工程学会大电机专委会励磁分会委员和中国发电设备行业协会水电设备分会副秘书长。

获奖成果

（1）天津第一发电厂四号机可控硅励磁系统，获天津市 1979 年科技成果二等奖。

（2）可控双绕组电抗分流励磁调节器，获机械部 1983 年科技成果三等奖。

发表的论文

（1）直流侧并联可控硅励磁系统、可控电抗移相式相复励系统和直流侧串联自复励可控硅励磁系统，《电气传动》、《水电设备》1977 年 9 月同步发电机可控硅励磁专辑。

（2）双绕组电抗分流励磁系统，水电设备，1984 年第 3 期。

（3）关于在菲律宾 Batchelor 水电站遇到的功率振荡问题，农村电气化，1985 年第 2 期。

曾继伦　1942 年 10 月出生，工学硕士，教授级高工，曾任国家电力公司电力自动化研究院电控所总工程师。兼职水轮机调速器标准化专委会副主任委员。

20 世纪 80 年代初开始从事水轮机调速器的研究工作，主持研究成功 WSST－2 微机型双调节水轮机调速器，获水电部科技进步二等奖；主持研究成功 SJ－720 微机型水轮机调速器，获电力部科技进步一等奖；参与 DDT－100 型调速器液压柜研究并获得国家电力公司科技进步三等奖;1984年获全国水利电力战线劳动模范称号。

发表的论文

(1)SJ-700系列微机型水轮机调速器的设计与运行。

(2)Digital governor with flault-tolerance control for large hydro-turbines.

(3)快速准同期及微处理机的应用。

(4)容错式水轮发电机组自动控制。

(5)水轮机调速器调节算法分析与实践。

(6)关于电磁兼容技术在水轮机调速器的应用探讨。

(7)一种全新概念的调速器液压控制系统。

(8)采用微型计算机的数字式调速器的分析与实践。

(9)新技术在水轮机调速器中的应用。

雷践仁 1943年生,大学本科毕业,西安启元自控技术研究所所长、研究员;全国水轮机标准化技术委员会控制设备分技术委员会委员、中国水力发电工程学会水轮机调速器分专委会第三届委员兼秘书,参与编制与修订电力行业标准DL/T496—1992水轮机电液调节系统及装置调整试验导则、DL/T563—1995水轮机电液调节系统及装置技术规程、国家标准GB/T9652.1—1993水轮机调速器及油压装置技术条件、GB/T9652.2水轮机调速器及油压装置试验验收规程;电力行业标准DL/T792—2001水轮机调速器及油压装置运行规程、企业标准QB/T001L—2001水轮机数字式电液调速器技术条件(试行)。

专利及科技成果

(1)多功能步进式电液随动伺服阀,专利号:92102712.5。

(2)电液步进缸,专利号:ZL95114820.6。

(3)强复中电液方式流量阀,专利申请号:97108697.4。

(4)力放大式电液转换器,专利申请号:97108547.1。

(5)新型力反馈先导式方向流量或双向位移输出型多级电液控制元件/组件,专利申请号:99115713.3。

编著书目

(1)水电站和变电所的电气部分,湖南大学出版,1988年。

(2)短路电流计算,水利电力出版社,1994年。

(3)同步电机基础,陕西科学技术出版社,1998年。

葛鸿康 1944年11月18日出生,汉族,浙江人。1962～1968年浙江大学液压控制专业学习。1970～2000年在东方电机股份有限公司任设计组长,主任工程师,高工。2000～2003年任总设计师,副总工程师,正高工。多年来从事水轮机调速器油压装置设计工作,担任过大化、铜街子、万安、漫湾、安康、江垭、菲律宾等多个大中型电站的调速器、油压装置的主任设计。历任全国水轮机标准化技术委员会控制设备分技术委员会委员,中国水力发电工程学会水轮机调速器委员会委员。

1993年主持研制全液压集成式调速器,此产品成果于2001年通过国家经贸委专家级鉴定,并经中华人民共和国国家知识产权局审查于 2000 年 4 月 28 日授予专利权,2003 年获发明专利。浮动式推力球轴承轴套 2003 年获实用性专利。

主要著作和论文

(1)水轮机调节系统动态方块图,大电机技术,1980 年第 2 期。

(2)水轮机调节系统过渡过程数字计算方法,大电机技术,1981 年第 3 期。

(3)调速器内闭环稳定性分析,大电机技术,1984 年第 2 期。

(4)贯流式水轮机调速器的特殊性,东方电机,1989 年第 2 期。

(5)接力器反应时间常数 T_y 计算方法,东方电机,1990 年第 1 期。

(6)DF 型电液伺服阀,东方电机,1997 年第 1 期。

(7)新型水轮机调速器液压控制系统,机床与液压,1997 年第 3 期。

(8)论筒型阀控制操作方式,云南水力发电,2000 年第 2 期。

(9)高速开关数字阀调速器系统,水电站机电技术,2003 年第 2 期。

水电站控制设备制造厂商及其主要产品简介

中国水利水电科学研究院及北京中水科工程总公司 中国水利水电科学研究院是国家级科研机构,下设十几个专业研究所。于 1984 年创办的北京中水科工程总公司,是一所注册资金 2 300 万元的全民所有制高科技企业,中国水利水电科学研究院院长高季章兼任公司法定代表人及总经理。与中国水利水电科学院下属专业研究所相配套设有 5 个全资子公司、2 个分公司、3 个事业部。

经理工作部主任:张凤云 电话:(010)68429689

经营开发部经理:田忠禄 电话:(010)68461960

公司地址:北京海淀区车公庄西路 20 号 邮编:100044 网址:www.iwhr.com

天津机电研究所及北京中水科工程总公司研发部 根据水利部决定水利部天津机电研究所成建制并入中国水利水电科学院,杨晓东副院长兼任天津机电所所长及法定代表人,原天津机电所研发部迁入中国水利水电科学院从事研发工作,并成立了该研发部,直属北京中水科工程总公司。

该部多年来从事水电站自动化方面的研究、开发、生产和服务,组织生产经营液体滤水器、双向供水四通电动球阀、发电机励磁装置、弹性金属塑料轴瓦、电站自动化装置和监控系统等拥有自主知识产权的产品和工程项目,技术性能均居国内领先地位,部分产品先后被国家科学技术部、经贸委、技术监督局、税务总局等部委认定为国家级重大新产品。近年来,已完成的水利电力科技项目 30 余项,获部级科技进步奖 7 项,取得国家授权发明和使用新型专利 32 件。1999 年,通过 ISO9001 质量保证体系认证。生产的数十种成熟产品,行销全国,并出口到尼泊尔、叙利亚、土耳其、埃塞俄比亚、马其顿等国家。同时代理经销国外各种产品。

主要产品:

• 水电站机组自动化元件及装置。各种液位开关、液位计、吹气式水位测量装置;各种压力表、压力开关、差压开关、压力变送器、差压变送器;流量开关、电磁流量计、超声波(明渠)流量计、差压测流装置;温度开关、温度变送器、深水温度计;转速信号装置、闸门开度仪;各种电磁阀、高压电磁阀、电磁配压阀、电磁空气阀、自动补气装置;油混水监视装置、振动/摆度监视系统、测温制动屏;同步发电机微机可控硅励磁系统等。

• 水电站油气水系统设备。全自动在线清污滤水器、管道过滤器;弹性金属塑料轴瓦;各种泵类产品;螺杆(活塞)式空气压缩机;系列水用阀门,如:电动四通换向球阀、泵控阀、减压阀、逆止阀、安全阀、电控隔膜阀、雨淋阀等。

• 水利水电工程项目。闸门控制系统;辅机控制系统;工业电视监视系统;变频供水系统;电站(泵站)机组的非电量监控系统。

中国水利水电科学研究院、中国水力发电工程学会、全国水利水电技术信息网共同主办的中国水力发电工程学会会刊:《水电站机电技术》(ISSN1672—5384,CN11—5130/TV),编辑部设在天津机电研究所;地址:天津蓟县 858 信箱;邮编:301900;主编:杨晓东。

地址:北京市复兴路甲 1 号 邮编:100038 主任:唐利剑 副主任:李建国、李万平

总工:郭江 电话:(010)68526548、68515511 转 1704 或 1707 传真:(010)68526530

中国水利水电科学研究院自动化所及北京中水科自动化工程公司　主要从事水利水电以及其他工业领域的自动化系统和自动化装置的研究、设计、生产和应用。长期以来，承担国家和电力总公司、水利部重点研究攻关项目，协助有关部门做好行业归口技术管理。自动化所是水利部水电站水力设备质量检验测试中心挂靠单位，是中国水力发电工程学会计算机应用(信息化)专委会、水力发电工程学会防汛减灾专委会、电力行业水电站自动化设备标准化技术委员会、电力行业调速器技术标准化委员会的秘书处所在地。

自动化所的主要研究和开发领域包括：水电站计算机监控系统和水电站综合自动化系统工程；水库及流域水情自动测报系统；电网水调、水库及防洪自动化系统工程；水电厂水轮发电机组调速、励磁系统及有关自动化装置；城市供水、灌区及引水渠道计算机监控系统工程；农村小水电综合自动化系统；小型电网调度自动化系统；水电厂管理信息系统；水电厂培训仿真系统；水电厂状态检修及其他领域生产过程自动化系统。

水科院自动化所建所20多年来，承担国家攻关项目、国家自然科学基金项目和国家技术开发项目16项，承担省部重点项目27项，承担出口项目5项，其他国际合作项目9项。获国家科技进步奖7项，省部级科技进步奖20项。近年来完成计算机监控系统、水情自动测报系统等水电自动化系统工程项目数百项，其中百万元以上大中型系统120余项，本所开发生产的系列水轮机调速器、故障录波器等各类自动化装置2 000余台套，服务于全国数百个水电用户。

本所现有职工84人，其中教授级高工7人，高级工程师34人；具有博士学位的3人，硕士学位22人。本所下设监控工程部、水情与通讯工程部、调速与励磁工程部、电网自动化工程部4个专业部室，各专业部室都设有现代化的实验室和先进的实验设备，全所共拥有各类实验室面积5 000多平方米。北京中水科自动化工程公司及北京市科禹电力自动化技术开发中心均为北京中水科工程总公司全资子公司在北京市新技术开发试验区注册并经认定的高新技术企业，具有独立法人资格，创办人员是自动化所的科技人员，多为国家级及部级科技进步奖获奖人。

自动化所暨公司通过了ISO9001：2000质量体系认证，主要产品连续多年被国家电力公司成套设备局、水利水电规划设计管理局列为水电工程主要辅机设备推荐产品，并列入推荐厂家名录，主要有：

- 水电站辅机控制系统工程；
- GWT/CVT系列水轮机调器；
- 水轮机调速器综合测试与仿真装置；
- 水轮机振动摆度测量装置；
- JSWL系列可控硅双微机系列励磁装置；
- GLQ3型微机型电力系统故障录波装置；
- PWL3系列电力系统故障录波屏；
- BSS-3型标准校时装置；

- H9000系列水电厂计算机监控系统；
- OTS2000水电厂培训仿真系统；
- H9000PS抽水蓄能电站计算机监控系统；
- H9000灌渠及引水工程自动化系统工程；
- SD2000水库及防洪调度自动化系统；
- HZ2000水质自动监测系统；
- HR9800系列水情自动测报系统；
- HG9800水电站(水库)闸门自动监控系统。

水科院自动化所将以诚信为本，以"质量第一、用户至上"为经营理念，紧跟国际先进技术前沿,求新务实,锐意进取,保持产品的市场竞争优势,竭诚为广大用户服务。

所长:王德宽   副所长:罗予如、张亚力   网址:aec.iwhr.com
地址:北京市复兴路甲一号 邮编:100038   电邮:aec@iwhr.com
传真:(010)68515653   市场部电话:(010)68518868

南京南瑞集团公司电气控制分公司 它为全民所有制企业,注册资金 200 万元。公司已通过 ISO9001 质量认证。是专门从事电力电子技术和机电一体化控制技术的科研和产业化部门,重点开展能量转换控制与优化、发电机及电动机励磁、水轮机调速系统、闸门及辅机控制、电网无功补偿和谐波补偿专业的科研和产业化工作,开发的技术和产品主要应用于电力系统、水利工程和其他工业领域。

通过长期从事电力系统及自动控制领域的技术研究、产品开发和工程应用工作,培养锻炼了一批具有扎实理论基础和丰富实践经验的高、中级专业技术人员;通过跟踪和赶超本专业领域的国际先进水平,逐步形成了自己的学派风格。多年来一直积极参与国内重大工程项目的技术交流、设备供货、技术开发,曾从事并完成了九项国家重点科研项目以及三峡电站的有关前期研究工作,在水轮机调速器和发电机励磁两大领域中,共获得了13 项国家和部级科学技术进步奖,其中国家科技进步三等奖 1 项,部科技进步一等奖 2项。目前,又在电力电子技术、机电一体化技术及最优、自适应和非线性控制理论应用于电力系统的研究中,取得了静止无功发生器(ASVG)和 6.3MPa 调速器液压柜等多项先进科研成果。

主要产品及业绩:

- 调速系统主要用于四川华能青居电站、四川金银台电站、宁夏沙坡头电站、天生桥一级电站、福建竹洲电站、福建贡川电站、大峡电厂等。
- 励磁装置主要用于贵州乌江渡电厂增容及扩建工程、福建棉花滩电站、天生桥一级电站、云南漫湾电厂、青海龙羊峡电厂、四川龚嘴电厂、吉林丰满电厂等。
- 公用设备及机组附属设备控制装置主要用于广东长湖电厂、福建棉花滩电站等。

地址:南京市南瑞路 8 号 邮编:210003   网址:nari-china.com
电话:(025)83092537   传真:(025)83407137 电邮:Ecc-scb@nari-china.com

广州电器科学研究院(简称广州擎天集团) 成立于 1958 年,是原机械部直属科研院所,现隶属中国机械装备(集团)公司。经过四十多年的建设和发展,现已成为多专业综合性电工研究院和科工贸一体化的现代科技企业集团,研究院下设 8 个研究分所 5 个大产业公司,两个国家级产品质量监督检验中心。现有职工 1 000 余人,科研人员约占 70%,其中有高级工程技术人员 200 余人。

广州擎天电气控制实业有限公司 其为广州电器科学研究院(广州擎天集团)创办的产业公司之一,注册资金 5 210 万元,是专门从事电力电子整流设备开发及生产的厂家。20 世纪 70 年代初开始进行可控硅整流装置的研制,自 1971 年公司研制生产的第一台静止励磁装置在广东泉水水电站 6 000kW 机组上投入运行以来,已为全国各地 500 多座电厂(站)近 3 000 套机组配套了可控硅励磁装置。目前,该公司的励磁产品不仅遍布全国,还多次成功进入国际市场。

公司现从事励磁系统研制及生产的员工有 108 人,其中享受国家政府津贴的励磁专家 3 人;现有生产场地 4 000m²,办公场地 3 000m²,具有 2 亿元的年励磁系统生产能力。随着技术不断发展,公司先后研制了新型微机励磁调节器、大规格功率柜、新型灭磁过压保护装置等新技术并在许多电站成功应用,企业规模不断扩大,可靠的品质和完善的售后服务体系也为公司赢得了良好的信誉。电气控制装置(同步电机励磁系统、整流电源)的设计、生产获 GB/T19001－2000－ISO9001:2000 标准的质量管理体系认证证书;国电公司成套设备部、水电水利规划设计院于 2002 年 2 月就公司生产的励磁装置颁发了水电工程主要机电设备推荐厂家名录(2004 版)证书;2003 年 4 月中国电器工业协会就 FJL 型励磁装置(适用于 100MW 以上水轮发电机)颁发了质量可信产品推荐证书。

静止可控硅励磁整流装置代表性业绩(MW 值均系单机容量):

- 四川二滩水电厂(550MW);
- 广西岩滩水力发电厂(302.5MW);
- 青海公伯峡水电站(300MW);
- 河南登封电厂(210MW);
- 湖南凤滩水电站(200MW);
- 贵州东风电厂(170MW);
- 山东众和电厂(150MW);
- 河南洛阳新安电厂(135MW);
- 福建龙岩坑口电厂(135MW);
- 新疆吉林台水电站(115MW);
- 印度 BALCO 火电厂(135MW);
- 印尼北苏风港电站(115MW);
- 格鲁吉亚卡杜里(12MW);
- 尼泊尔波迪·科西电站(22.5MW);
- 老挝南梦水电站(20MW);
- 陕西蒲城电厂(330MW);
- 吉林白山抽水蓄能泵站(300MW);
- 湖南三板溪水电站(250MW);
- 湖北宣恩洞坪水电厂(110MW);
- 河北唐山西郊热电厂(200MW);
- 内蒙古华电乌达电厂(150MW);
- 黑龙江莲花发电厂(137.5MW);
- 江西柘林电厂(120MW);
- 广东宝利华电厂(135MW);
- 尼尔基水利枢纽工程(71.42MW);
- 土耳其 ICDAS 火电厂(135MW);
- 缅甸 YEWEN 电站(125MW);
- 埃塞俄比亚 TISABAY Ⅱ 电站(36MW);
- 柬埔寨基里隆(6MW);
- 越南 SESAN 电站(54MW)。

继往开来,擎天电控公司将秉承"坚持技术创新与质量第一,满足用户需求"的质量方针,通过不断提高产品的质量和服务水平,竭诚为广大用户服务。

单位名称:广州电器科学研究院、广州擎天电气控制实业有限公司　法人:马坚
地　　址:广州市新港西路 204 号　邮编:510300　网址:www.china－exciter.com
企业等级:甲级一类研究院　　　　电话:(020)8418494　传真:(020)84458626

天津电气传动设计研究所　始建于 1954 年,是原国家机械工业部直属研究所,现隶属于中国机械装备(集团)公司的大型国有企业,是我国电气传动及其自动化、低压配电和水力发电成套设备的主要科研开发基地,并通过 ISO9001:2000 质量体系认证。

天津电气传动设计研究所现有职工近 700 人,其中工程技术人员 300 余人,国家级、部级专家 21 人,单位占地 64 774m²。拥有良好的科研、试验条件和设备先进的生产车间。

天津电气传动设计研究所是我国电气传动、低压配电装置和水力发电设备等行业的技术归口研究所。"国家电控配电设备产品质量监督检测中心"、"水力发电设备产品质量监督检测中心"、"中国电器工业协会水电设备分会"挂靠本所。检测中心拥有先进的检测手段,多年来承担着行业产品的试验、检测和认证任务。

天津电气传动设计研究所非常重视应用技术的研究、开发,广泛与国内外进行技术交流和合作,不断更新技术,提高水平,紧跟世界技术的发展。半个世纪以来,该所在水力发电设备成套、电气传动自动化、低压配电方面取得了近 700 项科研成果,其中部级以上科研成果 140 余项,为行业发展作出了贡献。

天津电气传动设计研究所主要产品有电气传动成套电控设备、水轮机调速器、油压装置、励磁装置、水电站计算机监控系统和水力发电机组辅助设备和装置等,并以其技术先进、设计合理、质量可靠、服务优质在国内外享有盛誉。

同时承接水电站机电设备的技术成套和设备成套供货、转轮水力性能研究和试验、机组结构设计及设备监造等项目。并独立开发出 GZ003 灯泡贯流式转轮、GZ006、007、008 系列轴伸贯流转轮、整装灯泡贯流式 GZM 转轮、GZN005 潮汐双向发电转轮、ZZT03 轴流式转轮和 XJ$_A$、CJ$_{01}$ 等冲击式转轮。据不完全统计,利用上述成果设计的轴伸贯流式机组已有 500 多台在国内外电站运行。GZ003、GZ006 及 GZN005 转轮均分别用于我国第一台万千瓦级 GZ003 - WP - 550 大型灯泡贯流式机组,我国第一座双向发电潮汐电站(当今世界第三大潮汐电站)以及第一座轴伸贯流式电站。

天津电气传动设计研究所研制开发的 GEC2 - A 型全数字微机励磁调节器,分为单微机单通道、双微机双通道等类型,其核心元件引入德国西门子公司全数字技术,性能优异、功能完善、结构简单、运行可靠。

天津电气传动设计研究所研制开发的全数字步进电机 PLC 系列调速器具有国内先进水平,被国家电力公司列为水电工程主要辅机设备推荐产品,并被中国电器工业协会推荐为质量可信产品。产品分为 TDBYWT 中小型系列、TDBWT 大型系列、TDBWST 双调节系列、TDBWCT 冲击式系列和 TDGYT 高油压系列等五个系列,适用于各种水轮发电机组。全数字步进电机 PLC 系列调速器是以 PLC(PCC)为控制核心、步进电机为电液转换元件和触摸屏为人机对话工具,采用先进的硬件配置和成熟的软件技术,特别适用于"无人值班,少人值守"的电站。其"步进电机—凸轮直控主配压阀"技术和"PLC 本体测频"技术获国家专利。该产品已有 500 多台在电站运行,并已出口伊朗、越南、土耳其、古巴等国,深受用户好评。

地址:天津市河东区津塘路 174 号　　邮编:300180　　　法人:仲明振

联系人:杨远生、刘卫亚　　　　　网址:www.tried.com.cn
电　话:(022)84376106　　　　　传真:(022)84376176

武汉长江控制设备研究所(简称长控所)　隶属于长江水利委员会,是在武汉市东湖新技术开发区注册的高新技术企业,注册资本180万元,年产值3 000万元,是国家水利部水轮机调速器及自动化设备的定点生产厂家,也是中国电器工业协会、中国水利企业协会、中国水利发电设备专委会等的会员单位。

长控所自1984年成立以来,主要从事水轮机调速器、发电机励磁装置、电站自动化装置及自动化元件的研制和销售。企业在2000年通过了ISO9001质量体系认证,并连年通过了论证单位的跟踪审核。该所被国家电力公司列入国家水电工程主要机电设备推荐厂家,拥有国家调速器标委会委员4人,高级工程师11人,工程师22人,技术力量雄厚。长控所是中国企业信用AAA级单位,被武汉市东湖新技术开发区连续5年评为"重合同守信用企业"。

长控所生产的调速器类别齐全,有5个系列20多个品种,微机电液调速器技术性能达到国际先进水平,生产调速器800多台,其中500余台大型调速器用于葛洲坝、三门峡等320多个大中型水力发电厂;励磁产品有3个系列10多个品种,目前已生产的励磁装置有60余台套,其各项技术性能指标均满足或优于国家标准和行业标准。多年运行的实践证明,本所的产品运行稳定可靠,服务及时周到,深受广大用户和行业专家的好评。

长控所重视科技成果向生产力的转化、科技成果与市场的结合。该所装备有中国第一流的水轮机调速器试验设备,曾制造过目前国内最大的冲击式调速器、贯流式调速器、轴流转桨式调速器和潮汐式调速器。有20多项科研成果获国家级和部级科技进步奖,获得国家专利9项,3个系列产品被行业协会评为质量可信产品。产品遍及国内23个省区,并出口到伊朗、印度、缅甸、尼泊尔、老挝等国家。

地址:武汉市汉口解放大道1863号　　　　法人:贾宝良
邮编:430010　　电话及传真:(027)82829785　　网址:www.cjkz.com

杭州亚太水电设备成套技术有限公司　其为水利部农村电气化研究所具有独立法人资格的主要技术部门,水利部农村电气化研究所于1981年11月在杭州成立,是我国惟一的全国性农村水电和电气化科研机构,注册资金100万元,拥有教授级高工、博士、硕士等一批高级专业技术人才,一直从事小水电与农村电气化发展、设备和产品研制开发工作。公司通过中国质量认证中心(CQC)颁发的ISO9001:2000质量管理体系认证,集科、工、贸为一体,拥有1 000多平方米的实验室和设备检测中心,主要将先进可靠、经济实用的研发成果应用于国内外各中小型水电项目,与越南合作的小水电自动化项目,被列入中越两国政府长期合作项目;完成了二项水利部科技基金项目——"GZWX高压机组智能型微机自动控制系统"和"浙江衢溪水电站自动化改造研究及示范"及水利部"948"项目——"水电站无人值班技术";组织实施了水利部创新项目"小水电站远程抄表与监控系统"和水利部重点推广项目"农村小水电站自动控制系统应用示范"的研究;结合国内小水电站的实际情况，开发了"经济实用、安全可靠"的自动化产品与设备。

主要产品：

- DZWX 系列低压机组智能型控制系统；
- SDJK 系列水电站计算机监控系统；
- 引进加拿大 Powerbase 电站无人值班自动控制保护系统；
- BZJK 系列泵站监控系统；
- TC 系列弹簧储能型水轮机操作器；
- HPU 系列高压氮气罐储能型水轮机操作器等。

产品已在浙江、福建、广东、贵州、安徽、重庆、陕西等省的几十座小水电站应用。

地址：杭州市学院路 122 号　　　邮编：310012　　　法人：徐锦才

网址：www.hrcshp.org　　　　　　　　　　　　电话：(0571)88800620、88073833

传真：(0571)88800936、88800620　　　　　　　电邮：auto@hrcshp.org

哈尔滨电机厂有限责任公司控制设备事业部　其为哈尔滨电机厂有限责任公司下属的专门生产水轮机、发电机、调相机等发电设备的控制设备的部门。早在 1994 年通过 ISO9001 质量认证，并于 1994 年 10 月改组为股份制企业，公司注册资金 2.373 5 亿元。主导产品是水轮机调速装置及机组自动化元件、油压设备、发电机的励磁装置、汽轮发电机的氢、油、水系统装置等。

控制设备事业部集科研、设计、工艺、生产、采购、经营于一体。现有职工 243 人，其中从事科研、设计、工艺、调试的技术人员近 80 人，本科学历的占三分之二以上。其中，教授级高级工程师 3 人，高级工程师 28 人，工程师 32 人。人员构成层次高，科研水平高，工程经验丰富，有能力分析和解决控制设备及系统在运行中出现的各种问题和难题，有能力为电力系统的技术进步与安全生产作出贡献。

控制设备事业部机加工设备齐全，40 余台设备中有 Φ125 镗床、C65 车床、专用螺旋铣床、滚齿床、精密数控铣床等必要的加工设备，吊车为 20t。控制设备事业部有三大试验站：氢油水控制设备试验站，占地 650m²，具有各种试验设备和测试工具，具备仿真 650MW 汽轮发电机组密封油控制系统和定子冷却水控制系统试验的能力；励磁试验厂房 450m²，不但配有印刷电路板检测专用设备、各种仪器仪表及励磁装置出厂常规实验设备和综合试验设备 20 余台(套)，同时还拥有发电机和电力系统仿真仪，可实现励磁装置在发电机和电力系统各种工况下的仿真试验和 5 000A 的大电流试验能力；调速器试验站，占地 432m²，在压力等级方面有 2.5MPa、4MPa、7MPa 三大试验场地，备有各种仿真及综合测试设备。

控制设备事业部年产值 2.1 亿元，生产能力还有很大潜力，现在逐年都在上升。

50 年来，控制设备事业部的产品遍布全国各地，如新安江、葛洲坝、白山、平圩、哈三、秦山等水、火、核电厂，并先后出口刚果、土耳其、菲律宾、美国、朝鲜、越南、巴基斯坦、泰国、伊朗、缅甸等数 10 个国家。近 10 年来，控制事业部先后与 ABB、SIEMENS、GE、ALSTOM、ELIN、WESTINGHOUSE、MITITUBISHI 等多家外国公司在国内外多个项目上合作,并取得了良好的成果。

地址:哈尔滨动力区三大动力路 99 号　　邮编:150040　　法人:吴伟章
传真:(0451)82121017、82135524　　电话:(0451)82872908、82873490

东方电机控制设备有限公司　其为国家骨干企业、大型发电设备重要生产基地——东方电机股份有限公司控股的子公司,位于水力资源丰富的大西南中心——四川省,是四川省高新技术企业,国家重大装备制造基地德阳市的龙头企业,注册资本 1 300 万元。公司从事电站控制设备的设计、制造可追溯到 20 世纪 60 年代,并承担了国家"七五"、"八五"、"九五"多项科技攻关工作,至今已有 1 400 多台套控制设备有效地保证了国内如乌江、龚嘴、铜街子、映秀湾、龙羊峡、万安、漫湾、李家峡、宝珠寺、大朝山等大、中、小型水、火电厂,以及出口美国、加拿大、伊朗、叙利亚、土耳其、菲律宾、印尼、巴基斯坦、孟加拉国、阿尔及利亚、缅甸等国家众多电站机组的正常运行,为国家的电力制造业和电力工业的发展作出了不可磨灭的贡献。1994 年底公司通过 ISO9000 质量体系认证,1997 年、2000 年通过换证检查。本公司具有Ⅰ、Ⅱ类压力容器设计、制造许可证,且已荣获全液控双调电液随动系统等五项实用新型专利。2001 年,公司 GES 型励磁系统、HGS 型水轮机调速器通过国家经贸委组织的新产品成果鉴定。同年,公司与西门子合作,提供三峡左岸 14 台励磁装置,标志着东电控制公司在电站控制设备上的设计水平和生产制造能力又完成了一个质的飞跃。

　　东方电机控制设备有限公司拥有一支朝气蓬勃高素质的科技人才队伍,300 多名职工中,大专以上学历占总人数的三分之二,其中博士研究生 2 名,硕士研究生 33 人(含工程硕士 15 人)。教授级高级工程师 5 人,享受政府特殊津贴的专家 2 人、高级工程师 47人、工程师 65 人。公司坚持以"始于用户所需、终于用户满意"为中心的经营理念,改革、完善劳动用工制度,建立严明高效的内部管理机制,全面实施目标成本控制;努力开拓市场,以元器件全球采购、装置免维护设计以及产品实现"傻瓜式"操作和维护为理念,升级完善现有产品,强化产品标准化、系列化工作,广泛与国际一流公司合作,提升技术水平,通过建立完善的质量保证体系,加强质量过程控制,提高服务意识和服务质量,公司技术开发、经营、生产取得了长足发展,倡导"与时俱进、追求卓越"的企业文化,坚持 24 小时服务精神,不断丰富产品品种,提高产品性能,始终不渝地致力于我国的电力事业发展。

公司地址:四川德阳黄河西路 188 号　　　董事长兼总经理:吴建东
邮编:618000　　　　　　　　　　　　网址:www.dfem-ce.com
电话:(0838)2410801、2410986　　　　传真:(0838)2409268
电邮:kzgs@dfem-ce.com

能达通用电气股份合作公司　其为隶属于中国长江三峡工程开发总公司的高新技术企业。公司创办于 1991 年,位于素有三峡明珠之称的宜昌市,与雄伟的葛洲坝电厂紧密相连,占地面积约 10 000m²。公司现有员工 130 人,中、高级职称的技术人员占85.72%

（其中教授级高工占 2％,高级工程师占 15.24％,工程师占 70.48％）,管理和营销人员占 14.28％。于 1997 年组建葛洲坝电厂自动化研究所。

1998 年 9 月 1 日通过 ISO9001 国际质量体系认证,2001 年 12 月再次通过北京9000 质量认证中心 2000 版的审核,并颁发 2000 版质量体系认证证书;1999 年加入中国电器工业协会;2000 年被国电公司水利规划总院列入"水电工程主要机电设备推荐厂家名录";2002 年湖北省政府授予"最佳投资信誉企业";同年被中国资信评价中心认证为"中国企业信誉 AAA 级单位"。

多年来成功地研制出一系列新型实用、稳定可靠的电力系统自动化成套设备,先后通过了原电力工业部和机械工业部两部鉴定。其中 WBT 系列步进式水轮机调速器、MEC 系列微机励磁装置、WYB 发电机变压器保护、WZCF 微机蓄电池充放电装置,HLDD 精密直流互感器、LDS 系列水电厂监控系统等被国家经贸委评为国家级重点推广新产品。2002 年 WBT 调速器和 MEC 励磁 2 项产品又被国家科技部列为国家火炬计划项目。

在产品的研发中涌现了一大批优秀人才,其中 1 人被国家人事部授予"有特殊贡献的中青年专家"、4 人获国家专利认证、4 人次获原电力工业部科技进步一等奖、5 人次获华中电力集团科技进步一等奖、4 人次获华中电力集团科技进步三等奖。公司的快速发展赢得国家有关部门的广泛关注,在短短 5 年内获得国家、省、市政府的奖励近 10 项。本公司获得三峡电厂引进的法国阿尔斯通调速器和德国西门子励磁装置的技术转让。研制的产品在葛洲坝、天生桥电厂等大型机组上经过长期运行考验,深受用户好评。目前公司产品已在葛洲坝、天生桥、丹江口、丰满、白山、太平湾、大山口、潘家口、盐锅峡、三门峡、新安江、柘溪、东江、万安、柘林、江口等水电厂及变电站运行,并以其优良的品质、完善的服务赢得用户信赖。

主要产品:
- WBT 系列可编程(微机)水轮机调速器;
- PCC 智能调速器;
- MEC 系列同步电机微机励磁成套设备;
- WYB 系列发电机变压器微机保护装置;
- LDS 系列水电厂计算机监控系统;
- 全数模智能低压配电设备;
- 变频供水、供风设备;
- 水电厂各类自动化元件;
- 线路保护及变电站综合自动化;
- 同期及电源快切装置;
- WZCF 可编程(微机)相控蓄电池充放电装置及直流系统成套设备;
- IPDOS 高频蓄电池充放电装置及直流系统成套设备。

公司地址:湖北省宜昌市西坝建设路 3 号(葛洲坝电厂厂内)　　　法人:顾宏进
邮编:443002　　　电邮:ycland@vip.163.com　　　电话:(0717)6953711、6953712
传真:(0717)6953713　　　　　　　　　　　　网址:land.cepee.com

维奥机电设备(北京)有限公司　　在 2000 年 1 月苏尔寿水电公司的所有水电业务并入到维奥技术集团公司后,原维奥技术水力发电业务部更名为维奥技术水电公司(VAT-ECH HYDRO),包括了电力部分(维奥技术伊林电气公司)和机械工程部分(维奥技术奥钢联机械制造工程公司和维奥技术爱雪维斯公司,即原来的苏尔寿水电公司)。在灯泡贯流式、冲击式和标准水轮机的机电系统以及改造方面，成为市场与技术的领导者。

新组建的维奥技术水电公司作为水力发电市场全球第二大供应商，其优势在于能够为新电站提供交钥匙方案，并为已建电站提供高出力和收益率的一揽子改造方案。产品和服务范围包括水电站的所有部件，从压力钢管、闸门、关闭阀、水轮机、发电机、控制系统、开关站、变压器到传输线和配电系统。在中国市场，维奥技术水电公司产品已在多个大中型水电站中使用，用户反映良好，如隔河岩、岩滩、飞来峡、青铜峡、十三陵、天荒坪等电站。

维奥机电设备（北京）有限公司是维奥技术水电公司的全资子公司。公司是在维奥技术集团努力实现产品本地化的背景下成立的。公司致力于开发、生产用于电力、环保、冶金工业的自动化系统、保护系统、励磁系统和调速系统；销售自产产品；提供自产产品的技术培训、技术咨询；目前，北京公司正成为继德国、奥地利后维奥技术水电公司全球第三个水轮机调速器生产中心。维奥机电设备（北京）有限公司采用总部转让技术，进口基本软件和硬件以确保产品的高质量。系统配置、应用软件的开发、组装和测试是由北京公司高度合格的工程师承担。工程师在总部接受到详细系统的培训，可以确保所提供的产品和服务与总部具有相同的质量。

公司地址：北京市朝阳区光华路 7 号汉威大厦西区 18 层　　邮编：100004
电话：(010)65613388　　　　　　　　　　　　　　　传真：(010)65614192

北京华科同安监控技术有限公司　由华北电力科学研究院投资创办，注册在北京中关村科技园区的高新技术企业。公司专业从事水轮发电机组、汽轮发电机组及其辅机的状态监测与故障诊断技术的研究、产品开发和技术服务。

北京华科同安公司拥有一支高学历、高素质的科技研发队伍。公司主要管理人员和技术人员及其合作伙伴，均具有从事水电机组状态监测分析和诊断系统研制所必须的理论基础、专业知识和长期实践经验。近年来，公司技术人员负责完成了几十台水电、火电机组的状态监测分析和故障诊断系统的开发和安装调试，积累了丰富的实践经验。作为华北电力科学研究院的子公司，北京华科同安公司在技术、人员、试验设备等各方面都得到华北电科院的全力支持。

北京华科同安公司与清华大学机械系无损检测工程研究中心、清华大学流体机械工程研究所合作，对水电机组状态监测分析故障诊断系统进行规划设计，开发充实了振动摆度监测分析、压力脉动监测分析、空化与能量监测分析、发电机空气间隙监测分析、发电机磁场强度监测分析、发电机局部放电监测分析、轴承动负荷预测分析、主变压器油色谱监测分析等子系统，在水轮机、发电机及变压器等不同监测系统集成、故障特征信号提取及故障诊断专家系统研究等方面做了大量工作。

北京华科同安公司承担的"浙江紧水滩水电厂机组状态监测与故障诊断系统"、"浙江华电乌溪江水电厂机组状态监测与故障诊断系统"和"贵州东风发电厂发变组状态监测及故障诊断系统"等项目已顺利通过验收，业主对北京华科同安公司开发的机组状态监测及故障诊断系统给予了充分肯定和高度评价。除水电机组外，北京华科同安公司已为 30 余座大型火电厂的 60 余台机组提供了火电机组在线监测分析与故障诊断系统。

目前,北京华科同安公司正在承担北京十三陵蓄能电站、贵州洪家渡水电厂等众多水电厂的机组状态监测与故障诊断系统的开发任务。

北京华科同安公司将充分发挥在水电机组状态监测分析故障诊断领域的技术优势,加快技术进步和技术创新,为广大水电用户提供技术先进、性能稳定、功能强大的机组状态监测分析与故障诊断系统,为推动我国水电设备状态监测和状态检修技术进步作出贡献。北京华科同安监控技术有限公司已通过 ISO9000 质量管理体系认证。

公司名称:北京华科同安监控技术有限公司　　　　网址:www.hktongan.com
地址:北京市西三环北路甲 105 号科原大厦 A 座 12F　　邮编:100037
电话:(010)88415130、88415160、88415190,13910996556　传真:(010)88414988

武汉洪山电工科技有限公司(原武汉市洪山区电工技术研究所) 创立于 1988 年,是武汉市最早的三大民营高科技企业之一。公司位于武汉经济技术开发区,占地 $1hm^2$,厂房面积 4 000m²。公司自创建以来,就一直致力于励磁产品的研究、开发、生产和服务。国内知名的励磁装置供应商,“洪山电工”的励磁品牌已获得客户的广泛认同。公司先后获得湖北省和武汉市 AAA 资信企业、重合同守信用企业、优秀民营科技型企业、纳税先进企业、省政府重点扶持企业等荣誉称号。2000 年通过 ISO9001 认证,2002 年通过 2000 版质量体系认证。

16 年的发展,为洪山电工创立国内励磁装置的强势品牌打下了坚实的基础,特别是在中国工程院院士韩英铎教授、电力科学研究院方思立教授等专家的指导下,全国著名励磁专家章贤教授的带领下,公司已形成了老、中、青三结合的技术骨干队伍。其中著名励磁专家 3 人,从事励磁技术研究、开发的科技人员 37 人,占公司总人数的 31.4%,强大的研发团队确保了公司在励磁技术上的领先地位。

从 1989 年刘家峡水电厂 225MW 机组励磁装置改造开始,洪山电工产品的使用范围几乎覆盖了各种励磁方式及大中小容量的机组;公司在东北创造了国内励磁界五百个台年无故障的记录,该记录一直保存至今。

有代表性的业绩有:辽宁鞍山电业局国内最大的 100Mvar 调相机组自复励系统;四川南桠河电厂 ZL-088 自并激励磁系统;白山 5×300MW 水轮机组励磁系统;河北邯郸电厂微机励磁调节器;四川寸塘口抽水蓄能电站励磁装置;丰镇 200MW 机组 IGBT 励磁调节器;甘肃大峡新建电厂 75MW 水电机组自并激励磁系统;镇海电厂 125MW 自并激励磁系统;广西西津电厂自然冷却功率柜;蒲城电厂 330MW 火电机组励磁系统;西柏坡电厂 300MW 机组高起始励磁装置及自然冷却功率柜;北京密云电厂 4×18MW 水轮机组 IGBT 自并激励磁系统;镇海电厂 200MW 火电机组 3 000A 热管自然冷却整流柜;陕西秦岭电厂 200MW 备励系统(自并激型)。

在研发、技术上也取得了丰硕的成果:“非线性电阻灭磁及转子过电压保护装置”获得 1988 年国家科学进步奖;ZL-088 励磁系统荣获国家六部委联合颁发的 1991 年国家级重点新产品证书;1998 年 HZ 微机直流充放电装置被国家科委列为国家级火炬计划项目,并获国家六部委联合颁发的国家级重点新产品证书;系列微机直流电源装置被国家经贸委列为国家城乡电网改造推荐产品;2000 年励磁调节装置及直流电源装置被电力部列为主要辅机设备推荐产品;2001 年 IGBT 自并励微机励磁系统获国家六部委联合颁发的国家级重点新产品证书;HWJT－08 系列微机励磁装置通过了国家电网公司武汉高压研究所电磁兼容测试。

洪山电工将遵循"无尽企业、无尽服务"的经营理念,竭诚为我国励磁事业的发展作出更大的贡献。

地址:武汉经济开发区汉富街 36 号　　　　　　邮编:430056

董事长:梁文章　　　联系电话:(027)84897804　　　传真:(027)84896740

武汉事达电气股份有限公司　由湖北省电力开发公司参股原武汉事达电气有限公司组建成立,是致力于电力生产过程控制设备开发与生产的高新技术企业。公司位于武汉"中国光谷"内,注册资本 2 200 万元,总占地面积 7 500m²。企业信誉等级经中国资信评价中心评定为 AAA 级,为中国电器工业协会会员单位,国电公司国家水电工程主要机电设备推荐厂家,其产品列入国家级火炬计划项目。

公司主要从事电站辅机设备以及计算机监控与保护系统的设计、开发与生产。85%的员工具有大专以上学历,拥有各类工程技术人员和专家,并长期聘有中国工程院院士和中国水利电力专业委员会专家等一批高级技术顾问。公司董事技术总监魏守平教授系华中科技大学博导,是国内调速器行业的知名专家,全面主持技术开发与创新工作。技术人员均长期从事水电站辅机及自动控制技术的开发及研究工作,积累了丰富的理论知识与实践经验。近年来,公司内部形成了面向市场的技术创新机制,博采众长,勇于创新,研发的调速器技术获得了六项国家专利,并荣获多项省部级科学技术进步奖。

公司倡导"诚信、创新、学习、团结"的精神,注重把现代化管理与企业特色有机结合,形成了科学、完善的质量管理体系和企业运行机制。公司于 2001 年通过 ISO9001 质量体系认证;2003 年通过其 2000 版换版认证。

公司以"创新、服务、增值"为宗旨开拓国内和国际市场,依托优质的产品与优良的服务巩固市场,取得了显著的业绩。调速器产品已广泛地成功应用于国内外百余座电站,混流式机组如四川二滩(550MW)、青海公伯峡(300MW)、湖南三板溪(250MW)、贵州乌江渡(250MW)、贵州索风营(200MW)等电站;轴流转桨式机组如广西大化(120MW)、四川铜街子(150MW)、广西乐滩(150MW)等电站;贯流式机组如湖南洪江(45MW)、广西红花(38MW)、四川金溪(38MW)等电站;可逆式机组如吉林白山(150MW)、湖北天堂(35MW)等电站;国外电站如缅甸德攀赛,缅甸 MONE,中美洲伯里兹洽利洛电站等。油压装置已成功应用于广西乐滩(40m³)、小浪底西霞院(10m³)、陕西喜河(8m³)、四川金溪(8m³)等大型电站。

公司拥有一大批项目管理、现场服务、技术培训及远程控制方面的专业人员,致力于为用户提供优质完善的产品和服务。公司重视每一个客户的利益,深知每一个客户都是市场的重要组成,在这样的理念下不断完善我们的服务体制,提高我们的服务水准。我们竭诚为客户提供优质可靠的产品、专业的技术支持及完善、快速的服务,针对客户的具体需求和具体应用,提供全面的解决方案。

地址:武汉市洪山区书城路 36 号　　　邮编:430070　　　　法人:肖宏江
网址:www.starsco.com　　　　　　　电话:(027)50248888　传真:(027)50248889
电邮:market@starsco.com

武汉三联水电控制设备有限公司　它是国内知名度、信誉度较高,具有竞争力和产品优势,全国微机调速器生产时间最早、装机台数最多、生产品种最多、生产规模最大,机电生产自成体系,拥有国内最完善的检测系统,拥有完善的质量保证体系的水轮机微机调速器专业生产厂家。连续多年被国家电力公司成套设备局、水利水电规划设计管理局列为水电工程主要辅机设备推荐产品,并列入推荐厂家名录;并被推选为水电设备分会理事会成员。

公司成立于 1984 年,现有员工 80 多人,其中中高级技术人员占 60%。公司成立以来,先后在国内率先推出第一台微机调速器,第一台可编程调速器,第一台双可编程调速器,第一台电手动–电自动独立的可编程调速器,第一台全数字逻辑阀式可编程调速器,第一台交流伺服式可编程调速器,第一台全数字式冲击式专用可编程调速器,第一台比例数字冗余可编程调速器,并已形成了产品化和系列化,为我国微机调速器的发展做出了重大贡献,一直在国内微机调速器的研究、设计和制造处于领先水平。

公司研制的可编程微机调速器,拥有独创的补偿式 PID 控制规律确保调速器具有优良的运行性能,已在丰满、刘家峡、龙羊峡、丹江口、凤滩、莲花、乌江渡、高坝州等大、中型水电厂六百多台水轮发电机组上成功运行,性能稳定可靠,深得广大用户的好评;公司还长期坚持了优质的售后服务和现场调试。各种调速器经国家电力公司水电设备质量检测中心检测,完全达到或超过国标的要求,达到了国际先进水平。

在不断发展创新产品的同时,公司也注重对生产能力的扩大与提高,近 200 亩的工业科技园正在建设中。公司拥有大型加工设备 19 台套,整机试验和油压装置一套,以及整机出厂综合试验台,并有调速器仿真系统,可模拟电厂实际运行工况进行检测试验。目前公司的年生产能力已达到每年生产大型微机调速器 70 台,中小型微机调速器 100 台。

2003 年,我们与武汉国测科技股份有限公司进行了参股重组,共享了大批的资源和人才,为三联公司发展注入了新的活力,为公司的又一次飞跃创造了坚实的基础。

2004 年,我们的新产品冗余结构的机械液压系统,比例阀 + 数字阀式可编程调速器相继在湖南凤滩、贵州乌江渡等 200MW 的机组上投入运行,并准备在贵州天生桥 300MW 机组上投运。

20 多年来,技术创新、科技进步、性能优良、质量可靠,一直是我们的追求和目标。

地址:武汉市汉口(堤角)新马路特 3 号　　邮编:430011　　电邮:Slgs2000@yeah.net
电话:(027)82301490、82301311、82316913　　　　　　　传真:(027)82302113

武汉四创自动控制技术有限责任公司　位于武汉国家级东湖新技术开发区,属高新技术企业,是国内具有较强竞争实力和产品优势的发电控制设备专业制造厂家之一。

公司成立于 1995 年,注册资金 100 万元,是一个跨行业跨地区的产、学、研联合体。在自动控制、机械液压伺服系统、机电一体化等方面与国内多所著名高等院校、科研机构建立了良好的合作关系,主要从事水轮机微机调速器、电站控制系统及控制设备的研制、开发和生产。具备较全面的机电研究、设计,制造、检验能力及完善的现场安装调试和用户服务体系。

公司自成立以来先后成功改造和生产了白山、丰满、岩滩、隔河岩、西津、八盘峡、古田溪、大干、贵岭等国内 150 多座大型的中小型水电站机组近 400 台可编程微机调速器、空压机控制系统、闸门控制系统、现地控制单元等。这些产品经过严格性能测试以及多年的运行考核,得到电站的一致好评。

公司一直将"创一流企业、创一流技术、创一流质量、创一流服务"作为企业发展宗旨,有效地将现代化企业管理及前沿技术应用到企业运作中,在企业运行机制上形成了一整套符合企业特色的、行之有效的现代企业管理机制。多年来,公司在技术、管理、生产及售后服务等方面都做了大量的卓有成效的工作,培养了一批年轻富有活力、专业技术过硬、事业心强的工程技术人员,他们在调速器等方面都有着多年丰富的实践经验,能够接受新思想、新技术,并将它们应用到调速器及相应的自动控制系统中。公司多年来一直依托国内多所著名高等院校、科研机构作为企业强有力的技术后盾,与他们建立了良好的合作关系。近几年来,公司在技术上有了更新的突破,先后研制成功便携式调速器仿真测试仪、高性能 N 机冗余状态监测微机调速器、步进式无油电液转换器等一批高科技含量的产品,同时拥有自己产品的专利。公司在不断发展创新的同时,也注重不断对生产能力的扩大与提高,其中"引导阀活塞复中机构"获得国家"实用新型专利证书"。

公司严格贯彻 ISO9001 质量体系,对产品的设计、生产、检验、试验和服务等各个环节实施全过程控制,严把产品质量检验关,保证产品硬件高质量、高可靠性,确保为用户提供高质量、高性能的产品。

地址:武汉市武昌张家湾特 2 号　　　邮编:430065　　　　　法人:吕桂林
电话:(027)88126606、88126608、88126618、88126616　　　网址:www.srtong.com

武汉星联控制系统工程有限责任公司　专门从事水轮机微机调速器、励磁及水电站自动控制系统的研究、设计、制造与系统集成工作。

20 世纪 80 年代以来,公司专业人员开发微机调速器、可编程(微机)调速器、环喷式电液转换器、块式直加型机械液压系统等多项成果,推动国内调速器产业的产品升级和技术进步;21 世纪初,又在国内首先将交流伺服位置控制技术用于调速器电液转换环节,推出"四无"型调速器,极大地提高了产品的稳定性和可靠性;为适应中小型电站技术改造,公司还推出高油压全数字调速器、微机全电动调速器、微机励磁等许多新产品、新技术。多年来,公司发挥自身技术优势,和同行广泛进行技术交流和技术合作,并转让多项技术。支持业内中小型企业以推动行业技术发展和产品升级换代,取得良好的效果。公司以其

先进的技术、真诚的合作、良好的服务,在行业有着良好的信誉,主要产品如下:

一、大型调速器

水轮机型	调速器型号	主要特征
混流式	WT-80/100/150	1.残压测速或齿盘测速;适应式 PID 控制规律
轴流转桨式、贯流式	WST-80/100/150	2.采用具有自动复中功能的无油电/机转换部件 3.无条件、无扰动手动/自动切换;具有在线故障诊断和容错功能 4.具有与上位机通讯的接口(RS232C;RS485;RS422)
冲击式	CJWT/2-4-XX	5.整机技术指标均符合国际 GB/T9652.1—1997 要求

二、中小型水轮机微机调速器

YWT-G 系列数字式高油水轮机调速器的规格型号

型号	YWT-3000-G	YWT-6000-G	YWT-10000-G	YWT-18000-G	YWT-30000-G
操作功能(N·m)	3 000	6 000	10 000	18 000	30 000

该产品主要特点是:调速器系统结构简洁合理,技术性能指标优良。机械液压随动系统采用标准的工业液压元件组成,运行可靠,无故障时间 MTBF＞50 000h;采用皮囊式蓄能器,不需补气也可长期工作,减少调速器运行时日常维护工作量;具有与上位机的通讯接口。

YWT-M 系列伺服电机式可编程调速器的规格型号

型号	YWT-3000-M	YWT-6000-M	YWT-10000-M	YWT-18000-M	YWT-30000-M
操作功能(N·m)	3 000	6 000	10 000	18 000	30 000

该产品主要特点是:调速器不仅技术性能优越,而且机构新颖、结构简单、抗油污能力强,无故障时间 MTBF＞50 000h;而且还是一个便于将已大量投入运行的 YT 系列和 CT-40 型机械液压调速器改造成微机调速器的技术方案;具有与上位机通讯的接口。

三、WXZ-200 型和 WZL-500 型中小型水轮发电机微机励磁装置

主要特点是:有完善的电压、电流、无功和功率因素调节,可满足电站各种运行方式的要求;调节器对机端电压直接采样,取消变送器,整流桥逆变灭磁;配置有串行口,可与上位机通讯。

地址:武汉市洪山区珞瑜路 446 号(洪山科技创业中心 B 座)　　邮编:430070
电话/传真:(027)87455421　　联系人:刘家权　13071255541、刘华英　13026160927

武汉市汉诺优电控有限责任公司　它是由水电控制设备知名专家领办的高新技术企业。公司致力于水电站及其他工业控制设备的开发和生产,以及水电站控制系统的设计

和配套服务。已通过 ISO9001 质量体系认证。

董事长郭建业,教授级高工。全国水轮机标准化技术委员会控制设备分技术委员会委员、中国电机工程学会暨中国水力发电工程学会调速器分专业委员会委员。主持开发的产品有双锥式电液伺服阀、WDT 系列微机调速器、16MPa 的高油压水轮机调速器、电动集成式水轮机调速器,用于贯流式机组的全电液调速器等。曾获全国科学大会奖一项、省部级科技进步二等奖一项、三等奖二项、四等奖二项,获国家专利三项。参与多项国家与行业标准的起草与修订。

副董事长王党生,硕士学位,高级工程师。主持开发的产品有双微机调速器、可编程调速器、中小水电站计算机监控系统,16MPa 的高油压水轮机调速器等。先后获省部级科技进步二等奖一个、三等奖一个、四等奖一个。获国家专利两项。

将现代电子技术和液压技术应用于水电控制设备是本公司的特色。公司研制的大型高油压可编程调速器,已于 2003 年 5 月在福建水闸桥电站投入运行。目前,公司不仅生产操作功分别为 80kNm、100kNm 及 150kNm 的 GKT 系列大型高油压调速器,还生产 GKT 系列中、小型高油压调速器。在常规油压调速器方面,公司可生产 BKT、BKST 系列步进电机式可编程大型调速器及相应的油压装置、YKT 系列可编程中小型调速器以及 CKT 系列冲击式水轮机可编程调速器等。在自动化元件方面,公司生产行程为 300～720mm 的位移反馈装置、多功能电脑频率仪等,并能根据用户需求开发生产其他控制设备和自动化元件。

公司的宗旨是"融聚优秀人才,打造完美产品,为客户提供优质快捷的专业服务"。

地址:武汉市江岸区赵家条尾村 7 号　　　法人:郭建业　　邮编:430010
网址:www. hanon. com. cn　　　　　　　　　　　　电邮:hanon@263. net
电话:(027)82907983、82924542　　　　　　　　传真:(027)82907983

河北工业大学电工厂　始建于 1964 年,是原机械部定点的发电机励磁装置专业制造商。本厂是具有独立法人资格的高科技企业,其主要产品多次获得国家级新产品证书。40 多年来已累计研发、生产各类同步电机励磁装置近 5 000 台(套),产品遍及国内外,其中出口 19 个国家 29 个电站近 140 套各类发电机励磁装置。注重技术创新和人力资源优势使本企业的产品不断升级换代,使企业始终处于我国励磁装置技术的先进行列,并成为我国主要励磁装置制造商之一。

河北工业大学在一百年前的创立之初,就提出了"工学并举"的办学思想,并创办了中国最早的高校校办工厂。新中国成立后本厂就是在这种办学思想指导下设立的校办工厂之一。本厂作为"工学并举"的典范,依托大学综合的科技优势和充足的人力资源,先后开发了 BLZ 系列、MLZ 系列、TKL 系列、KWLZ 系列和处于当代国际先进水平的 DWLZ 系列、WLZ 系列等 20 多个品种励磁产品。本厂在长期的产品研发和制造过程中,形成了以教授、高工和年轻博士、硕士为骨干的企业技术人才群体。1996 年,学校结合本企业的研发实力和工程经验成立了河北工业大学电站装置工程研究中心,该中心作为学校电气学科的科研基地和博士、硕士生的培养基地之一,进一步加强了本厂的科技开发能力。围绕

着电站电气控制装置产品,本厂新开发和正在开发的电气控制产品有:

- 新一代微机励磁装置;
- 直流电源装置;
- 小水电综合自动化装置;
- 无刷双馈电机及控制装置。

- 计算机监控装置;
- 发电机转子绝缘监测装置;
- 有源谐波吸收装置;

本厂目前的主要励磁产品有:

- 32bitsWLZ 型同步发电机微机励磁装置;
- DWLZ 型同步发电机/电动机微机励磁装置。

地址:天津市红桥区光荣道 8 号　　　　　邮编:300131
网址:www.eef.hebut.edu.cn　　　　　电话:(022)26564324、26564323
传真:(022)26379787　　电邮:eef@hebut.edu.cn　　厂长:王华君

天津市天骄水电成套设备有限公司(原天津市水电控制设备厂)　原天津市水电控制设备厂(简称天控厂)成立于 1965 年,是原机械工业部惟一定点生产水电辅机设备的专业厂家。并于 2000 年企业改制后更名为天津市天骄水电成套设备有限公司。1999 年通过 ISO9001 认证;本公司是集产品的科研开发、加工制造、销售服务于一体的民营高科技企业;公司现有职工 120 名,其中专业技术人员 67 名,高级职称人员 11 名;生产设备 82 台,其中大型精细加工设备 20 台;产品有水轮机调速器、油压装置、励磁装置、微机监控系统及水电站各种自动化元件,并具有较好的成套国内外中小型水电站机电设备的业绩。公司以天骄集团雄厚的经济实力为依托,依靠原天控厂在水电行业的无形资产,充分发挥非国有经济的优势,拓展水电产品的种类和范围,目前产品遍布全国并出口到秘鲁、智利、斯里兰卡、土耳其、尼泊尔、泰国、缅甸、越南、阿富汗、马来西亚等 25 个国家和地区,受到国内外用户的广泛好评。

本公司在长期发展中,坚持"以诚为本,信誉至上"的经营理念,竭诚为您服务,愿我们真诚合作,共同发展!

地址:天津市北辰区普济河道勤俭立交桥旁　邮编:300400　电邮:teri@public.tpt.tj.cn
总经理:熊迪祥　　市场部部长:王强　　电话:(022)26340471
传真:(022)26340455　　　　　　　　网址:www.china-tianjiaosd.com

天津市顶佳工业泵制造厂　成立于 1987 年,是专门从事螺杆泵以及螺杠机械的研制、开发、生产、销售和服务的专业性企业,中国电器工业协会水电设备分会会员单位。短短的 17 年时间,公司快速发展,主要产品有 G 型单螺杆泵、3G 型三螺杆泵,船用离心泵、锅炉给水泵、自吸式离心泵共 150 多个品种 450 多个规格,产品广泛用于机械、石油、化工、碳黑、矿山、造船、化纤、冶金、电站、食品、污水处理等行业,并有部分产品配套出口。公司现有职工 160 多人,工程技术人员 30 余人。本公司拥有设计、制造螺杆泵技术经验丰富的新、老科技人员,拥有生产制造螺杆泵的精良设备,并具备螺杆铣刀的线型设计、制造能力,而且有完善的生产、试验、检测手段。

公司近几年来,依托自有的专业,通过顶佳人的艰苦奋斗,不断地改革、创新、引进消化吸收国内外先进技术,在单螺杆泵和三螺杆泵的技术和产品的研究、开发方面取得了丰硕的成果,产品流量、压力的覆盖率,三螺杆泵输油量从 0.7L/s 到 24L/s,压力从 1.0MPa 到 10.0MPa,单螺杆泵流量从 0.5m³/h 到 320m³/h,压力从 0.3MPa 到 2.4MPa,大大提升了市场占有率,为用户创造出更大的经济效益。为此,公司荣获了"天津市明星企业"、"天津市重和同守信誉单位"、"天津市工艺管理先进企业"、"天津市城镇五百强企业"等荣誉称号。

顶佳是一家采用现代化企业管理制度的高新技术企业,建立健全了一整套从设计、开发、生产、制造到服务的严格的质量保证体系,获得了 ISO9001 国际质量认证。顶佳人以"国内最优秀的三螺杆泵、单螺杆泵制造公司"作为企业坚定不移的追求目标,一如既往地为我们顶佳的用户提供高性能价格比的三螺杆泵、单螺杆泵产品,提供全面的、专业性的技术支持和及时周到的售前售后服务。

质量方针:不断改进和完善质量管理,用专业装备向顾客提供满意的产品和及时周到的服务,是我厂永恒的追求。

质量目标:过程产品一次校验合格率 100％,全部合同履约率 100％,服务质量、顾客满意率 100％;持续改进,每年采用新设计、新工艺、新材料用于产品。

地址:天津市红桥区丁字沽三号路 35 号　邮编:300131　　网址:www.djby.com
经营厂长:宋强　　　科长:宋树章　　电邮:dingjia@djby.com
电话:(022)26370969、26379600、26552157、26531724　　传真:(022)26526401

南京申瑞电气系统控制有限公司　它是申瑞自动化总公司控股的主体公司之一,位于南京市江宁高新技术开发区。公司拥有一批电力系统自动化的专家和技术精英,他们具有扎实的理论基础、丰富的实践经验和开拓创新精神,长期从事该领域的研究和开发。

公司依靠雄厚的技术力量,凭借上海和南京的发展环境优势,专业从事电力系统及自动化产品的研发、生产、销售、服务。拥有 GER－1000 综合发电控制系统、GER－3000 微机励磁控制系统、GER－4000 泵站综合控制系统、GER－5000 辅机控制系统、GER－6000 水电厂计算机监控系统、超声波流量计和电力智能化测试仪器等系列化和相关配套产品,并拥有完全自主知识产权。

GER－3000 微机励磁控制系统、PVI 多功能综合电力虚拟测试分析仪等多项产品获得国家专利、软件著作权。公司产品已在全国电力系统中得到广泛使用,由我公司率先推出的 GER－1000 综合发电控制系统已在四川、甘肃等地区多个电站投运;部分产品出口至越南、蒙古等国,并取得用户一致好评。

质量是企业的生命,公司的质量保证体系贯穿于技术开发、生产制造、调试投运、技术培训、文档资料、售后服务的全过程,并已通过 ISO9001:2000 版质量体系认证。追求高品质的产品,提供满意周到的服务,全力打造"申瑞"品牌,是我们不懈的追求。

公司奉行"诚信为本,务实创新"的经营理念,以高效的组织管理、吸引培育人才的激励机制、追求卓越的技术创新、严格的质量管理和出色的售后服务,使企业持续高速发展,成为广大客户信赖的产品提供者、强有力的技术支持者和全面周到的服务保障者。

地址:南京市江宁高新技术开发区中新路 208 号　　邮编:211100
电话:(025)52101169　　　　　　　　　　　　网址:www. sunrise - power. com
电邮:sr@sunrise - power. com　　　　　　　　传真:(025)52101170

长沙华能自控集团　集团成立于 1993 年 9 月,是国家电力公司重点产品定点生产企业,国家级高新技术企业,十余年专注于中国电力系统自动控制领域,目前公司产品已在国内外 1 200 余座水电站、火电厂、变电站、泵站等成功运行,已通过省、部各级鉴定并获取数十项国际、国内荣誉,现已跻身于中国电力行业骨干生产企业之列。

长沙华能中电控制设备公司　公司成立于 1999 年 9 月,是长沙华能自控集团的骨干企业,中国电器工业协会水电协会成员单位,并连年被评为省重合同、守信誉企业,主导产品为 PWL 系列微机励磁系统和 YWT 系列微机调速器,已通过省、部级鉴定并获国家软件著作权证,其中 PWL - 2A/3A 型微机励磁系统和 YWT - 1A 型微机调速器已在全国十多个省、市百余站成功运行,并广泛得到用户好评。如安徽黄山丰乐水库、海南鹤庆水电站、重庆开县红花电站、山西河津热电厂、四川九龙滩电站、湖南炎陵小湾电站等。

公司现已全面通过 ISO9001 质量体系认证,现拥有国内一流的检测设备和老化室,通过公司工程技术人员的努力,产品在故障自动检测、远程诊断、系统成套性和稳定性方面形成较强的竞争优势。目前公司秉承"坦诚、务实、合作、进取"的企业精神,正生机勃勃地朝着一流品牌企业努力。

热忱欢迎用户和同仁来我公司考察、交流、教正。

地址:长沙市高新区银双路　　邮编:410013　　网址:www. cshnac. com
电话:(0731)8906666　　传真:(0731)8686888 转 8413　　电邮:cshnaclt@126. com

长沙星特自控设备实业有限公司　公司成立于 1992 年,原名"中外合资湖南新特自控设备有限公司"于 1996 年进入长沙国家高新技术产业开发区后更为现名。它是一所技术开发型企业,现有土地 4 760m^2,大厂房两栋,办公楼一栋,总资产约 1 000 万元。

公司生产各种规格的水电厂大、中小型微机调速器。其中的大型机械液压柜是以公司总经理、国家级专家周泰经研究员为主发明的。柜内包含的"环喷式电液伺服阀"和"块式直连型电液随动系统"分别于 1988 年和 1996 年获得国家发明奖。该产品已在龙羊峡、白山、岩滩、刘家峡、大化、东江、新安江、富春江、青铜峡、菲律宾 Binga 及埃塞俄比亚 TISABAY Ⅱ 等大中型水电厂(百余台套)投入正常运行。2000 年,又以周泰经为主研制成功无油"电液转换器",由滚珠螺旋自动复中装置(专利号:ZL00225696.7)连接步进电机或伺服电机所构成,可取代常规的电液伺服阀、电液比例阀及所有依赖油液作转换的阀件,首次实现了具有自动复中性能的无油转换,解决了以往电液转换环节抗油污、防卡能力差的问题。该装置转 90°,即可使引导阀走全行程,故具有理想的动态品质。该专利已被列为国家重点专利技术,并于 2001 年获伦敦、日内瓦国际专利技术成果博览会两项金质奖。2001年,公司在无油"电液转换器"的基础上又开发了WW(S)T"四无"型微机调速器,取消了常规杆件系统、明管和机械反馈、机械开限等复杂机构,使机械液压柜更简单可靠。该产品已批量投入国内市场,并已出口创汇,还和VA TECH公司配套推向国内外大型水电厂。2002年9月,WW(S)T"四无"型微机调速器在福建省通过了省(部)级鉴定并于2003年荣获湖南省科技进步一等奖。

公司已通过中国进出口质量认证中心ISO9001:2000质量体系认证。

总经理:周泰经　联系人:周湘林　　　地址:长沙市航空路96号　邮编:410014
网　址:www.csxingte.com　　电话/传真:(0731)5579793、5680520,13907315152

科大创新股份有限公司　它是中国科学技术大学、中科院等离子体物理研究所、中科院智能机械研究所等单位于1999年联合创办的股份制企业,是国家认定的高新技术企业,经国务院授权批准设立博士后科研工作站,获得ISO9001:2000版质量体系认证。公司拥有国内独有的发电机转子1:1灭磁模拟试验室,具有5 800A功率柜温升试验系统和全套发电机励磁调节器的静态调试设备,可进行容量至60万kW发电机组的全套励磁设备的出厂试验。

科大创新股份有限公司科聚分公司(前身是中科院等离子体物理研究所电器设备厂)是国内最早利用国家自然科学基金和国家攻关项目的支持对氧化锌压敏材料科学和工艺进行研究与开发应用的单位,在国内率先将高能氧化锌非线性电阻用于大中型发电机转子灭磁及过电压保护,并持续研究开发了多代产品。公司曾承担了国家重大科技攻关项目"三峡水轮发电机灭磁及过电压保护"等多项研究课题,共获国家和省部级科技进步奖、科技成果奖及新产品奖19项,专利15项。目前,科聚公司又开发出富有特色的发电机励磁功率整流装置和大中小型发电机励磁调节器系列产品、高压大容量限流断路保护装置等产品,并投入运行。

科大创新股份有限公司科聚分公司拥有一支高素质的员工队伍。公司现有员工100余名,其中75%以上员工具有大专及以上学历,并拥有一支以多名博士和硕士为主要力量组成的研发队伍,致力于新技术、新材料、新产品的研究开发。

公司主营产品有以下几种。

(1)发电机励磁类产品:

• SEC系列发电机微机励磁装置;

• KGL/ZGL系列发电机励磁功率整流装置;

• MB/GB系列发电机灭磁过电压保护装置;

• DMX系列磁场断路器、DDL系列电子型磁场断路器;

• MYNZ系列高能氧化锌非线性灭磁电阻;

• GDC高压大容量限流断路保护装置。

(2)避雷器系列产品:

• YW系列无间隙氧化锌避雷器(适用于0.22～220kV电力系统);

• YHW系列合成套氧化锌避雷器(适用于6～110kV电力系统);

- YC 系列串联间隙氧化锌避雷器(适用于 6~35kV 电力系统);
- LHQ 系列电缆保护器(适用于 6~500kV 电力电缆);
- SXY 系列三相限压器(适用于 0.4~35kV 电力系统)。

(3)氧化锌电阻类产品:

- MYG 系列高压型、MYN 系列高能型氧化锌压敏电阻片;
- GGY/GNY 系列氧化锌压敏电阻器;
- GB/MOP 系列过电压保护器;
- CTB 系列电流互感器二次过电压保护器;
- PCT 型电流互感器一次过电压保护器;
- YBC02 型氧化锌压敏电阻测试。

地址:合肥市长江七路 669 号　　　　邮编:230088　　　　　　总经理:冯士芬
电话:(0551)5329566　　　　　　　　传真:(0551)5329618

西安恒新水电科技发展有限公司　　位于西安市高新技术产业开发区东区,是以西安理工大学水力机械及自动化研究所专业从事水力机械及自动化控制系统应用研究取得的科学技术成果为核心成立的股份制高新技术企业。注册资金 300 万元。

公司汇集了西安理工大学从事水力机械及自动化系统科研开发的骨干人员,高学历、高职称人员占公司员工总数的 50% 以上,现有员工 59 人,其中技术人员 47 人;中高级技术人员 43 人,其中教授 4 名,副教授 8 名,高级工程师 8 名,工程师 12 名;员工中有博士学位者 8 名,其余均具有大专以上学历,人才优势明显,科研生产梯队结构合理。2002 年12 月通过 ISO9001 国际质量体系认证。

公司始终以西安理工大学水电学院的专业技术为依托,按照"生产一代、开发一代、研究一代"的技术开发方针,针对我国水电站及泵站水力机械及自动化装置的发展现状,研制成功了在国内处于领先并达到国际先进水平的、完全拥有自主知识产权且适合我国电站(泵站)运行条件、技术领先、性能优良的系列水轮机转轮、水轮机自动调速器、同步发电机励磁装置、水电站及水利水电工程计算机监控系统等新产品,取得了多项省部级科技成果奖和国家实用新型发明专利。2000 年,公司的水电站水力机械及自动化装置被列为西安市重大科技成果转化计划。调速器测频装置 2001 年 9 月 5 日获得国家专利(专利号:ZL 00 2 26847.7),电液转换元件 2002 年 2 月 27 日获国家专利(专利号:ZL 01 2 12964.X),步进式 PCC 调速器在 2003 年 10 月获国家专利(专利号:ZL00292502.3),同步电机励磁调节器 2003 年 8 月 27 日获国家专利(专利号:ZL02 262112.1)。

公司年产各型水轮机转轮 50 台,各类水轮机调速器 100 套,同步电机微机励磁装置100 套,中小型水电站计算机监控系统 10 套,年产值 3 500 万元。

西安恒新水电科技发展有限公司先后与许继电气集团有限公司、阿尔斯通天津发电设备有限公司、富春江水电设备厂、克瓦纳杭州发电设备公司、重庆水轮机厂、南宁发电设备总厂、东风电机厂有限公司、兰州电机有限责任公司、重庆电机厂、江西电机有限责任公司、武汉汽轮机厂、四川龙乐水电设备公司等水电设备制造企业进行了设备配套和广泛的技术合作,并与西安的大型军工企业合作组建了恒新公司水轮机转轮加工基地,与有关专业生产机械液压系统的厂家合作形成了水轮机调速器机械液压系统配套基地,使公司的技术优势与大中型国有企业的生产加工优势得到了很好的结合,实现了资源的优化配置,获得了同行的广泛认同,赢得了良好的社会声誉。

西安恒新本着"诚信为本,质量第一,用户至上,精益求精"的企业精神,以发展社会生产力为己任,致力于民族工业的振兴和技术进步,愿与水利电力界的同仁精诚合作,共谋发展。

企业地址:西安市高新东区火炬路 3 号楼 6 层 D 区　　　　　邮编:710048
电话及传真:(029)83204605　　　　　　　　　　　　　法人:梁武科

西安航天自动化股份有限公司(简称西安航天)　它是以中国航天科工集团二一○研究所(即西安长峰科技产业集团公司)为主发起人,联合业绩优秀的航天企业、资本实力雄厚的风险投资公司,共同发起设立的国家级高科技企业;位于西安高新技术产业开发区电子园,注册资本 5 324.11 万元。

西安航天的经营资产和核心业务是西安长峰业务中与自动化、机电一体化相关的部分,主营业务起始于 1984 年,公司以"航天科技,永创一流"为经营宗旨,依靠"系统工程、可靠性、自动控制和机电一体化"四大技术优势,以工程和产品为载体,形成了"自动控制系统和机电一体化产品"两大产业格局,具有成功研制生产 1 000 多项工程和产品的业绩基础,主要业务包括高新技术开发、自动化工程及设备、机电一体化工程及设备、计算机网络设备、智能仪表及技术服务等。涉及水利、电力、煤炭、石化、环保等行业,客户遍及全国 31 个省、市、自治区,并进入泰国、马来西亚、巴基斯坦、伊朗、缅甸、叙利亚等国家和地区,获得多项国家和省部级科技进步奖,多项工程技术被列为行业首选厂家,已成为一个在国内外均具有一定知名度的高新技术企业。

公司现有员工 370 多人,大专学历以上占 86%,博、硕研究生占 10%,中级以上职称 60%,具有合理的知识和专业结构,形成了梯次型人才队伍。

水利水电自动化事业部　它是公司的主营业务部门之一,承担着水利水电自动化工程设计、制造、安装、调试和售后服务任务。经过 10 多年的开发研制和工程实践,水利水电公用辅机、通风空调、闸门、工业电视、升船机控制系统等主要产品连续多年获得国家电力公司成套局、水利水电规划总院颁发的优选厂家证书,并列入推荐厂家名录。

专业方向:
- 水电站(泵站)综合自动化系统;
- 过坝通航(升船机、船闸)控制系统;
- 公用辅机设备控制系统;
- 通风空调控制系统;
- 闸门控制系统;
- 工业电视监控系统;
- 水电站(泵站)计算机监控系统;
- 砂石料加工计算机监控系统。

典型业绩:
长江三峡,四川二滩,黄河小浪底水利枢纽,广西岩滩升船机,清江高坝洲升船机工程,泰国巴帕南水利枢纽,缅甸邦朗水电站,黄河万家寨水利枢纽,黄河龙羊峡、李家峡、公伯峡水电站,黄河大峡、小峡、尼那水电站,广西天生桥二级、乐滩、平板水电站,云南大朝山水电站、天荒坪抽水蓄能电站,湖南近尾洲、洪江、碗米坡水电站,重庆江口水电站,西藏沃卡水电站,新疆山口水电站。

西安航天始终遵循"用户第一、信誉至上"的服务宗旨,建立了一套完善的服务体系。"一流的技术、一流的管理、一流的服务"是西安航天的精神和追求目标;"为客户着想、令客户满意"已经并将继续体现在公司承担的每一个项目中。

公司总经理:周万里　　　水利水电事业部经理:易春辉、李建华、李冰
地址:陕西省西安市电子一路 8 号　　邮编:710065
网址:www.asam.com.cn　　　　电邮:ht210kz@pub.xaonline.com
电话:(029)88782355　　　　传真:(029)88257715

后　记

　　为中国水力发电工程学会水电控制设备专委会学术讨论会而专门编写的《2004 中国水电控制设备论文集》出版了，中国水力发电工程学会理事长、中国国电集团公司总经理周大兵先生为本次学术会议及论文集专门题词祝贺；中国水利发电工程学会副理事长、中国华电集团公司总经理贺恭先生，十分关心本书的出版，欣然为本书题写书名；中国水力发电工程学会邴凤山秘书长对本书的编写给予很大的支持和很高的评价；编撰中得到了中国水利水电科学研究院及北京中水科工程总公司、南京自动化研究院、广州电器科学研究院、武汉事达电气股份公司、维奥机电设备（北京）有限公司的巨大支持，以及其他 20 余位企业家的热情相助才得以圆满完成。

　　2003 年底，本人专程到武汉、天津出差向相关单位的负责同志谈起 2004 年会议出论文集的有关事宜，可谓不谋而合。而好事多磨，回京后病了一场，组稿、出版、开会又是一个系统工程，哪个环节都不能有所闪失，住在北京宣武医院，学会专委会 001～003 号文所用百余封信均是我在医院以病床为桌起草的；2004 年 5 月 30 日论文编委会专家已到齐，6 月 1 日上午正准备开会，不想夫人腕部骨折，急陪她去医院就诊处治，一边忙于照料，一边还要开好编委会。会毕只好在水科院木樨地南院完成了 70 余篇论文、70 万字文稿整理、定稿工作，此期间得到水科院自动化所赵刚、张颖同志大量的行政支持。日前读钱其琛同志《外交十记》，他写到"从领导岗位退下来，才能做自己想做而没有时间做的事"颇有同感，细细一想还少半句，就是"要有一定的支持才能成事"。应予致谢的人与事实在难以在一篇短短的后记中容纳下。

　　早在 20 世纪 30 年代初，有学者提出大国公民的素质是"自信、宽容、雍雅、关怀"；偶读美国麦克阿瑟将军的回忆录，他被罢官后在西点军校的著名讲话中谈到美国军人要以"国家、荣誉、职责"为基本。1985～1997 年间任中国水利水电科学研究院自动化所所长时力倡"团结、拼搏、敬业、爱所"的治所文化；我想学会专委会也应有"团结、创新、宽容、严谨"的人文精神才能把学术活动组织好，才能形成凝聚力。在日常工作中，大家既能为各自的企业拼搏、竞争，又能在祥和的氛围中交流学术观点，对后来者给以特殊关心和提携。学会专业委员会的生命力关键在于学术交流，并要有一批热心学术活动的专家，这样专委会才会富有朝气。伊文斯曾说过电影是遗憾的艺术，文集的出版也可谓是遗憾的劳作。我相信将来参与的单位一定会更多些，论文也会更精练些，编撰工作做得更好一些。

孔昭年

2004 年 9 月于湖北宜昌西坝